O MUNDO DE SOFIA

JOSTEIN GAARDER

O MUNDO DE SOFIA

Uma Aventura na Filosofia

Tradução de Catarina Belo

EDITORIAL PRESENÇA

Este livro não teria sido possível sem a ajuda e o encorajamento de Siri Dannevig. Os meus agradecimentos vão também para Maiken Ims por ter lido o manuscrito e pelos seus úteis comentários, assim como para Trond Berg Erikson pelas pertinentes observações e sábio apoio ao longo dos anos.

J.G.

FICHA TÉCNICA

Título original: *Sofies Verden*
Autor: *Jostein Gaarder*
Copyright © The Author and H. Aschehoug & Co.
Tradução © Editorial Presença, Lisboa, 1995
Tradução: *Catarina Belo*
Revisão de texto: *Helena Johansen e Luisa Ringstad*
Capa: *Fernando Felgueiras*
Fotocomposição, impressão e acabamento: *Multitipo — Artes Gráficas, Lda.*
1.ª edição, Lisboa, 1995
2.ª edição, Lisboa, 1995
3.ª edição, Lisboa, 1995
4.ª edição, Lisboa, 1995
5.ª edição, Lisboa, 1995
6.ª edição, Lisboa, 1995
7.ª edição, Lisboa, 1995
8.ª edição, Lisboa, 1995
9.ª edição, Lisboa, 1996
10.ª edição, Lisboa, Março, 1996
11.ª edição, Lisboa, Setembro, 1996
12.ª edição, Lisboa, Julho, 1997
13.ª edição, Lisboa, Novembro, 1997
14.ª edição, Lisboa, Agosto, 1998
15.ª edição, Lisboa, Agosto, 1999
16.ª edição, Lisboa, Fevereiro, 2000
17.ª edição, Lisboa, Novembro, 2000
18.ª edição, Lisboa, Março, 2001
19.ª edição, Lisboa, Setembro, 2001
20.ª edição, Lisboa, Novembro, 2001
21.ª edição, Lisboa, Maio, 2002
22.ª edição, Lisboa, Novembro, 2002
23.ª edição, Lisboa, Outubro, 2003
24.ª edição, Lisboa, Março, 2004
25.ª edição, Lisboa, Novembro, 2004
26.ª edição, Lisboa, Outubro, 2005
27.ª edição, Lisboa, Dezembro, 2006
28.ª edição, Lisboa, Outubro, 2008
Depósito legal n.º 283 095/08

Quem não sabe prestar contas
De três milénios
Permanece nas trevas ignorante,
E vive o dia que passa

JOHANN WOLFGANG GOETHE

O JARDIM DO ÉDEN

...algo teria de surgir a certa altura do nada ...

Sofia Amundsen regressava da escola. Percorrera com Jorunn o primeiro troço do caminho. Tinham conversado sobre robôs. Para Jorunn, o cérebro humano era um computador complexo. Sofia não estava de acordo. Um homem deveria ser algo mais do que uma máquina.

No supermercado, despediram-se. Sofia morava no extremo de um extenso bairro de vivendas e o caminho que tinha de percorrer para a escola era quase o dobro do de Jorunn. A sua casa parecia ficar no fim do mundo, porque atrás do jardim já não havia casas, apenas floresta.

Meteu para Kløverveien. No fim da rua, havia uma curva estreita, a que chamavam a «Curva do Capitão», e onde quase só ao fim-de-semana se viam pessoas.

Era o começo de Maio. Nalguns jardins, os narcisos formavam coroas de flores sob as árvores de fruto. As bétulas tinham uma fina penugem verde.

Não era estranho que nessa estação do ano tudo começasse a crescer e a desenvolver-se? Porque é que essa massa de plantas verdes podia nascer da terra inanimada logo que o tempo ficava mais quente e os últimos vestígios de neve tinham desaparecido?

Sofia espreitou para a caixa do correio antes de abrir o portão do jardim. Geralmente havia muita publicidade e alguns envelopes grandes para a sua mãe. Sofia colocava sempre um monte de cartas na mesa da cozinha, indo depois para o quarto fazer os trabalhos de casa.

Para o seu pai chegavam por vezes cartas do banco, mas ele também não era um pai comum. O pai de Sofia era capitão num petroleiro e estava fora quase todo o ano.

Quando regressava a casa por poucas semanas, deambulava de chinelos pela casa, e cuidava de Sofia e da mãe de uma forma enternecedora. No entanto, quando estava em viagem, podia parecer muito distante.

Nesse dia havia apenas uma pequena carta na grande caixa do correio, e era para Sofia.

«Sofia Amundsen», estava escrito no pequeno envelope. «Kløverveien 3». Era tudo, sem remetente. A carta nem sequer tinha selo.

Imediatamente após ter fechado o portão, Sofia abriu o envelope. Encontrou uma pequena folha, que não era maior do que o respectivo envelope. Na folha estava escrito: *quem és tu?*

Mais nada. Não havia assinatura, apenas estas três palavras escritas à mão, seguidas de um grande ponto de interrogação.

Observou uma vez mais o envelope. Sim, a carta era de facto para si, mas quem é que a tinha posto na caixa do correio?

Sofia apressou-se a abrir a porta da casa vermelha.

Como de costume, o gato Sherekan saiu furtivamente dos arbustos, saltou para o patamar e enfiou-se em casa, antes de Sofia fechar a porta.

— Bichano, bichano, bichano!

Se, por algum motivo, a mãe de Sofia estava zangada, dizia que a sua casa parecia uma feira de animais. Uma feira de animais era uma colecção de animais diversos e, na realidade, Sofia estava bastante satisfeita com a sua colecção. No início, tinha recebido um aquário com os peixes dourados Caracolinho Dourado, Capuchinho Vermelho e Diabrete. Mais tarde, foi a vez dos periquitos Tom e Jerry, a tartaruga Govinda e finalmente o gato amarelo Sherekan. Todos aqueles animais eram uma espécie de compensação pelo facto de a sua mãe chegar tarde a casa e de o seu pai estar quase sempre a viajar.

Sofia atirou a mala da escola para um canto e pôs um prato com comida de gato para Sherekan. Depois, foi sentar-se num banco da cozinha, com a misteriosa carta na mão.

Quem és tu?

Se ela soubesse! Era obviamente Sofia Amundsen, mas quem era Sofia Amundsen? Ainda não tinha descoberto totalmente.

E se tivesse outro nome? Anne Knutsen, por exemplo. Seria então uma outra pessoa?

Subitamente, lembrou-se de que o seu pai inicialmente lhe gostaria de ter dado o nome Synnøve. Sofia procurava imaginar como seria se cumprimentasse alguém e se se apresentasse como Synnøve Amundsen — mas não, não conseguia. Imaginava sempre uma outra pessoa.

Saltou do banco e, com a estranha carta na mão, dirigiu-se para o quarto de banho. Colocou-se em frente do espelho, e olhou-se fixamente nos olhos.

— Eu sou Sofia Amundsen — disse.

A rapariga do espelho nem sequer respondeu com uma careta. Aquilo que Sofia fizesse, ela fá-lo-ia exactamente da mesma forma. Sofia procurava adiantar-se em relação ao espelho com um movimento muito rápido, mas a outra era igualmente rápida.

— Quem és tu? — perguntou Sofia.

De novo não recebeu nenhuma resposta, mas por um breve momento não soube se tinha sido ela ou o seu reflexo no espelho a fazer a pergunta.

Sofia tocou com o indicador no nariz reflectido no espelho e disse:

— Tu és eu.

Não recebendo resposta alguma, inverteu a frase:

— Eu sou tu.

Sofia Amundsen nunca estivera particularmente satisfeita com a sua figura. Ouvia frequentemente dizer que tinha uns belos olhos de amêndoa, mas as pessoas diziam-no, sem dúvida, porque o seu nariz era demasiado pequeno e a boca um pouco grande. Além disso, as orelhas estavam demasiado junto aos olhos. Mas o mais grave eram os cabelos lisos, difíceis de tratar. Por vezes, o pai passava a mão pelos seus cabelos e chamava-lhe «a rapariga dos cabelos de linho», referindo-se a uma composição de Claude Debussy. Para ele era fácil dizê-lo, visto que não estava condenado para toda vida a ter cabelos compridos e negros, completamente lisos. Nos cabelos de Sofia nem o gel nem os sprays faziam efeito.

Por vezes, achava-se tão estranha que se perguntava se não seria disforme de nascença. A sua mãe tinha-lhe falado num parto difícil. Mas seria possível o nascimento determinar, de facto, a figura de cada um?

Não era estranho que ela não soubesse quem era? Não era absurdo não poder decidir nada quanto à sua figura? Tinha simplesmente nascido consigo. Podia escolher os seus amigos, mas não se escolhera a si mesma. Nunca tinha decidido que queria ser um ser humano.

O que era um ser humano?

Sofia observou de novo a rapariga do espelho.

— Vou mas é fazer os meus trabalhos de biologia — disse, como que desculpando-se. Em seguida, estava à entrada da casa.

— Não, prefiro ir para o jardim — pensou.

— Bichano, bichano, bichano!

Sofia enxotou o gato para a escada e fechou a porta.

11

Quando ia pelo caminho de saibro com a misteriosa carta na mão, teve uma estranha sensação. Imaginava-se como um boneco que, por artes mágicas, se tivesse tornado vivo.

Não era estranho que estivesse no mundo e pudesse tomar parte naquela aventura?

Sherekan saltou elegantemente pelo caminho de saibro e desapareceu por entre os espessos arbustos. Um gato vivo, desde a ponta dos bigodes brancos até à cauda ondulante na extremidade do corpo. Também ele estava no jardim, mas certamente não estava tão consciente disso como Sofia.

Depois de ter pensado um pouco acerca do facto de existir, começou também a pensar que não estaria ali sempre.

«Neste momento estou no mundo», pensou, «mas um dia terei desaparecido».

Haveria uma vida após a morte? O gato também não tinha a mínima consciência deste problema.

A avó paterna de Sofia tinha morrido recentemente. Quase todos os dias, há mais de meio ano, Sofia pensava no quanto sentia a sua falta. Não era injusto que a vida tivesse sempre um fim?

Sofia parou no caminho de saibro, cismando. Procurou concentrar-se no facto de existir, procurando assim esquecer que não existiria sempre. Mas isso era de todo impossível. Quando se concentrava no pensamento da sua existência, emergia imediatamente a ideia do fim da vida. O contrário era igualmente verdadeiro: só quando se apercebia que um dia teria desaparecido, compreendia claramente que a vida era infinitamente valiosa. Era como as duas faces da mesma moeda, uma moeda que ela virava constantemente. E quanto maior e mais clara era uma face da moeda, maior e mais clara se tornava também a outra. A vida e a morte eram duas faces do mesmo problema.

Não podemos imaginar que vivemos sem pensar que temos de morrer, dizia para consigo. Do mesmo modo, é impossível reflectir sobre o facto que temos de morrer sem sentirmos simultaneamente que viver é algo maravilhoso.

Sofia lembrou-se que a avó, no dia em que soubera da sua doença, dissera algo semelhante. — Só agora tomo consciência de como a vida é rica — dissera ela.

Não era triste que a maior parte das pessoas tivesse que ficar doente para reconhecer que a vida era bela? Talvez tivesse bastado receber uma carta misteriosa!

Decidiu verificar se teria chegado algo mais. Sofia correu para o portão e espreitou para dentro da caixa do correio. Ficou espantada quando encontrou um envelope totalmente idêntico. Mas, será que verificara, quando retirou a primeira carta, se a caixa estava, de facto, vazia?

Naquele envelope também estava escrito o seu nome. Abriu-o e retirou uma folha branca, igual à primeira.

De onde vem o mundo? — estava escrito.

Não fazia ideia. Ninguém sabe tal coisa! E, no entanto, Sofia achou esta pergunta legítima. Pela primeira vez na sua vida pensou que era quase impossível viver num mundo sem *perguntar* pela sua origem.

Sofia tinha ficado tão perturbada com a misteriosa carta que decidiu ir para a sua toca. A toca de Sofia era um esconderijo. Só ia para lá quando estava muito irritada, muito triste ou muito contente. Nesse dia estava confusa.

A casa vermelha ficava no meio de um extenso jardim. Havia aí muitos canteiros, groselheiras e diversas árvores de fruto, um grande relvado com um baloiço e inclusivamente um pequeno caramanchão que o avô construíra para a avó, quando a sua primeira filha morreu, poucas semanas após o nascimento. A pobre criança chamava-se Marie. Na lápide do seu túmulo estava escrito: 'A pequena Marie veio ao nosso encontro, acenou-nos e foi-se embora'.

Num canto do jardim, por detrás das framboeseiras, havia uma espessa moita que não produzia nem flores nem bagas. Na realidade, tratava-se de uma velha sebe, que fazia fronteira com o bosque, e que tinha crescido até se transformar numa moita impenetrável porque, nos últimos vinte anos, ninguém cuidara dela. A avó contara que durante a guerra, altura em que as galinhas corriam livremente pelo jardim, a sebe tinha tornado um pouco mais difícil a caça às galinhas, levada a cabo pelas raposas.

Para os outros, a velha sebe era tão inútil como as coelheiras antigas, que ficavam um pouco mais à frente no jardim. Mas ninguém conhecia o segredo de Sofia. Tanto quanto Sofia se conseguia lembrar, tinha descoberto uma estreita passagem através da sebe. Quando a atravessava de gatas, atingia rapidamente um grande espaço, que era o seu esconderijo. Aí, podia estar completamente segura de que ninguém a encontraria.

Com os envelopes na mão, Sofia atravessou o jardim correndo e rastejou com o apoio dos braços através da sebe. A toca era tão grande, que quase podia ficar de pé, mas decidiu sentar-se numas raízes grossas. De dentro conseguia ver para o exterior, através de dois orifícios minúsculos, por entre ramos e folhas. Apesar de nenhuma destas aberturas ser maior do que uma moeda, ela tinha o panorama de todo o jardim. Quando era mais pequena, observava divertida a mãe ou o pai à sua procura, no meio das árvores.

Para Sofia, o jardim tinha sido sempre um mundo à parte. Sempre que ouvira falar do jardim do Éden na história da Criação, lembrava--se da sua toca e de como era estar lá sentada e observar o seu próprio pequeno paraíso.

«De onde vem o mundo?»

Não, ela não o sabia. Sofia sabia obviamente que a Terra era apenas um pequeno planeta no universo imenso. Mas de onde vinha o universo?

Era possível pensar que o universo tivesse existido sempre; sendo assim, não precisava de procurar a resposta para a pergunta sobre a sua origem. Mas *poderia* alguma coisa ser eterna? Qualquer coisa nela recusava esta ideia. Tudo o que existe tem que ter um começo. Por isso, o universo tinha de ter surgido de outra coisa.

Mas se o universo tivesse surgido subitamente de uma outra coisa, então também esta outra coisa teria de ter surgido, a dada altura, de uma outra. Sofia compreendeu que apenas diferia o problema. Afinal, alguma coisa teria de ter surgido do nada a certa altura. Mas seria isso possível? Este pensamento não seria tão impossível como o de o mundo ter sempre existido?

Na aula de religião, aprendiam que Deus tinha criado o mundo, e Sofia procurou então tranquilizar-se com a ideia de que essa era, no fundo, a melhor solução para o problema. No entanto, começou de novo a pensar. Podia facilmente aceitar que Deus tivesse criado o universo, mas o que se passava pensando em Deus? Será que se tinha criado a si mesmo do nada? De novo, algo nela discordava deste pensamento. Apesar de Deus poder criar todas as coisas, dificilmente se poderia criar a si mesmo, antes de ter um «ele mesmo», com o qual pudesse criar. Restava apenas uma possibilidade: Deus existira sempre. Mas ela já pusera de parte essa possibilidade. Tudo o que existia tinha de ter um começo.

— Que diabo!

Abriu de novo os envelopes.

— Quem és tu?

— De onde vem o mundo?

Que perguntas terríveis! E de onde vinham ambas as cartas? Isso era igualmente misterioso.

Quem é que arrancara Sofia à realidade quotidiana e a confrontara subitamente com os grandes enigmas do universo?

Pela terceira vez, Sofia foi à caixa do correio. Só nesta altura é que o carteiro tinha trazido a correspondência diária. Sofia retirou um monte de correio com publicidade, jornais e duas cartas para a mãe. Havia também um postal, com a fotografia de uma praia do Sul. Voltou o postal. Tinha selos noruegueses e o carimbo «Contingente ONU». Seria do seu pai? Mas ele não estava noutro sítio? De resto, não era a sua letra.

Sofia sentiu o pulso bater com mais força à medida que lia a direcção no postal. «Hilde Møller Knag, a/c Sofia Amundsen, Kløverveien 3…» O resto da morada estava correcto. No postal estava escrito:

Querida Hilde! Parabéns pelos teus 15 anos! Como compreendes, quero dar-te um presente, que te ajudará a crescer. Peço desculpa por mandar o postal pela Sofia. Era mais fácil deste modo.

Saudades, do pai

Sofia correu para casa e precipitou-se para a cozinha. Sentia uma tempestade dentro de si.

Quem era esta «Hilde» que completava 15 anos um mês antes do seu aniversário?

Foi buscar a lista telefónica à entrada. Havia muitas pessoas com o nome Møller, e algumas com o nome Knag, mas em toda a lista telefónica não havia ninguém com o nome Møller Knag.

Examinou de novo o misterioso postal. Sim, era autêntico, com selo e carimbo.

Porque é que um pai enviaria um postal de aniversário para a morada de Sofia, se era óbvio que devia ser enviado para outro local? Que tipo de pai enviaria um postal de aniversário para o endereço errado, impedindo que a filha o recebesse? Como é que poderia ser «mais fácil» deste modo? E sobretudo, como poderia ela encontrar essa tal Hilde?

Sofia tinha então mais um problema que se tornava um quebra-cabeças. Procurou de novo organizar as ideias na sua mente.

No decorrer de poucas horas, tinha sido confrontada com três enigmas. O primeiro enigma dizia respeito à identidade da pessoa que tinha posto ambos os envelopes brancos na sua caixa do correio. O segundo eram as questões difíceis que estas cartas colocavam. O terceiro enigma era quem era Hilde Møller Knag e por que motivo Sofia tinha recebido um postal de aniversário endereçado a esta rapariga desconhecida?

Ela tinha a certeza de que estes três enigmas estavam de algum modo relacionados, visto que, até então, vivera uma existência normal.

A CARTOLA

*... para nos tornarmos bons filósofos precisamos unicamente
da capacidade de nos surpreendermos...*

Sofia calculou que o autor das cartas anónimas daria de novo notícias. Decidiu não contar nada a ninguém acerca das cartas.

Na escola, tornava-se-lhe difícil concentrar-se no que o professor dizia. Achou que ele falava apenas de coisas sem importância. Porque é que ele não falava antes acerca do que é um ser humano — ou do que é o mundo, e qual fora a sua origem?

Experimentava uma sensação que nunca experimentara antes: na escola e por toda a parte as pessoas ocupavam-se apenas com coisas fúteis. Mas havia questões importantes e difíceis, cuja resposta era mais importante do que as disciplinas normais da escola.

Teria alguém respostas para estes problemas? De qualquer modo, Sofia achava mais importante reflectir sobre eles do que aprender de cor os verbos irregulares.

Quando, após a última aula, a campainha tocou, ela saiu tão depressa do pátio da escola que Jorunn teve de correr para a alcançar.

Passado um pouco, Jorunn perguntou:

— Que tal se jogássemos às cartas hoje à tarde?

Sofia encolheu os ombros.

— Acho que já não estou muito interessada em jogos de cartas.

Jorunn pareceu cair das nuvens.

— Não? Jogamos então badminton?

Sofia olhou fixamente para o asfalto — e depois para a amiga.

— Acho que já nem o badminton me interessa.

— Está bem!

Sofia sentiu na voz de Jorunn um tom de azedume.

— Podes então dizer-me o que é que passou a ser mais importante?

Sofia abanou a cabeça.

— Isso... é um segredo.

— Já percebi. Estás apaixonada.

Caminharam juntas algum tempo em silêncio. Quando chegaram ao campo desportivo, Jorunn disse:

— Eu vou pelo campo.

«Pelo campo». Esse era o caminho mais curto para Jorunn, mas ela só o fazia quando tinha que chegar cedo a casa, porque esperava visitas, ou porque tinha consulta no dentista.

Sofia teve pena de ter magoado Jorunn. Mas o que deveria ter respondido? Que estava subitamente muito ocupada em saber quem era e de onde vinha o mundo e que já não tinha tempo para jogar badminton? Será que a sua amiga teria entendido?

Por que motivo era tão difícil tratar das questões mais importantes e simultaneamente mais naturais?

Sentiu o coração bater mais depressa à medida que abria a caixa do correio. Primeiro viu apenas uma carta do banco e alguns envelopes amarelos e grandes, para a sua mãe. Que aborrecimento. Sofia tinha esperado tanto receber uma nova carta do remetente desconhecido!

Quando estava a fechar o portão, encontrou escrito num dos envelopes grandes o seu nome. No verso, lia-se: *Curso de Filosofia. Não dobrar.*

Sofia percorreu o caminho de saibro e deixou a mala da escola na escada. Empurrou as restantes cartas para debaixo do capacho, correu para o jardim atrás da casa e refugiou-se na toca. A carta grande tinha de ser aberta ali.

Sherekan correra atrás dela, mas contra isso nada podia fazer. Sofia tinha a certeza de que o gato não daria à língua.

O envelope continha três grandes folhas escritas à máquina, unidas com um clipe. Sofia começou a ler.

O que é a filosofia?

Cara Sofia! Há muitas pessoas que têm diversos *hobbys*. Algumas coleccionam moedas antigas ou selos, outras fazem trabalhos manuais, outras ainda dedicam quase todo o tempo livre a uma modalidade desportiva.

Muitos gostam de ler. Mas aquilo que lemos pode variar muito. Há quem leia apenas jornais ou banda desenhada, outros gostam de romances, outros ainda preferem livros sobre os mais variados temas como a astronomia, a vida selvagem ou as descobertas técnicas.

Se estou interessado em cavalos ou pedras preciosas, não posso exigir que todos os outros partilhem deste interesse. Se me sento em frente à televisão encantado com todos os programas desportivos, tenho de aceitar que outros possam achar o desporto aborrecido.

Haverá alguma coisa que interesse a toda a gente? Haverá alguma coisa que diga respeito a todas as pessoas, independentemente do que são e do sítio do mundo onde vivem? Sim, cara Sofia, há questões que dizem respeito a todos os homens. E neste curso trata-se precisamente dessas questões.

Qual a coisa mais importante na vida? Se o perguntarmos a alguém num país com o problema da fome, a resposta é: a comida. Se pusermos esta questão a alguém que esteja com frio, nesse caso a resposta é: o calor. E se perguntarmos a uma pessoa que se sinta muito sozinha a resposta será certamente: a companhia de outras pessoas.

Mas admitindo que todas estas necessidades estão satisfeitas — será que resta alguma coisa de que todos os homens precisam? Os filósofos acham que sim. Segundo eles, o homem não vive apenas do pão. É evidente que todos os homens precisam de comer. Todos precisam de amor e de atenção, mas há algo mais de que todos os homens precisam. Precisamos de descobrir quem somos e porque é que vivemos.

Interessarmo-nos pela razão da nossa existência não é um interesse ocasional, como o interesse em coleccionar selos. Quem se interessa por tais problemas, preocupa-se com tudo aquilo que os homens discutem desde que apareceram neste planeta. A questão acerca da origem do universo, do globo terrestre e da vida é mais vasta e mais importante do que saber quem ganhou mais medalhas de ouro nos últimos Jogos Olímpicos.

A melhor maneira de nos iniciarmos na filosofia é colocar perguntas filosóficas:

Como se formou o mundo? Haverá uma vontade ou um sentido por detrás daquilo que acontece? Haverá vida depois da morte? Como podemos encontrar resposta para estas perguntas? E, acima de tudo, como deveríamos viver?

Estas perguntas foram colocadas desde sempre pelos homens. Não conhecemos nenhuma cultura que não tenha perguntado quem são os homens e de onde vem o mundo.

As perguntas filosóficas que podemos colocar não são muitas mais. Já colocámos algumas das mais importantes. A história oferece-nos muitas *respostas* diferentes para cada uma destas perguntas.

Por isso, é mais fácil formular perguntas filosóficas do que encontrar a sua resposta.

Mesmo hoje, cada um deve encontrar *as suas* respostas para estas perguntas. Não podemos saber se Deus existe ou se há vida depois da morte, consultando a enciclopédia. A enciclopédia não nos diz como devemos viver. Mas ler o que outros homens pensaram pode no entanto ser uma ajuda, se quisermos formar a nossa própria concepção da vida e do mundo.

A busca da verdade pelos filósofos pode ser talvez comparada a um romance policial. Alguns pensam que Andersen é o assassino, outros pensam que é Nielsen ou Jepsen. Talvez o verdadeiro mistério deste crime possa ser um dia esclarecido subitamente pela polícia. Podemos também pensar que a polícia nunca conseguirá resolver o enigma. Mas este tem, no entanto, uma solução.

Mesmo quando é difícil responder a uma pergunta, é possível imaginar que a pergunta possa ter uma — e apenas uma — resposta correcta. Ou há uma forma de vida após a morte ou não.

Muitos enigmas antigos foram entretanto resolvidos pela ciência. Outrora, o aspecto da face oculta da Lua era um grande mistério. Não se podia descobrir a resposta através da discussão, e assim era deixada à imaginação de cada um. Mas hoje em dia sabemos exactamente qual é o aspecto da face oculta da Lua. Já não podemos acreditar que haja um homem a viver na lua, ou que ela seja um queijo.

Segundo um filósofo grego que viveu há mais de dois mil anos, a filosofia surgiu da capacidade que os homens têm de se surpreender. O homem acha tão estranho viver, que as perguntas filosóficas surgem por si mesmas.

Pensa no que sucede quando observamos um truque de magia: não conseguimos perceber como é possível aquilo que estamos a ver. E perguntamo-nos: como é que o ilusionista conseguiu transformar dois lenços brancos de seda num coelho vivo?

Para muitos homens, o mundo parece tão inexplicável como o coelho que um ilusionista retira subitamente de uma cartola até então vazia.

No que diz respeito ao coelho, percebemos claramente que o ilusionista nos enganou. O que pretendemos descobrir é como nos enganou. Quando falamos sobre o mundo, a situação é diferente. Sabemos que o mundo não é pura mentira, uma vez que nós estamos na Terra e somos uma parte do universo. Na verdade, somos o coelho branco que é retirado da cartola. A diferença entre nós e o coelho branco é apenas

19

o facto de o coelho não saber que participa num truque de magia. Connosco passa-se de modo diferente. Sentimos que tomamos parte em algo misterioso, e gostaríamos de esclarecer de que modo tudo está relacionado.

P.S. No que diz respeito ao coelho branco, o melhor é talvez compará-lo com o conjunto do universo. Nós, que vivemos aqui, somos parasitas minúsculos que vivem na pele do coelho. Mas os filósofos procuram trepar pelos pêlos finos, de modo a poderem fixar nos olhos o grande ilusionista.

Estás a seguir-me, Sofia? Receberás a continuação.

Sofia estava exausta. Se estava a seguir? Já nem sabia se tinha respirado durante a leitura.

Quem tinha trazido a carta? Quem? Quem?

Era impossível que fosse a mesma pessoa que enviara o postal de aniversário a Hilde Møller Knag, visto que o postal tinha selo e carimbo, e o envelope amarelo fora colocado directamente na caixa do correio exactamente como os envelopes brancos.

Sofia olhou para o relógio. Eram apenas três menos um quarto. Só daí a duas horas é que a sua mãe chegaria do trabalho.

Sofia foi de novo para o jardim, e correu para a caixa do correio. Haveria mais alguma coisa?

Encontrou um outro envelope amarelo, no qual estava escrito o seu nome. Olhou à sua volta, mas não conseguiu descobrir ninguém. Correu para a orla do bosque e olhou em redor, mas não encontrou ali vivalma. De repente, pareceu-lhe ouvir ramos a estalar mais à frente no bosque. Mas não tinha a certeza absoluta, e não faria sentido ir no encalço de alguém que tentava fugir-lhe.

Sofia abriu a porta de casa com a chave e colocou a mala da escola e a correspondência para a mãe no chão. Foi para o quarto, pegou na grande caixa de biscoitos onde guardava a sua colecção de pedras, pôs as pedras no chão e colocou os dois envelopes grandes na caixa. Foi de novo para o jardim com a caixa nas mãos, depois de ter dado de comer a Sherekan.

— Bichano, bichano, bichano!

Sentada de novo dentro da toca, abriu o envelope e retirou várias folhas escritas à máquina. Começou a ler.

Um ser estranho

Cá estamos de novo. Com certeza já percebeste que este pequeno curso de filosofia vem em doses pequenas. Eis mais algumas observações introdutórias.

Eu já disse que a capacidade de nos surpreendermos é a única coisa de que precisamos para nos tornarmos bons filósofos? Se não o disse, digo-o agora: A CAPACIDADE DE NOS SURPREENDERMOS É A ÚNICA COISA DE QUE PRECISAMOS PARA NOS TORNARMOS BONS FILÓSOFOS.

Todas as crianças pequenas possuem essa capacidade, isso é óbvio. Com poucos meses de vida, começam a aperceber-se de uma realidade completamente nova. Mas quando crescem, esta capacidade parece diminuir. Qual será o motivo? Poderá Sofia Amundsen responder a esta pergunta?

Se um recém-nascido pudesse falar, diria certamente muitas coisas sobre o estranho mundo a que chegou. Porque ainda que a criança não possa falar, vemos como aponta à sua volta e agarra com curiosidade os objectos no quarto.

Quando começa a falar, a criança fica parada cada vez que vê um cão e chama: — Ão, ão! Começa a agitar-se no carrinho, e move freneticamente os braços: — Ão, ão! Nós, que temos mais idade, sentimo-nos talvez pouco à vontade com o entusiasmo da criança.— Sim, sim, isso é um ãoão! — dizemos muito sabedores. — Mas agora senta-te. Não estamos assim tão entusiasmados. Já tínhamos visto cães antes.

Provavelmente, esta cena repete-se algumas cem vezes até que a criança possa passar por um cão sem ficar fora de si. Ou por um elefante, ou por um hipopótamo. Mas muito antes que a criança aprenda a falar correctamente — ou antes que aprenda a pensar filosoficamente — o mundo tornou-se para ela algo habitual.

É pena.

Será a minha tarefa impedir que tu, cara Sofia, te tornes uma daquelas pessoas para quem o mundo é evidente. Para termos a certeza, vamos fazer duas experiências mentais, antes de começarmos com o curso de filosofia propriamente dito.

Imagina que dás um passeio pelo bosque. De repente, descobres à tua frente uma pequena nave espacial. Da nave espacial, um marciano desce e olha fixamente para ti...

O que pensarias numa situação dessas? Bom, isso, no fundo, é indiferente. Mas já pensaste que tu mesma és também um marciano?

Obviamente, não é particularmente provável que alguma vez dês com uma criatura de outro planeta. Nem sequer sabemos se há vida nos outros planetas. Mas é possível que tu dês contigo mesma. Pode acontecer que um belo dia fiques surpreendida e te vejas de um modo completamente diferente. Talvez isso se passe precisamente num passeio pelo bosque.

Eu sou um ser estranho, pensas tu. Sou um animal misterioso...

Pareces acordar de um sono de muitos anos como a Bela Adormecida. Quem sou eu? perguntas. Sabes que estás num planeta do universo. Mas o que é o universo?

Se te descobrires desta maneira, descobriste algo tão misterioso como o marciano que mencionámos anteriormente. Não só descobriste um extraterrestre mas sentes interiormente que tu própria és um ser desses.

Ainda me estás a seguir, Sofia? Vamos fazer mais uma experiência:

Certa manhã, o pai, a mãe e o pequeno Tomás, que tem dois ou três anos, estão sentados na cozinha durante o pequeno-almoço. De repente, a mãe levanta-se e vira-se para o lava-louça: nesse preciso momento, o pai começa a voar em direcção ao tecto, enquanto Tomás observa.

O que te parece que Tomás diz? Provavelmente, aponta para o pai e diz: — O pai voa!

Certamente que Tomás ficaria admirado. Mas o pai faz coisas tão estranhas que um pequeno voo acima da mesa já não tem importância aos seus olhos. Todos os dias faz a barba com uma máquina engraçada, por vezes trepa ao telhado para orientar a antena da televisão — ou enfia a cabeça junto ao motor do carro e aparece depois todo negro.

Depois, é a vez da mãe. Ela ouviu o que Tomás disse e volta-se rapidamente. Como achas que reagirá vendo o marido a esvoaçar sobre a mesa da cozinha?

O frasco da marmelada cai-lhe imediatamente da mão, começará a gritar de medo. Talvez tenha de ir ao médico, mesmo depois de o pai se ter sentado de novo na cadeira. (Ele já devia ter aprendido há muito tempo como se comportar à mesa!).

Porque é que Tomás e a mãe reagem de forma tão diferente?

É uma questão de *hábito*. (Toma nota disto!). A mãe aprendeu que os homens não podem voar. Tomás não. Ainda não distingue o que é possível do que não é.

Mas o que dizer do mundo, Sofia? Achas que *o mundo* é possível? Também está suspenso no espaço.

O mais triste é que ao crescermos não nos habituamos apenas à lei da gravidade, habituamo-nos, simultaneamente, ao mundo.

Aparentemente, perdemos durante a nossa infância a capacidade de nos surpreendermos com o mundo. Mas com isso, perdemos algo essencial — algo que os filósofos querem reavivar. Porque em nós algo nos diz que a vida é um grande mistério. Já tivemos essa sensação muito antes de termos aprendido a pensar nisso.

Vou ser mais preciso: apesar de todas as questões filosóficas dizerem respeito a todos os homens, nem todos os homens se tornam filósofos. Por diversos motivos, a maior parte está presa de tal forma ao quotidiano que o espanto perante a vida é muito escasso. (Descem para a pele do coelho, acomodam-se e permanecem lá em baixo para o resto da vida).

Para as crianças, o mundo — e tudo o que existe nele — é uma coisa *nova*, uma coisa que provoca estupefacção. Os adultos não o vêem assim. A maior parte dos adultos vê o mundo como qualquer coisa completamente normal.

Os filósofos constituem uma excepção notável. Um filósofo nunca se conseguiu habituar completamente ao mundo. Para um filósofo ou para uma filósofa o mundo é ainda incompreensível, inclusivamente enigmático e misterioso. Os filósofos e as crianças pequenas possuem uma importante qualidade em comum. Podes dizer que um filósofo permanece durante toda a sua vida tão capaz de se surpreender como uma criança pequena.

E agora tens que te decidir, cara Sofia: és uma criança que ainda não se habituou ao mundo? Ou és uma filósofa que pode jurar que isso nunca lhe acontecerá?

Se simplesmente abanas a cabeça e não te sentes nem como criança nem como filósofa, é porque te acostumaste tão bem ao mundo que este já não te surpreende. Nesse caso, o perigo está iminente. E por isso te ofereço este curso de filosofia, para prevenir. Não quero que tu pertenças à categoria dos apáticos e dos indiferentes. Quero que vivas a tua vida de modo consciente.

Este curso é completamente grátis. Por isso, também não te será restituído dinheiro se não o fizeres. Se a determinada altura quiseres interromper o curso, não há problema. Basta deixares-me uma mensagem na caixa do correio, por exemplo, uma rã viva. De qualquer modo, tem de ser algo verde, pois não queremos assustar o carteiro.

Breve sumário: um coelho branco é retirado de uma cartola vazia. Dado que é um coelho muito grande, este truque leva muitos biliões de anos. Na extremidade dos pêlos finos nascem todas as crianças humanas. Por isso, podem surpreender-se com a inacreditável arte da magia. Mas à medida que envelhecem, deslizam cada vez mais para o fundo da pelagem do coelho. E permanecem ali. Lá em baixo estão tão confortáveis que nunca mais ousam trepar novamente pelos pêlos finos. Só os filósofos se atrevem a fazer a perigosa viagem à procura das fronteiras extremas da linguagem e da existência. Alguns deles perdem--se pelo caminho, mas outros agarram-se bem ao pêlo do coelho e chamam os homens que, bem acomodados em baixo, na pele do coelho, comem e bebem tranquilamente.

— Senhoras e senhores — gritam — estamos suspensos no espaço.

Mas nenhum dos homens em baixo, na pele, se interessa pelo ruído que os filósofos fazem.

— Meu Deus, que barulhentos! — dizem.

E continuam a falar como até então: — Podes passar-me a manteiga? Como estão as acções hoje? Qual é o preço do tomate? Já sabes que Lady Di deve estar de novo grávida?

Quando, nessa tarde, a mãe chegou a casa, Sofia estava quase em estado de choque. A caixa com as cartas do filósofo misterioso estava bem escondida na toca. Depois de ter tentado estudar um pouco, Sofia ficara a pensar no que tinha lido.

Tantas coisas sobre as quais nunca tinha reflectido antes! Já não era nenhuma criança — mas também não era ainda verdadeiramente adulta. Sofia reconheceu que já tinha começado a penetrar profundamente na pelagem do coelho retirado da cartola negra do universo. Mas o filósofo impedira-a. Ele — ou ela? — agarrara-a firmemente pela nuca e trouxera-a de novo para o pêlo, no qual brincara quando era criança. Ali fora, na extremidade do pêlo fino, tinha visto de novo o mundo como se fosse pela primeira vez. O filósofo salvara-a da indiferença quotidiana.

Ouvindo a mãe entrar, Sofia puxou-a para o quarto, e fê-la sentar numa cadeira.

— Mãe, não achas que é estranho viver? — começou.

A mãe ficou de tal modo perplexa que não lhe ocorreu nenhuma resposta. Normalmente, Sofia estava sempre sentada a fazer os trabalhos da escola quando ela chegava a casa.

— Bom, por vezes é — disse.

— Por vezes? Quero dizer — não achas estranho que haja um mundo?

— Mas Sofia, de que é que estás a falar?

— Estou a fazer-te uma pergunta. Mas provavelmente achas o mundo completamente normal?

— Sim. Mas o mundo é normal. A maior parte das vezes.

Sofia compreendeu que o filósofo tinha razão. Para os adultos, o mundo era evidente. Tinham adormecido no sono eterno da vida quotidiana.

— Tu apenas te habituaste tanto ao mundo, que já não te surpreendes — disse ela.

— Desculpa, mas eu não estou a perceber nada.

— Estou a dizer que te habituaste demasiado ao mundo. Por outras palavras: estás completamente embrutecida.

— Não podes falar comigo desse modo, Sofia.

— Então, vou dizê-lo doutra maneira. Já te acomodaste na pele do coelho que neste momento é tirado da cartola negra do universo. E agora, vais pôr as batatas a cozer. Depois, lês o jornal, e depois de uma soneca de meia hora vais ver o noticiário na televisão.

No rosto da mãe, esboçou-se uma expressão preocupada. De facto, foi à cozinha e pôs as batatas a cozer. Em seguida, voltou à sala de estar, e aí fez Sofia sentar-se.

— Tenho que falar contigo — começou. Sofia apercebeu-se pelo tom de que se tratava de algo sério.

— Não tomaste nenhuma droga, pois não, miúda?

Sofia não pôde deixar de se rir, mas compreendeu o motivo dessa pergunta.

— Estás a brincar? perguntou. Com isso ainda se fica mais apático.

Nessa tarde não se falou mais em droga nem em coelhos brancos.

OS MITOS

*... um equilíbrio precário de poderes
entre as forças do bem e as do mal...*

Na manhã seguinte, não havia nenhuma carta na caixa do correio. Sofia ficou aborrecida durante todo o tempo de aulas. Preocupou-se em ser particularmente simpática com Jorunn nos intervalos. Durante o regresso a casa, fizeram planos para irem acampar, logo que, na floresta, o terreno ficasse menos húmido.

Em seguida, estava de novo em frente à caixa do correio. Primeiro, abriu um pequeno envelope com um carimbo do México e que continha um postal do pai. Falava das saudades e de ter ganho pela primeira vez ao primeiro oficial no xadrez. De resto, já quase tinha lido os vinte quilos de livros que levara consigo após as férias de Inverno.

Havia ainda um envelope amarelo com o seu nome! Sofia trouxe a pasta da escola e a correspondência para casa e correu para a toca. Retirou do envelope várias folhas escritas à mão e começou a ler.

A concepção mítica do mundo

Olá, Sofia! Há muito para dizer, por isso o melhor é começarmos imediatamente.

Vemos a filosofia como uma forma completamente diferente de pensar, que nasceu aproximadamente em 600 a. C. na Grécia. Antes disso, as diversas religiões tinham respondido a todas as perguntas do homem. Essas explicações religiosas eram transmitidas de geração para geração por meio dos *mitos*.

Um mito é uma narração sobre os deuses que procura explicar a vida nas suas diversas manifestações. As explicações míticas floresceram durante milénios em todo o mundo. Os filósofos gregos procuraram provar que os homens não podiam confiar nelas.

26

Para compreendermos o pensamento dos primeiros filósofos, temos de compreender igualmente o que significa ter uma concepção mítica do mundo. Tomaremos como exemplo algumas concepções míticas da Europa do Norte. Não é de modo algum necessário irmos muito longe.

Certamente já ouviste falar de *Thor* e do seu martelo. Antes de o cristianismo chegar à Noruega, os homens, aqui no Norte, acreditavam que Thor viajava pelo céu num carro puxado por dois bodes. Quando ele brandia o seu martelo, seguiam-se raios e trovões. A palavra «trovão» significa originalmente «retumbar de Thor». Em sueco, «trovão» diz-se «àska» — originalmente «às-aka» — que significa a «viagem do deus pelo céu».

Quando troveja e relampeja, também chove. Isso podia ser indispensável à vida para os camponeses da época dos Vikings. Por isso, Thor era venerado como deus da fertilidade.

A resposta mítica à pergunta porque é que chove, era: Thor brandiu o seu martelo. E quando a chuva vinha, as sementes germinavam e cresciam nos campos.

Era incompreensível para os camponeses que as plantas crescessem e produzissem frutos. Mas em todo o caso, os camponeses sabiam que isso estava de alguma forma relacionado com a chuva. Por outro lado, todos acreditavam que a chuva tinha algo a ver com Thor. Assim, ele tornou-se um dos deuses mais importantes na Europa do Norte.

Thor era ainda importante por outro motivo, que estava relacionado com toda a ordem universal.

Os Vikings imaginavam o mundo habitado como uma ilha que está sempre ameaçada por perigos exteriores. Eles chamavam a esta parte do mundo *Midgard,* que significa: o reino que fica no centro. Em Midgard ficava também *Àsgard*, a residência dos deuses. Em frente a Midgard ficava *Utgard*, ou seja, o reino do exterior, também chamado Jotunheimen. Aqui moravam os perigosos gigantes, que procuravam sempre destruir o mundo por meio de truques maldosos. Também podemos definir esses monstros malignos como «forças do caos». Na religião nórdica e na maior parte das outras culturas, os homens tinham a sensação de que existia um equilíbrio precário de poderes entre as forças do bem e as forças do mal.

Uma das possibilidades que os gigantes tinham para destruir Midgard era raptando Freyja, a deusa da fertilidade. Quando o conseguiam, nada crescia nos campos, e as mulheres já não tinham filhos. Por isso era tão importante que os deuses bons dominassem os gigantes.

Thor desempenhava também aí um papel importante: o seu martelo não produzia apenas chuva, mas constituía também uma arma na luta contra as perigosas forças do caos. O martelo conferia-lhe um poder quase ilimitado. Ele podia, por exemplo, lançá-lo contra os gigantes e matá-los. Também não tinha que ter medo algum de o perder, porque o martelo era como um *boomerang* e voltava sempre para ele.

Esta era a explicação *mítica* para o funcionamento da natureza, e para o facto de haver uma luta constante entre o bem e o mal. Os filósofos pretendiam refutar essas crenças.

Mas não se tratava apenas de explicações.

Os homens não podiam ficar de braços cruzados à espera que os deuses interviessem quando certas catástrofes — como as secas ou as epidemias — os ameaçavam. Os homens tinham que participar na luta contra o mal. Faziam-no através de todo o tipo de práticas religiosas ou *ritos*.

A prática religiosa mais importante na antiguidade nórdica era o *sacrifício*. Fazer um sacrifício a um deus significava aumentar o seu poder. Os homens tinham, por exemplo, de oferecer vítimas aos deuses para que estes ficassem suficientemente fortes para vencerem as forças do mal. Nessa altura, sacrificava-se ao deus um animal. Pensa-se que a Thor se ofereciam geralmente bodes. A *Odin* eram sacrificados também homens.

Conhecemos o mito mais famoso na Noruega através do poema *Trymskvida*. Lemos nele que Thor estava a dormir e que, quando acordou, o seu martelo tinha desaparecido. Thor ficou tão furioso que as suas mãos e a sua barba tremiam. Juntamente com o seu companheiro *Loki* foi ter com Freyja e pediu-lhe emprestadas as suas asas, para que Loki pudesse voar até Jotunheimen e descobrir se os gigantes tinham roubado o martelo de Thor. Aí, Loki encontra *Thrym*, o rei dos gigantes, que se gaba imediatamente de ter enterrado o martelo a oitenta quilómetros abaixo do solo. E acrescenta que os deuses só poderiam receber de volta o martelo se Freyja se casasse com ele.

Estás a seguir-me, Sofia? Os deuses bons são subitamente confrontados com um crime monstruoso. Os gigantes têm então em seu poder a mais importante arma de defesa dos deuses, e essa situação é absolutamente intolerável. Enquanto os gigantes tivessem o martelo, possuíam o poder sobre o mundo dos deuses e o mundo dos homens. Em troca do martelo, exigem Freyja. Mas esta troca não é possível: se os deuses entregarem a deusa da fertilidade — que protege todo o tipo de vida — a relva murcha nos campos e os homens e os deuses têm de morrer. Não há uma solução para esta situação. Imagina um grupo de terroristas que ameaça fazer explodir uma bomba atómica no centro de Londres ou de Paris se as suas exigências não forem atendidas; percebes com certeza o que quero dizer.

O mito narra ainda que Loki regressa a Åsgard. Aí, exorta Freyja a vestir-se e a enfeitar-se como uma noiva, porque tem de se casar com o gigante (infelizmente!). Freyja fica furibunda e afirma que as pessoas pensariam que ela estava louca por homens se se casasse com um gigante.

Então, o deus *Heimdall* tem uma ideia brilhante. Propõe que Thor se disfarce de noiva. Podem prender-lhe o cabelo e colocar-lhe duas pedras no peito, para que ele pareça uma mulher. Thor não fica muito entusiasmado com a ideia, mas admite, por fim, que só dessa forma os deuses têm a possibilidade de recuperar o martelo. Por fim, Thor é mascarado de noiva e Loki acompanha-o como dama de honor.

— Desta forma, levamos duas mulheres para os gigantes — afirma Loki.

Se nos quisermos exprimir de uma forma mais moderna, podemos caracterizar Thor e Loki como uma «brigada antiterrorista» dos deuses. Disfarçados de mulheres, têm de entrar furtivamente no quartel general dos gigantes e apoderar-se do martelo de Thor.

Quando se encontram em Jotunheimen, os gigantes preparam tudo para as bodas. Mas durante a festa, a noiva — ou seja, Thor — come um boi inteiro e oito salmões. Bebe também três barris de cerveja, e Thrym fica atónito. Por pouco, o comando antiterrorista teria sido desmascarado. Mas Loki conseguiu livrá-los desse perigo. Ele conta que Freyja não comia há seis noites, por ter ficado tão entusiasmada com a ideia de se fixar em Jotunheimen.

Nessa altura, Thrym levanta o véu da noiva para a beijar, mas recua sobressaltado ao enfrentar o olhar duro de Thor. Também aqui Loki salva a situação. Ele conta que a noiva, devido à alegria do casamento, não pregara olho durante oito noites. Ordena então Thrym que, durante a cerimónia, vão buscar o martelo para o colocar no regaço da noiva.

Quando Thor se viu com o martelo no colo, soltou uma risada sonora. Primeiro, matou Thrym com o martelo, e, em seguida, o resto dos gigantes de Jotunheimen. Desta forma, o horrível drama teve um fim feliz. Mais uma vez, Thor — uma espécie de Batman ou James Bond dos deuses — vencera as forças do mal.

Isto é um mito, Sofia. Mas o que é que quer dizer exactamente? Não foi imaginado só por brincadeira, pretende *explicar* algo. Esta é uma interpretação possível:

Quando a seca atingia uma terra, os homens precisavam de uma explicação para o facto de não chover. Talvez os gigantes tivessem roubado o martelo de Thor.

É também possível que este mito procure compreender a mudança das estações do ano: no Inverno, a natureza está morta porque o martelo

29

de Thor está em Jotunheimen. Mas na Primavera, recupera-o. E assim, os mitos procuram explicar aos homens algo incompreensível.

Mas os homens não se deixavam ficar pelas explicações, como vimos. Procuravam igualmente intervir num acontecimento tão importante para eles através dos diversos ritos religiosos que estavam relacionados com os mitos. Podemos supor que os homens representassem um drama sobre o conteúdo do mito, no caso de uma seca, ou de uma má colheita. Talvez um homem da aldeia se disfarçasse de noiva — com pedras como seios — para roubar de novo o martelo aos gigantes. Os homens podiam, assim, fazer alguma coisa para que a chuva viesse e as sementes germinassem nos campos.

Temos muitos exemplos semelhantes provenientes de outros lugares do mundo: os homens encenavam um «mito das estações», para acelerar os processos da natureza.

Passámos o olhar sobre a mitologia nórdica. Havia muitos outros mitos sobre *Thor* e *Odin*, *Freyr* e *Freyja*, *Hoder* e *Balder* e sobre muitas outras divindades. Havia representações míticas como estas em todo o mundo, antes de os filósofos começarem a criticá-las. Também os Gregos tinham uma concepção mítica do mundo, quando surgiram os primeiros filósofos. Durante séculos, uma geração transmitia à seguinte as histórias dos deuses. Na Grécia, as divindades chamavam-se *Zeus* e *Apolo*, *Hera* e *Atena*, *Dioniso* e *Asclépio*, *Hércules* e *Hefesto*, para citar apenas alguns.

Cerca do ano 700 a. C., *Homero* e *Hesíodo* escreveram grande parte dos mitos gregos. Esse facto criou uma situação completamente nova. Uma vez que os mitos estavam escritos, era possível falar acerca deles.

Os primeiros filósofos gregos criticaram a mitologia homérica porque, para eles, os deuses eram demasiado semelhantes aos homens. Na verdade, eram tão egoístas e de tão pouca confiança como nós. Pela primeira vez na história da humanidade se afirmou que os mitos eram apenas fruto da imaginação do homem.

Encontramos um exemplo desta crítica aos mitos no filósofo *Xenófanes*, que nasceu em aproximadamente 570 a. C. Segundo ele, os homens tinham criado os deuses à sua própria imagem: «Mas os mortais julgam que os deuses nasceram e têm aspecto exterior, voz e figura igual à sua... Os Etíopes imaginam os seus deuses negros e com o nariz chato, os Trácios, por sua vez, imaginam-nos ruivos e de olhos azuis... Se as vacas, os cavalos ou os leões tivessem mãos e pudessem pintar e criar obras como os homens, os cavalos pintariam os seus ídolos semelhantes a cavalos, as vacas fá-los-iam semelhantes a vacas e criariam as figuras iguais a si.»

Nesta época, os Gregos fundaram muitas cidades-estado na Grécia e nas suas colónias da Itália meridional e da Ásia Menor. Aí, os escravos executavam todo o trabalho físico, e os cidadãos livres podiam dedicar-se à política e à cultura. Com estas condições de vida, a maneira de pensar dos homens mudou: cada indivíduo podia colocar a questão de como a sociedade devia ser organizada. Do mesmo modo, podia também colocar perguntas filosóficas, sem ter de recorrer aos mitos tradicionais.

Dizemos que se deu um desenvolvimento de um modo de pensar mítico para um género de reflexão baseada na experiência e na razão. O objectivo dos primeiros filósofos gregos era encontrar *explicações naturais* para os fenómenos da natureza.

Sofia passeava pelo grande jardim. Procurava esquecer tudo o que aprendera na escola. O mais importante era esquecer o que tinha lido nos livros de ciências da natureza.

Se tivesse crescido naquele jardim, sem saber mais nada sobre a natureza, como é que veria a Primavera?

Imaginaria uma explicação para o facto de, num certo dia, começar a chover? Inventaria uma explicação para compreender o facto de a neve desaparecer e o Sol despontar no céu?

Sim, tinha a certeza disso, e começou a imaginar:

O Inverno envolvera a terra com um palmo de gelo porque o malvado Muriat mantinha presa num cárcere frio a bela princesa Sikita. Mas certa manhã, chegou o valente príncipe Bravato e libertou-a. Sikita ficou tão contente que começou a dançar nos prados, enquanto cantava uma canção que inventara no cárcere frio. Nessa altura, a terra e as árvores ficaram tão comovidas que toda a neve se transformou em lágrimas. O Sol surgiu no céu e secou todas as lágrimas. As aves imitaram a canção de Sikita e, à medida que a bela princesa desprendia os seus cabelos dourados, alguns caracóis caíram no solo, transformando-se em lírios do campo...

Sofia achou que tinha inventado uma bela história. Se não tivesse nenhuma outra explicação para a alternância das estações do ano, teria com certeza acreditado na sua história.

Percebeu que os homens tinham tido sempre necessidade de encontrar explicações para os fenómenos naturais. Talvez os homens não pudessem viver sem essas explicações. Por isso tinham imaginado os mitos, quando ainda não havia a ciência.

OS FILÓSOFOS DA NATUREZA

... do nada, nada pode nascer...

Quando, nessa tarde, a mãe chegou a casa do trabalho, Sofia estava sentada no baloiço e meditava sobre que relação poderia existir entre o curso de filosofia e Hilde Møller Knag, que não receberia nenhum postal de aniversário do seu pai.

— Sofia! — chamou a mãe de longe — Há aqui uma carta para ti!

Sofia assustou-se. Ela tinha recolhido o correio, por isso a carta tinha de ser do filósofo. O que havia de dizer à mãe?

Ergueu-se lentamente do baloiço e foi ter com a mãe.

— Não tem selo. Provavelmente é uma carta de amor.

Sofia pegou nela.

— Não a queres abrir?

O que é que havia de dizer?

— Já ouviste falar de pessoas que abrem cartas de amor quando a mãe, por detrás, espreita de soslaio?

Era preferível que a mãe acreditasse que se tratava de uma carta de amor. Era uma situação extremamente penosa, visto que Sofia era ainda bastante nova para receber cartas de amor; mas seria ainda mais desagradável se se viesse a saber que ela recebia, por correspondência, um curso de um filósofo inteiramente desconhecido que brincava ao gato e ao rato com ela.

Era um envelope branco, pequeno. Já no quarto, Sofia leu as três perguntas que o envelope continha:

Haverá um elemento primordial a partir do qual tudo é gerado?
Será que a água se pode transformar em vinho?
Como é que a terra e a água se podem transformar numa rã viva?

Sofia achou estas perguntas absurdas, mas andou com elas na cabeça durante toda a tarde. Na manhã seguinte, na escola, reflectiu nas três perguntas pela ordem apresentada.

Haveria um «elemento primordial», a partir do qual tudo fosse gerado? Mas se houvesse um elemento a partir do qual tudo o que está no mundo fosse produzido, como é que este elemento poderia transformar-se de repente num dente-de-leão ou num elefante? Passava-se o mesmo com a pergunta sobre a água: poder-se-ia transformar em vinho? Sofia já tinha ouvido dizer que Jesus tinha transformado água em vinho, mas não interpretara esta história literalmente. E se Jesus tinha de facto transformado água em vinho, era um milagre, algo que normalmente não era possível. Sofia não tinha dúvidas sobre o facto de haver uma grande percentagem de água no vinho e em muitas plantas e animais. Mas mesmo que um pepino fosse constituído por noventa e cinco por cento de água, teria de haver algo mais que fizesse com que um pepino fosse um pepino e não apenas água.

E havia ainda a questão da rã. O seu professor de filosofia tinha um fraco por rãs. Sofia poderia eventualmente aceitar que uma rã fosse feita de terra e água, mas nesse caso a terra não podia ser feita de um só elemento. Se a terra fosse composta de muitos elementos diversos, era possível pensar que a terra juntamente com a água produzisse uma rã. Se a terra e a água fizessem um desvio pelos ovos da rã e pelos girinos, bem entendido. É que uma rã não podia simplesmente crescer numa horta, mesmo que fosse regada muito escrupulosamente.

Quando, nessa tarde, regressou a casa da escola, havia uma carta grossa dirigida a ela na caixa do correio. Sofia foi para a toca, como já fizera nos dias anteriores.

O projecto dos filósofos

Eis-nos de novo! É preferível começarmos imediatamente com a lição de hoje, deixando de parte os coelhos brancos e coisas parecidas.

Vou contar-te em linhas gerais como é que os homens, desde a Antiguidade até hoje, pensaram sobre as questões filosóficas. Tudo por ordem cronológica.

Visto que a maior parte dos filósofos viveram numa outra época — e possivelmente também numa cultura completamente diferente da nossa — vale a pena interessarmo-nos pelo *projecto* de cada filósofo. Quero com isso dizer que temos de tentar compreender os aspectos a que o filósofo quis dar resposta. Um filósofo pode perguntar-se como é que as plantas e os animais surgiram. Um outro pode querer descobrir se Deus existe, ou se os homens possuem uma alma imortal.

A partir do momento em que determinámos qual é o projecto de um determinado filósofo, podemos mais facilmente seguir o seu pensamento. Com efeito, dificilmente um filósofo se ocupa de todas as questões filosóficas.

Falei sobre o pensamento «dele», porque a história da filosofia foi escrita sobretudo por homens. Isso deve-se à condição de inferioridade frequentemente atribuída à mulher, tanto no plano físico como no plano intelectual. É grave, na medida em que, dessa forma, se perderam muitas experiências. As mulheres só surgem verdadeiramente na história da filosofia neste século.

Não te vou dar trabalhos de casa — nem trabalhos complicados de matemática. As flexões dos verbos ingleses não me interessam. Mas, de vez em quando, pedir-te-ei que faças um pequeno exercício. Se aceitares estas condições, continuamos.

Os filósofos da natureza

Os primeiros filósofos gregos são designados por «filósofos da natureza», porque se interessaram sobretudo pela natureza e pelos processos físicos.

Já nos interrogámos sobre a origem de tudo. Hoje em dia, muitos homens acreditam que tudo nasceu do nada em determinada altura. Este pensamento não estava muito difundido entre os Gregos. Eles acreditavam que «algo» teria existido sempre.

A questão fundamental não era, portanto, como é que tudo poderia surgir do nada. Em lugar disso, os Gregos admiravam-se que a água se pudesse transformar em peixes vivos, e a terra morta em árvores altas ou flores de cores vistosas. Para não falar de como um bebé pode nascer no corpo da mãe!

Os filósofos viam com os seus próprios olhos que havia na natureza *transformações* constantes. Mas como é que essas transformações eram possíveis? Como é que algo feito de uma substância se poderia transformar numa coisa completamente diferente?

Era comum entre os primeiros filósofos acreditarem que havia um elemento primordial responsável por todas as transformações. De que forma teriam chegado a este pensamento não é claro. Sabemos apenas que ele surgiu da concepção segundo a qual teria de haver um elemento primordial, que daria origem a todas as transformações da natureza.

O mais interessante para nós não são as respostas que estes primeiros filósofos encontraram. O mais interessante são as questões que punham e que tipo de respostas procuravam. Para nós, é mais importante saber *como* é que eles pensaram do que *o que* pensaram.

Podemos constatar que se questionavam sobre a forma como aconteciam certas transformações na natureza. Procuravam descobrir algumas leis naturais eternas. Desejavam compreender os fenómenos da natureza, sem recorrer aos mitos tradicionais. Acima de tudo, procuravam compreender os processos da natureza através da observação da própria natureza. Isso é completamente diferente da explicação do relâmpago e do trovão, do Inverno e da Primavera, por meio da referência aos acontecimentos no mundo dos deuses.

Desta forma, a filosofia libertou-se da religião. Podemos afirmar que os filósofos da natureza deram os primeiros passos em direcção a um modo de pensar *científico*. Assim, abriram caminho a toda a posterior ciência da natureza.

Quase tudo o que os filósofos da natureza disseram e escreveram perdeu-se para a posteridade. O pouco que sabemos encontramo-lo nos escritos de *Aristóteles*, que viveu duzentos anos após os primeiros filósofos. Mas Aristóteles resume apenas os resultados a que os filósofos anteriores tinham chegado. O que significa que não podemos saber sempre de que forma é que chegaram às suas conclusões. Mas sabemos o suficiente para podermos afirmar que o projecto dos filósofos gregos consiste nas questões que estavam relacionadas com o elemento primordial nas transformações da natureza.

Três filósofos de Mileto

O primeiro filósofo de que temos notícia é *Tales*, da colónia grega de Mileto, na Ásia Menor. Ele viajava frequentemente. Diz-se que, certa vez, teria medido a altura de uma pirâmide no Egipto, medindo a sombra da pirâmide no momento em que a sua própria sombra estava tão alta como ele. Além disso, conseguiu prever um eclipse do Sol no ano 585 a. C.

Para Tales, a *água* era a origem de todas as coisas. Não sabemos exactamente o que ele queria dizer com isto. Talvez quisesse dizer que toda a vida começa na água — e que toda a vida se torna de novo água quando se inicia a degradação.

Quando esteve no Egipto, viu certamente como os campos ficavam férteis quando o Nilo abandonava as terras que constituíam o seu delta. Talvez tenha visto também como as rãs e os vermes surgiam à luz do sol depois de ter chovido.

35

Além disso, é provável que Tales se tenha questionado quanto ao modo como a água se pode tornar gelo e vapor — e de novo água.

Afirma-se que Tales disse que «tudo está cheio de deuses». Apenas podemos avançar hipóteses sobre a interpretação desta frase. Talvez tivesse pensado que a terra era a origem de tudo, desde as flores e as sementes, até às abelhas e baratas. Tinha chegado à conclusão de que a terra estava cheia de pequenos «gérmenes da vida» invisíveis. O que é certo é que não estava a pensar nos deuses homéricos.

O filósofo seguinte de que temos conhecimento é *Anaximandro*, que viveu igualmente em Mileto. Para ele, o nosso mundo é apenas um dos muitos que nascem de algo e perecem em algo que ele denominou *o infinito*. É difícil dizer o que queria significar com o termo infinito, mas sabemos que não pensava, ao contrário de Tales, numa substância totalmente determinada. Talvez quisesse dizer que aquilo, a partir do qual tudo é criado, tem de ser completamente diferente de tudo o que é criado. E visto que tudo o que é criado é finito, tudo o que lhe é anterior ou posterior tem de ser infinito. É claro que o elemento primordial não podia ser, assim, simples água.

Um terceiro filósofo de Mileto era *Anaxímenes* (cerca de 570-526 a. C.). Para ele, o *ar* era o elemento primordial de todas as coisas. Anaxímenes conhecia, naturalmente, a teoria de Tales sobre a água. Mas de onde surge a água? Para Anaxímenes, a água era ar condensado. Nós sabemos que, ao chover, a água é condensada a partir do ar. Quando a água é ainda mais condensada, torna-se terra, segundo Anaxímenes. Talvez tivesse visto que, quando o gelo se derrete, «expele» terra e areia. De modo análogo, pensava que o fogo era ar rarefeito. Segundo Anaxímenes, a terra, a água e o fogo tinham origem no ar.

A passagem da terra e da água às plantas no campo não era demorada. Talvez Anaxímenes pensasse que a terra, o ar, o fogo e a água tivessem de existir para que pudesse nascer vida. Mas o verdadeiro ponto de partida era o ar. Ele partilhava, portanto, a concepção de Tales, segundo a qual um elemento primordial estava na origem de todas as transformações na natureza.

Do nada, nada pode nascer

Os três filósofos de Mileto acreditavam num — e apenas num — elemento primordial, a partir do qual todas as outras coisas eram criadas. Mas como poderia uma substância transformar-se de repente e tornar-se uma coisa completamente diferente? Podemos designar este problema pelo *problema do devir*.

A partir de aproximadamente 500 a. C viveram na colónia grega de Eleia, na Itália meridional, alguns filósofos, e estes «eleatas» tratavam destes problemas. O mais conhecido de entre eles era *Parménides* (aproximadamente 540-480 a. C.).

Parménides acreditava que tudo o que existe, existiu sempre. Esta ideia estava bastante difundida entre os Gregos. Tinham como evidente que tudo o que há no mundo existiu desde sempre. Do nada, nada pode nascer, pensava Parménides. E nada do que existe pode tornar-se nada.

Mas Parménides foi mais longe que a maior parte dos outros. Para ele, não era possível nenhuma verdadeira transformação. Uma coisa só se pode transformar naquilo que já é.

Parménides não tinha dúvidas de que na natureza se dão constantemente transformações. Os seus sentidos apercebiam-se do devir das coisas. Mas não conseguia fazer coincidir o que os seus sentidos registavam, com o que a *razão* lhe dizia. Quando foi obrigado a decidir se devia confiar nos sentidos ou na razão, decidiu-se pela razão.

Conhecemos a frase: «Só acredito naquilo que vejo.» Mas Parménides nem sequer acreditava no que via. Pensava que os sentidos nos forneciam uma imagem falsa do mundo, uma imagem que não coincidia com o que a razão diz aos homens. Enquanto filósofo, encarava a sua tarefa como o desmascarar de todas as formas de «ilusões sensoriais».

Esta forte confiança na razão humana é designada *racionalismo*. Um racionalista é uma pessoa que tem uma grande confiança na razão humana, como fonte do nosso conhecimento sobre o mundo.

Tudo flui

Heraclito, contemporâneo de Parménides, era originário de Éfeso na Ásia Menor (aproximadamente 540-480 a. C.). Segundo ele, as transformações constantes eram a verdadeira característica da natureza. Podemos dizer que Heraclito confiava mais nas impressões dos sentidos do que Parménides.

«Tudo flui», segundo Heraclito. Tudo está em movimento, e nada dura eternamente. Por isso, «não podemos tomar banho duas vezes nas águas do mesmo rio». Porque quando entramos no rio pela segunda vez, tanto nós como o rio estamos mudados.

Heraclito explicou, também, que o mundo é caracterizado por contrários constantes. Se nunca estivéssemos doentes, não compreenderíamos o que é a saúde. Se nunca tivéssemos fome, não gostaríamos de comer. Se nunca houvesse guerra, não saberíamos apreciar a paz, e se nunca fosse Inverno, não saberíamos quando chega a Primavera.

Tanto o bem como o mal ocupam um lugar necessário no todo, dizia Heraclito. Sem o jogo permanente entre contrários, o mundo terminaria.

«Deus é o dia e a noite, o Inverno e o Verão, a guerra e a paz, a saciedade e a fome», dizia. Ele utiliza aqui a palavra «Deus», mas não se refere aos deuses de que falam os mitos. Segundo Heraclito, Deus — ou o divino — é algo que abrange tudo. Sim, Deus está patente justamente na natureza, que é contraditória e está em transformação constante.

Em vez do termo «Deus», Heraclito usa frequentemente a palavra grega *logos*, que significa razão. Mesmo que nós, homens, não pensemos sempre de modo igual ou não tenhamos o mesmo bom-senso, tem de haver uma espécie de «razão universal», que governe tudo o que acontece na natureza. Esta razão universal — ou «lei universal» — é comum a todos, e todos os homens se devem orientar por ela. No entanto, a maior parte deles vive segundo a sua própria razão particular, segundo Heraclito. Com efeito, ele não tinha uma ideia muito positiva do seu próximo. As opiniões da maior parte dos homens eram, para ele, «jogos de crianças».

Em todas as transformações e contradições da natureza, Heraclito via uma unidade ou totalidade. Aquilo que está na origem de tudo, era designado por ele «Deus», ou *logos*.

Quatro elementos principais

Parménides e Heraclito tinham, sob um certo ponto de vista, concepções opostas. A *razão* de Parménides defendia que nada se pode alterar. Mas as *experiências dos sentidos* de Heraclito defendiam que, na natureza, se dão constantemente transformações. Qual dos dois tinha razão? Devemos confiar na *razão*, ou nos *sentidos*?

Tanto Parménides como Heraclito fazem duas afirmações respectivamente:

Parménides afirma que:
a) nada se pode transformar
e que:
b) consequentemente as impressões dos sentidos não podem ser dignas de confiança.

38

Heraclito, por seu lado, afirma que:
a) tudo se transforma («tudo flui»)
e que:
b) as impressões dos sentidos são dignas de confiança.

Dificilmente pode haver um desacordo maior entre filósofos! Mas qual dos dois tinha razão? Por fim, *Empédocles* (aproximadamente 494-434 a. C.), de Agrigento, haveria de encontrar o caminho para sair do novelo no qual a filosofia se tinha emaranhado. Pensava que tanto Parménides como Heraclito tinham razão numa das suas afirmações, mas que ambos se enganavam num ponto.

Segundo Empédocles, a grande discórdia baseava-se no facto de os filósofos terem pressuposto que apenas havia um elemento. Se isso fosse verdade, então o abismo entre o que a razão diz e o que recebemos dos sentidos seria intransponível.

A água não se pode transformar em peixe ou em borboleta. A água não se pode transformar de todo. A água pura permanece água pura para toda a eternidade. Parménides tinha razão em afirmar que nada se transforma. Simultaneamente, Empédocles estava de acordo com Heraclito, dizendo que devemos confiar nas impressões dos sentidos. Temos que acreditar no que vemos, e vemos transformações permanentes na natureza.

Empédocles reconheceu que a ideia de um único elemento primordial tinha de ser rejeitada. Nem a água, nem o ar se podiam transformar numa roseira ou numa borboleta. A natureza não podia ter apenas um elemento constituinte.

Segundo Empédocles a natureza é constituída por quatro elementos primordiais ou «raízes», que identifica com a *terra*, o *ar*, o *fogo* e a *água*.

Todas as transformações da natureza resultam do facto de os quatro elementos se misturarem e se separarem. Tudo é constituído por terra, ar, fogo e água, misturados em proporções variáveis. Quando uma flor ou um animal morrem, os quatro elementos separam-se novamente uns dos outros. Podemos apercebermo-nos destas transformações a olho nu. Mas a terra, o ar, o fogo e a água permanecem totalmente inalterados ou intactos, apesar de todas as misturas em que estão presentes. Também não é verdade que «tudo» se altera. Basicamente, nada se altera. O que sucede é que quatro elementos diferentes se misturam e se voltam a separar — para se misturarem novamente no futuro.

Podemos fazer uma comparação com um pintor. Se ele tem apenas uma cor — por exemplo, o vermelho — não pode pintar árvores verdes.

Mas se tem amarelo, vermelho, azul e preto, pode pintar centenas de cores diferentes, porque mistura as cores em proporções diferentes.

Um exemplo da cozinha mostra-nos o mesmo. Se eu tivesse apenas farinha, tinha de ser um ilusionista para fazer um bolo com ela. Mas se tenho ovos e farinha, leite e açúcar, posso criar variados bolos com os quatro elementos de base.

Não foi por acaso que para Empédocles as raízes da natureza eram precisamente a terra, o ar, o fogo e a água. Antes dele, outros filósofos tinham procurado mostrar que o elemento primordial era a terra ou a água ou o ar ou o fogo. Tales e Anaxímenes tinham insistido em que a água e o ar eram elementos importantes na natureza. Para os Gregos, o fogo também era importante. Por exemplo, viam a importância do Sol em toda a vida da natureza e, obviamente, tinham conhecimento do calor do corpo nos homens e nos animais.

Talvez Empédocles tenha visto arder um pedaço de madeira. Neste caso, há algo que se desagrega. Ouvimo-lo no crepitar da madeira. É a água. Algo se torna fumo. É o fogo. E vemos claramente o fogo. Quando as chamas se apagam, algo permanece. É a cinza, ou a terra.

Depois de Empédocles ter indicado que as transformações da natureza são produzidas através da mistura e separação das quatro raízes, há ainda uma questão em aberto: qual é a causa pela qual os elementos se unem para que nasça uma nova vida? E o que é que contribui para que a «mistura», uma flor, por exemplo, se desagregue de novo?

Segundo Empédocles, há na natureza duas forças diferentes que nela agem. Designava estas forças por *amor* e *discórdia*. Aquilo que une as coisas é o amor, o que as desagrega é a discórdia.

Empédocles faz uma distinção importante entre *elemento* e *força*. É importante notar isto. Ainda hoje, a ciência distingue *elementos* e *forças da natureza*. A ciência moderna acredita que todos os processos da natureza se podem explicar como resultado dos vários elementos e algumas forças da natureza.

Empédocles também se dedicou à questão do que acontece quando sentimos algo. Como é que eu posso, por exemplo, «ver» uma flor? O que sucede então? Já alguma vez reflectiste sobre isto, Sofia? Caso não o tenhas feito, tens a oportunidade de o fazer agora.

Empédocles pensava que os nossos olhos, tal como todas as outras coisas na natureza, são constituídos por terra, ar, fogo e água. Por isso, a terra do meu olho apreende o que é feito de terra no que é visto, o ar apreende o que é feito de ar, o fogo dos olhos apreende o que é feito de fogo, e a água o que é feito de água. Se faltasse no olho um destes elementos, eu não poderia ver toda a natureza.

Algo de tudo em tudo

Um outro filósofo, Anaxágoras (500-428 a.C.), não estava satisfeito com a conclusão a que se tinha chegado: que um determinado elemento primordial — água, por exemplo — se pudesse transformar em tudo o que vemos na natureza. Também não aceitava a concepção segundo a qual a terra, o ar, o fogo e a água se transformavam em sangue ou ossos, pele ou cabelo.

Anaxágoras achava que a natureza era composta por ínfimas partículas que não podiam ser apreendidas pelos olhos. Segundo ele, tudo se pode dividir em partes ainda mais pequenas, havendo nessas partículas um pouco de tudo. Se a pele e o cabelo não podem nascer de uma outra coisa, então tem de haver também, segundo ele, pele e cabelo no leite que bebemos e nos alimentos que comemos.

Dois exemplos modernos apontam para aquilo em que Anaxágoras pensou. Com a técnica *laser* podemos fabricar os chamados «hologramas». Se um holograma representa, por exemplo, um carro e este holograma é em seguida fragmentado, veremos ainda a imagem de todo o carro, mesmo que já só tenhamos a parte do holograma que mostrava o pára-choques. Isto sucede porque todo o motivo está presente em cada parte, mesmo a mais reduzida.

O nosso corpo também é basicamente formado desta maneira. Se eu raspar uma célula da pele do meu dedo, o núcleo da célula não contém apenas a descrição da minha pele. Na mesma célula, há igualmente a descrição dos meus olhos, da minha cor de cabelo, do número e aspecto dos meus dedos, etc. Em cada célula do corpo há uma detalhada descrição da constituição de todas as outras células do meu corpo. Em cada célula há, portanto, «algo de tudo». A totalidade encontra-se na partícula mais reduzida.

Anaxágoras chamou «sementes» a estes elementos infinitamente divisíveis a partir dos quais se formam os vários corpos. Vimos que segundo Empédocles o amor unia entre si as várias partes que formavam os corpos na sua globalidade. Também Anaxágoras imaginava uma espécie de força que, por assim dizer, produzia a ordem e criava homens, animais, flores e árvores. Designava esta força por *espírito* ou razão.

Anaxágoras é também digno de nota por ser o primeiro filósofo em Atenas de que temos notícia. Era oriundo da Ásia Menor, mas foi viver para Atenas com cerca de quarenta anos. Aí, foi acusado de impiedade e teve que deixar novamente a cidade. Afirmara, entre outras coisas, que o Sol não era nenhum Deus, mas uma massa incandescente, maior que a península do Peloponeso.

41

Anaxágoras interessava-se muito por astronomia. Acreditava que todos os corpos celestes eram feitos da mesma substância que a terra. Ficou convencido disto após ter examinado um meteorito. Por isso, era lícito pensar, segundo ele, que existissem homens noutros planetas. Além disso, esclareceu que a Lua não brilhava por si mesma, mas era iluminada pela terra. Por fim, explicou a formação dos eclipses solares.

P.S. Obrigado pela atenção, Sofia. Talvez tenhas que ler este capítulo duas ou três vezes até compreenderes tudo. Mas a compreensão implica um pequeno esforço pessoal. Dificilmente admirarias uma amiga que soubesse tudo se isso não lhe tivesse custado nada.

A melhor resposta para a questão do elemento primordial e das transformações na natureza tem de esperar até amanhã. Conhecerás então Demócrito. Não revelo mais nada!

Sofia estava na toca e espreitava para o jardim. Tinha que tentar ordenar os seus pensamentos depois de tudo o que tinha lido.

Era óbvio que a água se podia tornar gelo ou vapor. Mas a água não podia transformar-se numa melancia, visto que mesmo uma melancia era constituída por algo mais que água. Mas se estava tão certa disso, era porque o tinha aprendido. Poderia saber que o gelo era constituído apenas por água se não o tivesse aprendido? Nesse caso, teria que ter observado muito bem de que modo a água passava a gelo e como o gelo se derretia.

De novo, Sofia procurava pensar por si mesma sem aplicar o que tinha aprendido de outros.

Parménides recusara-se a aceitar qualquer forma de devir. E quanto mais ela reflectia sobre isso, mais se convencia de que, de um certo ponto de vista, ele tinha razão. A sua razão não podia aceitar que «algo» se transformasse subitamente em «algo» completamente diferente. Tinha sido muito corajoso da parte dele dizer isto, porque tivera de negar todas as alterações na natureza, que todo o homem podia observar. De certeza que muita gente se tinha rido dele.

Também Empédocles se tinha mostrado genial ao explicar que o mundo tinha necessariamente de ser constituído por mais do que um só elemento. Desta forma, todas as alterações na natureza eram possíveis, sem que alguma coisa se transformasse de facto.

O antigo filósofo grego tinha descoberto isto com o simples uso da razão. Naturalmente, tinha observado a natureza, mas não tivera nenhuma possibilidade de efectuar análises químicas, ao contrário da ciência moderna.

Sofia não sabia se estava particularmente convencida de que tudo era constituído por terra, ar, fogo e água. Mas o que é que isso importava? Em princípio, Empédocles tinha razão. A nossa única possibilidade de aceitarmos todas as alterações que os nossos olhos vêem sem perdermos o juízo, é admitirmos mais do que uma substância.

Sofia achava a filosofia particularmente cativante porque podia seguir todas as reflexões com o seu próprio entendimento — sem ter de recordar tudo o que aprendera na escola. Verificou que, na verdade, não se pode aprender filosofia, mas talvez se pudesse aprender a *pensar* filosoficamente.

DEMÓCRITO

... o brinquedo mais genial do mundo...

Sofia fechou a caixa dos biscoitos que continha todas as folhas escritas à máquina do filósofo desconhecido. Deslizou para fora da toca e ficou parada durante algum tempo a observar o jardim. De repente, lembrou-se do que acontecera no dia anterior. A mãe fizera troça dela durante o pequeno-almoço devido à «carta de amor» que recebera. Sofia correu em direcção à caixa do correio para que isso não se repetisse. Receber duas cartas de amor em dois dias seguidos equivalia a sentir-se embaraçada duas vezes.

Havia de novo um envelope branco pequeno! Sofia compreendeu então o sistema de correspondência: todas as tardes, encontrara na caixa do correio um envelope grande e amarelo. E, enquanto o lia, o filósofo ia lá às escondidas com uma pequena carta branca.

Isso significava que Sofia podia desmascará-lo facilmente. Ou seria uma filósofa? Se se pusesse à janela do seu quarto, tinha uma boa vista para a caixa do correio. Nessa altura, de certeza que descobriria o misterioso filósofo, visto que os envelopes brancos não podiam nascer por si mesmos.

Sofia decidiu tomar muita atenção no dia seguinte. Era sexta-feira, e teria todo o fim-de-semana à sua frente. Foi então para o seu quarto e abriu o envelope. Nesse dia, havia apenas uma pergunta na folha, mas em compensação esta pergunta era ainda mais absurda do que as três contidas na «carta de amor»:

Porque é que as peças do Lego são o brinquedo mais genial do mundo?

Sofia não estava muito convencida de que achava as peças do Lego o brinquedo mais genial do mundo; de qualquer modo, já não brincava com elas há muitos anos. Além disso, não conseguia compreender o que é que as peças do Lego teriam a ver com filosofia.

Mas era uma aluna obediente. Remexeu na prateleira mais alta do seu armário e encontrou por fim um saco de plástico com peças de Lego de variadíssimos tamanhos e formas.

Há muito tempo que não construía nada com as pequenas peças de plástico. Começou, então, a fazê-lo. À medida que o fazia, começou a pensar acerca das peças do Lego.

É fácil construir com o Lego, pensou. Apesar de as peças serem de tamanho e forma diferentes, todas podem ser montadas umas sobre as outras. Além disso, não se estragam facilmente. Sofia não se conseguia lembrar de ter alguma vez visto uma peça partida. Todas pareciam estar ainda tão novas e frescas como quando as recebera há muitos anos. E, além disso, com as peças do Lego podia construir tudo. Depois, podia desencaixar as peças e construir algo completamente diferente.

Que mais se podia exigir? Sofia verificou que as peças do Lego podiam, realmente, ser consideradas o brinquedo mais genial do mundo.

Mas ainda não percebia o que é que isso tinha a ver com filosofia. Em pouco tempo, construiu uma grande casa de bonecas. Quase não queria admitir que há muito tempo não se divertia tanto. Porque é que as pessoas deixavam de brincar?

Quando a sua mãe chegou a casa e viu a casa de bonecas de Sofia, disse de imediato:

— Que bom ver que ainda consegues brincar como uma criança!

— Bah! Eu estou a trabalhar em investigações filosóficas complexas.

A mãe suspirou profundamente. Estava certamente a pensar no coelho e na cartola.

Quando Sofia regressou da escola no dia seguinte, encontrou um grande envelope amarelo com muitas folhas. Foi para o seu quarto. Queria ler tudo imediatamente, mas nesse dia também queria ter a caixa do correio debaixo de olho.

A teoria atomista

Aqui estou de novo, Sofia. Hoje vou falar sobre o último grande filósofo da natureza. Chamava-se *Demócrito* (aproximadamente 460--370 a. C.) e vinha da cidade portuária de Abdera, a norte do Mar Egeu. Se conseguiste responder à pergunta acerca das peças do Lego, não te será difícil compreender o projecto deste filósofo.

Demócrito concordava com os seus predecessores ao afirmar que as transformações observáveis na natureza não significavam que algo se *alterasse* realmente. Admitiu, portanto, que tudo tinha de ser composto de elementos pequenos e invisíveis, eternos e imutáveis. Demócrito designava estas pequenas partículas por *átomos*.

O termo «átomo» significa «indivisível». Para Demócrito, era fundamental afirmar que aquilo a partir do qual tudo é formado não pode ser dividido em partes cada vez mais pequenas. Se os átomos pudessem ser constantemente divididos em partes cada vez mais pequenas, a natureza teria começado a fluir como uma sopa cada vez mais líquida.

Os elementos constitutivos da natureza tinham ainda de se conservar eternamente — porque nada pode nascer do nada. Nisto, Demócrito estava de acordo com Parménides e os eleatas. Além disso, os átomos eram sólidos e compactos. Mas não podiam ser iguais. Porque se os átomos fossem iguais, não teríamos uma explicação válida para o facto de poderem ser combinados de modo a formarem tudo, desde papoilas e oliveiras a pele de cabra e cabelo humano.

Existe uma quantidade infinita de átomos diferentes na natureza, segundo Demócrito. Alguns são redondos e lisos, outros são irregulares e curvos. E precisamente porque têm formas tão diversas, podem ser combinados para formarem corpos completamente diversos. Mesmo sendo numerosos e diferentes, todos são eternos, imutáveis e indivisíveis.

Quando um corpo — por exemplo, uma árvore ou um animal — morre e entra em decomposição, os seus átomos dispersam-se e podem ser utilizados de novo em novos corpos. Os átomos movem-se no espaço vazio e agregam-se para formar as coisas que vemos à nossa volta.

E agora já percebes o que eu queria dizer com as peças do Lego? Elas possuem mais ou menos as propriedades que Demócrito atribuiu aos átomos, e precisamente por isso se pode construir tão bem com elas. Em primeiro lugar, são indivisíveis. São diferentes em forma e em tamanho, são sólidas e impenetráveis. Além disso, as peças do Lego têm «ganchos», com os quais podem ser encaixadas umas nas outras; por isso podem ser transformadas em todas as figuras possíveis. Esta combinação pode ser mais tarde desfeita e depois construírem-se novos objectos a partir das mesmas peças.

E foi justamente o facto de poderem ser sempre usadas de novo que tornou o Lego tão popular. Uma e a mesma peça de Lego pode fazer hoje parte de um carro, e amanhã de um palácio. Além disso, é possível dizer que as peças do Lego são «imortais». As crianças de hoje podem brincar com as mesmas peças com que os seus pais brincaram quando ainda eram pequenas.

Com a plasticina damos forma a variadíssimas coisas, mas esta não deve ser usada constantemente, pois pode desfazer-se em partes cada vez mais pequenas, não podendo esses pequenos pedaços serem de novo encaixados para formarem novos objectos.

Hoje, podemos quase afirmar que a teoria de Demócrito estava certa. A natureza é de facto formada por diversos átomos, que se combinam uns com os outros e se separam de novo. Um átomo de hidrogénio que está numa célula na extremidade do meu nariz pertenceu, outrora, à tromba de um elefante. Um átomo de carbono do meu miocárdio esteve já na cauda de um dinossauro.

Hoje em dia, a ciência descobriu que os átomos se dividem em «partículas elementares» ainda mais pequenas. A essas partículas elementares chamamos protões, neutrões e electrões. E talvez estas se deixem fraccionar em partículas ainda mais pequenas. Mas os físicos concordam em afirmar que tem de haver um limite. Têm de existir as *partículas mais pequenas* a partir das quais a natureza é formada.

Demócrito não tinha acesso aos aparelhos electrónicos do nosso tempo. O seu único instrumento era a razão. Mas a razão não lhe deixava nenhuma alternativa. Se aceitarmos que nada se pode alterar, que nada surge do nada e que nada desaparece, nesse caso a natureza *tem* de ser formada por elementos constitutivos minúsculos que se combinam e se separam uns dos outros.

Demócrito não tinha em conta uma «força» ou um «espírito» que interviesse nos processos naturais. As únicas coisas que existem, segundo ele, são os átomos e o espaço vazio. Dado que ele só acreditava no que é «material», denominamo-lo *materialista*.

Nos movimentos dos átomos não há uma finalidade consciente. Isso não significa que tudo o que acontece seja ao «acaso», porque tudo segue as leis constantes da natureza. Demócrito achava que tudo o que acontece tem uma causa natural, uma causa que reside nas próprias coisas. Teria dito um dia que preferia descobrir uma lei da natureza a tornar-se rei da Pérsia.

Segundo Demócrito, a teoria atomista esclarecia também as nossas *sensações*. A percepção que temos de alguma coisa deve-se ao movimento dos átomos no vazio. Quando vejo a lua, o que acontece é que os «átomos lunares» atingem o meu olho.

E a *alma*? Não pode ser constituída por átomos, por «coisas» materiais? Para Demócrito a alma era constituída por «átomos de alma» redondos e lisos. Quando um homem morre, os átomos da alma dispersam-se em todas as direcções e podem dar vida a outra alma.

Isto significa que o homem não possui uma alma imortal. Este é um pensamento partilhado hoje por muitas pessoas. Acreditam, como Demócrito, que a alma está ligada ao cérebro, e que não podemos ter nenhuma forma de consciência quando o cérebro se decompõe.

Com a sua teoria atomista, Demócrito pôs um ponto final provisório na filosofia grega da natureza. Estava de acordo com Heraclito quando pensava que, na natureza, tudo flui; porque as formas vêm e vão. Mas por detrás de tudo o que flui, há algo eterno e imutável que não flui: os átomos, segundo Demócrito.

Durante a leitura, Sofia espreitava frequentemente pela janela para verificar se o misterioso autor das cartas aparecia junto à caixa do correio. Nesse momento, olhava fixamente para a rua, enquanto reflectia no que tinha lido.

Segundo Sofia, Demócrito pensara de um modo simples e genial. Ele encontrara a solução para os problemas do «elemento primordial» e do «devir». Esta questão era tão complicada que os filósofos tinham trabalhado muito nela durante várias gerações. Por fim, Demócrito resolvera todo o problema, tendo usado simplesmente a sua razão.

Sofia quase se riu. *Tinha* de ser verdade que a natureza era formada por partículas minúsculas que nunca se alteravam. Ao mesmo tempo, Heraclito tinha razão em afirmar que todas as formas na natureza «fluem», porque todos os homens e animais morrem, e mesmo uma montanha se desagrega lentamente. No entanto essa montanha é constituída por partículas pequenas e indivisíveis que nunca se quebram.

Demócrito colocara novas questões. Por exemplo, afirmara que tudo acontece de uma forma mecânica. Não aceitava a ideia de forças espirituais na existência — ao contrário de Empédocles e Anaxágoras. Além disso, Demócrito não acreditava que o homem tivesse uma alma imortal.

Poderia ela ter a certeza de que ele tinha razão nesse aspecto?

Não estava tão segura disso. Mas ela também estava apenas no início do seu curso de filosofia.

O DESTINO

*... o adivinho procura interpretar
algo que, na realidade, é obscuro...*

Sofia tinha mantido o portão da casa debaixo de olho enquanto lia sobre Demócrito. Decidiu sair em direcção à caixa do correio, para ter a certeza.

Quando abriu a porta da casa, descobriu lá fora, sobre a escada, um pequeno envelope com o seu nome: Sofia Amundsen.

Era evidente que ele a tinha enganado! Precisamente nesse dia, em que ela observara atentamente a caixa do correio, o misterioso filósofo tinha entrado furtivamente em casa e colocado a carta nas escadas, antes de se ter escondido novamente no bosque. Que diabo!

Como é que ele poderia saber que, precisamente nesse dia, Sofia estava com a caixa do correio debaixo de olho? Talvez ele (ou ela) a tivesse visto à janela. De qualquer modo, estava contente por ter encontrado o envelope antes de a mãe ter chegado a casa.

Sofia voltou para o seu quarto e abriu a carta. O envelope branco estava um pouco húmido nos bordos e apresentava também alguns cortes. Mas porquê? Não chovia há vários dias.

Na folha estava escrito:

Acreditas no destino?
Será a doença um castigo dos deuses?
Quais são as forças que governam o curso da história?

Se ela acreditava no destino? Não, na verdade não. Mas conhecia muitas pessoas que acreditavam. Por exemplo, muitas das suas colegas liam o horóscopo nas revistas. E se acreditavam na astrologia, com certeza acreditavam também no destino, porque os astrólogos afirmam que a posição das estrelas no céu pode dizer algo sobre a vida dos homens na terra.

Se se acredita que um gato preto que se atravessa no nosso caminho significa azar — sim, nesse caso também se acredita no destino. Quanto mais reflectia nisto, mais exemplos descobria da crença no destino. Porque é que se dizia, por exemplo, «bate na madeira»? E porque é que a sexta-feira 13 é um dia de azar? Sofia tinha ouvido dizer que muitos hotéis não tinham nenhum quarto com o número 13. Certamente porque havia muitas pessoas supersticiosas.

«Superstição» — não era uma palavra estranha? Quando se acredita somente em Deus, isso chama-se apenas «fé». Mas quando se acredita na astrologia ou na sexta-feira 13, trata-se imediatamente de superstição!

Quem tinha o direito de designar a crença de outras pessoas como superstição?

Sofia tinha a certeza de uma coisa: Demócrito *não* acreditava no destino. Ele era materialista. Acreditava apenas nos átomos e no vazio.

Sofia procurava reflectir sobre as outras perguntas escritas na folha.

«Será a doença um castigo dos deuses?» Hoje em dia já ninguém acreditava numa coisa dessas. Mas depois lembrou-se que muitas pessoas rezavam a Deus para ficarem boas, e nesse caso tinham de acreditar que Deus também determinava quem devia estar doente e quem devia estar de boa saúde.

A última pergunta era a mais difícil. Sofia nunca tinha pensado no que é que governaria o curso da história. Deviam ser os homens. Se fosse Deus ou o destino, os homens não podiam ter realmente livre arbítrio.

A questão do livre arbítrio levou Sofia a um pensamento completamente diferente. Porque é que haveria de aceitar que o misterioso filósofo brincasse com ela ao gato e ao rato? Porque é que não lhe escrevia também ela uma carta? Ele ou ela colocaria seguramente uma nova carta no correio no decorrer da noite ou na manhã seguinte. E por isso, ela iria deixar, no mesmo lugar, uma carta para o seu professor de filosofia.

Sofia pôs mãos à obra. Achou muito difícil escrever a uma pessoa que nunca tinha visto. Nem sequer sabia se estava a escrever a um homem ou a uma mulher. Também não sabia se esta pessoa era velha ou nova. E, no fim de contas, essa pessoa podia inclusivamente ser alguém que Sofia conhecia.

Em pouco tempo, formulara uma pequena carta:

Caro filósofo: aqui em casa temos em grande apreço o seu generoso curso de filosofia. Mas também nos preocupa não saber quem você é. Por isso lhe pedimos que se apresente com o nome completo. Em compensação, é convidado para um café aqui em casa, mas de preferência quando a mãe não estiver cá. Ela trabalha de segunda a sexta das 7.30 às 17.00 horas. Eu própria estou na escola de manhã, mas estou sempre em casa da parte de tarde, excepto às quintas-feiras, às 14.15. Além disso, faço um café muito bom. Desde já agradeço.

Muitos cumprimentos da sua atenta aluna, Sofia Amundsen, 14 anos

No fundo da folha, escreveu: «Solicita-se resposta».

Pareceu-lhe uma carta demasiado cerimoniosa. Mas não era fácil decidir com que palavras havia de escrever a uma pessoa sem rosto.

Colocou a carta num envelope cor-de-rosa e fechou-o. No envelope, escreveu: «Para o filósofo!»

O problema era como colocaria a carta na caixa do correio sem que a sua mãe a descobrisse. Tinha que a pôr lá antes de a mãe chegar a casa, e não se podia esquecer de revistar cedo a caixa do correio, na manhã seguinte, antes que o jornal chegasse. Se durante a tarde ou a noite não chegasse mais nenhuma carta para ela, tinha que ficar de novo com o envelope rosa.

Porque é que tudo tinha de ser tão complicado?

Nessa tarde, Sofia foi cedo para o quarto apesar de ser sexta-feira. A mãe tentou que ela ficasse, aliciando-a com pizza e com um filme policial, mas Sofia disse que estava cansada e que queria ler na cama. Enquanto a mãe olhava fixamente o ecrã, Sofia foi sorrateiramente à caixa do correio.

A mãe estava claramente preocupada. Falava com Sofia num tom completamente diferente desde a conversa sobre o coelho e a cartola. Sofia não queria que ela se preocupasse, mas nesse momento tinha de ir para o quarto para poder observar a caixa do correio.

Quando a mãe foi ter com ela cerca das onze horas, Sofia estava sentada à janela e olhava fixamente para a rua.

— Não estás a observar a caixa do correio, pois não? — perguntou a mãe.

— E porque não?

— Vejo que estás mesmo apaixonada, Sofia. Mas se ele trouxer uma nova carta, certamente não será a meio da noite.

Que coisa! Sofia não podia suportar observações sobre a sua suposta paixão. Mas tinha de deixar a mãe acreditar nisso.

51

A mãe continuou:

— Foi ele que falou no coelho e na cartola?

Sofia acenou afirmativamente

— Ele... ele não se droga, pois não?

Desta vez, Sofia teve pena dela. Não podia causar-lhe tanta angústia. De qualquer modo, era uma idiotice completa julgar que pensamentos estranhos tinham forçosamente algo a ver com estupefacientes. Por vezes, os adultos eram mesmo parvos.

Voltou-se e disse:

— Mamã, eu prometo-te que nunca vou experimentar isso... e 'ele' também não toma drogas. Mas interessa-se muito por filosofia.

— É mais velho que tu?

Sofia abanou a cabeça.

— É da mesma idade?

Sofia acenou afirmativamente.

— Parece-me um rapaz fantástico. E agora acho que devias tentar dormir.

Mas Sofia ficou ainda sentada um bom bocado a observar a rua. Por volta da uma hora estava tão cansada que os seus olhos se fechavam constantemente. Por pouco não se deitava, mas descobriu subitamente uma sombra que vinha do bosque.

Lá fora estava quase totalmente escuro, mas havia claridade suficiente para que ela reconhecesse uma silhueta humana. Era um homem, e pareceu a Sofia bastante velho. Pelo menos, não estava de forma alguma na sua faixa etária. Trazia na cabeça uma bóina, ou algo semelhante.

A certa altura, pareceu que olhava para cima, para a casa, mas Sofia não tinha nenhuma luz acesa. O homem foi à caixa do correio e introduziu um envelope grande. Precisamente no momento em que introduziu o seu envelope, descobriu o envelope de Sofia. Enfiou a mão na caixa do correio e retirou a carta. Não tardou muito para se pôr de novo a caminho do bosque. Correu e desapareceu entre as árvores.

Sofia sentiu o coração a bater. Desejava ter corrido atrás dele em camisa de noite. Mas não, não arriscava; não se atrevia a ir no encalço de um homem completamente estranho a meio da noite. Mas *tinha* de ir buscar a carta, isso era certo.

Passado um pouco, desceu silenciosamente as escadas, abriu a porta com cuidado e foi à caixa do correio. Voltou ao seu quarto com o grande envelope na mão. Sentou-se na cama e reteve a respiração. Passados poucos minutos, nada se movia na casa, abriu a carta e começou a ler.

Evidentemente, não podia esperar uma resposta à sua carta. Essa chegaria de manhã, na melhor das hipóteses.

O destino

Mais uma vez, bom dia, cara Sofia! Deixa-me apenas dizer-te que nunca deves tentar espiar-me. Um dia havemos de nos conhecer, mas serei eu a decidir o momento e o local.

Agora já sabes: não vais querer ser desobediente, pois não?

Regressando aos filósofos. Vimos de que modo eles tentaram encontrar explicações naturais para as transformações da natureza. Antes disto, essas transformações eram explicadas através dos mitos.

Mas noutros campos a superstição antiga também tinha de ser posta de parte. Vemo-lo não só em relação à *saúde e doença* como também na *política*. Nestes domínios, os gregos acreditavam no destino.

«Fatalismo» significa a convicção de que está estabelecido *a priori* aquilo que irá acontecer. Encontramos esta ideia em todo o mundo — tanto hoje como em qualquer outro momento da história. Aqui na Europa setentrional encontramo-la nas antigas sagas islandesas.

Tanto entre os gregos como noutros povos acreditava-se que os homens, através de diversos *oráculos*, podiam estar ao corrente do seu destino. Isso significa que o destino de uma pessoa ou de um Estado se pode prever de diversas maneiras e que se pode interpretar a partir de determinados «indícios».

Ainda há muitas pessoas que acham ser possível ler o destino nas cartas, na palma da mão ou interpretando as estrelas.

Uma prática muito difundida na Noruega é também ler os restos do café. Depois de se tomar um café fica geralmente no fundo da chávena um pouco da borra. Talvez a borra forme uma determinada imagem ou um desenho — sobretudo se recorrermos um pouco à imaginação. Quando a borra se parece com um carro, isso significa talvez que a pessoa que bebeu o café irá em breve fazer uma longa viagem de carro.

Vemos que o «adivinho» procura interpretar algo que, na realidade, é obscuro. Isso é típico da arte divinatória. É precisamente porque aquilo a partir do qual nós «predizemos» é tão pouco claro que, na maior parte das vezes, não é fácil de todo contradizer o adivinho.

Quando erguemos os olhos para o céu estrelado vemos um verdadeiro caos de pontinhos brilhantes. No entanto, muitos homens acreditaram ao longo da história que as estrelas poderiam dizer-nos algo acerca da nossa vida na terra. Ainda hoje há políticos que pedem conselho aos astrólogos antes de tomarem decisões importantes

O oráculo de Delfos

Os gregos acreditavam que o oráculo de Delfos poderia dar aos homens informação sobre o seu destino. Aí, o deus *Apolo* era a divindade do oráculo, que falava através da sacerdotisa, a *Pítia* ou Pitonisa que estava sentada numa trípode sobre uma fenda aberta no solo. Desta fenda subiam gases entorpecedores, por meio dos quais a Pítia ficava em estado de transe. Só assim podia tornar-se porta-voz de *Apolo*.

Quem chegava a Delfos tinha primeiro de colocar aos sacerdotes locais a sua pergunta. Estes iam ter com a Pítia. Ela dava uma resposta que era tão incompreensível ou tão ambígua que os sacerdotes tinham de «explicar» essa resposta àquele que a solicitara.

Desta forma, os gregos podiam servir-se da sabedoria de Apolo, visto que acreditavam que Apolo sabia tudo — passado e futuro.

Muitos soberanos não ousavam partir para a guerra ou tomar decisões importantes antes de consultarem o oráculo de Delfos. Assim, os sacerdotes de *Apolo* tornaram-se quase uma espécie de diplomatas e conselheiros que possuíam um vasto conhecimento do povo e do país.

No templo de Delfos, havia uma inscrição famosa: CONHECE-TE A TI MESMO! Isso porque os homens nunca deviam julgar que eram mais do que homens — e nenhum homem podia escapar ao seu destino.

Entre os gregos contavam-se muitas histórias acerca de pessoas que tinham sido vítimas do seu destino. Com o decorrer do tempo, foram escritos vários dramas — *tragédias* — acerca destas personagens «trágicas». O exemplo mais famoso é a história do *Rei Édipo* que, querendo fugir ao seu destino, acabou mesmo por cair nas suas garras.

História e medicina

Não era apenas a vida de pessoas individuais a ser determinada pelo destino, segundo a opinião dos gregos na Antiga Grécia. Eles pensavam também que o curso do mundo era governado pelo destino. Acreditavam, por exemplo, que o desenlace de uma guerra podia ser atribuído à intervenção divina. Ainda hoje, muitos acreditam que Deus ou outras forças místicas governam os acontecimentos históricos.

Mas enquanto os filósofos gregos procuravam encontrar explicações naturais para os processos da natureza, também se formava pouco a pouco uma ciência da história, cujo objectivo era encontrar causas naturais para o curso da história. Já não se atribuía aos desejos de vingança dos deuses o facto de um Estado perder uma guerra. Os historiadores gregos mais conhecidos foram *Heródoto* (484-424 a. C.) e *Tucídides* (460-400 a. C.).

Os gregos acreditavam que os deuses eram responsáveis pelas doenças. Assim, as doenças contagiosas eram frequentemente vistas como castigo dos deuses. Em contrapartida, os deuses podiam tornar os homens saudáveis se lhes fossem oferecido os sacrifícios devidos.

Esta ideia não é tipicamente grega. Antes de se desenvolver, em tempos mais recentes, a ciência médica moderna, predominava a opinião segundo a qual cada doença tinha uma causa sobrenatural. A palavra «influenza», que ainda hoje é utilizada, significava originalmente que alguém estava sob a «influência» nefasta dos astros.

Muitas pessoas em todo o mundo ainda pensam que várias doenças — como, por exemplo, a sida — são um castigo de Deus. E muitos acreditam que um doente pode ser curado de maneira sobrenatural.

Enquanto os filósofos gregos reflectiam sobre a natureza, desenvolvia-se igualmente na Grécia uma ciência médica, que procurava encontrar explicações naturais para a saúde e para a doença. Esta ciência médica grega foi supostamente fundada por *Hipócrates*, que nasceu cerca do ano 460 a. C. na ilha de Cós.

A protecção mais importante contra a doença residia, segundo a tradição hipocrática, na moderação e numa vida saudável. Para um ser humano é natural estar bem; por isso, se se adoece, deve-se procurar o motivo num desequilíbrio físico ou psíquico. A vida saudável reside na moderação, na harmonia e em «uma mente sã num corpo são».

Hoje ainda se fala acerca de «deontologia médica». Significa que um médico tem que exercer a sua profissão seguindo determinadas normas éticas. Por exemplo, um médico não pode receitar drogas a pessoas saudáveis. Um médico está também sujeito a um segredo profissional que lhe proíbe contar aquilo que um paciente lhe revelou sobre a sua doença. Estas ideias vêm de Hipócrates. Os seus discípulos tinham de prestar um juramento ainda hoje conhecido como o juramento hipocrático:

> *Juro por Apolo, o médico, por Escolápio, por Higeia e por Panaceia, tomando por testemunhas todos os Deuses e todas as Deusas, que cumprirei com todas as minhas posses e conforme o meu saber o seguinte juramento: Considerar e amar como a meus pais aquele que me ensinou esta arte; viver com ele e, se necessário for, repartir com*

ele os meus bens; olhar pelos seus filhos como se fossem meus irmãos e ensinar-lhes esta arte, se assim o pretenderem, sem receber qualquer pagamento ou promessa escrita; ensinar aos meus filhos, aos filhos do mestre que me ensinou e a todos os discípulos que se inscrevam e que concordem com as regras da profissão, mas só a estes, todos os preceitos e conhecimentos. Prescrever aos doentes, segundo as minhas possibilidades e o meu saber, o regime conveniente para o seu bem e nunca prejudicar ninguém. Não receitar drogas perigosas para agradar a quem quer que seja, nem lhe dar conselhos que possam causar a sua morte. Não dar às mulheres meios de abortarem. Conservar a pureza da minha vida e da minha profissão. Não fazer operações para tirar pedras, mesmo nos enfermos em que a doença seja manifesta, e deixar esta operação aos especialistas nessa arte. Em todas as casas a que eu for, entrar somente para benefício dos meus doentes, evitando qualquer prejuízo intencional ou qualquer sedução, bem como, em especial, os prazeres do amor com mulheres ou com homens, quer sejam livres ou escravos. Manter secreto e nunca revelar aos outros tudo o que possa vir a saber no exercício da minha profissão, fora da minha profissão ou na convivência diária com as pessoas e que não deva ser divulgado. Se eu mantiver e observar este juramento com fidelidade, que possa ter alegria em viver e praticar a minha arte, respeitado por todos os homens e em todos os tempos, mas se eu me desviar dele, ou o violar, que me suceda o contrário.

Quando acordou na manhã de sábado, Sofia sobressaltou-se. Teria apenas sonhado, ou teria visto, de facto, o filósofo?

Tacteando, procurou debaixo da cama. Sim — aí estava a carta que chegara nessa noite. Tinha lido sobre a crença no destino, no que dizia respeito aos gregos. Não podia ser apenas um sonho.

Seguramente que tinha visto o filósofo! E mais — tinha visto com os seus próprios olhos que ele ficara com a sua carta.

Sofia levantou-se e espreitou para debaixo da cama. Retirou as folhas escritas. Mas o que era aquilo? Bem atrás, junto à parede, estava uma coisa vermelha. Seria um lenço?

Sofia enfiou-se debaixo da cama e retirou um lenço de seda vermelho. Nunca tinha visto aquele lenço.

Examinou bem o lenço de seda e soltou um grito quando viu que na bainha estava algo escrito a preto: «HILDE».

Hilde! Mas quem era esta Hilde? Como era possível que os seus caminhos se cruzassem desta forma?

56

SÓCRATES

... a pessoa mais sábia é aquela que sabe que não sabe...

Sofia vestiu um vestido de Verão e desceu para a cozinha. A mãe estava debruçada sobre o lava-louça. Sofia decidiu não dizer nada sobre o lenço de seda.

— Já foste buscar o jornal? — perguntou Sofia em voz baixa.

A mãe voltou-se.

— Não queres ser simpática e ir buscá-lo por mim?

Sofia correu pelo caminho de saibro e espreitou para a caixa do correio verde.

Apenas jornais. Mas também não podia esperar uma resposta imediata. Na primeira página do jornal leu algumas linhas acerca do contingente norueguês da ONU no Líbano.

Contingente da ONU — não era o que estava escrito no postal do pai de Hilde? Mas tinha um selo norueguês. Talvez os soldados noruegueses da ONU tivessem uma caixa de correio apenas para eles.

Quando voltou à cozinha, a mãe afirmou ironicamente:

— De repente os jornais passaram a interessar-te muito.

Felizmente, não disse mais nada acerca da caixa do correio ou alguma coisa semelhante, nem durante o pequeno-almoço nem durante o resto do dia. Quando foi às compras, Sofia foi a correr para a toca com a carta que falava do destino.

O seu coração deu um pulo quando encontrou um pequeno envelope branco junto à caixa das cartas do seu professor de filosofia. Sofia julgou saber quem o tinha colocado lá.

Este envelope também tinha os bordos húmidos. E apresentava dois golpes profundos, exactamente como o envelope branco que recebera no dia anterior.

Teria o filósofo estado ali? Conheceria ele o seu esconderijo secreto? Porque é que os envelopes estavam molhados?

Sofia ficou atordoada com todas estas perguntas. Abriu o envelope e leu o que estava escrito na folha.

Cara Sofia! Li a tua carta com grande interesse — e também com muita pena porque não posso aceitar o teu convite para tomar café em tua casa. Havemos de nos encontrar um dia, mas, por enquanto, não posso ser visto na Curva do Capitão.

Devo ainda acrescentar que já não posso entregar as minhas cartas pessoalmente. Com o decorrer do tempo, isso seria demasiado arriscado. O meu pequeno mensageiro levará as próximas cartas. Em compensação, as cartas serão depositadas directamente no teu esconderijo secreto, no jardim. Daqui em diante, podes entrar em contacto comigo quando sentires que há necessidade disso. Nesse caso, tens de usar um envelope cor-de-rosa com uma bolacha doce ou com um torrão de açúcar. Quando o mensageiro encontrar uma dessas cartas, não deixará de ma trazer.

P.S. Não é nada divertido recusar o convite de uma jovem. Mas por vezes é necessário.

P.S. 2. Se encontrares um lenço de seda, quero pedir-te que o conserves cuidadosamente. Acontece, por vezes, que os objectos são trocados, sobretudo na escola e em locais semelhantes, e esta é na verdade uma escola de filosofia.

Cumprimentos cordiais, Albert Knox

Sofia já tinha catorze anos, e já recebera várias cartas durante a sua breve existência, pelo menos no Natal ou nos aniversários. Mas esta era a carta mais estranha que alguma vez recebera.

Não trazia selo. Nem sequer tinha estado na caixa do correio. Esta carta fora depositada directamente no esconderijo supersecreto de Sofia, junto à antiga sebe. Também era estranho que a carta se tivesse molhado, estando um tempo primaveril seco.

Mas o mais estranho era, obviamente, o lenço de seda. O professor de filosofia tinha mais uma aluna. Está bem! E esta outra aluna tinha perdido um lenço de seda vermelho. Está bem! Mas como é que conseguira perder o lenço debaixo da cama de Sofia?

E Alberto Knox... que nome tão esquisito!

De qualquer forma, esta carta provara que havia uma relação entre o professor de filosofia e Hilde Møller Knag. Mas que o pai de Hilde confundisse as moradas, era completamente incompreensível.

Sofia ficou muito tempo sentada, questionando-se sobre que relação poderia haver entre ela própria e Hilde. Por fim, suspirou, resignada. O professor de filosofia dissera que se encontrariam um dia. Iria ela, nessa altura, conhecer também Hilde?

Virou a folha. Descobriu então que havia algumas frases no verso.

Existe um pudor natural?
A pessoa mais sábia é aquela que sabe que não sabe.
O verdadeiro conhecimento vem de dentro.
Quem sabe o que é correcto, age correctamente.

Sofia já sabia que as frases curtas dos envelopes brancos a iriam preparar para o conteúdo do envelope grande que, entretanto, receberia em seguida. E nesse momento, teve uma ideia: se o «mensageiro» lhe levava para a toca o envelope amarelo, Sofia podia esperar por ele. Ou por ela? De qualquer modo, havia de agarrar a pessoa em questão até que lhe contasse mais qualquer coisa a respeito do filósofo! Na carta estava escrito que o mensageiro era pequeno. Tratar-se-ia de uma criança?

«Existe um pudor natural?»

Sofia sabia que «pudor» era uma palavra antiquada para designar certas inibições — por exemplo, deixar-se ver nu. Mas seria realmente natural ter pudor em relação a isso? Ser natural equivalia a dizer que era válido para todos os homens. Mas em muitos países do mundo era natural estar nu!

Seria a *sociedade* a estabelecer o que era permitido e o que não era? Quando a avó era jovem, era completamente impossível tomar banhos de sol em *topless*. Mas hoje em dia, a maior parte das pessoas achava isso «natural», apesar de ser totalmente proibido em muitos países. Sofia coçou a cabeça. Seria isto filosofia?

Depois podia ler-se: « A pessoa mais sábia é a que sabe que não sabe».

Mais sábia que quem? Se o filósofo queria dizer com isso que uma pessoa que sabia que não sabia tudo era mais sábia do que uma que sabia pouco e que pensava que sabia muito — sim, nesse caso não era muito difícil partilhar a sua opinião. Sofia nunca tinha pensado nisso. Mas quanto mais pensava, mais claro lhe parecia que, no fundo, saber que não se sabe é uma espécie de saber. Ela não conseguia imaginar nada mais estúpido do que pessoas que defendiam opiniões que julgavam irrefutáveis, quando, na realidade, nada sabiam sobre isso.

Em seguida, havia a frase sobre o conhecimento que vinha de dentro. Mas, sem dúvida, todo o conhecimento vinha primeiro do exterior passando depois para a cabeça das pessoas. Por outro lado, Sofia lembrava-se bem de situações em que a sua mãe ou os professores, na escola, tinham tentado ensinar-lhe qualquer coisa em que ela não estava interessada. Se aprendera de facto alguma coisa, também tinha, de algum modo, contribuído para isso. Podia acontecer-lhe compreender algo subitamente — e era isso que era designado por «saber».

Sim, Sofia achava que tinha resolvido as primeiras perguntas muito bem. Mas em seguida vinha uma afirmação tão estranha que a deixara perplexa. «Quem sabe o que é correcto, age correctamente».

Queria isso dizer que um assaltante de bancos não tinha uma ideia melhor quando assaltava um banco? Sofia achava que não. Em vez disso, estava convencida de que tanto as crianças como os adultos podiam fazer disparates — dos quais se arrependeriam mais tarde — e que o faziam tendo plena consciência de que poderiam ter agido de uma forma mais correcta.

Enquanto ainda estava sentada, ouviu de repente, do lado da sebe que ia dar ao bosque, ramos secos a estalarem. Seria o mensageiro? Sofia sentiu de novo o coração aos pulos. Mas teve ainda mais medo quando se deu conta de que, o que se aproximava, arfava como um animal.

Logo em seguida, entrou na toca um cão grande, vindo do bosque. Devia ser um labrador. Segurava na boca um grande envelope amarelo que deixou cair aos pés de Sofia. Tudo se passou tão depressa que Sofia não conseguiu sequer reagir. Passados poucos segundos, tinha o grande envelope nas mãos — e o cão amarelo desaparecera de novo no bosque. Só depois de tudo isto se ter passado é que o choque surgiu. Sofia pôs as mãos no colo e começou a chorar.

Não deu por quanto tempo ficou assim, mas, daí a um bocado, levantou de novo os olhos.

Então aquele era o mensageiro! Sofia sentiu-se aliviada. Era por isso que os envelopes brancos estavam molhados nas bordas. E era por isso que tinham golpes. Como é que ainda não pensara nisso? Já fazia sentido que devesse colocar no envelope um biscoito ou um torrão de açúcar quando quisesse escrever ao filósofo.

Nem sempre conseguia pensar tão depressa como desejava. No entanto, era bastante curioso que o mensageiro fosse um cão amestrado. Desta forma, podia pôr de lado a ideia de vir a saber pelo mensageiro o paradeiro de Alberto Knox.

Sofia abriu o envelope e começou a ler.

A filosofia em Atenas

Cara Sofia! Quando leres esta carta, já terás conhecido *Hermes*. Por precaução, devo acrescentar que Hermes é um cão. Mas não tens que te preocupar. Ele é muito simpático — e, além disso, tem mais juízo que muitas pessoas. Pelo menos, não tenta parecer mais esperto do que é na realidade.

Já podes perceber que o seu nome não é fruto do acaso. Hermes era o mensageiro dos deuses gregos. Era ainda o deus dos viandantes, mas por enquanto isso não nos diz respeito. O importante é que do nome Hermes deriva o adjectivo «hermético», que significa obscuro e indecifrável. Isso está relacionado com o facto de Hermes nos manter afastados um do outro.

Já apresentei o mensageiro. Ele responde pelo seu nome e, em geral, é bastante obediente.

Voltemos à filosofia. Já deixámos a primeira unidade. Refiro-me à filosofia da natureza, a verdadeira ruptura com a concepção mítica do mundo. Vamos conhecer agora os três principais filósofos da Antiguidade. Chamam-se *Sócrates, Platão* e *Aristóteles.* Cada um destes filósofos marcou de uma certa maneira a civilização europeia.

Os filósofos da natureza são também designados por pré-socráticos, visto que viveram antes de Sócrates. Na realidade, Demócrito morreu alguns anos após Sócrates, mas todo o seu pensamento pertence à filosofia da natureza pré-socrática. Sócrates representa uma linha de separação não apenas do ponto de vista cronológico. Também do ponto de vista geográfico, Sócrates é o primeiro filósofo nascido em Atenas, e tanto ele como ambos os seus sucessores viveram e exerceram a sua actividade em Atenas. Talvez recordes que Anaxágoras viveu algum tempo nesta cidade, tendo, no entanto, sido expulso dela por defender que o sol era uma esfera de fogo. (Sócrates não iria ter um destino melhor!).

A partir da época de Sócrates, Atenas torna-se o ponto de encontro da cultura grega. É ainda mais importante notar que todo o projecto filosófico muda essencialmente, se passarmos dos filósofos da natureza para Sócrates. Mas antes de conhecermos Sócrates, vamos saber um pouco mais acerca dos chamados *sofistas,* que influenciaram o panorama cultural da cidade de Atenas.

O pano vai subir, Sofia! A história do pensamento é semelhante a um drama em muitos actos.

O homem no centro

Por volta de 450 a. C., Atenas tornou-se o centro cultural do mundo grego. A filosofia também tomou então uma orientação nova.

Os filósofos da natureza eram, sobretudo, investigadores do mundo físico. Ocupam consequentemente um lugar importante na história das ciências. Em Atenas, o interesse concentrou-se, então, mais no homem e no seu lugar na sociedade.

Em Atenas desenvolvia-se progressivamente uma democracia com assembleias populares e tribunais. Uma das condições para a instauração da democracia exigia que os homens recebessem instrução suficiente para poderem participar na vida política. Também nos dias de hoje vemos que uma jovem democracia precisa do esclarecimento popular. Entre os atenienses isso significava sobretudo dominar a retórica.

Vindo das colónias gregas, um grupo de professores itinerantes e de filósofos afluiu então a Atenas. Chamavam-se *sofistas*. A palavra «sofista» designa uma pessoa sábia ou erudita. Em Atenas, os sofistas ganhavam o seu sustento ensinando os cidadãos.

Os sofistas tinham uma notável semelhança com os filósofos da natureza, pois também eles eram críticos relativamente aos mitos tradicionais. Mas, simultaneamente, os sofistas recusavam tudo o que lhes parecia ser especulação filosófica desnecessária. Achavam que mesmo que houvesse resposta para muitas questões filosóficas, os homens nunca poderiam encontrar explicações verdadeiramente seguras para os enigmas da natureza e do universo. Em filosofia, este ponto de vista é designado por *cepticismo*.

Mas apesar de não podermos encontrar resposta para todos os enigmas da natureza, sabemos que somos homens e que devemos aprender como viver em comunidade. Os sofistas interessavam-se pelo homem e pelo seu lugar na sociedade.

«O homem é a medida de todas as coisas», dizia o sofista Protágoras (cerca de 487-420 a. C.). Queria dizer que a justiça e a injustiça, o bem e o mal devem ser sempre avaliados em função das necessidades dos homens. À pergunta se acreditava nas divindades gregas, respondeu: «sobre os deuses nada posso dizer! Porque muitas coisas nos impedem que o saibamos: a dificuldade do problema e a brevidade da vida humana». Chamamos *agnóstico* àquele que diz não poder afirmar com segurança se Deus existe ou não.

Os sofistas faziam com frequência longas viagens, tomando assim conhecimento de vários sistemas de governo. Os usos e os costumes, e as leis das cidades-estado variavam muito. Partindo destas experiências, os sofistas iniciaram em Atenas uma discussão sobre o que era *estabelecido pela natureza* e o que era *imposto pela sociedade*. Desta forma, criaram na cidade-estado de Atenas as bases para uma crítica social.

Podiam, por exemplo, mostrar que uma expressão como «pudor natural» não era admissível, porque se o pudor fosse natural, teria de ser inato. Mas é inato, Sofia, — ou foi a sociedade que o criou? Para pessoas que viajaram muito, a resposta tinha de ser simplesmente: não é natural — ou inata — a vergonha de se mostrar nu. Pudor — ou a ausência de pudor — tem a ver sobretudo com os usos e os costumes numa sociedade.

Como podes compreender, os sofistas provocavam fortes discussões na sociedade ateniense, ao afirmarem que não havia *normas* absolutas para estabelecer o que é justo e o que não é. Sócrates, pelo contrário, tentou provar que algumas normas são realmente absolutas e universalmente válidas.

Quem era Sócrates?

Sócrates (470-399 a. C.) é talvez a personagem mais enigmática de toda a história da filosofia. Não escreveu uma única linha. Apesar disso, pertence ao número dos que exerceram maior influência no pensamento europeu. O facto de ser conhecido, mesmo por quem não possui muitos conhecimentos de filosofia, tem provavelmente a ver com a sua morte trágica.

Sabemos que nasceu em Atenas e que aí passou a sua vida, sobretudo nas praças e nas ruas, onde conversava com todo o tipo de gente. Achava que os campos e as árvores não lhe podiam ensinar nada. Por vezes, ficava longas horas absorto em reflexão profunda.

Ainda no seu tempo, era considerado uma pessoa enigmática e após a sua morte foi considerado o precursor das mais diversas orientações filosóficas. E precisamente por ser tão enigmático e ambíguo, variadíssimas orientações o podiam reivindicar.

Sabe-se que era muito feio. Era pequeno e gordo, e tinha olhos salientes e um nariz achatado. Mas interiormente, dizia-se, era um homem maravilhoso, nunca se poderia encontrar alguém igual a ele.

No entanto, foi condenado à morte devido à sua actividade filosófica.

Conhecemos a vida de Sócrates sobretudo através de *Platão*, que era seu discípulo, também ele um dos maiores filósofos da história.

Platão escreveu muitos *diálogos* — ou conversas filosóficas — nas quais faz participar Sócrates.

Quando Platão põe as palavras na boca de Sócrates, não podemos dizer com certeza que Sócrates as tivesse verdadeiramente pronunciado.

Por isso, não é fácil distinguir a doutrina de Sócrates da de Platão. Este problema é válido, também, para muitas outras personalidades históricas que não deixaram fontes escritas. O exemplo mais famoso é obviamente Jesus. Não podemos ter a certeza de que o «Jesus histórico» tenha dito, de facto, aquilo que Mateus ou Lucas puseram na sua boca. Da mesma forma, permanecerá sempre um enigma aquilo que o «Sócrates histórico» disse realmente.

Quem era «realmente» Sócrates não é muito importante. É sobretudo o seu retrato feito por Platão que inspira os pensadores ocidentais de há quase dois mil e quatrocentos anos.

A arte do diálogo

O que distinguia, na verdade, a actividade de Sócrates era o seu desejo de não ensinar os homens. Em vez disso, parecia querer ele mesmo aprender com o seu interlocutor. Assim, não ensinava como um vulgar professor de escola: dialogava.

Mas não se teria tornado um filósofo famoso se apenas tivesse escutado os seus interlocutores. Também não teria sido condenado à morte. E, sobretudo no início, apenas punha questões. Alegava, humildemente, nada saber. No decurso do diálogo, levava frequentemente os outros a reconhecerem os pontos fracos das suas reflexões. Podia suceder então que o interlocutor fosse encostado à parede e tivesse de reconhecer, por fim, o que era o justo e o injusto.

Diz-se que a mãe de Sócrates era parteira, e Sócrates comparava a sua actividade à arte da obstetrícia. Não é a parteira que dá à luz a criança, ela apenas está presente e ajuda a mãe. Sócrates compreendeu também que a sua tarefa era ajudar os homens a «parir» o saber correcto, porque o verdadeiro saber tem de vir de dentro e não pode ser enxertado. Só o conhecimento que vem do interior é a verdadeira «inteligência».

Vou precisar: a capacidade de dar à luz crianças é uma faculdade natural. Da mesma forma, todos os homens podem compreender as verdades filosóficas, usando simplesmente a razão. Quando alguém «recorre à razão», retira qualquer coisa de si mesmo.

Precisamente por se fingir ignorante, Sócrates obrigava as pessoas a usarem a razão. Sócrates podia simular ignorância ou parecer mais estúpido do que na realidade era: a famosa *ironia socrática*. Desta forma, ele conseguia sempre descobrir os pontos fracos na forma de pensar dos atenienses. Isto podia passar-se no centro de uma praça, ou seja, em público. Um encontro com Sócrates podia levar o interlocutor a fazer figura de estúpido, ou a ser ridicularizado perante uma grande assistência.

Por isso, não é de espantar que ele se tivesse tornado incómodo e muito irritante — sobretudo para aqueles que detinham o poder. Sócrates dizia que Atenas era como um cavalo indolente, e ele era uma espécie de aguilhão que lhe picava o flanco para o manter desperto. (O que é que se faz com o aguilhão, Sofia? Sabes-mo dizer?)

Uma voz divina

Sócrates picava os seus próximos no flanco, não tendo, porém, a intenção de os atormentar. Havia algo nele que não o deixava agir de outra forma. Repetia frequentemente que ouvia interiormente uma voz divina. Sócrates insurgia-se, por exemplo, com a condenação de pessoas à morte. Além disso, recusava-se a denunciar inimigos políticos. Por fim, isso iria custar-lhe a vida.

No ano de 399 a. C. foi acusado de «corromper a juventude» e de «inventar novos deuses». Com uma maioria à justa, foi declarado culpado por um júri de 500 membros.

Podia ter pedido o indulto. Poderia, pelo menos, ter salvo a sua vida, se estivesse disposto a deixar Atenas. Mas se o tivesse feito, não teria sido Sócrates, porque a própria consciência — e a verdade — eram mais importantes do que a vida. Insistia que só agira para o bem do Estado, mas, mesmo assim, foi condenado à morte. Pouco tempo depois, e em presença dos seus amigos mais próximos, bebeu uma taça de cicuta.

Porquê, Sofia? Porque é que Sócrates teve de morrer? Há muitas pessoas que ainda fazem esta pergunta. Mas ele não foi o único na história a ir até às últimas consequências e a morrer em nome das suas convicções. Já mencionei Jesus e entre Jesus e Sócrates há, de facto, muitas afinidades. Vou referir apenas algumas.

Tanto Jesus como Sócrates eram já considerados pelos seus contemporâneos pessoas enigmáticas. Nenhum deles escreveu a sua mensagem, por isso estamos completamente dependentes da imagem que os seus discípulos nos dão deles. Sabe-se, no entanto, que ambos eram mestres na arte de comunicar. Além disso, expressavam-se de uma forma clara, o que tanto poderia encantar como irritar. E ambos acreditavam ser portadores de uma mensagem maior que eles mesmos. Desafiavam aqueles que detinham o poder na sociedade porque criticavam todas as formas de injustiça e de abuso de poder. E ainda: esta actividade custou a ambos a vida.

Inclusivamente nos processos contra Jesus e Sócrates vemos claros paralelismos. Ambos poderiam ter talvez pedido o indulto e salvo assim as suas vidas. Mas acreditavam estar a trair as suas convicções se não fossem até ao fim. E o facto de terem enfrentado a morte de cabeça erguida tornou-os dignos da confiança de todos, mesmo após a morte.

Se faço este paralelismo entre Jesus e Sócrates não é porque os ache semelhantes. Queria apenas sublinhar que é impossível dissociar a sua mensagem da sua coragem.

Um joker em Atenas

Sócrates, Sofia! Ainda não discutimos tudo o que lhe diz respeito, como compreendeste. Dissemos algumas coisas sobre o seu método. Mas qual era o seu projecto filosófico?

Sócrates era um contemporâneo dos sofistas. Como eles, preocupava--se com o homem e com a vida humana, não com os problemas dos filósofos da natureza. Um filósofo romano — *Cícero* — disse alguns séculos mais tarde que Sócrates trouxera a filosofia do céu para a terra, a introduzira nas cidades e nas casas e que tinha forçado os homens a reflectirem sobre a vida e os costumes, o bem e o mal.

Mas Sócrates diferia dos sofistas num ponto importante. Não se considerava um sofista — uma pessoa instruída ou sábia. Ao contrário dos sofistas, não pedia remuneração pelo seu ensino. Não, Sócrates denominava-se *filósofo*, no sentido mais genuíno do termo. Um «filó-sofo» é, na realidade, um «amante da sabedoria», alguém que aspira a adquirir a sabedoria.

Estás a seguir-me, Sofia? É importante no teu curso que compreendas a diferença entre um sofista e um filósofo. Os sofistas eram pagos pelas suas subtilezas e esses «sofistas» estiveram presentes durante toda a história. Refiro-me a todos os mestres-escola ou sabichões que estão satisfeitos com o seu pouco saber ou que se gabam de saber muito acerca daquilo que, na realidade, não conhecem. Certamente já deparaste, embora sejas jovem, com alguns desses «sofistas». Um verdadeiro filósofo, Sofia, é alguém completamente diferente, sim, é exactamente o contrário.

Um filósofo apercebe-se bem que, no fundo, sabe muito pouco. Precisamente por isso, ele procura sempre atingir o verdadeiro conhecimento.

Por isso, Sócrates era um homem extraordinário. Sabia *claramente* que nada sabia acerca da vida e do mundo. E mais importante ainda: o facto de saber tão pouco atormentava-o.

Um filósofo é, portanto, alguém que reconhece que há muitas coisas que não entende. E isso aflige-o. Deste ponto de vista, é porém mais sábio que todos os que se gabam do seu pretenso saber. «A pessoa mais sábia é aquela que sabe que não sabe», como eu disse. O próprio Sócrates dizia que sabia apenas uma coisa, isto é, que nada sabia. Presta atenção a isto, porque mesmo entre filósofos esta declaração é uma coisa rara. Além disso, pode ser perigoso declará-lo publicamente. Aqueles que *perguntam* são sempre os mais perigosos. Não é perigoso responder. Uma simples pergunta pode ser mais explosiva do que mil respostas.

Conheces a história dos trajes novos do rei, Sofia? Na realidade, o rei ia nu, mas nenhum dos seus súbditos ousou dizê-lo. E, de repente, uma criança exclamou que o rei estava nu. Era uma criança corajosa, Sofia. Deste modo, também Sócrates ousou esclarecer quão pouco os homens sabem. Já falámos acerca da semelhança entre filósofos e crianças.

Vou ser mais preciso: a humanidade é confrontada com questões importantes, para as quais não encontra facilmente as respostas correctas. Temos, então, duas alternativas: podemos enganar-nos a nós mesmos e ao resto do mundo e fingir que sabemos tudo o que é preciso saber. Ou podemos fechar os olhos perante as grandes questões e desistir de uma vez por todas de ir mais longe. Desta forma, a humanidade divide-se em duas partes. Em geral, os homens ora estão totalmente seguros ou são indiferentes. (Uns e outros rastejam na pele do coelho!) É como as cartas, quando se divide um baralho. Colocam-se as cartas pretas num monte e as vermelhas num outro. Mas de vez em quando surge um joker no baralho, que não é copas nem paus, nem ouros nem espadas. Sócrates era como um joker em Atenas. Não tinha certezas absolutas, nem era indiferente. Sabia apenas que nada sabia — e isso preocupava-o, por isso se tornou filósofo — uma pessoa que não desiste e que procura incansavelmente o saber.

Conta-se que uma vez um ateniense perguntou ao oráculo de Delfos quem era o homem mais sábio de Atenas. O oráculo respondeu: Sócrates. Quando Sócrates soube disso ficou verdadeiramente admirado. (Acho que ele se riu, Sofia!) Foi imediatamente para a cidade e procurou alguém que fosse tido por ele e por outros como sábio. Mas quando se provou que esse homem não conseguia responder com clareza às suas perguntas, Sócrates reconheceu por fim que o oráculo tinha razão.

Para Sócrates, era importante encontrar um fundamento seguro para o nosso conhecimento. Acreditava que esse fundamento residia na razão humana. Devido à sua forte convicção na razão humana, ele era um *racionalista*.

O verdadeiro conhecimento leva a agir correctamente

Já referi que Sócrates julgava ouvir dentro de si uma voz divina, e essa «consciência» dizia-lhe o que estava certo. Quem soubesse o que era o bem, praticaria o bem. Segundo ele, o verdadeiro saber leva a agir correctamente. E apenas aquele que age correctamente se torna um verdadeiro homem. Quando agimos mal, é porque não sabemos agir melhor. Por isso é tão importante alargar o nosso saber. Para Sócrates, tratava-se especificamente de encontrar definições totalmente claras e universais para o que é justo e o que é injusto. Ao contrário dos sofistas, ela achava que a faculdade de distinguir o justo do injusto residia na razão e não na sociedade.

Talvez não consigas engolir facilmente a última frase, Sofia. Vou tentar mais uma vez: Sócrates achava impossível que alguém fosse feliz se agisse contra as suas próprias convicções. E aquele que sabe como atingir a felicidade vai, certamente, fazê-lo. Por isso, quem sabe o que está certo, fará o que está certo. Ninguém deseja ser infeliz, pois não?

O que te parece, Sofia? Podes viver feliz se estiveres sempre a fazer coisas que, no fundo do coração, não aches correctas? Há muitas pessoas que mentem e roubam constantemente, outras que lançam calúnias. Pois bem! Sabem que isso não é correcto — ou justo, se preferires. Mas acreditas que isso as faz felizes? Sócrates não acreditava.

Depois de ter lido a carta sobre Sócrates, Sofia guardou-a rapidamente na caixa e saiu de gatas para o jardim. Para se poupar a perguntas eventuais acerca de onde tinha estado, decidiu estar em casa antes que a mãe tivesse regressado das compras. Além disso, Sofia tinha prometido lavar a louça.

Mal abriu a torneira, a mãe entrou com dois enormes sacos de plástico.

— Ultimamente, andas com a cabeça nas nuvens, Sofia.

Sofia respondeu sem reflectir:

— Passava-se exactamente o mesmo com Sócrates!

— Sócrates?

A mãe esbugalhou os olhos.

— Que pena ter de o pagar com a vida — continuou Sofia muito pensativa.

— Sofia! Já não sei o que hei-de fazer!

— Sócrates também não. A única coisa que ele sabia era que não sabia nada. E, no entanto, era o homem mais sábio de Atenas.

A mãe ficou pura e simplesmente estupefacta. Por fim, afirmou:

— Aprendeste isso na escola?

Sofia abanou energicamente a cabeça.

— Aí não aprendemos nada... A grande diferença entre um mestre-escola e um verdadeiro filósofo é que o mestre-escola acha que sabe muito, e procura constantemente meter à força na cabeça dos alunos aquilo que sabe. O filósofo procura ir ao fundo das questões com os seus alunos.

— Bom, estamos a falar de coelhos brancos. Mas vou querer saber com que tipo de namorado é que tu andas. Se não, começo a pensar que ele não é bom da cabeça.

Sofia voltou-se de costas para o lava-louça, apontando com a escova para a mãe.

— Ele é bom da cabeça. Mas é como um aguilhão que incomoda os outros, para lhes incutir uma nova maneira de pensar.

— Pára com isso. Acho que parece um pouco pretencioso e impertinente.

Sofia inclinou-se de novo para o lava-loiça.

— Ele não é sábio nem impertinente. Mas procura atingir o verdadeiro saber. Essa é a grande diferença entre um verdadeiro joker e as outras cartas do baralho.

— Disseste joker?

Sofia acenou afirmativamente.

— Já alguma vez reflectiste no facto de, num baralho, haver muitas copas e ouros? Também há muitas espadas e paus. Mas há apenas um joker.

— De que coisas tu falas, miúda!

— Que perguntas tu fazes!

A mãe tinha arrumado todas as compras. Pegou no jornal e foi para a sala de estar. Sofia teve a sensação de que ela fechara a porta com mais força do que era habitual.

Quando acabou de lavar a louça, foi para o quarto. Pusera o lenço de seda vermelho juntamente com as peças do Lego, bem no cimo do armário. Retirou-o e observou-o atentamente.

Hilde...

ATENAS

... e das ruínas elevaram-se edifícios imponentes...

Ao fim da tarde, a mãe de Sofia foi visitar uma amiga. Mal ela saiu de casa, Sofia foi para o jardim e depois para a toca na velha sebe. Aí encontrou junto à caixa dos biscoitos um pacote volumoso. Sofia rasgou imediatamente o papel. Era uma cassete de vídeo!

Voltou para casa a correr. Uma cassete de vídeo! Era algo completamente novo. Mas como é que o filósofo podia saber que eles tinham um leitor de vídeo? E o que é que haveria no vídeo?

Sofia introduziu a cassete no leitor. De imediato se viu uma grande cidade no ecrã. Sofia concluiu que tinha de se tratar de Atenas, porque estava a ver a Acrópole em grande plano. Sofia já tinha visto várias vezes fotografias daquelas ruínas antigas. Os turistas, com roupas leves e máquinas fotográficas ao pescoço, movimentavam-se rapidamente entre o que restava dos templos. Ora, não havia um que trazia mesmo um cartaz? Lá estava de novo o cartaz. Não tinha escrito «Hilde»?

Passado um pouco, apareceu um homem de meia idade à frente da câmara. Era bastante pequeno, tinha uma barba negra bem tratada e uma boina azul. Olhou imediatamente para a câmara e disse:

— Bem vinda a Atenas, Sofia. Com certeza, já calculaste que eu seria Alberto Knox. Se ainda não tinhas pensado nisso, repito apenas que o coelho branco ainda está a ser retirado da cartola do universo. Estamos na Acrópole. Esta palavra significa: 'cidadela' — ou propriamente: 'a cidade sobre as colinas'. Aqui em cima viveram homens desde a Idade da Pedra. Isso está relacionado com a posição privilegiada deste lugar. Era fácil defender este planalto de inimigos. Da Acrópole desfrutava-se de um belo panorama sobre um dos melhores portos do Mediterrâneo. À medida que Atenas se expandia na planície, no sopé do planalto, a Acrópole foi utilizada como fortaleza e como área dos templos. Na primeira metade do século V a. C., rebentou uma guerra sangrenta contra os persas e, no ano de 480, o rei persa *Xerxes* fez saquear Atenas e incendiar todos os antigos edifícios de madeira da Acrópole. No ano seguinte, os persas foram derrotados, e iniciou-se então o período áureo de Atenas, Sofia.

A Acrópole foi reconstruída — mais imponente e bela que nunca — e tornou-se a partir de então exclusivamente zona dos templos. Precisamente nesta altura, Sócrates andava pelas ruas e pelas praças falando com os atenienses. Desta forma, pôde observar a reconstrução da Acrópole e a construção de todos os edifícios imponentes que aqui vemos. Que grande terreno de construção! Por detrás de mim vês o templo maior. Chama-se Parténon — ou 'morada das virgens' — e foi construído em honra da deusa *Atena*, a deusa protectora de Atenas. Esta grande obra de mármore não apresenta nenhuma linha recta, todos os lados apresentam uma ligeira curvatura. Assim, o edifício teria uma estrutura mais dinâmica. Apesar de o templo ser de grandes dimensões, não parece tão pesado a quem o vê. Isso deve-se a uma ilusão óptica. Mesmo as colunas estão ligeiramente curvadas para dentro e formariam uma pirâmide de mil e quinhentos metros de altura se fossem suficientemente compridas para se encontrarem num ponto acima do templo. A única coisa que havia no interior deste enorme edifício era uma estátua de Atena, com doze metros de altura. Devo ainda acrescentar que o mármore branco, que estava pintado de cores vivas, foi retirado de uma montanha a dezasseis quilómetros de distância...

O coração de Sofia batia desordenadamente. Seria verdadeiramente o seu professor de filosofia que lhe falava através do vídeo? Ela apenas vira uma vez o seu vulto na escuridão. Mas podia perfeitamente ter sido o mesmo homem que estava agora na Acrópole em Atenas.

Começou então a percorrer a parte lateral do templo, e a câmara seguia-o. Por fim, dirigiu-se para a beira do rochedo e apontou para a paisagem. A câmara focou um teatro antigo, abaixo do planalto da Acrópole.

— Aqui vês o antigo teatro de Dioniso — prosseguiu o homem da boina. — É provavelmente o teatro mais antigo da Europa. Aqui foram representadas as peças dos grandes dramaturgos *Ésquilo*, *Sófocles* e *Eurípides*, ainda no período em que Sócrates viveu. Já mencionei a tragédia do infeliz rei Édipo. Foi aqui que se estreou. Mas também eram representadas comédias. O comediógrafo mais famoso era Aristófanes, que entre outras coisas escreveu uma comédia maliciosa sobre Sócrates. Bem ao fundo, vês a parede de pedra em que os actores entravam em cena. Chamava-se *skenê*, e dela deriva a nossa palavra 'cena'. A palavra grega *teatro* deriva de um termo grego antigo que significava 'ver'. Mas vamos voltar rapidamente à filosofia, Sofia. Damos uma volta ao Parténon e descemos depois pelo lado da entrada...

Aquele homem andou à volta do grande templo, à direita do qual havia alguns templos mais pequenos. Desceu depois as escadas entre algumas colunas altas. Quando chegou ao sopé do planalto da Acrópole, subiu para uma pequena colina e apontou para Atenas:

— A colina sobre a qual estamos chama-se *Areópago*. Aqui, o supremo tribunal de Atenas tratava dos casos de homicídio. Vários séculos mais tarde, esteve aqui o apóstolo Paulo e falou aos atenienses sobre Jesus e o cristianismo. Mas voltaremos a falar disto numa outra oportunidade. Em baixo, à esquerda, vês as ruínas da antiga ágora de Atenas. À excepção do grande templo originalmente dedicado a Atena e ao deus Hefesto, não resta muita coisa. Vamos descer...

Logo em seguida, ele surgiu de novo entre as ruínas antigas. Sob o céu — e no ecrã de Sofia — estava o grande templo de Atenas sobre a Acrópole. O professor de filosofia sentou-se em cima de um bloco de mármore. Olhou para a câmara e disse:

— Estamos sentados junto da antiga ágora de Atenas. Uma vista triste, não é? Quero dizer, hoje. Mas outrora havia aqui templos imponentes, tribunais e outros edifícios públicos, lojas, um auditório e inclusivamente uma grande palestra. Tudo isto rodeava esta ágora, uma praça grande quadrangular... Neste pequeno terreno foi lançado o fundamento de toda a civilização europeia. Termos como «política» e «democracia», «economia» e «história», «biologia» e «física», «matemática» e «lógica», «teologia» e «filosofia», «ética» e «psicologia», «teoria» e «método», «ideia» e «sistema» — e muitas outras — provêm de um pequeno povo cuja vida quotidiana decorria à volta desta praça. Aqui falava Sócrates com os homens que o procuravam. Talvez agarrasse pelo braço um escravo, que trazia um cântaro com azeite, e colocasse ao pobre homem uma pergunta filosófica, visto que Sócrates achava que um escravo possuía a mesma capacidade de raciocinar que qualquer cidadão. Talvez tivesse uma discussão agitada com um cidadão — ou estivesse embrenhado numa conversa amena com o seu jovem discípulo Platão. É estranho pensar nisso. Falamos sempre de filosofia «socrática» ou «platónica», mas é completamente diferente *ser* Platão ou Sócrates.

Sofia achou este pensamento estranho. Mas pareceu-lhe igualmente estranho que o filósofo falasse com ela por meio de uma gravação de vídeo que fora trazida por um cão misterioso para o seu esconderijo secreto no jardim.

O filósofo levantou-se então dos blocos de mármore, onde estivera sentado. Disse em voz baixa:

— Na verdade, eu queria ficar por aqui, Sofia. Queria mostrar-te a Acrópole e as ruínas da antiga ágora em Atenas. Mas ainda não sei se percebeste como este local era imponente em tempos antigos... senti--me tentado... a dizer algo mais. Isto é obviamente contra todas as regras... mas espero que fique entre nós... bom, tanto faz, uma rápida vista de olhos deve ser suficiente...

Não disse mais nada, ficou no mesmo lugar muito tempo a olhar para a câmara. Em seguida, surgiu uma imagem completamente diferente no ecrã. Das ruínas surgiram vários edifícios altos. Todas as ruínas antigas estavam reconstruídas como por magia. No horizonte, Sofia via ainda a Acrópole, mas desta vez, a Acrópole e os edifícios em baixo, na ágora, estavam completamente novos. Eram dourados e pintados de cores brilhantes. Na grande praça quadrangular passeavam homens em trajes de cores vivas. Alguns tinham espadas, outros um cântaro na cabeça, e um deles tinha um rolo de papiro debaixo do braço.

Sofia reconheceu então o seu professor de filosofia. Tinha ainda a boina azul na cabeça mas vestia uma túnica como os outros homens. Veio na direcção de Sofia, fixou a câmara e disse:

— Pois é. Agora encontramo-nos na antiga Atenas, Sofia. Gostava que tu pudesses estar aqui. Estamos no ano 402 a. C., apenas três anos antes da morte de Sócrates. Espero que saibas apreciar esta visita que é exclusiva: foi muito difícil alugar uma câmara de vídeo...

Sofia começou a ter tonturas. Como é que o misterioso homem podia estar subitamente na Atenas de há dois mil e quatrocentos anos? Como é que podia ver uma gravação de vídeo de outra época? Sofia sabia obviamente que na Antiguidade não havia vídeo. Estaria a ver um filme de ficção? Mas os edifícios de mármore pareciam autênticos. Reconstruir toda a antiga ágora de Atenas e a Acrópole apenas para um filme sairia muito caro. Apresentar Atenas apenas a Sofia era pagar um preço demasiado alto.

O homem com a boina levantou de novo os olhos.

— Estás a ver aqueles dois homens lá atrás, sob a arcada?

Sofia descobriu um homem mais velho, num traje um pouco andrajoso. Tinha uma barba comprida desgrenhada, nariz achatado, olhos azuis penetrantes e faces redondas. Ao seu lado estava um jovem muito belo.

— Estás a ver, Sofia? São Sócrates e o seu jovem discípulo. Mas vais conhecê-los pessoalmente.

O professor de filosofia foi ter com os dois homens que estavam sob uma arcada alta. Quando os alcançou levantou um pouco a boina e disse algo que Sofia não compreendeu. Seguramente estava a falar grego. Pouco depois, olhou de novo para a câmara e disse:

— Eu contei-lhes que uma jovem norueguesa desejava conhecê--los. Agora Platão vai colocar algumas questões sobre as quais tu podes reflectir. Mas temos de nos apressar, para que os guardas não nos descubram...

Sofia sentiu uma pressão nas fontes, no momento em que o jovem, olhando para a câmara, se apresentou:

— Bem vinda a Atenas, Sofia — disse ele com uma voz afável. Falava um norueguês muito arranhado — Chamo-me Platão e quero dar-te quatro tarefas. Primeiro, deves reflectir em como é que um pasteleiro pode fazer cinquenta bolos totalmente iguais. Depois podes perguntar-te como é que todos os cavalos são iguais. Em seguida, deves pensar se acreditas que o homem tem uma alma imortal. E por fim, deves responder à pergunta: as mulheres e os homens são igual-mente racionais? Boa sorte!

De imediato, a imagem desapareceu. Sofia tentou bobinar para a frente e para trás, mas tinha visto tudo o que estava no vídeo.

Sofia tentou ordenar os pensamentos. Mas mal começava a reflectir numa coisa, surgia uma outra ideia, e a primeira evaporava-se.

Que o seu professor de filosofia era bastante original, sabia-o há muito tempo. Mas recorrer a métodos de ensino que destruíam todas as leis da natureza conhecidas, isso era ir longe demais, segundo Sofia.

Teria ela realmente visto Sócrates e Platão no ecrã? Era óbvio que não, isso era totalmente impossível. Mas afinal, também não era um filme de desenhos animados.

Sofia retirou a cassete do leitor e foi para o quarto. Enfiou-a, então, na prateleira mais alta do armário, junto às peças do Lego. Em seguida, caiu esgotada na cama e adormeceu.

Horas mais tarde, a mãe entrou no quarto. Foi junto de Sofia e disse:

— Mas o que é que te deu agora, Sofia?

— Mmm...

— Deitaste-te vestida!

Sofia mal conseguia abrir os olhos.

— Estava em Atenas — disse.

Não disse mais nada; virou-se para o outro lado e voltou a ador-mecer.

PLATÃO

... uma saudade de regressar à verdadeira origem...

Na manhã seguinte, Sofia acordou sobressaltada. Passava pouco das cinco, mas estava tão desperta que se levantou na cama.

Porque é que estava vestida? Lembrou-se, então, de tudo. Sofia subiu para um banquinho e olhou para a prateleira superior do armário. Sim — estava lá uma cassete de vídeo. Logo, não fora nenhum sonho, pelo menos uma parte era verdade.

Não vira realmente Platão e Sócrates? Mas não queria pensar mais nisso. Talvez a mãe tivesse razão ao afirmar que ultimamente andava com a cabeça nas nuvens.

De qualquer modo, não conseguia dormir mais. Talvez devesse verificar na toca se o cão tinha trazido uma nova carta.

Sofia desceu sorrateiramente as escadas, calçou as sapatilhas e saiu.

No jardim tudo estava admiravelmente claro e silencioso. Os pássaros chilreavam com tal intensidade que Sofia sorriu. Na erva, o orvalho caía semelhante a gotas de cristal. De novo percebeu como o mundo era uma maravilha inexplicável.

A velha sebe também estava um pouco húmida. Sofia não encontrou nenhuma nova carta do filósofo, mas apesar disso enxugou uma raiz grossa e sentou-se.

Lembrou-se que o Platão do vídeo lhe tinha dado algumas tarefas. Primeiro, tinha de pensar como é que um pasteleiro podia fazer cinquenta bolos iguaizinhos.

Sofia tinha de reflectir bem, visto que lhe parecia um trabalho difícil. Quando a mãe fazia bolos, o que era raro, nunca havia dois exactamente iguais. Ela não era uma pasteleira profissional e podia fazer muitas coisas erradas, mas os bolos que compravam nas lojas também nunca eram totalmente iguais. Cada bolo recebia uma forma diferente nas mãos do pasteleiro.

Subitamente, Sofia sorriu com uma expressão astuta. Lembrava-se que estivera uma vez com o pai na cidade, enquanto a mãe fazia os biscoitos de natal. Quando regressaram a casa, toda a mesa da cozinha estava coberta com biscoitos. Mesmo não estando todos igualmente perfeitos, de certo modo eram todos iguais. E porque é que eram iguais? Porque a mãe tinha usado a mesma *forma* para todos os biscoitos, obviamente.

Sofia estava tão contente por se ter lembrado da história dos biscoitos que deu a primeira tarefa por terminada. Se um pasteleiro fazia cinquenta bolos todos iguais, é porque usava a mesma forma para todos. E basta!

Depois, o Platão do vídeo olhara para a câmara e perguntara porque é que todos os cavalos são iguais. Mas isso não era verdade. Sofia diria, antes pelo contrário, que não havia dois cavalos iguais, da mesma forma que não podia haver dois homens iguais.

Estava quase para abandonar a tarefa, mas lembrou-se do que tinha pensado a propósito dos biscoitos. Também não havia dois iguais, alguns eram maiores que outros, outros estavam partidos; no entanto, era claro para toda a gente que, por assim dizer, eram «completamente iguais».

Talvez Platão quisesse perguntar porque é que um cavalo era sempre um cavalo e não, por exemplo, uma coisa intermédia entre cavalo e porco. Porque, apesar de alguns cavalos serem castanhos como ursos, e outros brancos como cordeiros, todos os cavalos tinham qualquer coisa em comum. Sofia nunca vira um cavalo com seis ou oito pernas. Mas Platão não podia querer dizer que todos os cavalos eram iguais por terem sido moldados a partir da mesma forma.

Se fosse esse o caso, Platão tinha, de facto, colocado uma questão complexa. Terá o homem uma alma imortal? Sofia não se sentiu capaz de responder a essa pergunta. Sabia apenas que um cadáver era cremado ou enterrado, e que depois nada mais lhe acontecia. Se o homem tivesse uma alma imortal, teria que ser constituído por duas partes diferentes: um corpo que se decompõe passado algum tempo — e uma alma que age mais ou menos independentemente dos processos do corpo. A sua avó dissera uma vez que, para ela, era como se apenas o corpo envelhecesse. Interiormente, tinha permanecido sempre jovem.

A questão da «jovem» levou Sofia à última pergunta. Os homens e as mulheres são igualmente racionais? Neste ponto, não tinha de todo a certeza. Dependia do que Platão entendia por «racional».

Subitamente, lembrou-se daquilo que o seu professor de filosofia dissera acerca de Sócrates. Sócrates explicara que todos os seres humanos podiam compreender verdades filosóficas, se usassem a razão. Ele acreditava também que um escravo podia resolver questões filosóficas com a mesma facilidade de um aristocrata. Sofia estava convencida de que ele também teria dito que as mulheres e os homens eram igualmente racionais.

E estando sentada, absorta nas suas reflexões, apercebeu-se subitamente de um barulho na sebe e ouviu qualquer coisa a ofegar e a arfar como se de uma máquina a vapor se tratasse. Pouco depois, o cão amarelo infiltrou-se na toca. Trazia um grande envelope na boca.

— Hermes! — exclamou Sofia. — Muito obrigada!

O cão deixou cair o envelope no regaço de Sofia; ela estendeu a mão e afagou-o no pescoço.

— O Hermes é um cão valente — dizia.

O cão deitou-se e deixou-se acariciar por Sofia. Passados alguns minutos, levantou-se e, passando com dificuldade pela sebe, regressou pelo caminho por onde viera.

Sofia seguiu-o com o envelope na mão. Rastejou pela densa sebe e pouco depois estava fora do jardim.

Hermes correu para o bosque e Sofia seguiu-o a alguns metros de distância. Por duas vezes, o cão voltou-se e rosnou, mas Sofia não se deixou intimidar. Agora, queria encontrar o filósofo, mesmo que tivesse de correr até Atenas.

O cão correu com mais velocidade e chegou a um pequeno carreiro.

Sofia também começou a correr mais depressa, mas, passado pouco tempo, o cão voltou-se e ladrou como um cão de guarda. Sofia não desistiu; aproveitou a oportunidade para se aproximar ainda mais dele.

Hermes corria à frente, pelo carreiro. Até que, Sofia teve de reconhecer que não o podia alcançar. Ficou muito tempo parada, tentando detectar para onde o cão se afastava. Por fim, tudo ficou silencioso.

Sofia sentou-se num tronco, junto a uma pequena clareira. Tinha na mão o grande envelope amarelo. Abriu-o, retirou várias folhas escritas e começou a ler:

A Academia de Platão

Que bom ver-te, Sofia! Claro que quero dizer, em Atenas. Penso ter-me finalmente apresentado, não achas? E uma vez que também te apresentei Platão, podemos começar imediatamente.

Platão (428-347 a.C.) tinha 29 anos quando Sócrates teve de beber a taça de cicuta. Fora discípulo de Sócrates por muito tempo e seguiu atentamente o processo instaurado contra ele. Que Atenas pudesse condenar à morte o homem mais nobre da cidade não provocou nele apenas uma impressão indelével; isso iria determinar a orientação de toda a sua actividade filosófica.

Para Platão, a morte de Sócrates demonstrou muito claramente qual é a contradição que pode existir entre as condições *de facto* numa sociedade e o que é *verdadeiro* e *ideal*.

Platão, ao transcrever o discurso da Apologia de Sócrates, desempenhou uma importantíssima tarefa. Aí narrou tudo o que Sócrates expôs ao tribunal.

Com certeza recordas ainda que Sócrates não escreveu nada pela sua própria mão. Muitos pré-socráticos haviam-no feito, mas a maior parte dos seus textos não se conservou para a posteridade. No que diz respeito a Platão, pensa-se que todas as suas obras principais se conservaram. (Além da Apologia de Sócrates, escreveu um conjunto de cartas e mais de trinta e cinco diálogos filosóficos). Se estes escritos se conservaram deve-se ao facto de Platão ter fundado perto de Atenas a sua própria escola filosófica, num pequeno bosque, que tinha o nome do lendário herói grego Academo. A escola de filosofia de Platão recebeu assim o nome de *Academia*. (Desde então, foram abertas em todo o mundo milhares de academias. Falamos ainda de «académicos» e de «disciplinas académicas»).

Na Academia de Platão leccionava-se filosofia, matemática e ginástica. Talvez o termo «leccionar» não seja o mais adequado. Na Academia de Platão também se usava o diálogo vivo. Não é por acaso que o *diálogo* tenha sido a sua forma privilegiada de escrita.

O verdadeiro, o belo e o bom eternos

No início deste curso de filosofia, eu disse-te que, por vezes, vale a pena perguntar qual o projecto de um determinado filósofo. E por isso pergunto agora: o que é que Platão queria descobrir?

Dito em poucas palavras: Platão interessava-se por um lado pela relação entre aquilo que é eterno e imutável e, por outro, por aquilo que «flui». (Exactamente como os pré-socráticos!)

Dissemos que tanto os sofistas como Sócrates se tinham afastado das questões da filosofia da natureza e se tinham interessado mais pelos homens e pela sociedade. E isso está certo; mas tanto os sofistas como Sócrates se ocupavam também, de certa maneira, da relação que existe entre o que é eterno e constante — e aquilo que «flui». Preocupavam-se com esta questão quando se tratava da *moral* humana e dos *ideais* ou *virtudes* da sociedade. Os sofistas achavam, *grosso modo*, que o conceito de justiça e de injustiça variava de cidade-estado para cidade-estado e de geração para geração. A questão da justiça e da injustiça seria, portanto, algo «fluido». Sócrates não podia aceitar isto. Acreditava em regras ou *normas* eternas e intemporais para o procedimento humano. Quando usamos apenas a nossa razão, segundo ele, podemos compreender todas essas normas imutáveis, porque a razão humana é justamente algo eterno e imutável.

Estás a seguir-me, Sofia? E agora vem Platão. Ele interessa-se *tanto* por aquilo que é eterno e imutável na natureza — *como* por aquilo que na moral e na sociedade é eterno e imutável. Sim, para Platão trata-se de uma mesma coisa. Ele procura obter uma «realidade» própria que seja eterna e imutável. E na verdade é precisamente para isso que temos filósofos. Para eles não se trata de eleger a mulher mais bela do ano ou a verdura mais barata. (Por isso, eles nem sempre são populares!). Os filósofos procuram dar pouca atenção a essas coisas frívolas e efémeras. Procuram mostrar o que é «verdadeiro» em si, «belo» em si, e «bom» em si.

Com isto, temos uma ideia dos contornos do projecto filosófico de Platão. A partir de agora, consideramos uma coisa de cada vez. Vamos tentar compreender a visão deste pensador que deixou vestígios profundos em toda a filosofia europeia posterior.

O mundo das ideias

Empédocles e Demócrito já tinham mostrado que todos os fenómenos na natureza «fluem», mas que apesar disso há «algo» que nunca se transforma (as «quatro raízes» ou os «átomos»). Platão confronta-se igualmente com esta problemática — mas de uma forma completamente diferente.

Platão achava que *tudo* o que podemos tocar e sentir na natureza «flui». Não há, portanto, nenhum elemento eterno. Tudo o que pertence ao «mundo sensível» é composto por uma matéria que o tempo consome. Mas ao mesmo tempo, tudo é constituído por uma *forma* intemporal que é eterna e imutável.

Compreendeste?

Porque é que os cavalos são iguais, Sofia? Talvez penses que eles não o são de todo. Mas há algo que é comum a todos os cavalos, algo que permite que nunca tenhamos problemas em reconhecer um cavalo.

Um cavalo particular «flui», obviamente. Pode ser velho e coxo, com o tempo ficará também doente, e morre. Mas a verdadeira «forma de cavalo» é eterna e imutável.

Assim, o eterno e imutável não é nenhum «elemento primordial». O eterno e o imutável são modelos espirituais ou abstractos, a partir dos quais se formam todos os fenómenos.

Vou ser mais preciso: os pré-socráticos tinham dado uma explicação verdadeiramente útil para as transformações na natureza, sem ter que pressupor que algo se «transforma» efectivamente. Na natureza há partículas minúsculas, eternas e constantes que não entram em desagregação, segundo eles. Pois bem, Sofia! Mas não tinham nenhuma explicação aceitável para o *modo como* estas partículas minúsculas que eram elementos constituintes de um cavalo podiam produzir quatro ou cinco séculos mais tarde um cavalo totalmente novo! Ou talvez um elefante, ou um crocodilo. Platão quer dizer que os átomos de Demócrito nunca se podem tornar um «crocofante» ou um «eledilo». E foi precisamente este o ponto de partida das suas reflexões filosóficas.

Se já percebes o que quero dizer, podes saltar esta parte. Por precaução, vou explicar melhor: tens uma caixa de peças de Lego e constróis um cavalo. Depois, desmanchas o que fizeste e colocas novamente as peças na caixa. Não podes esperar ter um novo cavalo se apenas agitas a caixa. Como é que as peças do Lego conseguiriam produzir por si mesmas um novo cavalo? Não, *tu* tens de montar de novo o cavalo, Sofia. E se o consegues é porque tens em ti uma *imagem* do aspecto do cavalo. O cavalo de Lego foi portanto formado a partir de um modelo que se conserva inalterado de cavalo para cavalo.

Conseguiste resolver a pergunta acerca dos cinquenta bolos iguais? Imaginemos agora que cais do espaço sideral para a terra e que nunca tinhas visto uma pastelaria. Deparas com uma pastelaria atraente — e vês, num tabuleiro, cinquenta biscoitos em forma de homem, exactamente iguais. Calculo que coçarias a cabeça e te questionarias como é que podiam ser todos exactamente iguais. É fácil de imaginar que a um falta um braço, um outro perdeu talvez um bocado da cabeça, e o terceiro tem uma barriga demasiado gorda. Mas depois de uma reflexão fundada chegas à conclusão de que todos os biscoitos possuem um *denominador comum*. Apesar de nenhum deles ser totalmente perfeito, tens a ideia de que têm que ter uma *origem comum*. Compreendes que todos os biscoitos foram feitos a partir de uma mesma forma.

E não é tudo, Sofia: terás então o desejo de *ver* esta forma. Porque é óbvio que a forma tem de ser indescritivelmente mais perfeita — e de certo modo mais bela — do que uma das suas frágeis cópias.

Se resolveste este problema sozinha, resolveste um problema filosófico exactamente da mesma forma que Platão. Como a maior parte dos filósofos, ele «caiu do espaço sideral», por assim dizer. (Ele instalou-se no cimo de um dos pêlos finos da pelagem do coelho). Ele admirou-se como todos os fenómenos na natureza podem ser tão semelhantes entre si, e chegou então à conclusão de que «acima» ou «por detrás» de tudo o que vemos à nossa volta há um número limitado de formas. A estas formas chamou Platão *ideias*. Por detrás de todos os cavalos, porcos e homens há a «ideia cavalo», a «ideia porco» e a «ideia homem». (E por isso, a referida pastelaria pode ter, além de biscoitos em forma de homem, biscoitos em forma de porco e de cavalo, visto que uma pastelaria decente tem geralmente variadíssimas formas. Mas para cada *tipo* de biscoito é suficiente uma única forma).

Conclusão: Platão defendia uma realidade própria por detrás do «mundo sensível». A esta realidade chamava ele o *mundo das ideias*. Encontramos aqui os «modelos» eternos e imutáveis, os *arquétipos* por detrás dos diversos fenómenos que se nos deparam na natureza. Designamos esta importante concepção por *teoria das ideias* de Platão.

Saber seguro

Até agora, seguiste-me, cara Sofia. Mas terá Platão realmente querido dizer isto, perguntarás. Queria ele dizer que estas formas *existem* numa realidade completamente diferente?

Ele não o chegou a dizer explicitamente, mas alguns dos seus diálogos têm de ser interpretados desta forma. Vamos tentar seguir a sua argumentação.

Um filósofo procura, como já o dissemos, vir a compreender algo que é eterno e imutável. Por exemplo, faria pouco sentido escrever um tratado filosófico acerca da existência de uma determinada bola de sabão. Em primeiro lugar, dificilmente alguém a poderia examinar bem antes de ter rebentado. Em segundo lugar, seria provavelmente difícil vender um tratado filosófico acerca de algo que ninguém viu e que só existiu durante poucos segundos.

Platão achava que tudo o que vemos à nossa volta na natureza, sim, tudo o que podemos agarrar e tocar pode ser comparado com a bola de sabão. Porque nada do que existe no mundo dos sentidos dura. Tu sabes obviamente que todos os homens e animais mais tarde ou mais cedo morrem e entram em decomposição. Mesmo um bloco de mármore se desagrega lentamente. (A Acrópole está a cair em ruínas, Sofia! É escandaloso, mas é assim). Para Platão, nunca podemos ter um saber seguro acerca de algo que se transforma. Daquilo que pertence ao mundo sensível — e que nós podemos portanto agarrar e tocar —, temos apenas *opiniões* incertas ou suposições. Só podemos ter um saber verdadeiro daquilo que conhecemos com a razão.

Sofia, eu vou explicar isto melhor: um biscoito em forma de homem pode sofrer tanto ao ser amassado, ao levedar e ao ser cozido que já não se possa dizer exactamente o que é. Mas depois de eu ter visto vinte, trinta biscoitos — que podem ser mais ou menos perfeitos —, posso saber com grande segurança qual é o aspecto da forma dos bolos. Posso concluí-lo, mesmo que nunca tenha visto a própria forma. Nunca é claro se seria melhor ver a forma a olho nu, visto que não podemos confiar sempre nos nossos sentidos. A visão pode variar de homem para homem. Inversamente, podemos confiar naquilo que a razão nos diz, visto que a razão é a mesma em todos os homens.

Quando estás numa sala de aula com mais trinta alunos, e o professor pergunta qual é a cor mais bonita do arco-íris — aí ele tem certamente muitas respostas diferentes. Mas se ele perguntar quanto é três vezes oito, toda a turma deverá dar a mesma resposta. Nesse caso, é a razão que julga, e a razão é de certo modo exactamente o contrário do opinar e do sentir. Podemos dizer que a razão é eterna e universal, precisamente porque se pronuncia apenas acerca de realidades eternas e universais.

Platão interessou-se muito por matemática, porque as verdades matemáticas nunca se alteram. Assim, podemos ter um saber seguro acerca delas. Mas agora precisamos de um exemplo: imagina que encontras na floresta uma pinha redonda. Talvez digas que *achas* que ela parece redonda — mas Jorunn afirma que ela é um pouco achatada num dos lados. (Vocês discutem então!). Não podem ter um conhecimento seguro acerca do que vêm com os olhos, mas podem saber com toda a segurança que a soma dos ângulos num círculo perfaz 360°. Vocês estão a falar de um círculo *ideal* que não existe na natureza, mas que vêem muito claramente com a vossa visão interior. (Vocês falam sobre a forma escondida do bolo — e não sobre um qualquer biscoito em cima da mesa da cozinha).

Breve resumo: acerca daquilo que *percepcionamos* ou *sentimos* podemos ter apenas opiniões incertas. Mas acerca daquilo que *conhecemos* com a razão, podemos atingir um conhecimento seguro. A soma dos ângulos num triângulo perfaz para toda a eternidade 180°. Do mesmo modo, a «ideia» de que todos os cavalos caminham sobre quatro patas será válida mesmo que todos os cavalos do mundo sensível ficassem coxos.

Uma alma imortal

Vimos que, segundo Platão, a realidade está dividida em duas partes.

Uma parte é o *mundo sensível* — de que só podemos atingir um conhecimento impreciso e imperfeito, e onde usamos os nossos cinco (imprecisos e imperfeitos) sentidos. A característica do mundo dos sentidos é que «tudo flui» e consequentemente nada possui estabilidade. Nada é no mundo dos sentidos, existe apenas um conjunto de coisas que nascem e perecem.

A outra parte é o *mundo das ideias* — de que podemos alcançar um saber certo usando a razão. Este mundo das ideias não pode ser conhecido através dos sentidos. Em compensação, as ideias (ou formas) são eternas e imutáveis.

Consequentemente, para Platão, o homem também é um ser dividido em duas partes. Temos um *corpo* que «flui». Ele está indissoluvelmente ligado ao mundo sensível e sofre o mesmo destino que o sensível (por exemplo, uma bola de sabão). Todos os nossos sentidos estão ligados ao corpo e são de pouca confiança. Mas nós possuímos também uma *alma* imortal — ela é a sede da razão. Uma vez que a alma não é material, pode observar o mundo das ideias.

Bem, já disse quase tudo. Mas há mais, Sofia: HÁ MAIS!

Para Platão, a alma já existia *antes* de se ter estabelecido no nosso corpo: antigamente, a alma estava no mundo das ideias. (Estava junto às formas dos biscoitos em cima do armário). Mas logo que a alma acorda num corpo humano, esquece-se das ideias perfeitas. Inicia-se então um processo espantoso: quando o homem se apercebe das formas na natureza, emerge progressivamente na alma uma vaga recordação. O homem vê um cavalo — mas um cavalo imperfeito (sim, um cavalo em biscoito!), e isso é o suficiente para despertar na alma uma recordação vaga do cavalo perfeito que a alma viu outrora no mundo das ideias. Com isto, surge igualmente uma saudade, um desejo da verdadeira sede da alma. Platão chamava a este desejo *Eros* — ou seja amor. A alma sente, portanto, um «desejo amoroso» da sua verdadeira origem. A partir daí, vê o corpo e tudo o que é sensível como imperfeito e insignificante. A alma deseja voar «de volta» ao mundo das ideias nas asas do amor. Desejaria ser libertada da prisão do corpo.

Devo sublinhar que Platão descreve aqui o percurso ideal. Com efeito, nem todos os homens permitem que a sua alma inicie a viagem de regresso ao mundo das ideias. A maior parte dos homens fixa-se nos

83

«reflexos» das ideias no mundo sensível. Vêem um cavalo — e outro. Mas não vêem aquilo de que todos os cavalos são apenas uma cópia. (Entram de rompante na cozinha e atiram-se aos biscoitos sem perguntar de onde é que vêm). Platão descreve o *percurso dos filósofos*. Podemos ler a sua filosofia como descrição da actividade de um filósofo. Quando vês uma sombra, Sofia, pensas também que há algo que está a fazer sombra. Vês a sombra de um animal. Talvez seja um cavalo, pensas tu, mas não consegues ter a certeza absoluta. Então, voltas-te e vês o verdadeiro animal — que é obviamente de longe mais bonito e nítido nos contornos do que a sua inconstante sombra. POR ISSO, SEGUNDO PLATÃO, TODOS OS FENÓMENOS DA NATUREZA SÃO MERAS SOM-BRAS DAS FORMAS OU IDEIAS ETERNAS. Porém, a maioria das pes-soas está satisfeita com a sua vida entre as sombras. Não pensam que há algo que provoca as sombras. Acham que as sombras são tudo o que existe — e por isso não tomam as sombras como sombras. Deste modo, esquecem também a imortalidade das suas almas.

A saída da escuridão da caverna

Platão conta uma alegoria que ilustra precisamente esta reflexão. Denominamo-la a *alegoria da caverna*. Vou contá-la com as minhas próprias palavras. Imagina homens que vivem numa caverna subterrâ-nea. Estão virados de costas para a entrada, presos com correntes, pelas mãos e pelos pés; por isso só podem olhar para a parede da caverna. Por detrás deles há um muro alto, e atrás desse muro passam por sua vez vultos humanos que levam diversos objectos por cima do muro. Uma vez que atrás desses objectos arde um fogueira, eles provocam sombras trémulas na parede da caverna. A única coisa que os homens da caver-na podem ver é portanto este «teatro de sombras». Estão ali desde que nasceram e para eles as sombras são tudo o que existe.

Imagina agora que um destes habitantes da caverna consegue liber-tar-se da prisão. Primeiro, questiona-se de onde é que vêm estas imagens na parede da caverna. O que é que achas que sucede quando ele se volta para as figuras que são levadas por cima do muro? De início, fica ofuscado pela luz brilhante. A visão dos objectos com contorno nítido ofusca-o — até então, ele vira apenas as suas sombras. Se pudesse subir pelo muro e passar o fogo até sair para fora da caverna, ficaria ainda mais encandeado. Mas depois de ter esfregado os olhos veria também como tudo é belo. Pela primeira vez, veria cores e contornos nítidos. Veria animais e flores verdadeiros — dos quais as figuras na caverna eram cópias. Mas nesse momento, perguntar-se-ia de onde é que os animais e as plantas vêm. Vê o sol no céu e compreende que o sol dá vida às flores e aos animais na natureza, da mesma forma que o fogo da caverna fazia com que ele pudesse ver as sombras.

O feliz habitante da caverna poderia sair a correr para a natureza e alegrar-se com a sua liberdade recém-adquirida. Mas ele pensa em todos aqueles que ainda estão na caverna. Por isso, regressa. Logo que chega lá, tenta explicar aos outros habitantes da caverna que as sombras na parede são apenas cópias trémulas de coisas *verdadeiras*, mas ninguém acredita nele. Eles apontam para a parede da caverna e afirmam que o que aí vêem é tudo o que existe. Por fim, matam-no.

Aquilo que Platão descreve na alegoria da caverna é o percurso do filósofo, desde as opiniões confusas até às ideias reais por detrás da natureza. Pensa também em Sócrates, que os «habitantes da caverna» assassinaram por destruir as opiniões habituais e por lhes querer mostrar o caminho para o verdadeiro conhecimento. Desta forma, a alegoria da caverna torna-se uma imagem da coragem e da responsabilidade pedagógica do filósofo.

Para Platão, a relação entre a escuridão da caverna e a natureza lá fora corresponde à relação entre os objectos da natureza e o mundo das ideias. Ele não queria dizer que a natureza era escura e triste, mas que ela é escura e triste *em comparação* com a claridade das ideias. A fotografia de uma rapariga bonita também não é sombria e triste, pelo contrário, mas é apenas uma fotografia.

O Estado dos filósofos

Encontramos a alegoria da caverna de Platão no diálogo *A República*. Platão descreve nessa obra também o Estado ideal, isto é, ele imagina um Estado-modelo — ou aquilo que designamos por «Estado utópico». Resumidamente, podemos dizer que, para Platão, o Estado deve ser governado por filósofos. Toma como ponto de partida o homem individual.

Segundo Platão, o corpo humano é constituído por três partes, a saber: a *cabeça*, o *peito* e o *abdómen*. A cada uma destas partes corresponde uma faculdade. À cabeça corresponde a *razão*, ao peito a *vontade*, ao abdómen o *prazer* ou a *concupiscência*. A cada uma destas faculdades pertence ainda um ideal ou uma *virtude*. A razão deve procurar a *sabedoria*, a vontade deve mostrar *coragem*, e a concupiscência deve ser refreada, para que o homem possua *temperança*. Só quando as três partes actuam em consonância temos um homem harmonioso ou íntegro. Na escola, as crianças têm de aprender primeiro a refrear a sua concupiscência, depois é desenvolvida a coragem, e por fim devem desenvolver a razão e adquirir a sabedoria.

Platão imagina um Estado que é organizado exactamente como um homem. Assim como o corpo possui «cabeça», «peito» e «abdómen», o Estado possui *soberanos, guardiões* (ou soldados) e os *comerciantes* (grupo ao qual pertencem, além dos comerciantes, os artesãos e os camponeses). Torna-se claro que Platão toma como modelo a ciência médica grega. Assim como um homem são e harmonioso apresenta equilíbrio e temperança, aquilo que caracteriza um *Estado justo* é o facto de cada um conhecer o seu lugar no todo. Tal como a filosofia de Platão em geral, também a sua filosofia política está impregnada de *racionalismo*. Decisivo para a criação de um bom Estado é ele ser dirigido com *razão*. Tal como a cabeça dirige o corpo, são os filósofos que têm de governar a sociedade.

Faço agora uma apresentação resumida da relação entre os três componentes do homem e do Estado:

CORPO	ALMA	VIRTUDE	ESTADO
cabeça	razão	sabedoria	soberano
peito	vontade	coragem	guardiões
abdómen	concupiscência	temperança	artesãos

O Estado ideal de Platão pode fazer lembrar o antigo sistema indiano de castas, onde cada um tinha a sua função específica para o bem do todo. Desde o tempo de Platão — e ainda antes — o sistema indiano de castas conhece exactamente esta tripartição entre a casta governante (ou a casta dos sacerdotes), a casta guerreira e a casta dos artesãos.

Hoje diríamos talvez que o Estado de Platão é um Estado totalitário. Devemos reparar que ele era da opinião de que as mulheres poderiam governar o Estado tal como os homens, precisamente porque os soberanos devem governar a cidade-Estado em função da sua *razão*. Segundo Platão, as mulheres tinham tanta racionalidade como os homens, se recebessem a mesma formação, e se fossem ainda libertadas do cuidado das crianças e das tarefas domésticas. Platão queria abolir nos soberanos e nos seus guardiões a família e a propriedade privada. A formação das crianças era demasiado importante para ser deixada aos indivíduos. A educação das crianças tinha de estar a cargo do Estado. (Platão foi o primeiro filósofo que se pronunciou a favor de jardins infantis e escolas públicas).

Depois de ter tido algumas desilusões políticas, Platão escreveu o diálogo *As Leis*. Descreve nele o «Estado de lei» como o segundo melhor Estado e introduz de novo a propriedade privada e os laços familiares. Desta forma, a liberdade das mulheres é restringida. Mas ele diz também que um Estado que não educa e forma mulheres é como um homem que apenas exercita o seu braço direito.

Podemos basicamente dizer que Platão tinha uma opinião positiva das mulheres — pelo menos para o seu tempo. No diálogo *O Banquete* é uma mulher, Diotima, que revela a Sócrates o seu saber filosófico.

Isto era Platão, Sofia. Desde há mais de dois mil anos, os homens discutem e criticam a sua singular teoria das ideias. O primeiro foi seu discípulo na Academia. Chamava-se *Aristóteles* — o terceiro grande filósofo de Atenas. Mas não digo mais nada por hoje!

Enquanto Sofia esteve sentada no tronco, o sol elevara-se a oriente sobre a colina. Espreitara por cima do horizonte precisamente no momento em que estava a ler sobre o filósofo que saíra da caverna e piscara os olhos ao ver a luz brilhante no exterior.

Ela mesma tinha a sensação de sair de uma gruta subterrânea. Sofia julgava ver a natureza de um modo completamente novo depois de ter lido aquilo sobre Platão. Tinha a sensação de ter sido cega às cores. Vira talvez sombras, mas não as ideias claras.

Não tinha a certeza de que Platão tivesse razão em tudo o que afirmava sobre os arquétipos eternos, mas pareceu-lhe muito bela a ideia de que todas as coisas vivas eram apenas uma cópia imperfeita da forma eterna no mundo das ideias. Afinal, era verdade que todas as flores e árvores, homens e animais eram «imperfeitos».

Tudo o que via à sua volta era tão belo e vivo que Sofia pensou que tinha de esfregar os olhos. Mas nada do que via era constante. No entanto, daí a cem anos haveria ali as mesmas flores e animais. Mesmo que cada animal e cada flor morresse e fosse esquecido, algo «faria lembrar» o aspecto de tudo.

Sofia admirava esta obra maravilhosa quando, subitamente, um esquilo saltou para o tronco de um pinheiro, rodopiou e desapareceu por entre os ramos. Já te vi por aqui, pensou Sofia. Sabia que provavelmente não tinha visto aquele esquilo — ela vira, por assim dizer, a mesma «forma». Porque é que Platão não havia de ter razão ao dizer que ela vira outrora no mundo das ideias o «esquilo» eterno — muito antes de a sua alma se ter estabelecido num corpo?

Seria verdade que ela já vivera antes? Teria a sua alma existido antes de ter recebido um corpo que tinha agora de arrastar consigo? Seria verdade que ela tivesse em si um grão de ouro — uma jóia que o tempo não consumia, uma alma que viveria depois de o seu corpo envelhecer e morrer?

A CABANA DO MAJOR

... a rapariga do espelho piscou ambos os olhos...

Eram apenas sete e um quarto. Sofia não tinha de ir a correr para casa. A mãe dormiria certamente mais duas horas; ao domingo era sempre preguiçosa.

Deveria ela avançar mais no bosque e tentar encontrar Alberto Knox? Mas porque é que o cão rosnara tão furiosamente contra ela?

Sofia levantou-se do tronco e foi pelo carreiro do bosque através do qual Hermes correra. Trazia na mão o envelope amarelo com a longa carta sobre Platão. Por duas vezes o carreiro se bifurcou, mas ela seguiu sempre o caminho principal.

Os pássaros chilreavam por toda a parte — nas árvores e pelo ar, nos arbustos e no matagal. Estavam diligentemente absortos na sua *toilette* matinal. Para eles, não havia distinção entre os dias da semana e o fim-de-semana. Mas quem é que ensinara aos pássaros tudo aquilo? Teria cada um um pequeno computador dentro de si, um «programa» que lhe dizia o que tinha a fazer?

De início, o caminho conduzia ao cimo de um pequeno penhasco, depois, descia abruptamente entre pinheiros altos. Daí em diante, o bosque era tão denso que as árvores deixavam ver apenas alguns metros adiante.

De repente, descobriu entre os troncos dos pinheiros qualquer coisa azul. Era um lago. Nesse lugar, o carreiro seguia noutro sentido, mas Sofia continuou a andar por entre as árvores. Não sabia ao certo porquê, mas os seus pés conduziam-na naquele sentido.

O lago não era maior do que um campo de futebol. Defronte a ela, na outra margem, Sofia viu uma cabana pintada de vermelho numa pequena clareira rodeada de bétulas brancas. Da chaminé elevava-se um fio de fumo.

Sofia desceu até à água. O solo estava muito húmido em quase todos os sítios, mas descobriu rapidamente um barco a remos. Estava puxado para terra. Dentro do barco havia um par de remos.

Sofia olhou ao seu redor. Parecia-lhe impossível, indo à volta do lago, alcançar a cabana com os pés secos. Resoluta, dirigiu-se para o barco e empurrou-o para a água. Subiu para bordo, colocou os remos nos toletes e remou através do lago. Depressa atingiu a outra margem. Sofia desceu para terra e tentou puxar o barco para um lugar seco. A margem era aí muito mais íngreme do que do outro lado.

Sofia olhou uma vez para trás e depois subiu em direcção à cabana.

Estava assustada consigo mesma. Como é que ousara fazer isto? Não o sabia; qualquer coisa «estranha» parecia guiá-la.

Sofia chegou à porta e bateu. Ficou algum tempo à espera, mas ninguém abriu. Girou com cuidado o puxador e a porta abriu-se.

— Com licença! — disse — está alguém em casa?

Sofia entrou numa sala grande. Não se atrevia a fechar a porta.

Era óbvio que alguém morava ali. Sofia ouviu o crepitar de um fogão de lenha. Logo, alguém estivera lá há pouco tempo.

Em cima de uma grande escrivaninha, havia uma velha máquina de escrever, alguns livros, duas esferográficas e muito papel. Em frente à janela que dava para o lago, havia uma mesa e duas cadeiras. De resto, não havia muitos móveis; apenas uma parede estava coberta com uma estante cheia de livros. E acima de uma cómoda branca, estava pendurado um grande espelho redondo com uma moldura de latão. Parecia ser muito antigo.

Numa parede, estavam dois quadros. Um era uma pintura a óleo, e representava uma casa branca que distava alguns metros de uma pequena enseada com um barracão vermelho para os barcos. Entre a casa e o barracão havia um jardim ligeiramente inclinado com uma macieira, alguns arbustos espessos e rochedos. As bétulas rodeavam o jardim como uma coroa. A pintura chamava-se «Bjerkely».

Ao lado do quadro, havia um velho retrato de um homem que estava sentado com um livro no regaço numa cadeira perto da janela e ao fundo havia igualmente uma enseada com árvores e rochedos. A pintura devia ter alguns séculos — e chamava-se «Berkeley». O pintor do retrato chamava-se Smibert.

Berkeley e Bjerkely... não era estranho?

Sofia continuou a olhar em seu redor na cabana. Da sala de estar, uma porta conduzia a uma pequena cozinha. Aí, a louça fora recentemente lavada. Pires e copos estavam empilhados sobre um pano de linho, e alguns pires apresentavam ainda vestígios de detergente. No chão, havia uma malga de metal com restos de comida. Logo, ali vivia também um animal, um cão ou um gato.

Sofia voltou para a sala de estar. Uma outra porta conduzia a um pequeno quarto de dormir. À frente da cama estavam dois cobertores amarrotados. Sofia descobriu nos cobertores alguns pêlos amarelos. Esta era a prova; Sofia estava totalmente convencida de que Alberto Knox e Hermes moravam naquela cabana.

Quando voltou à sala de estar, Sofia aproximou-se do espelho acima da cómoda. A superfície do vidro era opaca e irregular, por isso o seu reflexo era pouco nítido. Sofia começou a fazer caretas para si mesma — tal como o fazia de vez em quando em casa, na casa de banho. O seu reflexo no espelho imitava-a em tudo, mas também não se esperaria outra coisa.

De repente, algo estranho aconteceu — por um milésimo de segundo, Sofia viu, muito claramente, que a rapariga do espelho piscava ambos os olhos. Sofia recuou sobressaltada. Se ela própria tivesse piscado os dois olhos — como é que poderia ter *visto* a outra a piscar os olhos? E mais uma vez, a rapariga do espelho parecia piscar os olhos para Sofia. Parecia que queria dizer: eu estou a ver-te, Sofia. Estou aqui do outro lado.

Sofia sentiu o coração martelar-lhe no peito. Simultaneamente, ouviu ao longe um cão a ladrar. Era com certeza Hermes! Tinha de se ir embora.

Reparou então numa carteira verde sobre a cómoda, por baixo do espelho de latão. Sofia levantou-a e abriu-a cautelosamente. A carteira continha uma nota de cem coroas, outra de cinquenta e... um cartão de estudante. No cartão de estudante havia uma fotografia de uma rapariga loira. Abaixo da fotografia lia-se «Hilde Møller Knag» e «Escola de Lillesand».

Sofia sentiu um arrepio pela espinha. Depois, ouviu de novo o cão ladrar. Tinha de sair dali.

Ao passar pela mesa, descobriu um envelope branco entre os numerosos livros e papéis. No envelope estava escrito «SOFIA».

Sem reflectir um segundo, apoderou-se da carta e pô-la dentro do grande envelope amarelo, junto à carta sobre Platão. Precipitou-se para fora da cabana e fechou a porta.

Lá fora, ouvia o cão ladrar mais alto. E viu então que o barco tinha desaparecido. Passados um ou dois segundos, descobriu-o no meio do pequeno lago. Junto ao barco flutuava um remo.

Isso acontecera porque ela não tinha conseguido arrastar o barco para terra. Ouviu de novo o cão ladrar, e ouviu em seguida uma outra coisa que se mexia entre as árvores, no outro lado do lago.

Sofia não pensou duas vezes. Com o grande envelope na mão, correu para os arbustos atrás da cabana. Pouco depois teve de atravessar um pântano, e por várias vezes se afundou na água até ao meio da barriga da perna. Mas tinha mesmo de continuar. Tinha de chegar a casa.

Passado um pouco, deu com um caminho. Seria esse o caminho pelo qual viera? Sofia parou e torceu o vestido. Só então lhe vieram as lágrimas aos olhos.

Como é que podia ter sido tão imbecil? O mais grave de tudo era a questão do barco. Não conseguia esquecer a imagem do barco a remos e do remo à deriva no lago. Era tudo tão desagradável, tão horrível...

Nessa altura, o professor de filosofia já tinha certamente regressado ao lago. Ele precisava naturalmente do barco para chegar a casa. Sofia sentia-se uma imbecil, mas não o fizera de propósito.

O envelope! Isso era mais grave ainda. Porque é que ela trouxera o envelope? Porque o seu nome estava escrito nele, obviamente; por isso, num certo sentido, pertencia-lhe. No entanto, sentiu-se uma ladra. E depois disso, era óbvio que *ela* estivera na cabana.

Sofia tirou uma folha do envelope que tinha escrito:

O que é que vem primeiro — a galinha ou a ideia «galinha»?
Terá o homem ideias inatas?
Qual é a diferença entre uma planta, um animal e um homem?
Porque é que chove?
Do que é que o homem necessita para viver uma vida feliz?

Nesse momento, Sofia não conseguia refectir sobre estas perguntas, mas calculou que tinham a ver com o filósofo seguinte. Não era aquele que se chamava Aristóteles?

Quando, após aquela interminável corrida pelo bosque, descobriu a sebe, sentiu-se como um náufrago que alcança a terra a nado. Era estranho ver a sebe do outro lado. Só quando entrou agachada na toca, olhou para o relógio. Eram dez e meia. Deixou o envelope grande junto aos outros papéis na caixa dos biscoitos. Enfiou nos *collants* a folha com as novas perguntas.

Quando Sofia entrou, a mãe estava ao telefone. Pousou, entretanto, o auscultador.

— Onde é que estavas metida, Sofia?

— Eu... dei um passeio... no bosque — balbuciou Sofia.

— Estou a ver que sim.

Sofia ficou calada; via como a água pingava do seu vestido.

— Tenho que telefonar a Jorunn...

— Jorunn?

A mãe foi buscar algo seco para ela vestir. Sofia conseguiu a muito custo esconder a folha do seu professor de filosofia. Sentaram-se na cozinha e a mãe preparou o cacau.

— Estiveste com ele? — perguntou.

— Com ele?

Sofia pensava apenas no professor de filosofia.

— Com *ele*, sim. Com o teu... 'coelho'.

Sofia abanou a cabeça.

— O que é que vocês fazem quando estão juntos? Porque é que estás tão molhada?

Sofia estava muito séria e olhava fixamente para o tampo da mesa, mas dentro de si não conseguiu deixar de sorrir. Pobre mamã, como se preocupava!

Abanou de novo a cabeça. Vieram então as perguntas em série.

— Agora, quero ouvir toda a verdade! Estiveste fora esta noite? Entraste às escondidas depois de eu ter ido para a cama? Tu tens apenas catorze anos, Sofia, quero saber com quem é que tu andas!

Sofia desatou a chorar e começou a contar. Ainda tinha medo, e quando se tem medo diz-se geralmente a verdade. Sofia contou que tinha acordado cedo, e que tinha dado um passeio no bosque. Falou sobre a cabana e o barco e também sobre o estranho espelho. Mas conseguiu ocultar tudo o que tinha a ver com o curso por correspondência. Também não mencionou a carteira verde. Não sabia bem porquê, mas tinha de guardar a história de Hilde para si.

A mãe abraçou-a. Sofia compreendeu que já acreditava nela.

— Eu não tenho nenhum namorado — soluçou —. Eu só disse isso para que tu não tivesses que te preocupar por causa do coelho branco.

— Então foste mesmo até à cabana do major ... — disse a mãe com um ar pensativo.

— Até à cabana do major? — Sofia arregalou os olhos.

— A pequena cabana que tu descobriste no bosque chama-se a 'cabana do major'. Há muitos, muitos anos, viveu aí um velho major. Ele era um pouco excêntrico. Mas agora não vamos pensar nisso. Desde essa altura, a cabana está desocupada.

— Isso é o que tu pensas. Agora mora lá um filósofo.

— Não, não comeces de novo a fantasiar.

Sofia estava sentada no seu quarto e reflectia sobre o que lhe acontecera. A sua cabeça era como um circo barulhento com elefantes pesados e palhaços cómicos, trapezistas ousados e macacos amestrados. Mas havia uma imagem que voltava sempre: um pequeno barco a remos e um remo flutuavam num lago no meio de um bosque — e alguém precisava do barco para regressar a casa...

Ela tinha a certeza de que o professor de filosofia não lhe queria mal e, quando percebesse que Sofia tinha visitado a cabana, talvez lhe perdoasse, mas ela não cumprira o prometido. Era assim que agradecia. Como é que podia remediar isso?

Sofia agarrou no papel de carta cor-de-rosa e escreveu:

Caro filósofo: Estive na cabana no domingo, de manhã. Eu queria muito encontrar-te, para discutir melhor alguns problemas filosóficos. Por enquanto, sou uma fã de Platão, mas não tenho a certeza se ele tinha razão ao afirmar que as ideias ou os arquétipos existem numa outra realidade. Existem naturalmente na nossa alma, mas isso é completamente diferente, segundo a minha opinião actual. Infelizmente, devo também confessar que ainda não estou suficientemente convencida de que a nossa alma seja realmente imortal. Pessoalmente, não tenho quaisquer recordações da minha vida anterior. Se me pudesses convencer de que a alma da minha falecida avó está bem no mundo das ideias, eu ficaria muito grata.

Na verdade, não comecei esta carta, que vou deixar com um torrão de açúcar, dentro de um envelope cor-de-rosa, por amor da filosofia. Queria apenas pedir desculpa por te ter desobedecido. Tentei puxar o barco para terra, mas pelos vistos não tive força suficiente. Além disso, é possível que uma onda violenta tenha levado o barco de volta para a água.

Espero que tenhas chegado a casa enxuto. Caso contrário, podes consolar-te, sabendo que eu fiquei molhada até aos ossos e que provavelmente vou apanhar uma forte constipação, mas sou eu a culpada por isto ter acontecido.

Não toquei em nada na cabana, mas infelizmente caí na tentação quando vi o envelope com o meu nome. Não porque eu quisesse roubar alguma coisa, mas uma vez que o meu nome estava escrito na carta, fiquei confusa e a pensar durante alguns segundos que a carta me pertencia. Eu peço sinceramente as minhas desculpas, e prometo que não te hei-de desiludir de novo.

P.S. Vou reflectir imediatamente sobre todas as perguntas.

P.S. 2. O espelho de latão sobre a cómoda branca é um espelho normal, ou é um espelho mágico? Pergunto apenas porque não estou muito habituada a que o meu reflexo no espelho pisque os olhos.

Cumprimentos cordiais da tua aluna dedicada, SOFIA

Sofia leu a carta duas vezes antes de a colocar no envelope. Não era tão cerimoniosa como a anterior. Antes de ir à cozinha para tirar um torrão de açúcar, pegou uma vez mais na folha com os problemas.

«O que é que vem primeiro — a galinha ou a ideia 'galinha'?» A pergunta era tão difícil como o velho enigma acerca da galinha e do ovo. Sem ovo, não há galinha, mas sem galinha também não há ovo. Seria realmente tão difícil descobrir o que é que existia primeiro, se a galinha ou a 'ideia' galinha? Sofia sabia o que Platão teria dito. Ele teria dito que a ideia «galinha» existira no mundo das ideias muito antes de haver uma galinha no mundo sensível. Segundo Platão, a alma tinha *visto* a ideia 'galinha' antes de se ter estabelecido num corpo. Mas não era precisamente nesse ponto que Sofia tinha pensado que Platão poderia ter-se enganado? Um homem que nunca viu uma galinha viva, ou uma imagem de uma galinha, também não pode ter nenhuma «ideia» de uma galinha. E com isto, tinha chegado à pergunta seguinte.

«Terá o homem ideias inatas?» Era muito duvidoso, pensava Sofia. Dificilmente conseguia imaginar que um bebé recém-nascido possuísse muitas ideias. Não se podia ter a certeza absoluta, porque o facto de não falar não queria dizer que não houvesse quaisquer ideias na sua cabeça. Porém, temos de ver as coisas no mundo, antes que possamos saber algo sobre elas.

«Qual é a diferença entre uma planta, um animal e um homem?». Sofia compreendeu imediatamente que havia diferenças bastante claras. Por exemplo, não acreditava que uma planta tivesse uma vida mental muito complexa. Alguma vez ouvira falar de uma rosa com um desgosto amoroso? Uma planta cresce, alimenta-se e produz pequenas sementes, através das quais se multiplica. E com isso estava dito quase tudo acerca da natureza das plantas. Sofia apercebeu-se de que o que dissera sobre as plantas também era válido para os animais e para os homens. Mas os animais tinham outras características. Por exemplo, podiam mover-se (alguma vez uma rosa teria participado numa corrida de 60 metros?). Era mais difícil indicar a diferença entre um homem e um animal. Os homens podiam pensar, mas não o conseguiriam igualmente os animais? Sofia estava convencida de que o seu gato Sherekan podia pensar. Pelo menos conseguia comportar-se de uma forma calculada. Mas conseguiria reflectir sobre questões filosóficas? Podia o gato reflectir sobre a diferença entre uma planta, um animal e um homem? Dificilmente! Um gato podia certamente estar alegre ou triste — mas questionar-se-ia o gato sobre a existência de Deus ou sobre a imortalidade da alma? Sofia achou isto extremamente improvável. Neste, eram válidas as mesmas considerações feitas sobre um recém-nascido e sobre as ideias inatas. Era tão difícil discutir sobre estas ideias com um gato como com um bebé recém-nascido.

«Porque é que chove?» Sofia encolheu os ombros. Certamente porque o mar se evapora e porque as nuvens se condensam em chuva. Não o aprendera já na terceira classe? Também se podia dizer que chovia para que os animais e as plantas pudessem crescer. Mas seria verdade? Um aguaceiro teria uma intenção?

O último problema tinha de qualquer forma a ver com intenções. «De que é que o homem necessita para viver uma vida feliz?» O professor de filosofia já tinha escrito isso no início do curso. Todos os homens precisam de comida, calor, amor e atenção. Esta era a condição básica para uma vida feliz. Em seguida, tinha apontado para o facto de todos precisarem de respostas a determinadas questões filosóficas. Para isso, era bastante importante ter um emprego de que se gostasse. Uma pessoa que odiasse o trânsito, dificilmente seria feliz como condutor de táxi. E se se detestava o estudo, ser professor não seria certamente uma escolha profissional inteligente. Sofia adorava animais, e por isso podia facilmente imaginar tornar-se veterinária. De qualquer modo, não achava necessário ganhar um milhão no totoloto para ter uma boa vida. Antes pelo contrário. Havia inclusivamente o ditado: «O ócio é a origem de todos os vícios».

Sofia ficou no quarto, até que a mãe a chamou para comer. Tinha grelhado costeletas e cozido batatas. Que delícia! Também tinha acendido uma vela. Como sobremesa, havia creme de amoras.

Conversaram sobre diversos assuntos. A mãe perguntou como é que Sofia queria festejar o seu dia de anos. Faltavam poucas semanas.

Sofia encolheu os ombros.

— Queres convidar alguém? Quero dizer, desejas fazer alguma festa?

— Talvez...

— Podemos convidar a Marta e a Ana Maria... e Hege... e Jorunn, evidentemente. E talvez Jørgen... Mas isso tens de ser tu a decidir. Sabes uma coisa — eu lembro-me perfeitamente de quando fiz os meus quinze anos. E ainda não me parece ter sido há muito tempo. Nesse tempo, já me sentia adulta, Sofia. Não é estranho? Não acho que me tenha modificado muito desde essa altura.

— Tu não te modificaste, nada se «modifica». Apenas te desenvolveste, tornaste-te mais velha...

— Mm... sim, isso soa muito adulto. Só acho que passou tudo tão depressa...

96

ARISTÓTELES

... um homem meticuloso e metódico que queria pôr em ordem
os conceitos dos homens...

Enquanto a mãe dormia a sesta, Sofia foi para a toca. Pôs um torrão de açúcar no envelope cor-de-rosa e escreveu «Para Alberto».

Não tinha chegado nenhuma carta nova, mas passados poucos minutos, Sofia ouviu o cão aproximar-se.

— Hermes! — chamou Sofia; em seguida, Hermes entrou na toca, com um grande envelope amarelo na boca.

Sofia pôs-lhe um braço à volta; ele arfava e ofegava. Sofia pegou no envelope cor-de-rosa com o torrão de açúcar e colocou-o na boca de Hermes. Ele saiu da toca e desapareceu no bosque.

Sofia estava um pouco nervosa ao abrir o envelope. Haveria algo acerca da cabana e do barco?

O envelope continha, como era habitual, folhas juntas com um clipe. Mas havia também uma folha solta. Na folha estava escrito:

Cara detective! Ou cara assaltante, para ser mais preciso. O incidente já foi notificado... Não, não estou muito zangado. Se és assim tão curiosa quando se trata de encontrar respostas para os problemas da filosofia, isso é muito promissor. A maçada é que agora tenho de mudar de casa. Bom, é obviamente por minha culpa. Eu devia ter sabido que tu és uma pessoa que quer examinar as coisas a fundo.

Cumprimentos cordiais do Alberto

Sofia respirou fundo. Ele não estava aborrecido. Mas porque é que tinha de mudar de casa?

Pegou nas folhas grandes e correu para o seu quarto. Era melhor que estivesse em casa quando a mãe acordasse. Pouco depois, já estava confortavelmente estendida na cama. Queria ler acerca de Aristóteles.

97

Filósofo e cientista

Cara Sofia! Ficaste certamente espantada com a teoria das ideias de Platão. Não és a primeira. Não sei se aceitaste tudo com facilidade ou se fizeste alguns reparos críticos. Mas se fizeste reparos críticos, podes estar certa de que as mesmas objecções foram levantadas já por *Aristóteles* (384-322 a. C.). Ele foi durante vinte anos aluno na Academia de Platão.

Aristóteles não era um ateniense. Era natural da Macedónia, mas foi para a Academia quando Platão tinha 61 anos. O pai era um médico reconhecido — ou seja, um cientista. Este pano de fundo já nos diz algo sobre o projecto filosófico de Aristóteles. Aquilo que o interessava acima de tudo era a natureza viva. Não foi apenas o último grande filósofo grego, foi também o primeiro grande biólogo da Europa.

Se quisermos formular tudo de um modo um tanto exagerado, podemos dizer que Platão estava tão concentrado nas formas ou «ideias» eternas que mal reparava nas transformações da natureza. Aristóteles, pelo contrário, interessava-se precisamente pelas transformações — ou aquilo que nós hoje designamos por processos físicos.

Se quisermos exagerar ainda mais, podemos dizer que Platão se afastava do mundo sensível e só distinguia passageiramente aquilo que vemos à nossa volta. (Ele queria sair da caverna! Queria olhar para o eterno mundo das ideias!). Aristóteles fazia exactamente o inverso: dirigia-se à natureza e estudava peixes e rãs, anémonas e papoilas.

Podes dizer que Platão usou apenas o seu entendimento; Aristóteles, por seu lado, usou também os sentidos.

Até na sua maneira de escrever encontramos claras diferenças. Enquanto Platão era poeta e criador de mitos, os textos de Aristóteles são secos e pormenorizados como uma enciclopédia. Em compensação, na origem de muitas coisas acerca das quais ele escreve, há estudos naturalistas intensivos.

Na Antiguidade são referidos mais de 170 títulos que Aristóteles terá escrito. Hoje, conservam-se 47 textos. Não se trata de livros acabados. A maior parte dos textos de Aristóteles são constituídos por apontamentos para as lições. Mesmo no tempo de Aristóteles, a filosofia era sobretudo uma actividade oral.

A importância de Aristóteles para a cultura europeia não reside apenas no facto de ele ter criado a linguagem técnica que ainda hoje as diversas ciências utilizam. Ele foi o grande sistemático que fundou e ordenou as diversas ciências.

Como Aristóteles escreveu sobre todas as ciências, vou tratar apenas de algumas das áreas mais importantes.

Dado que falei tanto de Platão, deves saber primeiro como é que Aristóteles argumenta contra a teoria das ideias de Platão. Depois, vamos ver como é que ele concebe a sua própria filosofia da natureza. Aristóteles recapitulou aquilo que os filósofos da natureza antes dele disseram. Vamos ver como é que ele ordena os nossos conceitos e funda a lógica como ciência. Por fim, vou falar ainda um pouco da visão de Aristóteles acerca do homem e da sociedade. Se aceitares estas condições, só precisamos de arregaçar as mangas e começar.

Não há ideias inatas

Tal como os filósofos anteriores, também Platão queria encontrar algo eterno e imutável no meio de todas as transformações. Deste modo, encontrou as ideias perfeitas, que são superiores ao mundo sensível. Além disso, para Platão, estas ideias eram mais reais do que todos os fenómenos na natureza. Primeiro, vinha a ideia «cavalo» — em seguida, todos os cavalos do mundo sensível, que galopavam como cópias na parede de uma caverna. Logo, a ideia «galinha» veio antes da galinha e do ovo.

Aristóteles achava que Platão tinha posto tudo às avessas. Estava de acordo com o seu professor em que o cavalo particular «flui», e que nenhum cavalo vive eternamente. Também estava de acordo em que a forma do cavalo é em si eterna e imutável. Mas a «ideia» cavalo é, para ele, apenas um conceito que nós homens formámos, *depois* de termos visto um determinado número de cavalos. Para Aristóteles, a «forma» cavalo consiste nas características do cavalo — diríamos hoje na *espécie* cavalo.

Vou precisar: pela «forma» cavalo, Aristóteles designa aquilo que é comum a todos os cavalos. E neste caso, a imagem da forma do biscoito já não é válida, porque as formas existem independentemente do biscoito particular. Aristóteles não acreditava que essas formas, por assim dizer, existissem na sua própria prateleira na natureza. Para Aristóteles, as «formas» residem nas próprias coisas como qualidades específicas das coisas.

Aristóteles também não concorda com Platão em que a ideia «galinha» precede a galinha. Aquilo a que Aristóteles chama a «forma» galinha, reside na forma das qualidades específicas de cada galinha — por exemplo, pôr ovos. Assim, a galinha em si e a «forma» galinha são tão inseparáveis como a alma e o corpo.

Com isto, dissemos basicamente quase tudo acerca da crítica de Aristóteles à teoria das ideias de Platão. Mas deves notar que estamos a falar de uma viragem drástica no pensamento. Para Platão, o grau máximo de realidade é o que *pensamos* com a razão. Para Aristóteles, é igualmente evidente que o grau máximo de realidade é o que *percepcionamos* ou *sentimos* com os sentidos. Segundo Platão, aquilo que vemos à nossa volta na natureza é apenas reflexo de algo que existe no mundo das ideias — e consequentemente na alma do homem. Aristóteles dizia exactamente o contrário: aquilo que está na alma do homem é apenas reflexo dos objectos da natureza. O mundo real é a natureza, segundo Aristóteles, enquanto Platão fica preso a uma concepção mítica do mundo que confunde as representações do homem com o mundo real.

Aristóteles aponta para o facto de que nada existe na consciência que não tenha existido primeiro nos sentidos. Platão poderia ter dito que não há nada na natureza que não tenha existido primeiro no mundo das ideias. Desta forma, Platão duplicou o número de coisas, segundo Aristóteles. Ele explicara o cavalo particular recorrendo à ideia «cavalo». Que tipo de explicação é esta, Sofia? Isto é, de onde vem a ideia «cavalo»? Existirá ainda um terceiro cavalo — do qual a ideia «cavalo» é por sua vez apenas uma cópia?

Aristóteles defendia que tudo o que temos em pensamentos e em ideias chegou à nossa consciência através daquilo que vimos e ouvimos. Mas também temos uma razão inata. Temos uma faculdade inata de ordenar todas as impressões sensíveis em diferentes grupos e classes. Assim nascem conceitos como «pedra», «planta», «animal» e «homem». Assim surgem os conceitos «cavalo», «lagosta» e «canário».

Aristóteles não negava que o homem tivesse uma razão inata. Muito pelo contrário: para Aristóteles, a razão é precisamente a característica mais importante do homem. Mas a nossa razão está completamente «vazia» enquanto não sentirmos nada. Logo, um homem não possui «ideias» inatas.

As formas são as qualidades das coisas

Após ter esclarecido a sua posição em relação à teoria das ideias de Platão, Aristóteles afirma que a realidade é constituída por diversas coisas particulares que apresentam uma unidade de *forma* e *matéria*. A «matéria» é aquilo a partir do qual a coisa é feita, enquanto a «forma» caracteriza as qualidades particulares das coisas. Uma galinha esvoaça à tua frente, Sofia. A «forma» da galinha é precisamente o esvoaçar

— assim como cacarejar e pôr ovos. Pela «forma» da galinha são portanto designadas as qualidades particulares da sua espécie — ou aquilo que a galinha *faz*. Quando a galinha morre e deixa de cacarejar, a «forma» da galinha também deixa de existir. A única coisa que permanece é a «matéria» da galinha (é bastante triste, Sofia!); mas já não é uma galinha.

Como já afirmei, Aristóteles estava interessado nas transformações da natureza. Na matéria há sempre uma possibilidade de se atingir uma determinada forma. Podemos dizer que a matéria se esforça por realizar uma possibilidade em si inerente. Cada mudança na natureza é para Aristóteles uma transformação da matéria da *possibilidade* para a *realidade*.

Eu vou explicar isto, Sofia. Vou contar uma história cómica. Era uma vez um escultor que estava a trabalhar num enorme bloco de granito. Todos os dias esculpia e talhava a pedra informe, e certo dia recebeu a visita de um jovem. — O que é que procuras? — perguntou o jovem. — Espera — disse o escultor. Passados alguns dias, o rapaz voltou e nessa altura, o escultor tinha esculpido um belo cavalo a partir do bloco de granito. O rapaz fixou emudecido o cavalo. Em seguida, voltou-se para o escultor e perguntou: — Como é que sabias que isso estava ali?

Sim, como é que ele podia saber? De certo modo, o escultor tinha visto a forma do cavalo no bloco de granito, porque nesse bloco de granito estava inerente a possibilidade de se tornar cavalo. Aristóteles achava que em todas as coisas da natureza está inerente uma possibilidade de realizar uma forma determinada.

Voltemos à questão da galinha e do ovo. Num ovo de galinha está inerente a possibilidade de se tornar galinha. Isto não significa que todos os ovos de galinha se tornem galinhas — inclusivamente há alguns que vão parar à nossa mesa, sob a forma de ovo estrelado, omeleta ou ovo mexido, sem realizarem a forma inerente ao ovo. Mas também é óbvio que um ovo de galinha nunca se pode converter em ganso. Esta possibilidade não reside no ovo de galinha. A forma de uma coisa indica tanto as suas possibilidades como as suas limitações.

Quando Aristóteles fala de forma e de matéria não está a pensar apenas em organismos vivos. Tal como a «forma» da galinha é cacarejar, bater com as asas e pôr ovos, a «forma» da pedra é cair ao chão. Tal como a galinha não pode evitar cacarejar, também a pedra não pode evitar cair ao chão. Obviamente, podes levantar uma pedra e lançá-la ao ar, mas como a natureza da pedra é cair ao chão, não a podes lançar para a lua. (Se fizeres esta experiência, deves ser um pouco cautelosa, porque a pedra pode facilmente vingar-se. Ela quer regressar à terra tão rapidamente quanto possível — e ai daquele que estiver no seu caminho!).

A causa final

Antes de deixarmos este género de considerações, segundo as quais todas as coisas animadas e inanimadas têm uma forma que diz algo acerca da sua potencialidade, devo ainda acrescentar que Aristóteles tinha uma visão bastante importante sobre as relações de causalidade na natureza.

Quando, no dia-a-dia, falamos de «causas» que provocam isto ou aquilo, referimo-nos ao modo como algo sucede. A janela parte-se porque o Pedro atirou uma pedra, um sapato forma-se porque o sapateiro cose algumas peças de couro. Mas Aristóteles achava que na natureza havia vários tipos de causa. É sobretudo importante compreender o que é que ele entendia por causa final.

No caso da janela partida também é naturalmente oportuno perguntar porque é que Pedro atirou a pedra. Perguntamos também qual era a sua intenção, qual era a sua finalidade. Não podem subsistir dúvidas de que uma intenção ou um fim têm um papel importante na produção de um sapato. Mas Aristóteles também tinha em vista a mesma causa final em alguns processos físicos na natureza. Vamos ficar-nos por um exemplo:

Porque é que chove, Sofia? Com certeza já aprendeste na escola que chove porque o vapor de água das nuvens arrefece e se condensa em gotas de água que caem no solo devido à gravidade. Aristóteles teria concordado, mas acrescentando que apenas mencionaste três causas. A causa material é o facto de o vapor de água actual (as nuvens) estar presente quando o ar arrefeceu. A causa eficiente é o facto de o vapor de água arrefecer, e a causa formal é o facto de a «forma» ou natureza da água ser cair no solo. Se não tivesses dito mais nada, Aristóteles teria acrescentado que chove porque as plantas e os animais precisam da água da chuva para crescerem. Era o que ele designava por causa final. Como vês, Aristóteles atribuiu às gotas de água uma espécie de finalidade vital ou «intenção».

Nós diríamos ao contrário: as plantas crescem porque há humidade. Percebes esta diferença, Sofia? Aristóteles acreditava que em toda a natureza há uma finalidade. Chove para que as plantas cresçam, e as laranjas e as uvas crescem para que os homens as comam.

Hoje, a ciência já não pensa assim. Dizemos que a alimentação e a humidade são condições para que os homens e os animais possam viver. Sem estas condições, nós não existiríamos. Mas não é *intenção* das laranjas ou da água alimentarem-nos.

No que diz respeito à sua teoria das causas, podemos sentir-nos tentados a afirmar que Aristóteles se enganou, mas não nos vamos precipitar. Muitos homens acham que Deus criou o mundo para que homens e animais pudessem viver nele. Perante este cenário, pode-se também afirmar que a água corre nos rios porque os homens e os animais precisam de água para viver. Mas, nesse caso, falamos do fim ou da intenção de *Deus*. Não são as gotas de chuva ou a água dos rios que nos querem bem.

Lógica

A distinção entre «forma» e «matéria» também tem um papel importante na descrição que Aristóteles faz do modo como o homem conhece os objectos na natureza.

Quando conhecemos algo, ordenamos as coisas em classes ou grupos distintos. Eu vejo um cavalo, depois vejo mais um cavalo — e em seguida mais um. Os cavalos não são totalmente idênticos mas há *algo* que é comum a todos os cavalos e aquilo que é comum a todos os cavalos é a «forma» do cavalo. O que é diferente ou individual pertence à «matéria» do cavalo.

Desta forma, os homens ordenam as coisas e colocam-nas em locais distintos. Colocamos as vacas no curral, os cavalos na cavalariça, os porcos na pocilga e as galinhas no galinheiro. O mesmo sucede quando Sofia Amundsen arruma o seu quarto. Põe os livros na estante, mete os livros da escola na pasta e as revistas na gaveta da cómoda. Os vestidos são dobrados cuidadosamente — a roupa interior numa prateleira, as camisolas noutra e as meias numa gaveta. Repara que fazemos o mesmo nas nossas cabeças: separamos coisas que são feitas de pedra, de lã e de borracha. Distinguimos as coisas animadas das inanimadas, e subdividimos ulteriormente estas coisas em «plantas», «animais» e «homens».

Estás a compreender, Sofia? Aristóteles queria fazer uma arrumação profunda no quarto da natureza. Procurou provar que todas as coisas na natureza pertencem a diversos grupos e subgrupos. (Hermes é um ser vivo, mais exactamente, um animal, mais exactamente, um vertebrado, mais exactamente, um mamífero, mais exactamente, um cão, mais exac-tamente, um labrador, mais exactamente, um labrador macho).

Vai ao teu quarto, Sofia. Levanta um objecto qualquer do chão. Seja o que for que tu levantes, descobrirás que aquilo em que tocas pertence a uma ordem. No dia em que vês algo que não consegues classificar sofres um choque. Se, por exemplo, descobrisses uma pequena coisa acerca da qual não conseguias dizer com segurança se pertence ao reino vegetal, animal ou mineral, acho que não te atreverias a tocar-lhe.

Falei de reino vegetal, reino animal e reino mineral. Estou a pensar naquele jogo em que um pobre diabo é enviado para o corredor enquanto os outros imaginam algo que ele deve adivinhar quando regressa à sala. Os outros decidem pensar no gato Tareco que, nesse momento, está sentado no jardim. Em seguida, o pobre jogador entra de novo e começa a adivinhar. Os outros só podem responder «não» ou «sim». Se o jogador é um bom aristotélico — e nesse caso não é de modo algum um pobre diabo, a conversa pode decorrer mais ou menos assim: — É concreto? — (Sim!) — Pertence ao reino mineral? — (Não!) — É animado? — (Sim!) — Pertence ao reino vegetal? — (Não!) — É um animal? — (Sim!) — É um pássaro? — (Não!) — É um mamífero? — (Sim!) — É todo o animal? — (Sim!) — É um gato? — (Sim!) — É o Tareco? (Siiiiiim! Risos...)

Foi portanto Aristóteles quem descobriu este jogo. Por seu lado, a Platão cabe a honra de ter descoberto «às escondidas no escuro». A Demócrito já atribuímos a honra de ter descoberto o jogo do Lego.

Aristóteles foi um homem meticuloso e metódico que queria pôr em ordem os conceitos dos homens. Por isso, foi ele quem fundou a *lógica* como ciência. Estabeleceu várias regras precisas para determinar que conclusões ou que demonstrações são válidas logicamente. Um exemplo deve ser suficiente: se eu afirmo primeiro que «todos os seres vivos são mortais» (1.ª premissa), e afirmo em seguida que «Hermes é um ser vivo» (2.ª premissa), posso deduzir a conclusão: «Hermes é mortal».

O exemplo mostra que a lógica de Aristóteles trata da relação entre termos, neste caso «ser vivo» e «mortal». Mesmo sendo forçoso admitir que o silogismo dado é cem por cento sustentável, temos de reconhecer que ele não nos diz propriamente nada de novo. Já sabíamos que Hermes é «mortal». (Porque é um cão, e todos os cães são «seres vivos» — logo, «mortais», ao contrário das pedras). Sim, Sofia, já sabíamos isso. Mas nem sempre a relação entre grupos ou coisas nos parece tão evidente. Por vezes, pode ser necessário ordenar os nossos termos.

Vou contentar-me com um exemplo: será verdade que crias de rato podem mamar leite da mãe como sucede com as ovelhas ou os porcos? Isto parece muito estranho, mas não nos podemos esquecer de que os ratos não põem ovos. (Quando é que eu vi um ovo de rato ultimamente?).

Mas dão à luz crias — tal como os porcos ou as ovelhas. Mas os animais que dão à luz crias são chamados mamíferos — e os mamíferos mamam o leite das mães. Com isto, atingimos o nosso objectivo. Tínhamos a resposta dentro de nós, mas foi preciso reflectir primeiro. De momento, tínhamo-nos esquecido de que os ratos mamam realmente leite das mães. Talvez seja porque nunca vimos as crias dos ratos a mamar, certamente porque os ratos se envergonham um pouco à frente dos homens quando têm de alimentar as suas crias.

A escala da natureza

Quando Aristóteles quer «pôr ordem» na existência, ele aponta primeiro para o facto de que tudo o que há na natureza pode ser dividido em dois grupos principais. Por um lado, temos as *coisas inanimadas* — como pedras, gotas de água e torrões de terra. Nelas não está inerente nenhuma potencialidade de mudança. Essas coisas inanimadas só se podem alterar, segundo Aristóteles, por acção do exterior. Por outro lado, temos as *coisas animadas*, nas quais é inerente a possibilidade de se alterarem.

No que diz respeito às coisas animadas, Aristóteles salienta que devem ser divididas em dois grupos — o do reino vegetal (ou das plantas) e o de todos os outros seres vivos. Este último pode, por fim, subdividir-se em dois subgrupos — o dos *animais* e o dos *homens*.

Tens de admitir que esta classificação, apesar da imprecisão em relação às plantas, é clara e compreensível. Entre as coisas animadas e não animadas existe uma diferença essencial. Também entre as plantas e os animais existe uma diferença essencial, por exemplo, entre uma rosa e um cavalo. E eu gostaria de pensar também que existe uma diferença essencial entre um cavalo e um homem. Mas onde é que residem exactamente essas diferenças? Consegues responder a isto?

Infelizmente, não tenho tempo para esperar que escrevas a resposta e a coloques num envelope cor-de-rosa com um torrão de açúcar, por isso respondo eu mesmo imediatamente. Quando Aristóteles classifica os fenómenos da natureza em diferentes grupos, parte das qualidades das coisas, ou, mais exactamente, do que elas *podem fazer* ou do que elas *fazem*.

Todos os seres vivos (plantas, animais e homens) têm a faculdade de assimilar a alimentação, de crescer e de se multiplicar. Os homens e os animais têm ainda a capacidade de sentir e de se mover na natureza.

105

Todos os homens têm ainda a faculdade de pensar — ou, justamente, de ordenar as suas impressões sensíveis em diferentes grupos e classes.

Deste modo, não há na natureza limites verdadeiramente definidos. Vemos uma passagem gradual de plantas mais simples para plantas mais complexas, de animais simples para animais complexos. No cimo desta escala está o homem — que, segundo Aristóteles, reúne toda a vida da natureza. O homem cresce e alimenta-se, tal como as plantas, tem sensações e a capacidade de se mover, tal como os animais, mas além disso tem uma característica muito particular, que só o homem possui: a capacidade de pensar racionalmente.

Deste modo, o homem possui uma centelha da razão divina, Sofia. Sim, eu disse «divina». Em alguns passos, Aristóteles explica que tem de haver um Deus que deu origem a todos os movimentos da natureza. Deste modo, Deus representa o vértice absoluto na escala da natureza.

Aristóteles acreditava que os movimentos das estrelas e dos planetas regiam os movimentos aqui na terra. Mas tinha de haver algo que movesse os corpos celestes. A esse algo chamava Aristóteles o *primeiro motor* ou *Deus*. O primeiro motor não se move, mas é a primeira causa dos movimentos dos corpos celestes e, consequentemente, de todos os movimentos na natureza.

Ética

Regressemos ao homem, Sofia. A «forma» do homem é, segundo Aristóteles, possuir uma «alma vegetativa», uma «alma sensitiva», como uma «alma racional». E ele pergunta então: como é que o homem deve viver? De que é que o homem precisa para viver bem?

Posso responder em poucas palavras: o homem só é feliz quando pode desenvolver e usar todas as suas faculdades e capacidades.

Aristóteles acreditava em três formas de se conseguir uma vida feliz: a primeira forma de vida tem a ver com o desejo e o prazer do corpo. A segunda como cidadão livre e responsável. A terceira como pesquisador e filósofo.

Aristóteles sublinha que estas três formas se completam para que o homem possa ter uma vida feliz. Ele recusava portanto qualquer tipo de parcialidade. Se vivesse hoje, talvez dissesse que um homem que apenas cuida do seu corpo vive tão parcialmente e tão mal como aquele que apenas usa a cabeça. Ambos os extremos são expressão de uma conduta errada de vida.

No que diz respeito à relação com o próximo, Aristóteles também aconselha um «meio termo». Não devemos ser cobardes nem temerários, mas *corajosos*. (Pouca coragem significa cobardia, demasiada coragem significa temeridade). Também não devemos ser avarentos nem esbanjadores, mas *generosos*. (Ser pouco generoso é avareza, ser muito generoso é esbanjamento).

O mesmo é válido para a alimentação. Comer pouco é perigoso, mas comer muito também é perigoso. A ética de Platão e de Aristóteles faz recordar a ciência médica grega: só através da harmonia e da moderação me torno um homem feliz ou «harmonioso».

Política

A ideia de que o homem não deve levar nada ao extremo, na vida, está também patente na visão aristotélica da sociedade. Aristóteles afirmava que o homem é um «ser social». Na sua opinião, sem a sociedade à nossa volta não somos verdadeiros homens. A família e a cidade satisfazem as necessidades vitais mais básicas como a alimentação e o calor, o casamento e a educação dos filhos. Todavia, a forma mais elevada de comunidade humana só pode ser, para Aristóteles, o Estado.

Com isto coloca-se a questão: como é que o Estado deveria ser organizado? (Ainda te recordas do Estado platónico dos filósofos?) Aristóteles menciona várias formas boas de governo. Uma delas é a *monarquia* — significa que há um único chefe supremo do Estado. Para que esta forma de Estado seja boa, não pode degenerar em «tirania», caso em que um único soberano governa o Estado em seu próprio proveito. Uma outra forma boa de Estado é a *aristocracia*. A aristocracia é o governo de um grupo restrito de indivíduos. Esta forma de Estado tem de se precaver para não degenerar numa oligarquia, um regime no qual apenas são salvaguardados os interesses de poucas pessoas. Uma terceira forma de Estado é a *democracia*. Mas também esta forma de Estado tem o seu lado contrário. Uma democracia pode facilmente degenerar numa «oclocracia» que significa governo da multidão. (Mesmo que Hitler não se tivesse tornado chefe de Estado da Alemanha, muitos pequenos nazis teriam podido estabelecer uma terrível «oclocracia»).

A concepção da mulher

Finalmente, temos de dizer algo acerca da opinião de Aristóteles sobre a mulher. Infelizmente, não era tão animadora como a de Platão.

Aristóteles pensava que algo faltava à mulher. Ela é um «homem incompleto». Na reprodução, a mulher é passiva e receptora, enquanto o homem é activo e dador. Por isso, segundo Aristóteles, a criança herdava apenas as características do homem. Todas as características da criança estavam contidas no sémen do homem. A mulher é como o terreno que recebe e conserva a semente, enquanto o homem é o próprio «semeador». Ou, dito de uma forma verdadeiramente aristotélica: o homem dá a «forma», a mulher dá a «matéria». É surpreendente e lamentável que um homem tão perspicaz como Aristóteles se pudesse enganar de tal forma no que diz respeito à relação entre os sexos. No entanto, revela duas coisas: em primeiro lugar, Aristóteles não tinha muita experiência prática da vida das mulheres e das crianças; em segundo lugar mostra como nos podemos enganar quando os homens detêm o poder absoluto na filosofia e na ciência.

A concepção aristotélica da mulher é particularmente grave porque se tornou predominante durante a Idade Média, e não a de Platão. Deste modo, também a Igreja herdou uma concepção da mulher para a qual não há justificação nenhuma na Bíblia. Jesus não era de modo algum inimigo das mulheres!

Por agora não digo mais nada! Mas continuarás a ter notícias minhas.

Após ter lido duas vezes o capítulo acerca de Aristóteles, Sofia meteu de novo as folhas no envelope amarelo e olhou ao seu redor. Viu logo que estava tudo desarrumado. No chão, havia livros e *dossiers*. Do armário saíam peúgas e camisas, meias e *jeans*. Em cima da cadeira, junto à escrivaninha, estavam vestidos sujos, misturados.

Sofia sentiu um impulso irresistível de *arrumar*. Em primeiro lugar, despejou todas as gavetas do armário. Pôs os vestidos no chão. Era importante começar tudo do princípio. Assim, deu-se ao trabalho de dobrar cuidadosamente todas as peças de vestuário, e de as colocar nas prateleiras. No armário havia sete prateleiras. Sofia reservou uma para as cuecas e para as camisolas, outra para meias e *collants* e uma para calças. Deste modo encheu por ordem todas as prateleiras do armário. Nunca teve dúvidas sobre o lugar de cada peça de roupa. As coisas que deviam ser lavadas colocou-as num saco de plástico que encontrara na prateleira do fundo.

Só uma única peça de roupa lhe dava problemas. Era uma meia branca comprida, normalíssima. O problema não era apenas o facto de a segunda meia faltar. A meia nunca pertencera a Sofia.

Observou a meia branca durante alguns minutos. Não havia nenhum nome escrito. Mas Sofia tinha uma forte suspeita de quem era a dona. Atirou-a para a prateleira mais alta juntamente com o saco de peças de Lego, a cassete de vídeo e o lenço de seda vermelho.

Era a vez do chão. Sofia separou livros e *dossiers*, revistas e cartazes — exactamente como o seu professor de filosofia tinha descrito no capítulo sobre Aristóteles. Quando o chão já estava despachado, fez primeiro a cama, e em seguida passou à escrivaninha.

No fim de tudo, pôs as folhas sobre Aristóteles num monte ordenado. Pegou num *dossier* vazio e num furador, furou as folhas e juntou-as por ordem no *dossier*. Colocou o *dossier* no armário, junto à meia branca. Mais tarde, iria à toca buscar a caixa dos biscoitos.

A partir daí, devia haver ordem nas coisas. Sofia não pensava apenas nas coisas do quarto. Depois de ter lido acerca de Aristóteles sabia que era igualmente importante manter a ordem em conceitos e ideias. Para estas questões, tínha reservado a prateleira especial no cimo do armário. Era o único ponto do quarto sobre o qual ela ainda não tinha controlo total.

Há duas horas que não ouvia a mãe. Desceu ao rés-do-chão. Tinha de dar comida aos animais antes que a mãe acordasse.

Na cozinha, debruçou-se sobre o aquário dos peixes dourados. Um dos peixes era negro, o segundo laranja e o terceiro branco e vermelho. Por isso os baptizara de «Diabrete», «Caracolinho Dourado» e «Capuchinho Vermelho». Enquanto espalhava a comida para os peixes dourados, ia dizendo:

— Vocês pertencem à parte animada da natureza. Por isso, conseguem assimilar o alimento, podem crescer e podem multiplicar-se. Mais precisamente, vocês pertencem ao reino animal. Assim, podem movimentar-se e observar o quarto. Para ser mais precisa, vocês são peixes, por isso podem respirar com as guelras e nadar de um lado para o outro na água da vida.

Sofia fez girar a tampa da caixa da comida dos peixes dourados. Estava contente com a classificação dos peixes dourados na ordem da natureza — e sobretudo com a expressão «água da vida». Agora era a vez dos periquitos. Sofia deitou comida nos comedouros e disse:

— Queridos Tom e Jerry! Vocês são hoje dois belos periquitos porque se desenvolveram a partir de pequenos ovos de periquito, e só porque a «forma» desses ovos era tornarem-se periquitos vocês não se tornaram papagaios palradores.

Sofia foi ao quarto de banho grande, onde estava a indolente tartaruga numa grande caixa. Quando a mãe de Sofia tomava duche, gritava que um dia havia de matar aquele animal. Mas até então, tinha-se ficado por essa mera ameaça. Sofia tirou uma folha de alface de um frasco grande e colocou-a na caixa.

— Querida Govinda — dizia — tu não pertences propriamente ao grupo dos animais mais velozes. Mas és um animal que pode ter experiência de uma parte minúscula do grande universo em que vivemos. Consola-te, porque não és a única que não pode sair da sua forma.

Sherekan devia estar lá fora a caçar ratos, porque essa era a natureza dos gatos. Sofia passou pela sala de estar para ir ao quarto da mãe. Na mesa havia um vaso com narcisos. As flores amarelas pareceram inclinar-se respeitosamente quando Sofia passou. Sofia ficou algum tempo parada e passou dois dedos pelas corolas.

— Vocês também pertencem à parte animada da natureza — disse ela. Deste ponto de vista, vocês têm um certo privilégio em relação ao vaso em que estão. Mas infelizmente, vocês não têm capacidade para o sentir.

Sofia entrou silenciosamente no quarto da mãe. Ela dormia profundamente, mas Sofia colocou-lhe uma mão sobre a cabeça.

— Tu estás entre os mais felizes de todos — disse. — Porque não és apenas animada, como os lírios do campo. E não és apenas um ser vivo, como Sherekan ou Govinda. És um ser humano, e por isso possuis a rara faculdade de pensar.

— O que estás para aí a dizer, Sofia?

A mãe despertou mais depressa do que era habitual.

— Estou a dizer que pareces uma tartaruga preguiçosa. De resto, posso informar-te de que arrumei o meu quarto. Pus mãos à obra com um cuidado filosófico.

A mãe sentou-se na cama.

— Eu já vou — disse. — Podes preparar-me o café?

Sofia sabia fazer o café, e pouco depois estavam as duas na cozinha a tomar café, sumo e cacau. Passado pouco tempo, Sofia perguntou:

— Já alguma vez pensaste porque é que vivemos?

— Ah, tu nunca desistes.

— Não, porque desta vez sei a resposta. Neste planeta vivem homens para que alguém possa dar um nome a todas as coisas.

— Ah, sim? Nunca tinha pensado nisso.

— Nesse caso tens um grave problema, porque o homem é um ser racional. Se não pensas, não és um ser humano.

— Sofia!

110

— Imagina que aqui só viviam plantas e animais. Nesse caso, ninguém poderia distinguir «gatos» de «cães», «lírios» de «arbustos». As plantas e os animais também vivem, mas só nós podemos classificar a natureza em grupos ou classes.

— Tu és realmente a filha mais estranha que eu tenho — disse então a mãe.

— Espero que sim — afirmou Sofia. — Todos os homens são mais ou menos estranhos. Eu sou um ser humano, por isso sou um tanto ou quanto estranha. Tu tens só uma filha, por isso sou a mais estranha.

— O que eu quis dizer foi que tu me assustas com esta... conversa.

— Nesse caso, assustas-te facilmente.

Um pouco mais à tarde, Sofia regressou à toca. Conseguiu levar a grande caixa dos bolos para o quarto, às escondidas da mãe.

Primeiro, juntou todas as folhas pela ordem correcta, furou-as e colocou-as no *dossier* antes do capítulo sobre Aristóteles. Por fim, escreveu no canto superior direito de cada folha o número da página. Já tinha mais de cinquenta páginas. Sofia estava quase a fazer o seu próprio livro de filosofia. Não o escrevia, mas era escrito de propósito para ela.

Ainda não tivera tempo para pensar de modo algum nos trabalhos de casa para segunda-feira. Talvez houvesse teste de religião, mas o professor sempre dissera que, para ele, o que importava eram o empenho pessoal e a reflexão individual. Sofia tinha a sensação de começar a ter uma certa preparação para ambas as coisas.

O HELENISMO

... uma centelha do fogo...

O professor de filosofia enviava as suas cartas directamente para a sebe, mas, devido a um hábito antigo, na manhã de segunda-feira, Sofia foi espreitar à caixa do correio.

Estava vazia, e também não seria de esperar outra coisa. Começou a andar por Kløverveien.

De repente, viu no chão uma fotografia. A fotografia mostrava um jipe branco com uma bandeira azul, onde estava escrito «ONU». Seria a bandeira da ONU?

Sofia voltou a fotografia, e só então reparou que se tratava de um postal. Para «Hilde Møller Knag, a/c de Sofia Amundsen...». O postal tinha um selo norueguês, e o carimbo: Contingente ONU, sexta--feira, 15 de Junho de 1990.

15 de Junho! Era o aniversário de Sofia!

No postal estava escrito:

Querida Hilde: imagino que deves estar a festejar o teu aniversário. Ou já passa um dia? De qualquer modo, não faz diferença para o teu presente; desfrutarás dele durante toda a tua vida. Dou-te os parabéns mais uma vez. Talvez compreendas agora porque é que mando o postal para a Sofia. Tenho a certeza de que ela to dará.

P.S. A mãe contou-me que perdeste a carteira. Prometo reembolsar-te das 150 coroas. Receberás certamente um novo cartão de estudante na escola antes que ela feche para o Verão.

Um abraço do pai

Sofia ficou imóvel, como colada ao asfalto. Quando é que o último postal tinha sido carimbado? Algo lhe dizia que o postal com a praia tinha um carimbo de Junho — se bem que ainda faltasse um mês até lá. Não tinha fixado...

Olhou para o relógio e correu de volta a casa. Nesse dia ia chegar atrasada.

Sofia abriu a porta e foi apressadamente para o quarto. Aí, debaixo do lenço de seda vermelho encontrou o primeiro postal dirigido a Hilde. Sim — também tinha o carimbo do dia 15 de Junho, o aniversário de Sofia e a véspera das férias de Verão.

Enquanto corria para o supermercado, onde queria encontrar Jorunn, Sofia tinha muitas perguntas na cabeça.

Quem era Hilde? Como é que o pai dela achava evidente que Sofia a encontraria? Não fazia sentido nenhum que ele lhe enviasse os postais em vez de os enviar directamente à filha. Era impensável que ele não soubesse o endereço da filha. Seria tudo uma brincadeira? Quereria fazer uma surpresa à filha no seu dia de anos servindo-se de uma rapariga totalmente desconhecida como correio? Seria por esse motivo que Sofia tinha tido um mês de antecedência? Servia-se dela como intermediária porque o presente de aniversário que queria dar à filha consistia numa nova amiga? Era esse o presente de que «desfrutaria durante toda a vida»?

Se esse estranho homem estava de facto no Líbano, como é que podia ter descoberto o endereço de Sofia? Mas não era tudo: Sofia e Hilde tinham pelo menos duas coisas em comum. Se Hilde também fazia anos a 15 de Junho, tinham nascido no mesmo dia. E ambas tinham um pai que viajava muito.

Sofia sentiu-se arrastada para um mundo mágico. Afinal, talvez não fosse assim tão estúpido acreditar no destino. Mas ela não devia tirar conclusões apressadas; tudo aquilo podia ter uma explicação natural. Mas como é que Alberto Knox podia ter descoberto a carteira de Hilde, se Hilde vivia em Lillesand, que ficava a mais de cem quilómetros de distância? E porque é que Sofia encontrara aquele postal no chão? Teria caído da mala do carteiro, antes de ter chegado à caixa do correio de Sofia? Porque é que ele perdera precisamente aquele postal?

— Tu és completamente doida! — exclamou Jorunn, quando encontrou Sofia no supermercado.

— Desculpa.

Jorunn fixou-a com um olhar severo, como uma professora.

— Espero que tenhas uma boa explicação.

— Tem a ver com a ONU — respondeu Sofia. — Fui retida no Líbano por uma milícia inimiga.

— Tu estás é apaixonada.

Correram para a escola tão rapidamente quanto as suas pernas lhes permitiram.

O teste de religião, para o qual Sofia não tinha estudado, foi distribuído na terceira hora. Na folha estava escrito:

Concepção da vida e tolerância

1. Faz uma lista daquilo que um homem pode saber. Faz depois uma lista daquilo em que apenas podemos acreditar.
2. Indica alguns factores que determinam a concepção de vida para um homem.
3. O que é que entendemos por consciência? Achas que é igual para todos os homens?
4. O que é que se entende por «prioridade de valores»?

Sofia reflectiu um bom bocado antes de começar a escrever. Poderia aproveitar alguma coisa do que aprendera com Alberto Knox? Tinha de aproveitar, porque há muitos dias que não olhava para o livro de religião. Mal tinha começado a escrever, as frases brotaram.

Sofia escreveu que podemos saber que a Lua não é um queijo e que no seu lado oculto também há crateras, que tanto Sócrates como Jesus foram condenados à morte, que todos os homens têm de morrer mais tarde ou mais cedo, que os grandes templos da Acrópole foram construídos cerca do ano 400 a.C. após as guerras contra os Persas e que o oráculo grego mais famoso era o de Delfos. Como exemplos daquilo em que podemos acreditar, Sofia escreveu que, nos outros planetas, há vida ou não, que Deus existe ou não, que há vida após a morte ou não, e que Jesus era filho de Deus ou apenas um homem inteligente.

«De qualquer modo, não podemos saber de onde vem o mundo» escreveu ela, por fim. «O universo pode ser comparado a um coelho gigantesco que é retirado de uma grande cartola. Os filósofos procuram subir para um dos pêlos finos do coelho, para poderem fixar nos olhos o grande ilusionista. Se eles o conseguirão algum dia é uma questão em aberto. Mas se um filósofo sobe para as costas de outro, irão chegando progressivamente mais acima na delicada pelagem do coelho, e então, segundo a minha opinião pessoal, existe a possibilidade de eles o conseguirem um dia.

PS. Na Bíblia, podemos ler sobre uma coisa que pode ter sido um dos pêlos finos na pelagem do coelho. Esse pêlo é designado por torre de Babel, a qual foi totalmente destruída porque não agradava ao ilusionista que os homens fossem subindo ao longo dos pêlos do coelho branco que ele acabara de criar.»

Era a vez da pergunta seguinte. «Indica alguns factores que determinam a concepção de vida para um homem.» A educação e o ambiente eram obviamente factores importantes. Os homens que viviam no tempo de Platão tinham uma concepção de vida diferente da dos homens de hoje, simplesmente porque viviam num outro tempo e num outro meio. De resto, as experiências adquiridas também eram importantes. Mas a razão humana também é importante na determinação de uma concepção de vida. A razão não era determinada pelo meio, era comum a todos os homens. Talvez se pudesse comparar o meio e as relações sociais às condições presentes na caverna de Platão. Por intermédio da razão, o indivíduo pode tentar sair da escuridão da caverna. Mas essa viagem exige uma grande dose de coragem pessoal. Sócrates era um bom exemplo de um homem que, com o auxílio da razão, se conseguiu libertar das concepções predominantes no seu tempo.

No fim, ela escreveu: «Hoje em dia, homens de países e culturas diferentes têm um contacto cada vez mais estreito entre si. Por isso, no mesmo bloco residencial, podem viver cristãos, muçulmanos e budistas. E nesse caso é importante tolerar a crença dos outros em vez de se perguntar porque é que não têm todos a mesma crença.»

Sim, Sofia achou que com aquilo que aprendera com o seu professor de filosofia já ia bastante longe. Podia ainda usar uma parte de razão inata e aquilo que ouvira ou lera noutros contextos.

Começou a responder à terceira pergunta. «O que é que entendemos por consciência? Achas que é igual para todos os homens?» Sobre isto, tinha-se discutido muito na aula. Sofia escreveu: «Consciência é a capacidade dos homens para reagirem ao que é justo e ao que é injusto. Segundo a minha opinião pessoal, todos os homens têm esta capacidade, ou seja, a consciência é inata. Sócrates teria dito o mesmo. Mas aquilo que a consciência diz pode variar muito de homem para homem. É necessário pensar se os sofistas não estavam numa pista importante. Eles achavam que o meio em que cada indivíduo cresce, determina aquilo que ele acha ser correcto e aquilo que ele acha ser errado. Sócrates, pelo contrário, achava que a consciência era igual em todos os homens. Talvez tivessem todos razão. Apesar de nem todos os homens se envergonharem de andar nus, a maior parte arrepende-se quando trata mal outro homem. Além disso, temos de sublinhar que uma coisa é ter uma consciência e outra coisa é usá-la. Em situações isoladas pode parecer que os homens agem de uma forma totalmente inconsciente, mas, segundo a minha opinião pessoal, também neles há uma forma de consciência, mesmo quando está

115

bem escondida. Pode também parecer que alguns homens não têm racionalidade, mas isso deve-se apenas ao facto de não a usarem.

PS. A razão e a consciência podem ser comparadas a um músculo. Se não se usa um músculo, ele vai-se tornando mais fraco e flácido.»

Faltava apenas uma pergunta. «O que é que se entende por "prioridade de valores"?» Sobre isto também tinham discutido muito ultimamente. Podia, por exemplo, ser importante andar de carro para nos podermos deslocar depressa de um lugar para outro. Mas se andar de carro provocasse a morte das florestas e a poluição da natureza, estava-se perante uma «escolha de valores». Após uma reflexão profunda, Sofia achava ter chegado à convicção de que florestas saudáveis e uma natureza pura eram mais importantes do que a possibilidade de chegar depressa ao trabalho. Deu mais exemplos. Por fim, escreveu: «É minha opinião pessoal que a filosofia é mais importante do que a gramática inglesa. Por isso, seria uma prioridade de valores sensata se a disciplina de filosofia fosse admitida no plano de estudos e o horário da aula de inglês fosse reduzido.»

No último intervalo, o professor chamou Sofia à parte.

— Já li o teu teste de religião — disse. — Estava em cima do monte dos testes.

— Espero que tenha gostado.

— Era precisamente sobre isso que queria falar contigo. Em muitos aspectos, deste respostas muito maduras. Surpreendentemente maduras, Sofia. E autónomas. Tinhas feito os trabalhos de casa?

Sofia começou a torcer as mãos.

— Mas tinha dito que as reflexões pessoais são importantes para si.

— Há limites.

Sofia fixou o professor nos olhos. Achava que o podia fazer depois de tudo o que tinha vivido nos últimos dias.

— Eu comecei a estudar filosofia — afirmou. — É um bom fundamento para opiniões autónomas.

— Mas não vai ser fácil classificar o teu trabalho. Na verdade, só te posso dar um cinco ou um um.

— Porque respondi tudo certo ou tudo errado? É isso que quer dizer?

— Dou-te o cinco. Mas na próxima vez tens de fazer os trabalhos de casa.

À tarde, quando Sofia chegou a casa, vinda da escola, atirou a pasta para a escada e foi imediatamente para a toca.

Havia um envelope amarelo sobre as raízes grossas. As bordas estavam quase secas, portanto Hermes devia ter estado ali há um bom bocado.

Sofia levou o envelope consigo e entrou em casa. Primeiro, deu comida aos animais e depois foi para o quarto. Deitou-se na cama, abriu a carta de Alberto e leu.

O Helenismo

Que bom ver-te, Sofia! Já te falei dos filósofos da natureza, Sócrates, Platão e Aristóteles, e assim conheces o fundamento da filosofia europeia. A partir de agora, as tarefas de reflexão que recebeste até hoje em envelopes brancos já não são importantes. Imagino que tenhas bastantes trabalhos e testes na escola.

Vou falar-te do extenso período entre Aristóteles, no final do século IV antes de Cristo, e o início da Idade Média, cerca do ano 400 depois de Cristo. Sabes que escrevemos «antes» e «depois de Cristo», precisamente porque o cristianismo é um dos elementos mais importantes e mais singulares deste período.

Aristóteles morreu no ano 322 antes de Cristo e, entretanto, Atenas tinha perdido a sua hegemonia. Isso deve-se em grande parte às profundas transformações políticas resultantes das conquistas de *Alexandre Magno* (356-323 a. C.).

Alexandre Magno era rei da Macedónia. Aristóteles também vinha da Macedónia, e durante algum tempo chegou mesmo a ser professor do jovem Alexandre. Alexandre alcançou a última e decisiva vitória sobre os persas e, através das suas inúmeras campanhas, criou um império vastíssimo que compreendia a Grécia, o Egipto, a Pérsia e se estendia até à Índia.

Começa então uma época nova na história da humanidade, caracterizada pelo desenvolvimento de uma comunidade internacional em que a cultura e a língua gregas desempenham um papel dominante. Este período, que durou cerca de três séculos, é denominado *Helenismo*, termo que designa tanto um período histórico como a supremacia da cultura grega nos três grandes reinos helenísticos — a Macedónia, a Síria e o Egipto.

A partir do ano 50 antes de Cristo, Roma assumiu a hegemonia política e militar. A nova potência conquistou, uns a seguir aos outros, todos os reinos helenísticos e, a partir de então, a cultura romana e a língua latina dominaram desde a Espanha, a ocidente, até ao interior da Ásia. Começa então o período romano também designado por «Antiguidade tardia». Mas deves reparar numa coisa: antes de os Romanos conquistarem o mundo helenístico, Roma tinha-se tornado uma província cultural grega. Deste modo, a cultura grega — e a filosofia grega — teriam ainda um papel importante depois do declínio político da Grécia.

Religião, filosofia e ciência

O Helenismo foi marcado pelo desaparecimento das fronteiras entre os diversos países e culturas. Anteriormente, Gregos, Romanos e Egípcios, Babilónios, Sírios e Persas tinham venerado os seus deuses dentro do que geralmente chamamos uma «religião nacional». Nesta fase as diversas culturas misturaram-se e fundiram-se num grande caldeirão que continha ideias religiosas, filosóficas e científicas de todo o tipo.

Podemos dizer que a ágora urbana foi substituída pela arena mundial. Também a ágora antiga foi animada por vozes que ofereciam as suas diversas mercadorias, e diferentes pensamentos e ideias. A novidade era que as ágoras eram agora invadidas por mercadorias e ideias de todo o mundo. Por isso, as vozes soavam em diversas línguas diferentes.

Já referimos que as concepções gregas se difundiram muito para além dos antigos territórios gregos. A partir de então, deuses orientais eram também adorados em toda a região do Mediterrâneo. Nasceram várias religiões novas cujos deuses e concepções religiosas provinham de diversas culturas antigas. Este fenómeno é designado por fusão de religiões ou *sincretismo*.

Anteriormente, os homens sentiam-se vinculados ao seu próprio povo e à sua própria cidade-estado. Como essas fronteiras e divisões eram cada vez mais postas de parte, muitos sentiram dúvidas e insegurança em relação à sua concepção de vida. A Antiguidade tardia foi marcada, em geral, pelas dúvidas religiosas, pela desagregação cultural e pelo pessimismo. «O mundo está velho», dizia-se.

As novas religiões que surgiram então tinham duas caractérísticas em comum: fundavam-se em doutrinas que aspiravam a libertar os homens da angústia da morte; além disso, muitas destas doutrinas eram secretas. Seguindo os seus preceitos e participando em determinados rituais, o homem podia esperar obter a imortalidade da alma e uma vida eterna. O conhecimento acerca da verdadeira natureza do universo podia ser tão importante para a salvação da alma como os rituais.

Eram as novas religiões, Sofia. A filosofia caminhava também no sentido da «salvação» e da serenidade no que diz respeito à vida. A visão filosófica não tinha apenas um valor em si mesma, como ainda devia libertar os homens da angústia da morte e do pessimismo. Desta forma, apagaram-se os limites entre a religião e a filosofia.

De um modo geral, podemos dizer que a filosofia do Helenismo não foi particularmente original. Não apareceu nenhum outro Platão ou Aristóteles. Em vez disso, os três grandes filósofos atenienses tornaram-se uma importante fonte de inspiração para diversas correntes filosóficas, das quais vou falar sucintamente.

A *ciência* do Helenismo também estava influenciada pela mistura de diversas experiências culturais. A cidade de Alexandria, no Egipto, tinha um papel chave como ponto de encontro do Oriente e do Ocidente. Enquanto Atenas continuava a ser a capital da filosofia, com as escolas filosóficas deixadas por Platão e Aristóteles, Alexandria tornou-se a metrópole da ciência. Com a sua grande biblioteca, esta cidade passou a ser o centro dos estudos de matemática, astronomia, biologia e medicina.

A cultura helenística pode ser comparada com o mundo de hoje. O século XX também é caracterizado por uma comunidade internacional cada vez mais aberta, que provocou no nosso tempo grandes transformações na religião e na concepção de vida. Tal como, no início da nossa era, podíamos encontrar em Roma concepções religiosas gregas, egípcias e orientais, no final do século XX podemos encontrar em todas as cidades europeias de uma determinada extensão concepções religiosas de todas as partes do mundo.

No nosso tempo, vemos que uma mistura de religião, filosofia e ciência antigas e novas pode constituir a base para novas ofertas no «mercado das concepções do mundo».

Muito deste «novo saber» é, na realidade, uma herança antiga cujas raízes remontam ao Helenismo.

Como já foi mencionado, a filosofia helenística continuou a ocupar-se dos problemas que tinham sido levantados por Sócrates, Platão e Aristóteles. Todos desejavam estabelecer como é que o homem deve viver e morrer da melhor forma. Deste modo, a *ética* foi colocada na ordem do dia. Tornou-se o projecto filosófico mais importante da nova comunidade internacional. A questão era esta: em que consiste a verdadeira felicidade e de que modo pode ser alcançada?

Vamos analisar quatro dessas correntes filosóficas.

Os cínicos

Conta-se que Sócrates parou certo dia em frente de uma banca onde estavam expostas muitas mercadorias. Por fim, exclamou: «Vejam só de quantas coisas os Atenienses precisam para viver!». Com isto, queria obviamente dizer que ele não precisava dessas coisas.

A *filosofia cínica*, que foi fundada por *Antístenes* cerca do ano 400 a. C. em Atenas, parte desta atitude de Sócrates. Antístenes tinha sido discípulo de Sócrates.

Os *cínicos* defendiam que a verdadeira felicidade não dependia de coisas exteriores, como o luxo material, o poder político e uma boa saúde. A verdadeira felicidade significava não se tornar dependente dessas coisas casuais e efémeras. Precisamente por não repousar sobre essas coisas, a felicidade podia ser alcançada por todos. E uma vez alcançada não se podia voltar a perder.

O cínico mais conhecido era *Diógenes*, um discípulo de Antístenes. Conta-se que morava num tonel e que só possuía um manto, um bastão e um saco para o pão. (Não era fácil roubar-lhe a sua felicidade!). Certo dia, estava a tomar um banho de sol à frente do seu tonel quando Alexandre Magno o visitou. Alexandre apresentou-se ao sábio e disse--lhe que lhe daria o que ele desejasse. Diógenes pediu a Alexandre que não lhe tapasse o sol. Foi assim que Diógenes demonstrou que era mais rico e mais feliz do que o grande homem. Tinha tudo o que desejava.

Segundo os cínicos, o homem não se deve preocupar com a sua saúde, com a dor e com a morte. Também não se devia atormentar com a dor dos outros. Hoje, os termos «cínico» e «cinismo» exprimem quase sempre a impassibilidade perante o sofrimento dos outros.

Os estóicos

Os cínicos foram muito importantes para o desenvolvimento da *filoso-fia estóica* que surgiu em Atenas cerca do ano 300 a. C. O seu funda-dor, *Zenão*, era oriundo de Chipre mas juntou-se aos cínicos de Ate-nas após um naufrágio. Reunia os seus ouvintes num pórtico. O nome *estóico* vem do termo grego que designa «pórtico» (*stoa*). O estoicismo iria adquirir posteriormente uma grande importância para a cultura romana.

Tal como Heraclito, os estóicos achavam que todos os homens partici-pavam da mesma razão universal — ou do mesmo *logos*. Para eles, cada homem era um mundo em miniatura, um «microcosmos» que reflec-tia o «macrocosmos».

Esta teoria levou à convicção de um direito universalmente válido, o *direito natural*. O direito natural baseia-se na razão intemporal do ho-mem e do universo, por isso não se altera no tempo e no espaço. Neste aspecto, os estóicos tomavam o partido de Sócrates contra os sofistas.

O direito natural é válido para todos os homens, inclusivamente para os escravos. As leis dos diversos Estados eram para os estóicos cópias imperfeitas de um direito que se baseava na própria natureza.

Assim como os estóicos aboliam a diferença entre o indivíduo e o universo, também contestavam uma oposição entre «espírito» e «matéria». Segundo eles, há apenas *uma* natureza. Esta concepção é denominada *monismo* (ao contrário, por exemplo, do claro *dualismo* de Platão, a bipolarização da realidade).

Como verdadeiros filhos do seu tempo, os estóicos eram cosmopolitas. Estavam portanto mais abertos à cultura contemporânea do que os «filósofos do tonel» (os cínicos). Segundo eles, a comunidade dos homens devia interessar-se por política, e muitos estóicos foram estadistas activos, como, por exemplo, o imperador romano *Marco Aurélio* (121--180 d. C.). Contribuíram para que a cultura e a filosofia gregas fossem difundidas em Roma sobretudo graças ao orador, filósofo e político *Cícero* (106-43 a. C.), que criou o conceito de *humanismo*, ou seja, uma concepção do mundo que tem o indivíduo como centro. O estóico *Séneca* (4 a. C.-65 d. C.) disse alguns anos mais tarde que o homem era sagrado para o homem, afirmação que se tornaria o mote de todo o humanismo.

Além disso, os estóicos sublinharam que todos os processos naturais — por exemplo, a vida e a morte — seguiam as leis constantes da natureza. Por isso, o homem tem de se reconciliar com o seu destino. Segundo eles, nada acontece por acaso. Tudo acontece por necessidade, e de pouco serve lamentarmo-nos quando o destino nos bate à porta. Mesmo as situações felizes da vida devem ser aceites com uma grande serenidade. Esta posição é semelhante à dos cínicos, para quem todas as coisas exteriores do mundo eram indiferentes. Ainda hoje falamos de uma «serenidade estóica», quando alguém não se deixa arrebatar pelos seus sentimentos.

Os epicuristas

Como vimos, Sócrates queria descobrir como é que o homem pode viver uma vida feliz. Cínicos e estóicos afirmavam que o homem se devia libertar do luxo material. Mas Sócrates teve também um discípulo que se chamava *Aristipo*. Para Aristipo, a finalidade da vida era obter o máximo prazer sensível. O supremo bem era o prazer, e o grande mal era a dor. Por isso, queria desenvolver uma arte de viver que evitasse todas a formas de dor. (O objectivo que norteava os cínicos e os estóicos era *suportar* todas as formas de dor, algo bem diferente de procurar evitá-la intencionalmente).

Cerca do ano 300 a. C., *Epicuro* (341-270 a. C.) fundou em Atenas uma escola de filosofia. Desenvolveu a ética do prazer de Aristipo e combinou-a com a teoria atomista de Demócrito.

Segundo se diz, os epicuristas reuniam-se num jardim. Por isso, foram também designados «filósofos do jardim». Por cima do portão do jardim diz-se que estaria escrito: «Estranho, aqui serás feliz. Aqui, o prazer é o bem supremo.»

Epicuro esclareceu que o resultado agradável de uma acção tem de ser sempre confrontado com os seus eventuais efeitos secundários. Se alguma vez comeste chocolate a mais, percebes o que eu quero dizer. Caso o não tenhas feito, proponho-te o seguinte trabalho de casa: pega no teu mealheiro e compra cem coroas de chocolate. (Suponho que gostas de chocolate.) Nesta tarefa, o importante é comeres todo o chocolate de uma vez. Cerca de meia hora depois de teres comido esse excelente chocolate, compreenderás o que é que Epicuro queria dizer com «efeitos secundários».

Epicuro pretendia confrontar um resultado agradável a curto prazo com um prazer maior, mais duradouro ou intenso a longo prazo. (Podemos, por exemplo, imaginar que decides não comer chocolate durante um ano porque preferes poupar todo o teu dinheiro para uma bicicleta nova ou para uma viagem ao estrangeiro.) Ao contrário dos animais, o homem tem a possibilidade de planear a sua vida, tem a capacidade de fazer um «cálculo dos prazeres». O chocolate é naturalmente um valor, mas a bicicleta e a viagem para Inglaterra também o são.

Mas Epicuro também sublinhava que «prazer» não era necessariamente o mesmo que prazer físico — por exemplo, chocolate. Também a amizade e a contemplação de uma obra de arte podem ser agradáveis. Uma condição para a fruição da vida são também antigos ideais gregos como o autodomínio, a temperança e a serenidade, porque a concupiscência tem de ser refreada. Deste modo, a serenidade também nos ajudará a suportar a dor.

Os frequentadores do jardim de Epicuro, eram sobretudo homens atormentados com angústias de natureza religiosa. Neste sentido, a teoria atomista de Demócrito era um remédio útil contra a religião e a superstição. Para termos uma vida feliz, é bastante importante superarmos o medo da morte. Nesta questão, Epicuro recorre à teoria de Demócrito sobre os «átomos da alma». Talvez te lembres que Demócrito não acreditava na vida além da morte porque os «átomos da alma» se dispersavam em todas as direcções.

«Porque é que haveríamos de ter medo da morte?», perguntava Epicuro. «Porque enquanto existimos, a morte não está aqui, e logo que ela vem, nós não existimos.» (Com efeito, nunca um homem se afligiu por estar morto).

O próprio Epicuro resumia a sua filosofia libertadora através daquilo a que chamou o *remédio quádruplo*:

> *Não precisamos de temer os deuses. Não precisamos de nos preocupar com a morte. É fácil atingir o bem. O mal suporta-se facilmente.*

Na Grécia, não era uma novidade comparar a tarefa do filósofo à do médico. Segundo Epicuro, o homem deve munir-se de uma «farmácia portátil filosófica» que, como dissemos, contém quatro medicamentos importantes.

Ao contrário dos estóicos, os epicuristas interessavam-se pouco por política e pela sociedade. «Vive escondido!» era o conselho de Epicuro. Podemos talvez comparar o seu jardim com o modo de viver de algumas comunidades de hoje. Também no nosso tempo muitos procuram um lugar onde se possam refugiar para fugir à sociedade.

Após a morte de Epicuro, muitos epicuristas orientaram-se apenas no sentido de uma busca constante de prazeres. O seu mote passou a ser: «Vive o momento!». O termo «epicurista» é hoje aplicado pejorativamente a uma pessoa que vive apenas para o prazer.

O neoplatonismo

Vimos que cínicos, estóicos e epicuristas se baseavam na doutrina de Sócrates. Além disso, recorriam aos pré-socráticos Demócrito e Heraclito. Por seu lado, a mais notável corrente filosófica da Antiguidade tardia inspirava-se sobretudo na teoria das ideias de Platão, sendo por isso, designada por «neoplatonismo».

O neoplatónico mais importante foi *Plotino* (cerca de 205-270 d. C.), que estudou filosofia em Alexandria, e se transferiu posteriormente para Roma. Devemos notar que ele vinha de Alexandria, cidade que era já há muitos séculos o grande ponto de encontro da filosofia grega e da mística oriental. Plotino levou consigo para Roma uma doutrina de salvação que se tornaria uma séria concorrente do cristianismo que começava a afirmar-se. Mas o neoplatonismo também haveria de exercer uma forte influência na teologia cristã.

Lembras-te da teoria das ideias de Platão, Sofia? Sabes que ele distinguia o mundo inteligível do mundo sensível. Desse modo, também distinguia claramente a alma do homem do seu corpo. Assim, o homem tornou-se um ser duplo: segundo Platão o nosso corpo é constituído por terra e pó, tal como todas as outras coisas que pertencem ao mundo sensível, mas possuímos também uma alma imortal. Esta concepção já estava difundida na Grécia muito antes de Platão. Plotino estava também familiarizado com concepções asiáticas semelhantes.

Plotino via o mundo separado em dois pólos. Num extremo está a luz divina, que ele designava por *Uno*. Por vezes, chamava-lhe também *Deus*. No outro extremo reina a escuridão total que a luz do Uno não alcança. Mas para Plotino, essa escuridão não existe de facto. É apenas uma ausência de luz — sim, não é. A única coisa que existe é Deus ou o Uno, mas tal como uma fonte luminosa se perde progressivamente na escuridão, também há um limite para o alcance dos raios divinos.

Para Plotino, a luz do Uno ilumina a alma, ao passo que a matéria é a escuridão que na realidade não existe. Mas as formas da natureza também possuem um fraco reflexo do Uno.

Imagina uma enorme fogueira que arde de noite, Sofia. Do fogo jorram centelhas em todas as direcções. Em redor da fogueira a noite fica iluminada, e a alguns quilómetros de distância ainda se pode ver um débil clarão. Se nos afastarmos ainda mais, vemos um minúsculo ponto luminoso, como uma lanterna à noite. E se nos afastarmos ainda mais da fogueira, deixamos de ver a luz. Os raios luminosos perdem-se algures na noite, e quando está totalmente escuro, não vemos nada. Nessa altura, não há sombras nem contornos.

Imagina agora a realidade como se fosse esse fogo. O que arde é Deus — e a escuridão exterior é a matéria gelada de que homens e animais são feitos. Junto de Deus estão as ideias eternas que são os arquétipos de todas as criaturas. A alma humana é sobretudo uma «centelha do fogo». Mas em toda a natureza brilha um pouco dessa luz divina. Podemos vê-la em todos os seres vivos, inclusivamente uma rosa ou um jacinto têm esse reflexo divino. A terra, a água e as pedras são os seres mais afastados de Deus.

Em tudo o que vemos há algo do mistério divino. Vemos que ele cintila num girassol ou numa papoila. Temos uma ideia mais clara desse mistério impenetrável numa borboleta que levanta voo de um ramo — ou num peixe dourado que nada no seu aquário. Mas estamos mais próximos de Deus na nossa própria alma. Só aí podemos unir-nos ao grande mistério da vida. Em momentos raros podemos sentir que nós mesmos somos esse mistério divino.

As imagens que Plotino usa fazem-nos recordar a alegoria da caverna de Platão. Quanto mais nos aproximamos da entrada da caverna mais nos aproximamos da origem de tudo o que existe. Mas, ao contrário da clara bipartição da realidade em Platão, o pensamento de Plotino denota uma experiência do todo. Tudo é Uno — porque tudo é Deus. Mesmo as sombras na caverna de Platão são um fraco reflexo do Uno.

Plotino experimentou algumas vezes no decurso da sua vida a fusão da sua alma com Deus. Damos a isso o nome de *experiência mística*. Plotino não era o único a ter essas experiências, que foram relatadas por homens de todos os tempos e culturas. Podem descrever a sua experiência de um modo completamente diferente, mas as suas descrições apresentam muitas semelhanças importantes. Vamos analisar algumas dessas semelhanças.

Misticismo

Uma experiência mística é uma experiência de unidade com Deus ou com o «mundo espiritual». Muitas religiões afirmam que entre Deus e a Criação há um abismo; mas o místico sente que esse abismo não existe. Os místicos e as místicas sentem uma «fusão com Deus».

Sucede que aquilo a que geralmente chamamos «eu» não é o nosso verdadeiro eu. Por breves momentos, podemos ter a experiência de uma identificação com um eu maior. Alguns chamam-lhe Deus, outros «mundo espiritual», «natureza absoluta» ou «universo». Na fusão, o místico sente que «se perde a si mesmo», desaparece ou perde-se em Deus, tal como uma gota de água «se perde» quando se mistura no oceano. Um místico indiano disse outrora o seguinte: «Quando eu existia, Deus não existia. Agora, Deus existe e eu já não existo.» O místico cristão *Angelus Silesius* (1624-1677) afirmou: «A gota torna-se oceano quando atinge o oceano, a alma torna-se Deus quando alcança Deus.»

Talvez estejas a pensar que não é muito agradável «a ideia de se perder a si mesmo». Compreendo o que pensas, Sofia, mas o importante é que aquilo que tu perdes é inferior em relação ao que ganhas. Perdeste quanto à forma que possuis de momento, mas ao mesmo tempo compreendes que na realidade és algo infinitamente maior. És todo o universo. És a alma do mundo, Sofia. És Deus. Se tens de renunciar a ti mesma como Sofia Amundsen, podes consolar-te com a ideia de que um dia perderás o teu «eu quotidiano». O teu verdadeiro eu — que só podes descobrir quando consegues libertar-te a ti mesma — é, para os místicos, um fogo maravilhoso que arde eternamente.

Mas uma experiência mística deste género nem sempre vem por si mesma. Muitas vezes, o místico tem de percorrer uma via de purificação e de iluminação para poder encontrar Deus. Essa via consiste numa vida simples e na meditação. De repente, o místico atinge então a sua meta e pode exclamar: «Eu sou Deus» ou «Eu sou Tu!».

Encontramos em todas as grandes religiões correntes místicas, e aquilo que os místicos escrevem sobre a sua experiência mística revela notáveis semelhanças, apesar das diferenças culturais. Só quando o místico tenta dar uma interpretação religiosa ou filosófica à sua experiência mística é que o ambiente cultural se torna manifesto.

Na *mística ocidental* — ou seja, no judaísmo, no cristianismo e no islamismo — o místico afirma sentir o encontro com um Deus pessoal. Apesar de Deus estar presente na natureza e na alma humana, está além deste mundo. Na *mística oriental* — ou seja, no hinduísmo, no budismo e na religião chinesa — o místico experimenta uma fusão total com Deus ou com a «alma do mundo». «Eu sou a alma do mundo», poderá dizer o místico, ou «eu sou Deus». Porque Deus não só está presente no mundo, como não está em qualquer outro lugar.

Antes de Platão, havia fortes correntes místicas, sobretudo na Índia. *Swami Vivekananda*, que contribuiu para a difusão do hinduísmo no Ocidente, afirmou: «Tal como certas religiões do mundo afirmam que um homem que não acredita num Deus pessoal transcendente é ateu, nós afirmamos que um homem que não acredita em si mesmo é ateu. Não acreditar na grandeza da própria alma é aquilo que chamamos ateísmo.»

Uma experiência mística também pode ser importante do ponto de vista da ética. Um presidente da Índia, *Radhakrishnan*, afirmou um dia: «Deves amar o teu próximo como a ti mesmo, porque tu *és* o teu próximo. Só uma ilusão te leva a pensar que o teu próximo é um outro em relação a ti mesmo.»

Homens que não pertençam a nenhuma religião também podem relatar experiências místicas. De repente, vivem algo a que chamam «consciência cósmica» ou «sentimento oceânico». Sentem-se arrancados ao tempo e vêem o mundo «do ponto de vista da perspectiva da eternidade».

Sofia sentou-se na cama. Tinha de verificar se ainda possuía corpo. Ao ler sobre Plotino e os místicos, tivera a sensação de flutuar pelo quarto, sair pela janela e sobrevoar a cidade. Vira todas as pessoas em baixo, na praça, voara mais alto sobre o mar do Norte e a Europa até ao Sara e às extensas savanas de África.

Todo o globo terrestre se tornara um ser vivo e esse ser era Sofia. «Eu sou o mundo», pensava ela. Todo o universo, que tantas vezes lhe parecera insondável e inquietante — era o seu próprio eu. O universo continuava a ser grande e majestoso, mas, nesse momento, ela sentia-se tão grande como o universo.

Essa sensação maravilhosa extinguiu-se rapidamente, mas Sofia tinha a certeza de que nunca a esqueceria. Algo parecia ter saído de si e ter-se misturado com tudo, tal como uma gota de corante pode tingir um copo de água.

Quando tudo passou, teve a sensação de que acordava com dores de cabeça de um sonho espantoso. Sofia verificou com uma certa desilusão que tinha um corpo que tentava levantar-se da cama. Tinha dores nas costas por ter estado tanto tempo deitada de barriga para baixo enquanto lia a carta de Alberto Knox. Mas sentira qualquer coisa de que nunca se esqueceria.

Por fim, conseguiu pôr-se de pé. Furou as folhas e colocou-as junto às outras lições no *dossier*. Depois, saiu para o jardim.

Os pássaros chilreavam como se o mundo tivesse sido criado de novo. Atrás das velhas coelheiras as bétulas eram de um verde-claro tão intenso que parecia que o Criador ainda não terminara a diluição das cores.

Poderia de facto pensar que tudo era um Eu divino? Poderia pensar que possuía uma alma que era uma «centelha do fogo»? Se assim fosse, ela mesma era um ser divino.

OS POSTAIS

... eu imponho a mim mesmo uma severa censura...

Passaram alguns dias durante os quais Sofia não recebeu mais cartas do seu professor de filosofia. Na quinta-feira, 17 de Maio, era o feriado nacional da Noruega. Também tinha o dia 18 livre.

Na quarta-feira, a caminho da escola, Jorunn disse de repente:

— Que tal irmos acampar?

O primeiro pensamento de Sofia foi recusar por não poder estar afastada de casa por muito tempo.

Depois, mudou de ideias.

— Por mim, está bem.

Duas horas mais tarde, Jorunn chegou a casa de Sofia com uma grande mochila. Sofia também já tinha metido a tenda dentro da sua mochila. Levaram ainda consigo sacos-cama e roupa quente, colchões de borracha, lanternas, termos grandes com chá e muita comida saborosa.

Quando a mãe de Sofia chegou a casa, cerca das cinco horas, fez-lhes muitas recomendações sobre o que deviam fazer e não fazer. A mãe também queria saber onde elas pensavam acampar.

Responderam que queriam ir para Tiurtoppen (Cabeço do Galo Silvestre). Talvez ouvissem o canto do galo silvestre, na manhã seguinte.

Ao escolher aquele local para acampar, Sofia também tinha uma segunda intenção. Se não estava enganada, a cabana do major não ficava longe de Tiurtoppen. Algo a levava a lá voltar, mas também sabia que nunca se atreveria a ir sozinha.

Foram pelo caminho que saía do parque de estacionamento em frente do portão do jardim de Sofia. Jorunn e Sofia conversaram acerca de Deus e do mundo, e Sofia achou por bem fazer uma pausa em relação a tudo o que tinha a ver com filosofia.

128

Cerca das oito horas, já tinham montado a tenda num planalto perto de Tiurtoppen. Tinham preparado o local do acampamento e os sacos-cama. Depois de terem comido, Sofia perguntou:

— Já alguma vez ouviste falar da cabana do major?

— A cabana do major?

— Algures neste bosque há uma cabana... junto a um pequeno lago. Em tempos viveu lá um major, e por isso lhe chamam a cabana do major.

— E ainda mora lá alguém?

— Vamos ver?

— Onde é que fica?

Sofia apontou para as árvores.

Jorunn não queria ir, mas Sofia conseguiu convencê-la. O sol começava a desaparecer no horizonte.

Primeiro, caminharam por entre pinheiros altos, em seguida tiveram de abrir caminho por entre os arbustos e os silvados. Finalmente, chegaram a um carreiro. Seria o que Sofia percorrera na manhã de domingo?

Sim — pouco depois, viu qualquer coisa cintilar entre as árvores no lado direito do caminho.

— Ali está ela — afirmou.

Passados uns instantes, estavam junto ao pequeno lago. Sofia olhou para a cabana, do outro lado. As portadas das janelas estavam fechadas. A casinha vermelha parecia totalmente abandonada.

Jorunn olhou em volta.

— Vamos pela água? — perguntou.

— Não, remamos.

Sofia apontou para o canavial. Lá estava o barco como da outra vez.

— Já estiveste aqui?

Sofia abanou a cabeça. Seria demasiado complicado relatar à amiga a sua última visita. Como é que seria capaz de não revelar nada acerca de Alberto Knox e do curso de filosofia?

Gracejavam e riam enquanto remavam no lago. Na outra margem, Sofia teve muito cuidado em puxar bem o barco para terra. Pouco depois, estavam à porta. Jorunn rodou a maçaneta, mas a porta não se abriu. Era óbvio que não havia ninguém na cabana.

— Fechada, estavas à espera de outra coisa?

— Talvez encontremos uma chave — afirmou Sofia.

Começou a procurar junto ao muro.

— O melhor é voltarmos à tenda — disse Jorunn, passado alguns minutos.

Mas, nesse momento, Sofia exclamou:

— Encontrei-a, encontrei-a!

Mostrou a chave com uma expressão triunfante. Introduziu-a na fechadura e a porta abriu-se.

As duas amigas entraram furtivamente na casa. No interior estava escuro e fazia frio.

— Não se vê nada — disse Jorunn.

Sofia também pensara nisso. Tirou uma caixa de fósforos do bolso e acendeu um fósforo. Antes de o fósforo se apagar, só conseguiram ver que a cabana estava vazia. Sofia acendeu outro e descobriu então uma pequena vela num candelabro de ferro forjado em cima da lareira. Acendeu a vela com mais um fósforo, e a pequena sala ficou de repente tão clara que podiam ver à sua volta.

— Não é estranho que uma pequena vela possa iluminar tanta escuridão? — perguntou Sofia.

A amiga acenou afirmativamente.

— Mas a luz perde-se algures na escuridão — prosseguiu Sofia. — Na realidade não existe nenhuma escuridão em si. É apenas ausência de luz.

— Credo, que coisas estranhas estás para aí a dizer. Vamos embora...

— Primeiro vamos ver o espelho. — Sofia apontou para o espelho de latão que estava em cima da cómoda, exactamente como na outra vez.

— Que bonito...

— Mas isto é um espelho mágico.

— Espelho, espelho meu, existe alguém mais belo do que eu?

— Eu não estou a brincar, Jorunn. Acho que se pode ver qualquer coisa no outro lado do espelho.

— Não disseste que nunca tinhas estado aqui? E porque é que te divertes tanto em assustar-me?

Sofia não podia responder a estas perguntas.

— Desculpa.

Mas Jorunn descobriu então uma coisa que estava, no chão, a um canto. Levantou-a.

— Postais ilustrados — afirmou.

Sofia sobressaltou-se.

— Não lhes toques! Estás a ouvir, não podes tocar-lhes!

Jorunn recuou assustada. Deixou cair a caixa como se se tivesse queimado. Os postais espalharam-se pelo chão. Passados uns instantes, desatou a rir.

— São apenas postais normalíssimos.

Jorunn agachou-se e pegou nos postais. Em seguida, Sofia também se baixou.

— Líbano... Líbano... Líbano... os postais foram todos enviados do Líbano — afirmou Jorunn.

— Eu sei — Sofia quase soluçava.

— Mas então já estiveste aqui.

— Sim, estive.

Sofia compreendeu que tudo seria mais fácil se confessasse que já tinha estado ali. Também não faria mal relatar à amiga os acontecimentos misteriosos dos dias anteriores.

— Era aqui que te queria contar.

Jorunn tinha começado a ler os postais.

— São todos endereçados a uma certa Hilde Møller Knag.

Sofia ainda não tocara em nenhum postal.

— É esse o endereço completo?

Jorunn leu alto:

— Hilde Møller Knag, a/c Alberto Knox, Lillesand, Noruega.

Sofia respirou de alívio. Receara que nos postais estivesse escrito «a/c Sofia Amundsen». Só então os observou melhor.

— 28 de Abril... 4 de Maio... 6 de Maio... 9 de Maio... foram carimbados há poucos dias.

— Mas não é tudo. Todos os carimbos são *noruegueses*. Olha — Contingente ONU! Os selos também são noruegueses...

— Eu acho que é sempre assim. Eles têm de ser neutrais, e por isso têm lá uma estação de correios norueguesa.

— Mas como é que a correspondência é enviada para casa?

— Em aviões militares, acho eu.

Sofia pôs a vela no chão. As duas amigas leram o que estava nos postais. Jorunn ordenou-os. Leu em voz alta o primeiro postal.

Querida Hilde! Acredita que estou desejoso de voltar para casa em Lillesand. Vou chegar a Kjevik no dia 23 de Junho, à tarde. Gostava de poder chegar a tempo para o teu aniversário, mas estou sob ordens militares. Em compensação posso prometer-te que vou escolher com todo o cuidado um grande presente que vais receber no dia dos teus anos.

Beijos daquele que pensa sempre no futuro da filha

P.S. Envio a uma amiga comum uma cópia deste postal. Compreende--me, querida Hilde, de momento estou muito misterioso, mas tu hás-de compreender.

Sofia leu o segundo postal:

Querida Hilde! Aqui, temos de viver o dia-a-dia. Se mais tarde me vier a recordar de alguma coisa relacionada com todos estes meses no Líbano, será da longa espera. Mas esforço-me ao máximo para te poder dar um presente tão bonito quanto possível pelo teu aniversário. Por agora, não posso dizer mais nada. Imponho a mim mesmo uma severa censura.

Beijos do pai

As duas amigas estavam sem fôlego devido à tensão. Nenhuma delas fazia comentários, apenas liam o que estava nos postais.

Minha querida filha! Gostava de te poder enviar os meus pensamentos com uma pomba branca. Mas, no Líbano, não há pombas brancas. Se este país devastado pela guerra precisa realmente de alguma coisa, é de pombas brancas. Se um dia a ONU pudesse trazer realmente a paz ao mundo!
P.S. Talvez possas partilhar o teu presente de aniversário com uma outra pessoa. Vamos ver, quando eu chegar a casa. Mas tu ainda não sabes do que estou a falar.

Muitos beijos de uma pessoa que tem muito tempo para pensar em nós os dois.

Depois de terem lido seis postais, só faltava um.

Querida Hilde! Estou quase a rebentar com todos os segredos que têm a ver com o teu aniversário, e várias vezes por dia tenho de me conter para não telefonar e contar tudo. É uma coisa que não pára de crescer. E tu sabes que quando uma coisa cresce é mais difícil guardá-la para nós.

Beijos do pai

P.S. Vais conhecer uma rapariga chamada Sofia. Para poderem saber um pouco uma da outra antes de se conhecerem, comecei a enviar-lhe cópias de todos os postais que te escrevo. Será que ela já começou a perceber, Hilde? Até agora, não sabe mais do que tu. Tem uma amiga chamada Jorunn. Talvez essa te possa ajudar.

Quando Jorunn e Sofia acabaram de ler o último postal, olharam--se fixamente nos olhos. Jorunn agarrou no pulso de Sofia.

— Tenho medo — disse.

— Eu também.

— Qual é a data do último postal?

Sofia observou de novo o postal.

— 16 de Maio — disse. — Hoje, portanto.

— Impossível! — ripostou Jorunn. Estava quase a irritar-se.

Examinaram bem o carimbo, e não havia erro possível. Estava escrito «16.05.90»

— Mas não é possível — insistiu Jorunn. — E eu não consigo compreender quem é que poderá ter escrito isto. Tem de ser alguém que nos conhece. Mas como é que ele pode ter sabido que nós viríamos hoje aqui?

Jorunn era a que tinha mais medo. Para Sofia, a história de Hilde e do pai já não era novidade.

— Eu acho que isto tem a ver com o espelho de latão.

Jorunn assustou-se de novo.

— Não estás a querer dizer que os postais saltam do espelho no preciso momento em que são carimbados no Líbano?

— Tens uma explicação melhor?

— Não.

— Mas este não é o único mistério.

Sofia levantou-se e iluminou com a vela os quadros da parede. Jorunn inclinou-se para as pinturas.

— «Berkeley» e «Bjerkely». O que é que isto significa?

— Não faço ideia.

Nesse momento, a vela já estava quase no fim.

— Vamos embora! — disse Jorunn. — Anda!

— Eu só quero levar o espelho.

Dito isto, Sofia levantou-se e tirou da parede o grande espelho de latão que estava pendurado sobre a cómoda branca. Jorunn tentou dissuadi-la, mas Sofia não se deteve.

Quando saíram, estava uma noite típica de Maio e havia luz suficiente para poderem reconhecer os contornos dos arbustos e das árvores. O céu espelhava-se no lago. As duas amigas remaram lentamente para a outra margem.

Nenhuma falou muito enquanto regressavam à tenda, mas ambas pensavam que a outra reflectia sobre o que tinham visto. De quando em quando, um pássaro levantava voo, espantado; ouviram duas vezes uma coruja.

Quando chegaram à tenda, enfiaram-se nos sacos-cama. Jorunn recusou-se a deixar o espelho entrar na tenda. Antes de adormecerem, pensaram que era inquietante que ele ficasse à entrada da tenda. Sofia também trouxera os postais, que colocou num bolso exterior da mochila.

Na manhã seguinte, acordaram cedo. Sofia foi a primeira a sair do saco-cama. Calçou as botas e saiu da tenda. O espelho de latão estava deitado na relva, coberto de orvalho. Sofia limpou o orvalho com a camisola e observou o seu reflexo. Felizmente, não encontrou nenhum postal recente do Líbano.

Sobre a planície atrás da tenda pairava uma neblina matinal esfarrapada como pequenos tufos de algodão. Os pássaros chilreavam energicamente, mas não conseguia ver nem ouvir galos silvestres.

As duas amigas vestiram mais uma camisola e tomaram o pequeno-almoço diante da tenda. Depressa recomeçaram a falar da cabana do major e dos misteriosos postais.

Depois do pequeno-almoço, desarmaram a tenda e puseram-se a caminho de casa. Sofia levava o grande espelho de latão debaixo do braço. Por vezes, tinha de fazer uma curta pausa, porque Jorunn se recusava a tocar no espelho.

À medida que se aproximavam das primeiras casas, ouviram uns estampidos. Sofia lembrou-se do que o pai de Hilde escrevera acerca do Líbano devastado pela guerra. Compreendeu como era bom viver num país em paz. Os estampidos vinham de inocentes fogos de artifício.

Sofia convidou Jorunn para tomar cacau. A mãe quis saber logo de onde vinha o grande espelho. Sofia disse que o tinham encontrado na cabana do major. A mãe voltou a afirmar que essa cabana estava desabitada há muitos anos.

Depois de Jorunn ter ido para casa, Sofia vestiu um vestido vermelho. O resto do feriado nacional decorreu normalmente. No telejornal da noite houve uma reportagem que mostrava como os soldados noruegueses da ONU no Líbano tinham festejado o dia. Sofia olhava fixamente para o ecrã. Um dos homens que ali via podia ser o pai de Hilde.

A última coisa que Sofia fez nesse dia 17 de Maio foi pendurar o grande espelho de latão no seu quarto. Na manhã seguinte, encontrou na toca um novo envelope amarelo. Abriu-o e leu imediatamente o que estava escrito nas folhas.

DUAS CULTURAS

... só assim não flutuarás no vazio...

Já não falta muito para nos encontrarmos, Sofia. Calculei que regressarias à cabana do major, por isso deixei lá todos os postais do pai de Hilde. Só assim podem chegar a Hilde.

Mas não precisas de te preocupar com isso. Até 15 de Junho ainda vai correr muita água debaixo das pontes.

Vimos como os filósofos do Helenismo assimilaram os antigos filósofos gregos, e como alguns foram fundadores de seitas religiosas. Plotino prestou homenagem a Platão como se se tratasse de um redentor da humanidade.

Mas, como sabemos, no mesmo período nasceu um outro redentor, fora do âmbito cultural greco-romano. Refiro-me a Jesus de Nazaré. Vamos ver neste capítulo como o cristianismo foi penetrando no mundo greco-romano — mais ou menos como o mundo de Hilde começou lentamente a penetrar no *nosso mundo.*

Jesus era judeu, e os judeus pertencem à cultura semítica. Os gregos e os romanos pertencem à cultura indo-europeia. Podemos constatar que a civilização europeia tem duas raízes. Antes de observarmos melhor como é que o cristianismo se mistura lentamente com a cultura greco-romana, vamos tratar dessas duas raízes.

Os indo-europeus

Designamos por *indo-europeus* todos os países e culturas onde se falam línguas indo-europeias. Pertencem a este grupo todas as línguas europeias, excepto as línguas ugro-fínicas (lapão, finlandês, estónio e húngaro) e basco. A maior parte das línguas indianas e iranianas pertencem à família linguística indo-europeia.

Há cerca de quatro mil anos, os primeiros indo-europeus viviam provavelmente na região do mar Negro e do mar Cáspio. Pouco depois, essas tribos indo-europeias começaram a migrar para o Sudeste, para o Irão e para a Índia; para o Sudoeste, para a Grécia, Itália e Espanha; para Oeste, através da Europa Central, para Inglaterra e França; para Noroeste, para a Escandinávia; e para o Norte, para a Europa de Leste e Rússia. Por toda a parte, os indo-europeus foram-se misturando com as culturas anteriores, se bem que a religião e a língua indo-europeias desempenhassem um papel dominante.

Tanto os antigos escritos indianos védicos como a filosofia grega e inclusivamente a mitologia de *Snorri* estão portanto escritos em línguas aparentadas. Este parentesco não se limita às línguas. As línguas aparentadas correspondem geralmente a ideias aparentadas. Por isso podemos falar de uma *cultura indo-europeia*.

A cultura dos Indo-europeus era sobretudo caracterizada pela crença em vários deuses diferentes, ou seja, pelo *politeísmo*. Encontramos em toda a área indo-europeia nomes de deuses, muitos termos religiosos importantes e expressões semelhantes. Vou dar alguns exemplos:

Os antigos hindus veneravam o deus *Dyaus*. Em grego, este deus chama-se *Zeus*, em latim *Júpiter* (na realidade *Iovpater*, ou seja, «pai Iov»), e em antigo nórdico *Tyr*. Os nomes Dyaus, Zeus, Iov e Tyr são portanto diferentes variantes da mesma palavra.

Talvez ainda te lembres que os Vikings no Norte da Europa veneravam deuses a que chamavam *ases*. Também encontramos este termo para «deuses» no conjunto do âmbito indo-europeu. Em antigo hindu (sânscrito), os deuses chamam-se *asura*, em antigo persa *ahura*. Uma outra palavra para deus em sânscrito é *deva*, em persa *daeva*, em latim *deus* e em antigo nórdico *tivurr*.

No Norte da Europa havia ainda um grupo próprio de divindades da fertilidade (por exemplo, Njörd, Freyr, Freyja). Estas divindades eram designadas *vanes*. Esta palavra é aparentada com o nome da deusa latina da fertilidade *Vénus*. Em sânscrito há o termo aparentado *vani*, que significa «prazer» ou «desejo».

Determinados mitos apresentam em toda a área indo-europeia um claro parentesco. Quando Snorri fala acerca dos antigos deuses nórdicos, alguns mitos fazem recordar mitos hindus que foram narrados dois ou três mil anos antes. Obviamente, os mitos de Snorri estão relacionados com a natureza nórdica e os indianos com a natureza indiana. Mas muitos dos mitos têm um núcleo que aponta para uma origem comum. Este núcleo é claramente visível nos mitos sobre as poções da imortalidade e sobre a luta dos deuses contra as forças do caos.

Inclusivamente no próprio pensamento vemos claras conexões entre as culturas indo-europeias. Uma semelhança típica reside no facto de conceberem o mundo como um combate eterno entre as forças do bem e as forças do mal. Por isso, os indo-europeus procuraram predizer qual seria o futuro do mundo.

Podemos afirmar que não é por acaso que a filosofia grega nasceu justamente no âmbito da cultura indo-europeia. As mitologias indiana, grega e nórdica apresentam claros princípios de um pensamento filosófico ou «especulativo». Os indo-europeus procuravam ter conhecimento da evolução do mundo. Podemos inclusivamente seguir em toda a área indo-europeia um termo preciso para «conhecimento» ou «saber» de cultura para cultura. Em sânscrito, este termo é *vidya*. Esta palavra é idêntica à palavra grega *idea*, que como sabes, desempenha um papel importante na filosofia de Platão. Do latim conhecemos a palavra *video,* que para os romanos significava simplesmente «ver». (Só nos nossos dias é que «ver» é quase sinónimo de fixar o ecrã da televisão). Do inglês conhecemos as palavras *wise* e *wisdom* (sabedoria), em alemão *weise* e *Wissen*. Em norueguês temos a palavra *viten*. A palavra norueguesa «viten» tem portanto as mesmas raízes que a palavra indiana «vidya», a grega «idea» e a latina «video».

Em traços largos, podemos verificar que a *visão* era o sentido mais importante para os indo-europeus. Entre os indianos e entre os gregos, entre os iranianos e os germanos, a literatura é caracterizada por grandes visões cósmicas. (Temos de novo a palavra «visão», que vem do verbo latino «video».) Além disso era costume nas culturas indo-europeias produzir pinturas e esculturas dos deuses e dos acontecimentos mitológicos.

Finalmente, os indo-europeus tinham uma *concepção cíclica da história*. Significa que para eles a história decorre circularmente — ou em «ciclos» — tal como as estações do ano alternam entre Verão e Inverno. Não há um verdadeiro começo nem um verdadeiro fim da história. Trata-se de civilizações diversas que nascem e perecem na alternância constante entre nascimento e morte.

Ambas as grandes religiões orientais — *hinduísmo* e *budismo* — são de origem indo-europeia. O mesmo é válido para a filosofia grega, e vemos claros paralelismos entre o hinduísmo e o budismo por um lado e a filosofia grega por outro. Ainda hoje o hinduísmo e o budismo estão fortemente influenciados pela reflexão filosófica.

Frequentemente se põe em evidência que no hinduísmo e no budismo o divino está presente em tudo (*panteísmo*) e que o homem pode alcançar a unidade com Deus através do conhecimento religioso. (Tu lembras-te de Plotino, Sofia!). Para isso, é geralmente necessária uma grande concentração e meditação. No Oriente, a passividade e o recolhimento são um ideal religioso. Na Grécia, era frequente pensar-se que o homem tinha de viver uma vida de ascese — ou retiro religioso — para libertar a sua alma. Alguns elementos da vida monástica medieval remontam a essas concepções do mundo greco-romano.

Em muitas culturas indo-europeias a crença na *metempsicose* era também muito importante; assim, no hinduísmo, o objectivo de cada crente é ser libertado um dia da migração das almas. E sabemos que Platão também acreditava na migração das almas.

Os semitas

E agora vamos aos semitas, Sofia. Trata-se aqui de uma cultura completamente diferente, com uma língua também completamente diferente. Originariamente, os semitas provinham da península árabe, mas a cultura semítica expandiu-se igualmente em diversas regiões do globo. Desde há mais de dois mil anos, os judeus vivem afastados da sua pátria original. A história e a religião semíticas afastaram-se muito das suas raízes geográficas devido ao cristianismo. Além disso, a cultura semítica estendeu-se a todo o mundo através da expansão do islamismo.

As três religiões ocidentais — judaísmo, cristianismo e islamismo — têm uma base semítica. O *Alcorão*, o texto sagrado do islamismo, e o *Antigo Testamento* estão escritos em línguas semíticas aparentadas. Uma das palavras do Antigo Testamento para «Deus» tem a mesma raiz linguística que o *Alá* dos muçulmanos. (A palavra «Alá» significa simplesmente «Deus»).

No cristianismo, o quadro é mais complicado. O cristianismo também tem uma base semítica. Mas o *Novo Testamento* foi escrito em grego, e quando a teologia cristã foi formulada, recebeu a influência das línguas grega e latina, e consequentemente da filosofia grega.

Sabemos que os indo-europeus acreditavam em muitos deuses. Os semitas adoptaram muito cedo a crença num único Deus, que é designada por *monoteísmo*. No judaísmo, no cristianismo e no islamismo a existência de um só Deus é uma ideia fundamental.

Uma outra característica semítica é a *concepção linear da história*. Significa que a história era vista linearmente. Deus criou o mundo, e nesse momento começou a história, que terminará no dia do «juízo final», quando Deus julgar os vivos e os mortos.

Uma característica importante das três grandes religiões ocidentais é precisamente o papel da história. Deus intervém na história e esta existe apenas para que Deus realize a sua vontade no mundo. Tal como outrora Deus conduziu Abraão à Terra Prometida, dirige a vida dos homens através da história até ao dia do juízo, momento em que todo o mal do mundo será destruído.

Devido à importância da acção divina na história, os semitas ocupam-se da historiografia desde há muitos milhares de anos. As raízes históricas estão no centro dos seus escritos religiosos.

Ainda hoje, a cidade de Jerusalém é um importante centro religioso para judeus, cristãos e muçulmanos. Isto diz alguma coisa acerca da base histórica comum a estas três religiões. Existem em Jerusalém importantes sinagogas (judias), igrejas (cristãs) e mesquitas (muçulmanas). Por isso é tão trágico que esta cidade se tenha tornado um pomo de discórdia — que os homens se matem aos milhares, porque não conseguem chegar a acordo acerca de quem deve ter o domínio da «cidade eterna». Esperemos que a ONU consiga um dia que Jerusalém se torne um ponto de encontro religioso das três religiões! (Sobre esta parte prática do curso de filosofia não vamos dizer mais nada por enquanto. Deixamos isso ao pai de Hilde. Tu sabes que ele é observador da ONU no Líbano, não é verdade? Para ser mais preciso, posso revelar-te que ele presta serviço como major. Se começas a entrever uma relação, é porque é correcta. Por outro lado, não quero antecipar o curso dos acontecimentos).

Caracterizámos a visão como o sentido mais importante para os indo-europeus. É espantoso o importante papel que a *audição* desempenha na área semítica. Não é por acaso que o acto de fé judaico começa com as palavras «Ouve, Israel!». No Antigo Testamento, lemos como os homens «ouviam» as palavras do Senhor, e os profetas judeus iniciavam as suas predições com a fórmula «Assim falou Jeová» (Deus). No cristianismo, também se dá importância a «ouvir» a palavra de Deus. As cerimónias religiosas hebraicas, cristãs e muçulmanas são caracterizadas sobretudo pela leitura em voz alta dos textos sagrados.

Mencionei também que os indo-europeus produziam imagens e esculturas dos seus deuses. Para os semitas, era proibido representar Deus. Isto significa que eles não podiam produzir imagens ou esculturas de Deus nem de tudo o que fosse sagrado. Também no Antigo Testamento se afirma que os homens não podem criar nenhuma imagem de Deus. Esta norma é ainda hoje válida para o islamismo e para o judaísmo. No islamismo, existe uma aversão geral pela fotografia e pela arte plástica. Os homens não devem competir com Deus em «criar» algo.

Mas na Igreja Cristã há muitas imagens de Deus e de Jesus, talvez estejas a pensar. É verdade, Sofia, e isso é precisamente um exemplo do facto de o cristianismo ter sido influenciado pelo mundo greco-romano.

(Na Igreja Ortodoxa — ou seja, na Grécia e na Rússia — existe ainda uma proibição de criar imagens esculpidas, isto é, esculturas e crucifixos com cenas da história bíblica.)

Ao contrário das grandes religiões orientais, as três religiões ocidentais defendem uma separação entre Deus e a sua Criação. O fim não é a libertação da reencarnação, mas ser-se libertado do pecado e da culpa. Além disso, a vida religiosa baseia-se mais na oração, no sermão e na leitura da Bíblia do que na concentração e na meditação.

Israel

Agora, não quero entrar em concorrência com o teu professor de religião, cara Sofia, mas vamos ainda observar rapidamente a influência hebraica no cristianismo.

Tudo começou quando Deus criou o mundo. Podes ler na primeira página da Bíblia como isso sucedeu. Mas depois, os homens insurgiram--se contra Deus. O castigo não foi apenas a expulsão de Adão e Eva do paraíso. A morte também surgiu no mundo.

A desobediência dos homens em relação a Deus representa o fio condutor de toda a Bíblia. Se continuarmos a folhear o Génesis, podemos ler acerca do dilúvio e da arca de Noé. Depois lemos que Deus fez um pacto com *Abraão* e o seu povo. Este pacto estabelecia que Abraão e o seu povo respeitariam os mandamentos de Deus. E Deus prometeu proteger os sucessores de Abraão. Mais tarde, este pacto foi renovado, quando *Moisés* recebeu as Tábuas da Lei no monte Sinai (a lei mosaica!). Isto aconteceu cerca de 1200 a. C. Nessa época, os israelitas tinham vivido muito tempo no Egipto como escravos, mas com a ajuda de Deus o povo foi reconduzido a Israel.

Cerca do ano 1000 a. C., muito antes de existir algo que se chamasse filosofia grega — ouvimos falar de três grandes reis em Israel. O primeiro foi *Saul*, seguiu-se-lhe *David*, e após David veio *Salomão*. Todo o povo israelita estava unido num reino e, sobretudo no reinado do rei David, viveu um período de prosperidade política, militar e cultural.

Quando os reis eram consagrados, eram ungidos pelos sacerdotes. Por isso, tinham o título de *Messias*, que significa «o ungido». No contexto religioso, os reis eram vistos como intermediários entre Deus e o povo. Por isso, os reis podiam ser igualmente designados por «filhos de Deus», e o país por «reino de Deus».

Mas o período de esplendor não durou muito. O reino foi dividido em duas partes: o «reino do Norte» (Israel) e o «reino do Sul» (Judeia). No ano de 722, o reino do Norte foi ocupado pelos assírios e perdeu toda a importância política e religiosa. No Sul, as coisas não correram muito melhor. O reino do Sul foi conquistado pelos babilónios no ano 586. O templo de Jerusalém foi destruído, e uma grande parte do povo foi levada para a Babilónia. Este *cativeiro babilónico* só terminou no ano de 539. O povo pôde regressar a Jerusalém e reconstruir o grande templo. Mas até ao início da nossa era, os judeus estiveram sempre sob domínio estrangeiro.

Os judeus perguntavam-se *porque* é que o reino de David fora destruído e porque é que desgraças após desgraças se abatiam sobre o povo. Deus tinha prometido proteger Israel. Mas o povo também prometera observar os mandamentos divinos. Por fim, difundiu-se a ideia de que Deus castigara Israel devido à desobediência.

A partir aproximadamente de 750 a. C. surgiu uma série de *profetas* que anunciaram o castigo de Deus sobre Israel, porque o povo não observava os mandamentos do Senhor. «Um dia, Deus julgará Israel», diziam. Esses profetas são designados por «profetas do dia do juízo».

Cedo surgiram também profetas que profetizavam que Deus salvaria uma parte do povo e enviaria um «príncipe da paz», ou um rei da paz, da estirpe de David. Este príncipe da paz deveria erigir de novo o antigo reino de David e assegurar ao povo um futuro feliz.

«O povo que caminha na escuridão, verá uma grande luz», afirmou o profeta Isaías, «aqueles que habitam na terra da sombra da morte, sobre eles brilhará a luz». Esses profetas são designados por «profetas da salvação».

Vou ser mais conciso: o povo de Israel viveu feliz sob o reinado do rei David. Quando as coisas começaram a correr pior para os israelitas, os profetas profetizaram a vinda de um novo rei da estirpe de David. Este «Messias», ou «filho de Deus», havia de «salvar» o povo, restaurar Israel como potência, e construir um «reino de Deus».

Jesus

Bom, Sofia. Parto do princípio de que me estejas a seguir. As palavras-chave são «Messias», «Filho de Deus», «salvação» e «Reino de Deus». De início, tudo isto tinha um significado político. Mesmo na época de *Jesus*, muitos imaginavam o novo messias como chefe político, militar e religioso do mesmo calibre que o rei David. O salvador era portanto visto sobretudo como libertador nacional, o qual poria fim ao sofrimento dos judeus sob o domínio romano.

141

Mas também se levantaram outras vozes. Já dois séculos antes do nascimento de Cristo, outros profetas tinham anunciado que o messias prometido seria o redentor de todo o mundo. Ele não libertaria apenas os israelitas do jugo estrangeiro, mas libertaria todos os homens do pecado e da culpa — e também da morte. A esperança numa salvação neste sentido da palavra também estava difundida em todo o mundo helenístico.

E veio então Jesus. Ele não é o único que surge como o messias prometido e, tal como outros, usa as palavras «filho de Deus», «reino de Deus», «Messias» e «salvação». Deste modo, parte das antigas profecias. Vai para Jerusalém e é venerado pelas massas como salvador do povo. Assim, faz lembrar os antigos reis que eram entronizados através de um «ritual de elevação ao trono» característico. Ele também é ungido pelo povo. «O tempo está completo», afirma, «o reino de Deus chegou.»

É importante notar tudo isto. Mas agora tens de prestar muita atenção: Jesus distinguia-se dos outros que se apresentavam como messias por afirmar muito claramente não ser um chefe militar ou político. A sua tarefa era muito maior. Anunciava a salvação e o perdão de Deus para todos os homens, por isso podia andar entre os homens e dizer: «Os teus pecados são-te perdoados.» Pronunciar isto era inaudito. Por isso, também não foi preciso muito tempo para os escribas levantarem protestos contra Jesus. Por fim, empenharam-se também na preparação do seu suplício.

Vou explicar melhor: muitos homens no tempo de Jesus esperavam um messias que havia de restabelecer o reino de Deus com grande poder e esplendor (isto é, com a espada e com a lança). A expressão «reino de Deus» está presente como fio condutor na mensagem de Jesus — aliás com um significado muito mais alargado. Jesus apresentava o reino de Deus como amor pelo próximo, solicitude para com os fracos e perdão para todos os que erraram.

Encontramos aqui uma modificação drástica no significado de uma expressão antiga e em parte militar. Os homens esperavam um líder militar que proclamasse o reino de Deus. Chega então Jesus de túnica e sandálias e explica que o reino de Deus ou o «Novo Testamento» significa: «Deves amar o próximo como a ti mesmo.» Além disso, ele afirmou que devemos amar os nossos inimigos. Se nos dão uma bofetada, não devemos pagar na mesma moeda, mas apresentar a outra face. E devemos perdoar — não sete vezes, mas setenta vezes sete.

Durante a sua vida, Jesus mostrou que não desdenhava falar com prostitutas, publicanos corruptos e indivíduos politicamente subversivos. Mas ele ainda vai mais longe: afirma que um filho que dissipou toda a herança — ou um publicano corrupto que extraviou dinheiro — é perante

Deus justo desde que se dirija a Ele e peça perdão, porque tal é a generosidade de Deus na Sua graça.

Mas ele vai ainda mais longe — e agora tens de te segurar: Jesus dizia que esses «pecadores» eram perante Deus mais justos —, e mereciam preferencialmente o seu perdão — do que aqueles que se orgulhavam da sua própria virtude.

Jesus insistia em que nenhum homem pode julgar por si se é digno do perdão de Deus. Não nos podemos salvar a nós mesmos. (Muitos gregos acreditavam nisto!). Quando Jesus apresenta as suas severas exigências éticas no «sermão da montanha» não era apenas porque quisesse mostrar a vontade de Deus. Ele quer também mostrar que nenhum homem é justo perante Deus. O perdão de Deus é ilimitado, mas devemos dirigir--nos a ele pela oração para obtermos o perdão.

Deixo a cargo do teu professor de religião mais esclarecimentos acerca da personalidade de Jesus e da sua mensagem. Não é uma tarefa fácil. Espero que ele também vos possa esclarecer como Jesus foi um homem único. De um modo genial, ele usa a linguagem do seu tempo e dá simultaneamente às ideias antigas um conteúdo completamente novo e mais vasto. Não admira que ele tenha sido crucificado. A sua radical mensagem de salvação punha a nu tantos interesses e jogos de poder que tinha de ser afastado.

No caso de Sócrates, vimos como pode ser perigoso apelar à razão dos homens. No caso de Jesus vemos como pode ser perigoso pedir um amor incondicional pelo próximo e um perdão igualmente incondicional. Ainda hoje vemos como Estados poderosos vacilam se são postos perante pedidos simples de paz, amor e alimento para os pobres e perdão para os inimigos do Estado.

Sabes ainda como Platão ficou contrariado pelo facto de o homem mais justo de Atenas ter de pagar com a vida. Para o cristianismo, Jesus é o único homem justo que alguma vez viveu. Porém, foi condenado à morte. Para o cristianismo, ele morreu pela humanidade. E isso é frequentemente designado como a «Paixão» de Cristo. Jesus foi o «servo sofredor» que assumiu a culpa de todos os pecados dos homens para nos reconciliar com Deus e nos salvar da Sua punição.

Paulo

Poucos dias após a crucificação e o enterro de Jesus surgiram rumores de que ele havia ressuscitado dos mortos. Deste modo, mostrou que era mais do que um homem, que era verdadeiramente «filho de Deus».

Podemos dizer que a Igreja cristã teve início nessa manhã de Páscoa, com o anúncio da ressurreição de Jesus. Já *Paulo* esclareceu isto: «Se Jesus não ressuscitou, então a nossa prédica é vã, vã a nossa fé.»

A partir daquele momento, todos os homens podiam ter esperança na ressurreição da carne. Jesus foi crucificado para a nossa salvação. E agora, querida Sofia, tens de reparar que não se trata da «imortalidade da alma» ou de uma forma de reencarnação. Essa era uma concepção grega — consequentemente indo-europeia. Mas o cristianismo ensina que não há nada no homem — por exemplo, nenhuma «alma» — que fosse imortal por si. A Igreja acredita na ressurreição da carne e na vida eterna, mas é justamente graças a Deus que somos salvos da morte e da perdição. Não é nosso mérito, nem se deve a nenhuma qualidade natural ou inata.

Os primeiros cristãos começaram então a anunciar a «boa nova» da salvação através da fé em Jesus Cristo. Com a sua mensagem de redenção, o reino de Deus estava iminente. Todo o mundo podia então ser conquistado por Jesus. (A palavra «Cristo» é uma tradução grega da palavra hebraica «Messias» e significa portanto «o ungido»).

Poucos anos após a morte de Jesus, o fariseu Paulo converteu-se ao cristianismo. Através das suas muitas viagens de missionário por todo o mundo greco-romano, o cristianismo tornou-se uma religião universal. Tomamos conhecimento disso nos Actos dos Apóstolos. A pregação de Paulo e as suas directivas fornecidas aos cristãos foram também difundidas por meio das epístolas que enviou às primeiras comunidades cristãs.

Esteve também em Atenas. Caminhava na ágora da capital da filosofia. E estava indignado, «de tal forma via a cidade tão idólatra», segundo se diz. Visitou a sinagoga de Atenas e falou com os filósofos epicuristas e estóicos da cidade. Levaram-no ao Areópago. Aí, disseram: «Também podemos saber que doutrina nova é essa que ensinas? Porque tu trazes algo novo para os nossos ouvidos; por isso, gostaríamos muito de saber o que é.»

Estás a imaginar isto, Sofia? Aparece um judeu na ágora de Atenas e fala acerca de um redentor que foi crucificado e que ressuscitou dos mortos. Já durante a visita de Paulo a Atenas podemos ter uma ideia do choque entre a filosofia grega e a doutrina cristã da salvação. Mas Paulo conseguiu ser ouvido pelos atenienses. Enquanto está no Areópago — entre os imponentes templos da Acrópole — faz o seguinte discurso:

«Atenienses», começa, «eu vejo que sois em todos os aspectos muito religiosos. Indo a passar, vi os vossos cultos e encontrei um altar

sobre o qual estava escrito: Ao Deus desconhecido. Agora, anuncio-
-vos aquele ao qual prestais culto sem saber. Deus, que fez o mundo e
tudo o que nele há, uma vez que é o senhor do céu e da terra, não
habita nos templos feitos pelos homens. Também não é servido pelas
mãos dos homens, como se precisasse de alguém, ele que dá a todos
a vida e o alento por toda a parte.

E de um só fez todo o género humano, para que habitasse em
toda a face da terra, e colocou o limite para o tempo e o lugar da
habitação; para que busquem o Senhor como que às apalpadelas.
E na verdade, ele não está longe de cada um de nós. Pois nele
vivemos, nos movemos e existimos; como também disseram alguns
dos vossos poetas: nós somos da sua linhagem. Sendo nós da linhagem de Deus, não devemos pensar que a divindade é igual às
imagens douradas, prateadas e de pedra feitas pela arte dos homens. E na verdade, Deus não teve em conta o tempo da ignorância;
mas ordena a todos os homens, por toda a parte, que façam penitên-
cia, porque ele estabeleceu um dia em que há-de julgar o mundo com
justiça através de um homem que escolheu e no qual todos têm fé,
depois de o ter ressuscitado dos mortos.»

Paulo em Atenas, Sofia. Estamos a falar de como o cristianismo se
infiltra progressivamente no mundo greco-romano, como algo diferente,
muito diferente da filosofia epicurista, estóica ou neoplatónica. Porém,
Paulo encontra nesta cultura um apoio sólido. Diz que a busca de Deus
está presente em todos os homens, o que não era uma coisa nova para
os gregos. O que Paulo anuncia de novo é que Deus se revelou aos
homens e que foi verdadeiramente ao seu encontro. Não é apenas um
«Deus filosófico» ao qual os homens podem aspirar com a razão. Também não se assemelha a nenhuma imagem de «ouro, prata ou pedra» —
já era suficiente o que havia na Acrópole e na ágora. Mas Deus «não
habita em templos feitos pelos homens». É um Deus pessoal que intervém
na história e morre na cruz pelos homens.

Depois de Paulo ter feito o seu discurso no Areópago, os Actos dos
Apóstolos contam que alguns fizeram troça dele por ele ter contado que
Cristo tinha ressuscitado dos mortos. Mas alguns ouvintes afirmaram
também: «Queremos que nos voltes a falar disso.» Outros juntaram-se,
por fim, a ele e tornaram-se cristãos. Entre estes estava uma mulher,
Dâmaris, e devemos reparar nisso. Nessa altura, houve muitas mulheres
que se converteram ao cristianismo.

Paulo prosseguiu a sua actividade missionária. Poucas décadas depois da morte de Cristo existiam comunidades cristãs em todas as cida-

des gregas e romanas mais importantes — em Atenas, Roma, Alexandria, Éfeso, Corinto. No decorrer de três, quatro séculos, todo o mundo greco-romano estava cristianizado.

A profissão de fé

Mas a importância de Paulo para o cristianismo não se limitou à sua importante actividade missionária. Dentro das comunidades cristãs também teve uma grande influência. Havia uma grande necessidade de instrução espiritual.

Nos primeiros anos após a morte de Jesus, levantou-se uma questão: teriam os não-judeus de passar primeiro pelo judaísmo? Por exemplo, teria um grego que observar as leis de Moisés? Paulo não achava isso necessário. O Cristianismo era mais do que uma seita hebraica. Dirigia--se a todos os homens com uma mensagem universal de salvação. A Velha Aliança, entre Deus e Israel, era substituída pela Nova Aliança, que Jesus concluíra entre Deus e todos os homens.

Mas o cristianismo não era a única nova religião daquele tempo. Vimos que o Helenismo era caracterizado por uma mistura de religiões. Por isso, a Igreja tinha de delinear claramente a doutrina cristã. Era importante evitar uma cisão na Igreja Cristã e a demarcação em relação a outras religiões. Deste modo surgiu a profissão de fé, que teve como objectivo reunir os mais importantes «dogmas» cristãos.

Um desses dogmas afirma que Jesus foi simultaneamente Deus e homem. Portanto, ele não foi «filho de Deus» apenas pelos seus actos. Ele próprio era Deus, mas foi também um «verdadeiro» homem que partilhou a vida dos homens e sofreu verdadeiramente na cruz.

Isto pode parecer uma contradição. Mas a mensagem da Igreja afirma então que *Deus se tornou homem*. Jesus não era nenhum «semideus» (ou seja, meio humano e meio divino). A crença em tais semideuses estava bastante difundida nas religiões gregas e helenísticas. A Igreja ensinava que Jesus é «inteiramente Deus, inteiramente homem».

Postscriptum

Estou a tentar explicar como todas as coisas estão relacionadas, cara Sofia. A entrada do cristianismo no mundo greco-romano significou um confronto dramático entre duas culturas, mas também uma das grandes transformações culturais da história.

Estamos quase a deixar a Antiguidade. Desde os primeiros filósofos gregos passaram-se quase mil anos. À nossa frente está a Idade Média cristã, que também durou cerca de mil anos.

O poeta alemão *Johann Wolfgang Goethe* escreveu:

Quem não sabe prestar contas
de três milénios,
permanece nas trevas ignorante,
e vive apenas o dia que passa

Mas não quero que pertenças a este tipo de pessoas. Eu esforço-me o máximo para que conheças as tuas raízes históricas. Só assim te tornarás um ser humano. Só assim serás mais do que um macaco. Só assim não flutuarás no espaço vazio.

«Só assim te tornarás um ser humano. Só assim serás mais do que um macaco...»

Sofia ficou ainda algum tempo a olhar fixamente para o jardim pelos pequenos orifícios da sebe. Nesse momento, começou a perceber como era importante conhecer as suas raízes históricas. Pelo menos, tinha sido importante para o povo de Israel.

Ela era simplesmente uma pessoa qualquer. Mas se conhecesse as suas raízes históricas, a sua existência tornar-se-ia um pouco menos aleatória. Vivia há poucos anos no planeta, mas se a história da humanidade era também a sua própia história, tinha num certo sentido muitos milhares de anos.

Sofia juntou todas as folhas e saiu da toca. Saltando alegremente atravessou o jardim e foi para o seu quarto.

A IDADE MÉDIA

... percorrer apenas uma parte do caminho
não significa enganar-se...

Na semana seguinte, Sofia não soube nada de Alberto Knox. Também não recebeu mais postais do Líbano, mas continuou a falar com Jorunn acerca dos postais que elas tinham encontrado na cabana do major. Jorunn ficara nervosíssima, mas como depois nada mais sucedera, o seu medo perdeu-se entre os trabalhos de casa e o *badminton*.

Sofia leu as cartas de Alberto muitas vezes e procurou uma referência que pudesse explicar a questão de Hilde. Assim, também podia assimilar bem a filosofia antiga. Depressa deixou de confundir Demócrito e Sócrates, Platão e Aristóteles.

Na sexta-feira, dia 25 de Maio, estava junto ao fogão e fazia o jantar porque a mãe não tardaria a chegar a casa vinda do trabalho. Era o acordo habitual de sexta-feira. Nesse dia, Sofia cozinhava sopa de peixe com batatas e cenoura. Nada mais fácil.

Lá fora, levantara-se vento. Enquanto mexia a panela, Sofia voltou-se e olhou pela janela. As bétulas baloiçavam como espigas.

De repente, algo bateu contra a vidraça. Sofia voltou-se de novo e descobriu então um bocado de cartão colado à janela.

Aproximou-se e viu que se tratava de um postal ilustrado. Através do vidro, leu: «Hilde Møller Knag, a/c de Sofia Amundsen...»

Pensara imediatamente nisso. Abriu a janela e recolheu o postal. Teria percorrido o longo caminho desde o Líbano transportada pelo vento?

Também este postal tinha a data: «Sexta-feira, 15 de Junho».

Sofia tirou a panela do fogo e sentou-se à mesa. No postal, estava escrito:

Querida Hilde! Não sei se ainda estarás a festejar o teu aniversário
quando leres este postal. Por um lado, espero que sim, de qualquer modo
tenho esperança que ainda não tenham passado muitos dias. Que passem

uma ou duas semanas para Sofia não significa que suceda o mesmo connosco. Eu regresso a casa na noite de S. João. Nessa altura, ficaremos sentados no baloiço e poderemos olhar juntos para o mar, Hilde. Temos muito para conversar. Beijos do pai, a quem por vezes o conflito milenar entre judeus, cristãos e muçulmanos deprime. Tenho que estar sempre a lembrar-me que as três religiões remontam a Abraão. Mas, nesse caso, não têm de rezar ao mesmo Deus? Aqui, a história de Caim e Abel repete-se todos os dias.

P.S. Poderias dar cumprimentos à Sofia? Pobre criança, ela ainda não compreendeu como as coisas estão relacionadas. Mas talvez tu já tenhas compreendido.

Sofia inclinou-se esgotada sobre o tampo da mesa. Era claro que não compreendia como as coisas se relacionavam. Será que Hilde compreendia?

Se o pai de Hilde podia pedir-lhe que apresentasse cumprimentos à Sofia, era porque Hilde sabia mais sobre Sofia do que Sofia sobre Hilde. Era tudo tão complicado que Sofia preferiu voltar ao fogão.

Um postal que ia bater contra a janela da cozinha. Correio aéreo no verdadeiro sentido da palavra...

Mal Sofia colocou de novo a panela no fogão, o telefone tocou.

Se fosse o seu pai! Se ele voltasse para casa, ela contar-lhe-ia tudo o que lhe acontecera na semana anterior. Mas devia ser apenas Jorunn ou a mãe... Sofia correu para o telefone.

— Sofia Amundsen.

— Sou eu —, respondeu uma voz no outro lado da linha.

Sofia tinha a certeza de três coisas: não era o pai. Mas era uma voz masculina. E ela estava convencida de já ter ouvido uma vez esta voz.

— Quem fala? — perguntou.

— Fala o Alberto.

— Ah...

Sofia não sabia o que havia de responder. Reconheceu a voz do vídeo de Atenas.

— Estás boa?

— Sim...

— Mas a partir de agora já não há mais cartas.

— Mas eu não te mandei nenhuma rã!

— Temos de nos encontrar, Sofia. E depressa, compreendes?

— Mas porquê?

— Estamos quase a ser encurralados pelo pai de Hilde.

— Encurralados como?

— Por todos os lados, Sofia. Temos de colaborar.

— Como...?

— Mas infelizmente, só me podes ajudar quando eu te tiver falado da Idade Média. Temos ainda de falar do Renascimento e do século XVII. Além disso, Berkeley desempenha um papel-chave.

— Não havia um retrato dele na cabana do major?

— Sim, exactamente. Talvez a batalha se trave justamente por causa da sua filosofia.

— Falas como se se tratasse de uma espécie de guerra.

— Eu diria que é uma guerra espiritual. Temos de tentar chamar a atenção de Hilde e trazê-la para o nosso lado, antes que o seu pai regresse a Lillesand.

— Não estou a perceber nada.

— Talvez os filósofos te abram os olhos. Encontramo-nos amanhã de madrugada às quatro, na Igreja de Santa Maria. Mas vem sozinha, minha filha.

— Tenho de ir a meio da noite?

— ... clic.

— Está?

Que infame! Tinha desligado. Sofia voltou a correr para o fogão. Por pouco a sopa não tinha vindo por fora. Ela mexeu os pedaços de peixe e as cenouras na panela e baixou o lume.

Na Igreja de Santa Maria? Era uma velha igreja de pedra da Idade Média. Sofia achava que ali já só se realizavam concertos e missas muito especiais. No Verão era aberta por vezes para os turistas. Mas não estaria fechada a meio da noite?

Quando a mãe voltou para casa, Sofia tinha posto o postal do Líbano no armário, junto às outras coisas de Alberto e de Hilde. Depois do jantar, foi a casa de Jorunn.

— Temos que ter um encontro um pouco especial — afirmou, quando a amiga abriu a porta.

Não disse mais nada até terem fechado a porta do quarto de Jorunn.

— É um bocado complicado — prosseguiu Sofia.

— Conta!

— Tenho de dizer à minha mãe que hoje durmo em tua casa.

— Que bom!

— Mas isso é o que eu vou dizer, compreendes? Vou estar noutro local.

— Valha-me Deus! Isso tem alguma coisa a ver com um rapaz?

— Não, tem a ver com Hilde.

Jorunn assobiou baixo.

Sofia olhou fixamente para ela.

— Venho cá hoje à noite — disse — mas tenho de sair por volta das três. Tens de me encobrir até que eu esteja de volta.

— Mas onde vais? Qual é o teu plano?

— Desculpa. Não posso dizer nada.

Dormir em casa de Jorunn não era problema, pelo contrário. Sofia tinha por vezes a sensação de que a mãe gostava de ter a casa para si.

— Mas vens amanhã para o pequeno-almoço? — foi a única pergunta que fez quando Sofia saiu.

— Caso não venha, tu sabes onde estou.

Porque é que dissera aquilo? Era esse precisamente o ponto fraco do seu plano.

A visita de Sofia começou como a maior parte das visitas quando se dorme fora de casa, com conversas íntimas até alta noite. A diferença é que desta vez Sofia pôs o despertador para as três e um quarto quando elas se deitaram por fim, cerca da uma.

Jorunn acordou quando Sofia desligou o despertador duas horas mais tarde.

— Tem cuidado — pediu ela.

Sofia saiu para a rua e pôs-se a caminho. A Igreja de Santa Maria ficava a alguns quilómetros de distância, mas apesar de ter dormido apenas duas horas, sentia-se extremamente desperta. Por cima das colinas, a oriente, o céu estava vermelho.

Quando ela chegou à entrada da velha igreja de pedra, eram quase quatro. Sofia empurrou a porta pesada. Estava aberta!

A igreja estava deserta e imersa num profundo silêncio. Através dos vitrais penetrava uma luz azulada que tornava visíveis milhares de particulazinhas de pó que andavam no ar. O pó parecia concentrar-se em raios espessos que atravessavam a nave da igreja.

Sofia sentou-se num banco, no centro. Observou o altar e um velho crucifixo de cores desmaiadas.

Passaram-se alguns minutos. Subitamente, o órgão começou a tocar. Sofia não se atrevia a voltar-se. Parecia uma melodia muito antiga; certamente, medieval.

Pouco depois, voltou o silêncio. Ouviu então passos atrás de si que se aproximavam. Deveria olhar para trás? Preferiu continuar a fixar Cristo na cruz.

Os passos passaram ao lado dela, e viu então uma figura avançar pela igreja. O vulto trazia um hábito castanho de monge. Sofia podia ter jurado que se tratava de um monge medieval.

Tinha medo, mas não ficou em pânico. O monge fez uma curva em frente à balaustrada do altar e subiu ao púlpito. Inclinou-se sobre o parapeito, olhou para Sofia e disse em latim:

— Gloria Patri et Filio et Spiritui Sancto. Sicut erat in principio et nunc et semper in saecula saeculorum. Amen.

— Fala em norueguês, imbecil! — exclamou Sofia.

As suas palavras ressoaram na antiga igreja de pedra. Ela sabia que o monge tinha de ser Alberto Knox. Apesar disso, arrependeu-se de se ter exprimido de uma forma tão irreverente numa igreja antiga. Mas tivera medo e, quando se tem medo, é por vezes reconfortante quebrar todos os tabus.

— Silêncio!

Alberto levantou uma mão, como um sacerdote que pede à comunidade para se sentar.

— Que horas são, filha? — perguntou.

— Cinco para as quatro — respondeu Sofia, que já não tinha medo.

— Então já é a hora. Agora começa a Idade Média.

— A Idade Média começa às quatro horas? — perguntou Sofia surpreendida.

— Sim, cerca das quatro. Depois eram cinco, seis e sete. Mas o tempo parecia parado. Passaram as oito, as nove e as dez. Mas estava-se ainda na Idade Média, compreendes? Tempo, talvez penses, de nos levantarmos para um novo dia. Eu percebo o que queres dizer. Mas é fim-de-semana, se me entendes, um longo fim-de-semana. Passaram as onze, doze e treze. Chamamos a esta época a baixa Idade Média. Foram então construídas as grandes catedrais na Europa. Só cerca das catorze horas cantou aqui e ali um galo. E só nessa altura começou o seu declínio.

— Então a Idade Média durou dez horas — concluiu Sofia.

Alberto lançou a cabeça para a frente espreitando pelo capuz do hábito de monge, e olhou para a sua comunidade, que naquele momento era constituída apenas por uma rapariga de catorze anos.

— Se uma hora dura cem anos, sim. Podemos pensar que Jesus nasceu à meia-noite. Paulo iniciou as suas viagens missionárias pouco antes da meia noite e meia e morreu um quarto de hora mais tarde, em Roma. Até às três horas, a Igreja Cristã era mais ou menos proibida, e no ano de 313 o cristianismo foi reconhecido como religião no Império Romano. Isso sucedeu sendo imperador Constantino, que só foi baptizado anos mais tarde no leito de morte. No ano de 380, o Cristianismo tornou-se a religião do Estado de todo o Império Romano.

— Mas o Império Romano não entrou em decadência nessa altura?

— Sim, já estava a ruir por todos os lados. Estamos perante uma das mais importantes transformações culturais da história. No século IV, Roma foi ameaçada tanto pelas tribos que se aproximavam vindas do Norte como por conflitos internos. No ano de 330, o imperador Constantino transferiu a capital do Império Romano para Constantinopla, cidade que ele próprio fundara à entrada do mar Negro. A nova cidade foi considerada a partir de então como a «segunda Roma». No ano de 395, o Império Romano foi dividido — passou a haver o *Império Romano do Ocidente*, com Roma no centro, e o *Império Romano do Oriente*, cuja capital era a cidade de Constantinopla. Em 410, Roma foi saqueada por tribos bárbaras, e em 476 todo o Império Romano do Ocidente caiu. O Império Romano do Oriente conservou-se até ao ano de 1453, quando os turcos conquistaram Constantinopla.

— E desde então, a cidade chama-se Istambul?

— Correcto. Uma outra data que devemos fixar é o ano de 529. Nesse ano, a Academia de Platão em Atenas foi encerrada. E nesse mesmo ano, foi fundada a Ordem Beneditina, a primeira grande ordem monástica. Deste modo, o ano de 529 foi o ano em que a Igreja Cristã impediu a expansão da filosofia grega. A partir dessa altura, os conventos detinham o monopólio do ensino, da reflexão e da meditação. A hora avançava para as cinco e meia...

Sofia já percebera há muito tempo o que Alberto queria dizer com as diversas horas. A meia noite era o ano 0, a uma era o ano 100 d. C., as seis eram o ano 600 d. C., e as catorze horas eram o ano de 1400 d. C...

Alberto prosseguiu:

— Por «Idade Média», entendemos na realidade o tempo que medeia entre duas outras épocas. Esta expressão surgiu no Renascimento. Nessa época, a Idade Média era tida como uma longa «noite de mil anos» que tinha obscurecido a Europa entre a Antiguidade e o Renascimento. Ainda hoje utilizamos a expressão «medieval» pejorativamente para tudo o que nos parece dogmático e retrógrado. Mas houve também quem tivesse visto a Idade Média como o «crescimento milenar». Foi na Idade Média, por exemplo, que se formou o ensino público. Muito cedo surgiram as primeiras escolas nos mosteiros. No século XII, nasceram as escolas nas catedrais, e a partir do século XIII foram fundadas as primeiras universidades. Ainda hoje, as disciplinas estão divididas em diversos grupos ou «faculdades», como na Idade Média.

— Mas mil anos é muito tempo.

— O cristianismo precisava de tempo para ser aceite pelo povo. Além disso, durante a Idade Média nasceram as diferentes nações — com cidades e castelos, a música e a poesia populares. O que seriam as lendas e as canções populares sem a Idade Média? Sim, o que seria a Europa sem a Idade Média? Uma província romana? Mas a ressonância de nomes como Noruega, Inglaterra ou Alemanha reside precisamente no abismo extraordinário a que chamamos Idade Média. Nesta profundidade há muitos peixes graúdos, mesmo que não os possamos encontrar. Mas Snorri era um homem da Idade Média. E Olaf, o Santo. E Carlos Magno. Para não falar de Romeu e Julieta, os Nibelungos, a Branca de Neve ou os gigantes das florestas norueguesas. E ainda um conjunto de príncipes esplêndidos e reis majestosos, cavaleiros corajosos e belas donzelas, anónimos pintores de vitrais e geniais construtores de órgãos. E não mencionei os monges, os cruzados e as bruxas.

— Também ainda não falaste dos sacerdotes.

— Tens razão. O cristianismo só chegou à Noruega após a viragem do milénio, mas seria um exagero se afirmássemos que a Noruega se tornou um país cristão após a batalha de Stiklestad. Antigas concepções pagãs coexistiam com a doutrina cristã, e muitos destes elementos pré-cristãos misturavam-se com os costumes cristãos. Nas festas de Natal norueguesas, por exemplo, coabitam ainda hoje costumes cristãos e costumes nórdicos antigos. Subsiste a antiga norma segundo a qual os cônjuges tendem a assemelhar-se cada vez mais. Apesar disso, temos de sublinhar que o cristianismo se tornou por fim a religião dominante, pelo que, a Idade Média é considerada um período dominado por uma «cultura unitária cristã».

— Então não foi apenas um período obscuro e triste?

— Os primeiros cem anos a seguir ao ano 400 trouxeram, de facto, uma decadência cultural. A época romana foi notável pelo seu alto grau de civilização, com grandes cidades que dispunham de redes públicas de esgotos, termas públicas e bibliotecas. Para não falar da arquitectura grandiosa. Toda esta cultura se desmoronou durante os primeiros séculos da Idade Média. O mesmo sucedeu com o comércio e a economia baseados na moeda. Na Idade Média, a economia de subsistência e o pagamento em géneros surgiram de novo. O feudalis-

154

mo caracterizou a economia. Feudalismo significa que alguns grandes senhores possuíam a terra que os camponeses tinham de cultivar para ganhar o seu sustento. Durante o primeiro século, a densidade populacional também baixou fortemente. Roma fora na Antiguidade uma cidade com mais de um milhão de habitantes. Já no século VII, a população da antiga metrópole estava reduzida a quarenta mil habitantes. Uma população modesta caminhava entre os restos dos opulentos edifícios da época áurea da cidade. Quando os homens precisavam de materiais de construção, havia suficientes ruínas antigas de que se podiam servir, motivo de grande desgosto para os arqueólogos actuais, que teriam preferido que os homens da Idade Média tivessem deixado em paz os monumentos antigos.

— À medida que o tempo passa, sabe-se sempre mais.

— A época de Roma como potência política terminara por volta de finais do século IV. Mas depressa o bispo de Roma se tornou o chefe de toda a Igreja católica romana. Recebeu o nome de *papa* — ou «pai» — e, por fim, foi considerado o representante de Jesus na terra. Por isso, durante quase toda a Idade Média, Roma foi a capital da Igreja. E não havia muitas pessoas que ousassem «elevar a sua voz contra Roma». Mas, pouco a pouco, os reis e os príncipes dos novos Estados nacionais ganharam tanto poder que alguns deles tinham coragem para se oporem ao forte poderio da Igreja.

Sofia fixava o erudito monge.

— Disseste que a Igreja encerrou a Academia de Platão em Atenas. Os filósofos gregos foram todos esquecidos posteriormente?

— Só em parte. Havia quem conhecesse alguns escritos de Aristóteles, e quem conhecesse alguns de Platão. Mas o antigo Império Romano dividiu-se progressivamente em três espaços culturais distintos. Na Europa Ocidental difundiu-se uma cultura cristã *de língua latina,* com a capital em Roma. Na Europa Oriental, formou-se uma cultura cristã *de língua grega,* com a capital em Constantinopla. Mais tarde, Constantinopla recebeu o nome grego de Bizâncio. Falamos portanto da «Idade Média bizantina», por oposição à «Idade Média católica romana». Mas também o Norte de África e o Médio Oriente tinham pertencido ao Império Romano. Estas regiões desenvolveram na Idade Média uma cultura muçulmana *de língua árabe.* A seguir à morte de Maomé, no ano de 632, o Médio Oriente e o Norte de África foram conquistados para o Islão. Em seguida, também a Espanha foi anexada ao domínio cultural islâmico. O Islão obteve por exemplo os seus lugares sagrados em Meca, Medina, Jerusalém e Bagdad. Do ponto de vista histórico-cultural é importante reparar que os árabes também tomaram a antiga cidade helenística de Alexandria. Herdaram, assim, uma grande parte da ciência grega. Durante toda a Idade Média, os árabes detiveram o papel cimeiro em ciências como a matemática, a química, a astronomia e a medicina. Ainda hoje utilizamos «algarismos árabes». Em algumas áreas, a cultura árabe era superior à cultura cristã.

— Eu gostava de saber o que é que se passou com a filosofia grega.

— Consegues imaginar um rio que por algum tempo se reparte em três cursos distintos antes de se juntarem novamente numa grande corrente?

— Estou a imaginar.

— Então também consegues imaginar como a cultura greco-romana foi transmitida, em parte, através da cultura católica romana no Ocidente, em parte através da cultura romana no Oriente e em parte através da cultura árabe, no Sul. Mesmo que simplifiquemos muito, podemos dizer que o neoplatonismo sobreviveu no Ocidente, Platão no Oriente e Aristóteles no Sul, entre os árabes. É importante o facto de todos os três cursos terem confluído numa corrente no final da Idade Média, no norte de Itália. Na Espanha, os árabes contribuíam com influências árabes, a Grécia e Bizâncio com influências gregas. E começa então o *Renascimento*, inicia-se o «renascer» da cultura antiga. De certo modo, a cultura antiga sobrevivera à longa Idade Média.

— Compreendo.

— Mas não nos devemos antecipar ao curso dos acontecimentos. Primeiro, vamos conversar um pouco acerca da filosofia da Idade Média, minha filha. E não te vou falar mais do púlpito. Vou descer.

Sofia sentia os olhos pesados de sono. Ao ver o estranho monge descer do púlpito da Igreja de Santa Maria, parecia-lhe estar a sonhar.

Alberto dirigiu-se para a balaustrada do altar. Primeiro, olhou para o altar com o velho crucifixo. Depois, voltou-se para Sofia, foi ter com ela a passos lentos e sentou-se ao seu lado no banco.

Era estranho estar tão perto dele. Sob o capuz, Sofia viu dois olhos castanhos de um homem de meia-idade, de cabelos escuros e pêra.

Quem és tu? pensou ela. Porque é que apareceste na minha vida?

— Havemos de nos conhecer melhor — afirmou ele, como se lhe tivesse lido os pensamentos.

Enquanto ali permaneciam, a luz que entrava na igreja através dos vitrais tornava-se cada vez mais clara. Alberto Knox começou então a falar da filosofia medieval.

— Os filósofos medievais aceitaram como um dado adquirido que o cristianismo era a verdade — começou ele. — As questões principais eram outras: temos simplesmente que *acreditar* na revelação cristã ou podemos também chegar às verdades cristãs com o auxílio da razão? Como era a relação entre os filósofos gregos e as doutrinas da Bíblia? Existia uma contradição entre a Bíblia e a razão, ou a fé e o saber estavam de acordo? Quase toda a filosofia medieval girava em torno desta questão.

Sofia acenou a cabeça com impaciência. Já respondera a esta questão da fé e do saber no seu trabalho de religião.

— Vamos ver como esta problemática se situa nos filósofos mais importantes da Idade Média e podemos começar com *Santo Agostinho*, que viveu entre 354 e 430. Na vida deste homem podemos estudar a passagem da Antiguidade tardia ao início da Idade Média. Santo Agostinho nasceu na vila de Tagaste, no norte de África, mas com dezasseis anos foi estudar para Cartago. Mais tarde, visitou Roma e Milão e passou os últimos anos da sua vida como bispo de Hipona, a trinta ou quarenta quilómetros a oeste de Cartago. Mas ele não foi sempre cristão. Santo Agostinho conheceu muitas correntes filosóficas e religiosas antes de se converter ao cristianismo.

— Podes dar-me exemplos?

— Durante algum tempo, foi *maniqueu*. Os maniqueus pertenciam a uma seita típica da Antiguidade tardia. Proclamavam uma teoria da salvação em parte religiosa e em parte filosófica. Dividiam o mundo em bem e mal, luz e trevas, espírito e matéria. Através do seu espírito, os homens podiam elevar-se acima do mundo material e deste modo criar a base para a salvação da sua alma. Mas a rigorosa separação entre o bem e o mal não dava descanso a Santo Agostinho. O jovem Agostinho ocupava-se sobretudo com aquilo a que costumamos chamar «o problema do mal». Por este problema, devemos entender a questão da origem do mal. Durante algum tempo, ele foi influenciado pela filosofia estóica, e os estóicos negavam uma separação clara entre o bem e o mal. Mas acima de tudo, Santo Agostinho foi influenciado por uma outra corrente filosófica importante da Antiguidade tardia — o neoplatonismo, que defendia que tudo o que existia era de natureza divina.

— E tornou-se então um bispo neoplatónico?

— Sim, talvez o possas dizer assim. Primeiro que tudo, tornou-se cristão, mas o cristianismo de Santo Agostinho é, em grande parte, influenciado pelo pensamento platónico. E por isso, Sofia, não há uma ruptura dramática com a filosofia grega quando entramos na Idade

Média cristã. Boa parte da filosofia grega foi levada para a nova época por padres da Igreja como Santo Agostinho.

— Queres dizer que Santo Agostinho era cinquenta por cento cristão e cinquenta por cento neoplatónico?

— Ele achava-se obviamente cem por cento cristão. Mas não via nenhuma contradição profunda entre o cristianismo e a filosofia platónica. Os paralelismos entre a filosofia de Platão e a doutrina cristã pareciam-lhe tão evidentes que se questionava se Platão não poderia ter conhecido pelo menos partes do Antigo Testamento, o que é naturalmente muito duvidoso. Podemos, pelo contrário, afirmar que Santo Agostinho «cristianizou» Platão.

— Pelo menos não rejeitou tudo o que tinha a ver com filosofia, apesar de acreditar no cristianismo?

— Mostrou que há limites para o alcance da razão em questões religiosas. O cristianismo é também um mistério divino ao qual só podemos chegar através da fé. Mas quando acreditarmos no cristianismo, Deus «iluminará» a nossa alma, e então obteremos uma espécie de saber sobrenatural acerca de Deus. O próprio Santo Agostinho sentira que a filosofia não podia ser ilimitada. A sua alma só encontrou descanso quando ele se tornou cristão. «Agitado está o nosso coração, enquanto não repousa em Ti» escreveu.

— Eu não compreendo bem como é que a teoria das ideias de Platão se pôde conciliar com o cristianismo — objectou Sofia. — O que é que sucede às ideias eternas?

— Santo Agostinho explica que Deus criou o mundo do nada, e isso é uma ideia bíblica. Os gregos inclinavam-se mais para a ideia de que o mundo existira sempre. Mas, segundo S. Agostinho, antes de Deus ter criado o mundo as «ideias» existiam no pensamento de Deus. Ele atribuiu as ideias eternas a Deus e salvou deste modo a concepção platónica da ideia eterna.

— Muito inteligente!

— Mas isso também mostra como Santo Agostinho e muitos outros padres da Igreja se esforçaram por conciliar o pensamento grego e o hebraico. De certo modo, eram cidadãos de duas culturas. Na sua concepção do mal, também recorre ao neoplatonismo. Achava, como Plotino, que o mal consistia na «ausência» de Deus. O mal não tem uma existência própria, é algo que não é, porque a Criação de Deus é apenas boa. O mal surge através da desobediência dos homens, segundo Santo Agostinho. Ou, usando as suas próprias palavras: a «boa vontade» é «obra de Deus», a «má vontade» é a «negação da obra de Deus».

— Também acreditava que o homem possui uma alma imortal?

— Sim e não. Santo Agostinho explica que entre Deus e o mundo existe um abismo insuperável. Baseia-se no fundamento bíblico e rejeita a teoria de Plotino, segundo a qual tudo é uno. Mas Santo Agostinho também salienta que o homem é um ser espiritual. Possui um corpo material — que pertence ao mundo físico e é corrompido pelos agentes naturais —, mas ele também tem uma alma que pode conhecer Deus.

— O que é que acontece à alma quando morremos?

— Segundo Santo Agostinho, toda a geração humana foi condenada após o pecado original. Apesar disso, Deus decidiu que alguns homens deviam ser poupados à condenação eterna.

— Mas então também podia ter decidido que ninguém devia estar condenado — objectou Sofia.

— Mas, nesse ponto, Santo Agostinho nega que o homem tenha direito a criticar Deus. Sustenta o que Paulo escreveu na sua «Epístola aos Romanos»: «Ó homem, quem és tu para disputares com Deus? Acaso uma obra também diz a quem a fez: porque é que me fizeste assim? Porventura um oleiro não tem poder para fazer da mesma massa um vaso para bom uso e outro para uso vil?»

— Então Deus está no céu e brinca com os homens? Quando alguma coisa daquilo que ele mesmo criou não lhe serve, deita-a imediatamente fora?

— É que, para Santo Agostinho, nenhum homem é digno da salvação de Deus. No entanto, Deus escolheu alguns que devem ser salvos da condenação. Para ele, não é pois um segredo quem é que deve ser salvo e quem é que deve ser condenado. Isso está determinado previamente. Logo, nós somos barro nas mãos de Deus. Estamos completamente dependentes da Sua graça.

— Então ele voltou de certo modo à antiga crença no destino.

— Talvez tenhas razão nisso. Mas Santo Agostinho não retira ao homem a responsabilidade pela sua própria vida. Segundo o seu ponto de vista, nós devemos viver de modo a podermos saber que pertencemos ao número dos eleitos. Não nega que tenhamos livre arbítrio. Só que Deus já «previu» como é que vamos viver.

— Isso não é um pouco injusto? — perguntou Sofia — Sócrates acreditava que todos os homens tinham as mesmas possibilidades por partilharem a mesma razão. Mas Santo Agostinho separava os homens em dois grupos. Um dos grupos é salvo, o outro é condenado.

— Sim, com a teologia de Santo Agostinho afastamo-nos do humanismo de Atenas. Mas não era Santo Agostinho que dividia a humanidade em dois grupos. Ele baseia-se na doutrina da Bíblia acerca da salvação e da condenação. Na sua grande obra *A Cidade de Deus*, explica-o mais exactamente.

— Conta!

— A expressão «cidade de Deus» ou «reino de Deus» vem da Bíblia e da mensagem de Jesus. Santo Agostinho acreditava que a história trata do modo como o combate entre a «cidade de Deus» e a «cidade terrena» é conduzido. Estas duas cidades não são Estados políticos distintos um do outro. Lutam pelo poder em cada homem. A cidade de Deus está presente na Igreja e a cidade terrena nos Estados políticos — por exemplo, no Império Romano, que começou a desagregar-se precisamente na época de Santo Agostinho. Esta concepção tornou-se cada vez mais evidente à medida que a Igreja e o Estado lutavam pelo poder durante toda a Idade Média. «Não há salvação fora da Igreja», dizia-se. A cidade de Deus de Santo Agostinho era inclusivamente comparada à Igreja como instituição. Só durante a Reforma, no século XVI, se levantou um protesto contra a ideia de que o homem tinha que percorrer o caminho da Igreja para obter a graça divina.

— Já não era sem tempo.

— Também podemos notar que Santo Agostinho foi o primeiro dos nossos filósofos a incluir a *história* na sua filosofia. A aceitação de um combate entre o bem e o mal não era nada de novo. A novidade em Santo Agostinho é que este combate é disputado na história. Deste ponto de vista, não encontramos nele muito platonismo. Em vez disso, apoia-se firmemente na concepção linear da história que encontramos no Antigo Testamento. É que para Santo Agostinho Deus precisa de toda a história para erigir a sua «cidade de Deus». A história é necessária para instruir os homens e destruir o mal. Em certo passo, Santo Agostinho afirma que a providência divina dirige a história da humanidade desde Adão até ao fim da história, tal como a história de um único homem que se vai desenrolando progressivamente desde a infância até à velhice.

Sofia olhou para o relógio.

— Já são oito horas — afirmou — tenho de ir.

— Mas primeiro, vou falar-te do segundo grande filósofo da Idade Média. Vamos sentar-nos lá fora?

Alberto levantou-se do banco. Juntou as palmas das mãos e avançou pela nave. Parecia rezar ou meditar em verdades espirituais. Sofia seguia-o; parecia-lhe não ter outra escolha.

Lá fora, uma fina camada de neblina cobria ainda o solo. O Sol nascera há muitas horas, mas ainda não conseguira dissolver a neblina matinal. A igreja de Santa Maria ficava junto ao bairro antigo. Alberto sentou-se num banco em frente da igreja. Sofia pensou no que sucederia se alguém passasse naquele momento. Já era bastante estranho estar ali sentada num banco, às oito da manhã; e o facto de ter por companhia um monge da Idade Média ainda era mais estranho.

— São oito horas — começou ele. — Desde Santo Agostinho passaram quatro séculos, e agora começa o longo dia de escola. Até às dez horas, os mosteiros detêm o monopólio do ensino. Entre as dez e as onze, são estabelecidas as primeiras escolas nas catedrais, e cerca das doze horas são fundadas as primeiras universidades. Além disso, são construídas as grandes catedrais. Esta igreja também foi construída cerca das doze horas — ou na chamada baixa Idade Média. Aqui, nesta cidade, não podiam construir catedrais maiores.

— Também não era preciso — interrompeu Sofia. — Detesto ver as igrejas vazias.

— Mas as grandes catedrais não foram construídas apenas para acolherem grandes multidões. Foram erigidas em honra de Deus e tinham por si só uma espécie de função religiosa. Mas na baixa Idade Média sucedeu uma outra coisa que é muito interessante para filósofos como nós.

— Conta!

Alberto prosseguiu:

— Nessa altura, a influência dos árabes era dominante na Espanha. Os árabes tinham conservado viva durante toda a Idade Média uma tradição aristotélica e, a partir aproximadamente de 1200, eruditos árabes foram para o Norte de Itália a convite dos príncipes locais. Assim, muitos dos seus escritos foram divulgados e por fim traduzidos do grego e do árabe para o latim. E isso, por seu lado, criou um novo interesse no que diz respeito às ciências da natureza. Além disso, foi de novo equacionada a relação entre a revelação cristã e a filosofia grega. Nas questões das ciências naturais, todos os caminhos passavam por Aristóteles. Mas quando é que se devia escutar o «filósofo» — e quando é que se devia ater exclusivamente à Bíblia? Ainda estás a seguir?

Sofia acenou vivamente que sim e o monge prosseguiu:

— O maior e mais importante filósofo da baixa Idade Média foi *S. Tomás de Aquino*, que viveu entre 1225 e 1274. Era natural da pequena vila de Aquino entre Roma e Nápoles, mas ensinou em Paris. Eu chamo-lhe filósofo, mas ele era igualmente teólogo. Nessa altura, não havia uma verdadeira separação entre filosofia e teologia. Muito resumidamente, podemos dizer que S. Tomás «cristianizou» Aristóteles, da mesma forma que Santo Agostinho o fizera com Platão no início da Idade Média.

— Não era um pouco estranho cristianizar filósofos que tinham vivido tantos séculos antes de Cristo?

— Sim, mas por «cristianização» dos dois grandes filósofos gregos entendemos que eles foram interpretados e entendidos de forma a não constituírem uma ameaça para a doutrina cristã. Acerca de S. Tomás de Aquino, diz-se que «agarrou o touro pelos cornos».

— Eu realmente não sabia que a filosofia tinha alguma coisa a ver com tourada.

— S. Tomás de Aquino fazia parte daqueles que queriam conciliar a filosofia de Aristóteles com o cristianismo. Dizemos que ele realizou a grande síntese entre fé e saber. E conseguiu-o porque partiu da filosofia de Aristóteles e a tomou à letra.

— Ou pelos cornos. Infelizmente, esta noite quase não dormi e por isso receio que tenhas de me explicar isso melhor.

— S. Tomás de Aquino não acreditava numa contradição inevitável entre o que a filosofia ou a razão, por um lado, e a revelação cristã ou a fé, por outro, nos dizem. Frequentemente, o cristianismo e a filosofia dizem-nos o mesmo. Por isso, podemos examinar com a ajuda da razão as mesmas verdades que lemos na Bíblia.

— Mas como é que isso é possível? Pode a razão dizer-nos que Deus criou o mundo em seis dias? Ou que Jesus era filho de Deus?

— Não, só podemos ter acesso a essas «verdades de fé» através da fé e da revelação cristã. Mas S. Tomás de Aquino achava que havia também uma série de «verdades teológicas naturais», ou seja, verdades que podem ser alcançadas tanto através da revelação cristã como através da nossa razão inata ou «natural». Uma verdade dessas é, por exemplo, dizer-se que Deus existe. S. Tomás acreditava portanto em dois caminhos que levam a Deus. Um dos caminhos passa pela fé e pela revelação, o outro pela razão e pelos sentidos. Das duas vias, a que passa pela fé e pela revelação é a mais segura, porque podemos facilmente errar se confiarmos apenas na razão. Mas para S. Tomás não é preciso haver nenhuma contradição entre a doutrina cristã e um filósofo como Aristóteles.

— Então podemos confiar tanto em Aristóteles como na Bíblia?

— Não, não. Aristóteles só percorre uma parte do caminho, porque não conheceu a revelação cristã. Mas percorrer apenas uma parte do caminho não significa enganar-se. Por exemplo, não é falso dizer que Atenas fica na Europa. Mas também não é muito preciso. Quando um livro apenas te informa que Atenas é uma cidade europeia, devias consultar ainda um atlas. E aí ficas a saber toda a verdade: Atenas é a capital da Grécia, um pequeno país no sudeste da Europa. Se tiveres sorte, talvez fiques ainda a saber alguma coisa sobre a Acrópole. Para não falar de Sócrates, Platão e Aristóteles.

— Mas a primeira informação acerca de Atenas também estava correcta.

— Exacto! S. Tomás quer mostrar que há apenas uma verdade. Quando Aristóteles apresenta algo que reconhecemos como verdadeiro por intermédio da razão, isso não entra em contradição com a doutrina cristã. Podemos obter uma parte da verdade com a ajuda da razão e da observação — e Aristóteles fala acerca dessas verdades quando, por exemplo, descreve o reino vegetal e o reino animal. Uma segunda parte da verdade foi-nos revelada por Deus através da Bíblia. Mas as duas partes da verdade coincidem em muitos pontos importantes. Há algumas perguntas a que a Bíblia e a razão nos respondem exactamente da mesma maneira.

— Por exemplo, que Deus existe?

— Exacto. A filosofia de Aristóteles também pressupunha que Deus existe — ou uma primeira causa que põe em movimento todos os processos naturais. Mas não descreve Deus mais detalhadamente. Aí, temos de nos basear na Bíblia e na mensagem de Jesus.

— Mas é mesmo verdade que Deus exista realmente?

— Isso é obviamente discutível. Mas, ainda hoje, a maior parte das pessoas admitiria que pelo menos a nossa razão não pode provar que Deus *não* existe. S. Tomás foi mais longe. Acreditava poder provar a existência de Deus com base na filosofia de Aristóteles.

— Nada mau!

— Segundo ele, com a razão também podemos reconhecer que tudo tem de ter uma «primeira causa». Deus, para S. Tomás, revelou--se aos homens por meio da Bíblia e por meio da razão. Logo, há uma teologia «revelada» e uma teologia «natural». O mesmo se passa no domínio da moral. Podemos ler na Bíblia como é que devemos viver segundo a vontade de Deus. Mas Deus também nos dotou de uma consciência que nos habilita a distinguir o justo do injusto numa base «natural». Também existem «duas vias» para a vida moral. Podemos saber que não devemos maltratar os outros mesmo que não tenhamos lido na Bíblia que devemos tratar os outros como gostaríamos de ser tratados por eles. Mas, também neste caso, os mandamentos da Bíblia são a norma mais segura.

— Acho que estou a perceber — disse então Sofia. — Da mesma forma, podemos saber que há uma trovoada quando vemos o relâmpago e ouvimos o trovão.

— É isso. Mesmo que sejamos cegos, podemos ouvir o trovão. E mesmo que sejamos surdos, podemos ver a trovoada. É óbvio que o melhor é poder ver *e* ouvir. Mas não há nenhuma contradição entre aquilo que vemos e o que ouvimos. Pelo contrário — as duas impressões enriquecem-se mutuamente.

— Compreendo.

— Deixa-me dar mais um exemplo. Quando lês um romance — por exemplo *Vitória* de Knut Hamsun*...

— De facto, já o li...

— ... não descobres também alguma coisa acerca do autor, só porque lês o romance escrito por ele?

— Pelo menos posso partir do princípio de que há um autor que escreveu o livro.

— Podes saber algo mais acerca dele?

— Acho que tem uma concepção bastante romântica do amor.

— Ao leres esse romance — uma criação de Hamsun —, também ficas a saber qualquer coisa acerca do próprio Hamsun. Mas não podes esperar informações muito pessoais sobre o autor. Podes, por exemplo, saber através de *Vitória* que idade tinha o autor quando o escreveu, onde morava ou quantos filhos tinha?

— Claro que não.

— Mas uma biografia acerca de Knut Hamsun fornece-te esse tipo de informações. Só numa biografia — ou autobiografia — podes conhecer melhor a *pessoa* do autor.

— Sim, é verdade.

— A relação entre a Criação de Deus e a Bíblia é mais ou menos assim. Se observarmos a natureza, podemos saber que Deus existe. Podemos ver que ele gosta de flores e de animais, de outra forma não os teria criado. Mas só encontramos informações acerca de Deus na Bíblia — ou seja, na autobiografia de Deus.

— Esse é um exemplo inteligente.

— Mm...

Pela primeira vez, Alberto mergulhou nos seus pensamentos e não deu resposta.

---

* Knut HAMSUN (1859-1952) — Escritor norueguês, autor de *Fome* (1890), *Pan* (1894), *Vitória* (1898) e *Frutos da Terra* (1917). Recebeu em 1920 o Prémio Nobel da Literatura.

— Isso tem alguma coisa a ver com Hilde? — perguntou Sofia.

— Nós nem sequer sabemos se Hilde existe.

— Mas descobrimos aqui e ali vestígios dela. Postais e um lenço de seda, uma carteira verde, uma meia...

Alberto acenou afirmativamente.

— E parece depender do pai de Hilde o número de pistas que quer deixar. Mas, até agora, só sabemos que existe uma pessoa que escreve os postais. Acho que ele devia também escrever qualquer coisa acerca de si mesmo. Mas ainda havemos de voltar a falar sobre isso.

— São doze horas. Eu tenho mesmo de voltar para casa antes do fim da Idade Média.

— Vou concluir dizendo em poucas palavras como é que S. Tomás de Aquino adoptou a filosofia de Aristóteles em todos os domínios que não colidiam com a teologia da Igreja. Isso é válido para a sua lógica, a sua filosofia do conhecimento e ainda para a sua filosofia da natureza. Ainda te lembras do modo como Aristóteles descreveu uma escala ascendente da vida, desde as plantas e os animais, até ao homem?

Sofia acenou afirmativamente.

— Já Aristóteles acreditava que esta escala remetia para um Deus que representava uma espécie de vértice máximo da existência. Este esquema era facilmente adaptável à teologia cristã. S. Tomás acreditava num grau de existência crescente, desde as plantas e os animais até aos homens, dos homens até aos anjos, e dos anjos até Deus. O homem, tal como os animais, possui um corpo com órgãos dos sentidos, mas o homem também possui uma razão que pensa. Os anjos não têm corpo nem órgãos dos sentidos, mas em vez disso têm uma inteligência directa e imediata. Não precisam de «discorrer», como os homens, não precisam de fazer deduções. Sabem tudo o que os homens podem saber, mas não precisam de avançar progressivamente às apalpadelas como nós. Uma vez que os anjos não têm corpo, nunca vão morrer. Não são eternos como Deus, visto que também eles foram criados por Deus, mas não têm um corpo do qual poderiam ser separados, e por isso nunca hão-de morrer.

— Isso soa maravilhosamente.

— Mas acima dos anjos reina Deus, Sofia. Ele pode ver e saber tudo numa única visão de conjunto.

— Nesse caso, também nos está a ver agora.

— Sim, talvez nos esteja a ver. Mas não «agora». Para Deus, o tempo não existe como para nós. O nosso «agora» não é o «agora» de Deus. O facto de passarem algumas semanas para nós não significa que também passem para Deus.

— Mas isso é inquietante! — exclamou Sofia, colocando a mão na boca. Alberto olhou para ela, e Sofia explicou:

— Recebi novamente um postal do pai de Hilde. Escreveu qualquer coisa assim: «Se passa uma semana ou duas para Sofia, não significa que passe o mesmo tempo para nós.» É quase o mesmo que disseste sobre Deus!

Sofia viu que o rosto no capuz castanho se contorceu num veemente trejeito.

— Ele devia ter vergonha!

Sofia não percebeu o que Alberto queria dizer com aquilo. Talvez fosse apenas uma maneira de falar. E prosseguiu:

— Infelizmente, S. Tomás de Aquino também adoptou a concepção aristotélica da mulher. Talvez ainda te lembres que, para Aristóteles, a mulher era uma espécie de homem imperfeito. Ele achava ainda que os filhos apenas herdavam as características do pai, porque a mulher era passiva, enquanto o homem era activo. Segundo S. Tomás, estas reflexões estavam de acordo com as palavras da Bíblia — onde está escrito, por exemplo, que a mulher foi criada da costela do homem.

— Que disparate!

— Talvez seja importante acrescentar que os mecanismos de ovulação nos mamíferos só foram descobertos em 1827. Por isso, talvez não fosse de surpreender que o homem fosse considerado aquele que fornece a forma e dá a vida na reprodução. Podemos também notar que para S. Tomás a mulher só era inferior ao homem enquanto criatura física. Para ele, a alma da mulher é tão importante como a do homem. No céu, há igualdade entre os sexos, muito simplesmente porque já não há diferenças corporais entre os sexos.

— Mas isso é um fraco consolo. Na Idade Média não havia filósofas?

— Na Idade Média, a Igreja era fortemente dominada pelos homens. Mas isso não significa que não tenha havido pensadoras. Uma delas era *Hildegard von Bingen*...

Sofia arregalou os olhos:

— Ela tem alguma coisa a ver com Hilde?

— Que perguntas fazes! Hildegard viveu entre 1098 e 1179 como freira na Renânia. Era mulher, mas no entanto foi pregadora, escritora, médica, botânica e cientista. Foi um exemplo de que na Idade Média as mulheres eram frequentemente mais práticas — e mesmo mais científicas — que os homens.

— Eu perguntei se ela tem alguma coisa a ver com Hilde!

— Existe uma antiga concepção cristã e hebraica segundo a qual Deus não é apenas homem. Ele também tem um lado feminino ou «natureza maternal». Porque também a mulher foi criada à imagem de Deus. Em grego, este lado feminino de Deus chamava-se *Sophia*. «Sophia» ou «sofia» significa «sabedoria».

Sofia abanou a cabeça perplexa. Porque é que nunca ninguém lho dissera? E porque é que nunca fizera perguntas acerca disso?

Alberto prosseguiu:

— Entre os Judeus e na Igreja grega ortodoxa, «sophia» — ou a natureza maternal de Deus — desempenhou um papel determinado durante a Idade Média. No ocidente caiu em esquecimento. Mas depois veio Hildegard. Ela conta que Sofia lhe apareceu em visões. Tinha uma túnica dourada enfeitada de pedras preciosas...

Nesse momento, Sofia levantou-se bruscamente do banco. Sophia mostrara-se a Hildegard em visões...

— Talvez eu também apareça a Hilde.

Voltou a sentar-se. Pela terceira vez, Alberto colocou-lhe a mão no ombro.

— Isso é o que temos de descobrir. Mas é quase uma hora. Tens de ir para casa almoçar e nós temos à nossa frente uma nova época. Vou marcar-te um encontro no Renascimento. Hermes irá buscar-te ao jardim.

E com isto o estranho monge levantou-se e caminhou em direcção à igreja. Sofia ficou sentada pensando em Hildegard e Sophia, Hilde e Sofia. De repente, sentiu um calafrio na espinha. Levantou-se de um pulo e chamou pelo professor de filosofia disfarçado de monge.

— Na Idade Média havia algum Alberto?

Alberto retardou um pouco os seus passos, virou a cabeça e disse:

— S. Tomás de Aquino teve um professor de filosofia famoso. Chamava-se *Alberto Magno*!

Com isto, inclinou a cabeça e desapareceu na entrada da igreja de Santa Maria.

Sofia não se deu por satisfeita. Voltou também à igreja. Mas esta estava completamente vazia. Ter-se-ia ele afundado no chão?

Ao deixar a igreja, o seu olhar poisou numa imagem de Nossa Senhora. Aproximou-se e examinou-a com minúcia. De repente, descobriu uma gota de água por baixo de um dos olhos da imagem. Seria uma lágrima?

Sofia precipitou-se para fora da igreja e correu para casa de Jorunn.

O RENASCIMENTO

... ó estirpe divina em vestes humanas...

Jorunn estava em frente à casa amarela quando, por volta da uma e meia, Sofia chegou esbaforida ao portão do jardim.

— Estiveste fora mais de dez horas — exclamou Jorunn.

Sofia abanou a cabeça.

— Estive fora durante mais de mil anos.

— Onde é que estiveste?

— Tive um encontro com um monge da Idade Média. Uma pessoa estranha.

— Estás doida. A tua mãe telefonou há meia hora.

— E o que é que lhe disseste?

— Disse que tinhas ido ao quiosque.

— O que é que ela respondeu?

— Disse que telefonasses quando voltasses. Com os meus pais, o caso foi mais grave. Cerca das dez horas, levaram-nos o pequeno-almoço. E nessa altura, uma das camas estava vazia.

— O que é que disseste?

— Foi extremamente desagradável. Disse que nos tinhamos zangado e que tu tinhas voltado para casa.

— Nesse caso, temos de fazer rapidamente as pazes. E durante alguns dias os teus pais não podem falar com a minha mãe. Achas que vamos conseguir?

Jorunn encolheu os ombros. Em seguida, o pai dela apareceu no jardim com um carrinho de mão. Trazia um fato-macaco. Tinha decidido limpar do jardim a folhagem que caíra no último ano.

— Então, de novo unha com carne? — perguntou — Já não há uma única folha em frente à janela da cave.

— Que bom — respondeu Sofia. — Assim, podemos tomar lá o cacau em vez de o tomarmos na cama.

168

O pai fez um sorriso forçado e Jorunn estremeceu. Na casa de Sofia nunca se dera tanta atenção a uma linguagem cuidada como na casa do conselheiro financeiro Ingebrigtsen e da sua esposa.

— Desculpa, Jorunn. Mas achava que também tinha de entrar na história.

— Vais contar-me alguma coisa?

— Se me levares a casa. A história não diz respeito a conselheiros financeiros ou a Barbies crescidas.

— Tu és horrível. Achas que um casamento falhado que leva uma das partes à vida do mar é melhor?

— Claro que não. Esta noite quase não dormi. E começo a perguntar-me se Hilde não estará a ver tudo o que fazemos.

Caminharam lentamente para Kløverveien.

— Achas que ela é vidente?

— Talvez sim. Ou talvez não.

Era evidente que Jorunn começava a fartar-se de todos aqueles segredos.

— Mas isso não explica porque é que o pai lhe envia postais sem sentido para uma cabana abandonada no bosque.

— Admito que esse seja um ponto fraco.

— Não me queres contar onde estiveste?

Sofia contou. Falou também do seu curso de filosofia secreto. Para isso, obteve de Jorunn a promessa solene de que tudo ficaria entre elas.

Caminharam algum tempo em silêncio lado a lado.

— Não estou a gostar disto — disse Jorunn, à medida que se aproximavam de Kløverveien, 3. Parou em frente do portão do jardim e voltou para trás.

— Ninguém te pediu que gostasses. Mas a filosofia é importante. Trata de quem somos e de onde viemos. Aprendemos alguma coisa acerca disso na escola?

— Mas ninguém pode responder a essas perguntas.

— Nós nem sequer aprendemos a pôr estas questões.

Quando Sofia entrou na cozinha, o almoço já estava na mesa. Não se falou acerca do facto de não ter telefonado da casa de Jorunn.

Depois do almoço, quis fazer uma sesta. Confessou não ter dormido quase nada em casa de Jorunn. Mas isso não era estranho para uma visita de uma noite.

Antes de ir para a cama, colocou-se em frente ao grande espelho de latão que pendurara na parede. Primeiro, apenas viu o seu próprio rosto cansado e pálido. Mas em seguida — por detrás do seu próprio rosto, pareciam emergir subitamente os contornos débeis de um outro rosto.

Sofia respirou profundamente. Desta vez não podia estar a imaginar nada. Em contornos nítidos, via o seu rosto pálido, que os cabelos negros emolduravam, cabelos que apenas serviam para fazer o penteado «cabelos lisos» naturais. Mas por baixo ou por detrás deste rosto aparecia o rosto de uma outra pessoa.

De repente, a rapariga estranha do espelho piscou energicamente os olhos. Parecia querer avisar que estava, de facto, do outro lado do espelho. Poucos segundos depois, desapareceu.

Sofia sentou-se na cama. Tinha a certeza de ter visto o rosto de Hilde no espelho. Uma vez, durante alguns segundos, vira a fotografia de Hilde num cartão da escola, na cabana do major. Tinha de ser a mesma rapariga que surgira agora no espelho.

Não era estranho que estas coisas misteriosas lhe sucedessem sempre quando estava exausta? Por isso se interrogava depois se não tinha sido uma fantasia.

Sofia colocou a roupa sobre a cadeira e enfiou-se na cama. Adormeceu imediatamente. Teve um sonho extremamente intenso e claro.

Sonhou que estava num grande jardim que dava para um barracão para barcos, vermelho. Na doca, junto ao barracão, estava sentada uma rapariga loira que olhava para o lago. Sofia foi ter com ela e sentou-se ao seu lado. Mas a rapariga desconhecida não pareceu notar a sua presença. Sofia apresentou-se. «Eu chamo-me Sofia.» Mas a desconhecida não a conseguia ver nem ouvir. «Deves ser surda e muda», afirmou Sofia. E a desconhecida era na realidade surda às palavras de Sofia. De repente, Sofia ouviu uma voz a chamar: «Hilde!». A rapariga saltou da doca e correu em direcção à casa. Era evidente que não podia ser cega nem surda. Um homem de meia-idade foi em direcção a ela. Vestia um uniforme e trazia uma bóina azul. A desconhecida atirou-se ao pescoço do homem e ele andou com ela à roda. Sofia encontrou então à beira da doca, onde a rapariga se sentara, um colar com um pequeno crucifixo de ouro. Apanhou-o e manteve-o na mão. Depois, acordou.

Sofia olhou para o relógio. Tinha dormido duas horas. Sentou-se na cama e reflectiu sobre aquele estranho sonho. Tinha sido tão intenso e claro como um acontecimento verdadeiro. Sofia tinha a certeza de que a casa e a doca do seu sonho existiriam algures. Não havia uma semelhança com o quadro que vira na cabana do major? De qualquer modo, tinha a certeza de que a rapariga do seu sonho era

170

Hilde Møller Knag e o homem o pai dela que voltava do Líbano. No sonho, ele fazia lembrar um pouco Alberto Knox...

Quando Sofia se levantou para fazer a cama descobriu debaixo do travesseiro um colar com um crucifixo de ouro. No lado de trás do crucifixo estavam gravadas três letras: «HMK».

Não era a primeira vez que Sofia encontava um tesouro num sonho, mas nunca tinha conseguido transportar um tesouro de um sonho para a realidade.

— Que diabo! — exclamou alto para si mesma.

Estava tão furiosa que abriu violentamente a porta do armário e atirou o belo colar para junto do lenço de seda, a meia branca e os postais do Líbano.

No domingo de manhã, Sofia foi acordada para tomar um grande pequeno-almoço com torradas, sumo de laranja, ovos e salada. Aos domingos, a mãe raramente se levantava antes de Sofia. E quando isso acontecia, era para ela uma questão de honra preparar um suculento pequeno-almoço de domingo antes de acordar Sofia.

Ao pequeno-almoço, a mãe disse:

— Está um cão desconhecido no jardim. Andou à volta da sebe velha toda a manhã. Tens ideia de onde possa ter vindo?

— Sim, claro — exclamou Sofia, e mordeu imediatamente os lábios com força.

— Já esteve aqui outras vezes?

Sofia já se tinha levantado e ido à janela da sala de estar. Exacto — Hermes sentara-se à entrada da toca.

O que haveria de dizer agora? Não conseguiu imaginar nenhuma resposta antes de a mãe já estar ao seu lado.

— Disseste que ele já esteve aqui outras vezes?

— Deve ter enterrado um osso ali. E agora quer recuperar o seu tesouro. Os cães também têm memória...

— Sim, talvez, Sofia. Tu tens mais experiência com animais do que eu.

Sofia pensou um pouco.

— Eu levo-o a casa — disse então.

— E sabes onde ele vive?

Sofia encolheu os ombros.

— Deve ter o endereço escrito na coleira.

Dois minutos mais tarde, Sofia corria através do jardim. Quando Hermes a descobriu, pôs-se a correr, abanou a cauda desenfreadamente e saltou para ela.

— Valente cão, Hermes — disse Sofia.

Ela sabia que a mãe estava à janela. Oxalá o cão não corresse para dentro da toca! Mas ele percorreu o caminho de saibro em frente à casa, e correu pelo pátio e em direcção ao portão do jardim.

Depois de fecharem o portão, Hermes continuou a correr, dois metros à frente de Sofia. Seguiu-se uma longa caminhada pelas ruas do quarteirão. Sofia e Hermes não eram os únicos na rua. Famílias inteiras passeavam; Sofia sentiu uma ponta de inveja.

Por vezes, Hermes farejava um outro cão ou alguma coisa que encontrava na sarjeta, mas, logo que Sofia o chamava, voltava imediatamente para ela.

Pouco depois, já tinham passado o jardim, o grande campo de jogos e um recinto de recreio. Chegaram a uma zona mais frequentada. Aí, uma rua larga calcetada e com trilhos de eléctrico seguia em direcção à cidade.

Quando chegaram ao centro da cidade, Hermes conduziu Sofia pela praça principal e pela rua da igreja. Chegaram ao bairro antigo com os seus edifícios de fim de século. Era quase uma e meia.

Encontravam-se então na outra extremidade da cidade. Sofia não estivera ali muitas vezes. Quando era pequena, visitara uma vez uma velha tia algures naquela zona.

Pouco depois, chegaram a uma pequena praça entre as casas antigas. A praça chamava-se «Nytorget» — «Praça Nova», apesar de parecer muito velha. A própria cidade era muito antiga; fora fundada na Idade Média.

Hermes dirigiu-se para a entrada da casa com o número 14, parou, e esperou que Sofia abrisse a porta. Ela sentiu o seu coração bater mais depressa.

No vão da escada, havia uma série de caixas de correio verdes. Sofia descobriu um postal que estava colado a uma das caixas. Um carimbo do carteiro declarava que o destinatário era desconhecido. A destinatária era:

«Hilde Møller Knag, Nytorget 14...» O postal tinha o carimbo de 15 de Junho. Até essa data faltavam ainda duas semanas, mas era óbvio que o carteiro não reparara nisso.

Sofia arrancou o postal da caixa do correio e leu.

Querida Hilde: Agora, Sofia está a entrar na casa do professor de filosofia. Em breve fará quinze anos, enquanto o teu aniversário já foi ontem. Ou será hoje, Hilde? Se for hoje, já deve ser muito tarde. Mas os nossos relógios nem sempre andam a par. Uma geração envelhece, enquanto outra geração cresce. Entretanto, a história segue o seu curso. Já alguma vez pensaste que a história da Europa pode ser comparada à vida de uma pessoa? A Antiguidade é a infância da Europa. Vem depois a longa Idade Média — é a idade escolar da Europa. E depois chega o Renascimento. Termina o longo período escolar, e a jovem Europa quer lançar-se finalmente na vida. Talvez possamos designar o Renascimento como o décimo quinto aniversário da Europa. Estamos a meio de Junho, minha filha — e «que bom estar aqui! Oh, quão bela é a vida!»

P.S. Sinto muito que tenhas perdido o teu crucifixo de ouro. Tens mesmo de prestar mais atenção às tuas coisas.

Beijos do pai — que regressará muito em breve

Hermes já estava a subir as escadas. Sofia, levando o postal, seguiu-o. Tinha de correr para acompanhar o cão que abanava vigorosamente a cauda. Passaram o primeiro, o segundo, o terceiro e o quarto andar. A partir daí só uma escada estreita seguia para cima. Com certeza, não iriam para o telhado! Mas Hermes continuou a correr. Parou em frente de uma porta estreita e arranhou-a com a pata.

Em seguida, Sofia ouviu passos de alguém que se aproximava do outro lado. A porta abriu-se e Alberto Knox estava à sua frente. Ele tinha mudado de roupa, mas nesse dia também estava disfarçado. Trazia meias brancas altas, calções vermelhos largos e uma jaqueta amarela com chumaços grossos. Fazia lembrar a Sofia um joker de um baralho de cartas. Se não estava enganada, tratava-se de um traje típico do Renascimento.

— Que palhaço! — exclamou Sofia, afastando-o para o lado, e entrou na residência. Ainda estava perturbada pelo postal que encontrara no vão da escada.

— Calma, minha filha — afirmou então Alberto, e fechou a porta atrás dela.

— Aqui está o correio — disse Sofia, e deu-lhe o postal, como se ele fosse o responsável.

Alberto leu a carta de pé e abanou a cabeça.

— Está cada vez mais insolente. Digo-te que ele nos usa como uma espécie de entretenimento para o aniversário da filha.

Ele rasgou o postal e deitou os pedaços no cesto dos papéis.

— Estava escrito no postal que Hilde tinha perdido um crucifixo de ouro — afirmou Sofia.

— Eu li isso.

— Mas eu encontrei precisamente esse crucifixo hoje, na minha cama. Como é que achas que poderá ter chegado lá?

Alberto fixou-a seriamente nos olhos.

— Talvez tenha um efeito persuasivo. Mas é apenas um truque fácil, que não lhe custa nada. É melhor concentrarmo-nos no grande coelho que é retirado da cartola do universo.

Entraram na sala de estar, e Sofia nunca vira uma sala de estar tão estranha.

Alberto morava numa grande casa nas águas-furtadas, com tecto inclinado. Neste tecto, havia uma janela que deixava entrar a luz penetrante directamente do céu. Mas o quarto tinha também uma janela com vista para a cidade. Através desta janela, Sofia podia ver os telhados das muitas casas antigas.

Mas o que mais surpreendeu Sofia foi o recheio da grande sala de estar. A sala estava cheia de móveis e objectos das mais variadas épocas. Um sofá devia ser dos anos 30, uma escrivaninha antiga do final de século, e uma das cadeiras devia ter vários séculos. Mas os móveis eram apenas uma parte daquela maravilha! Nas estantes e nas prateleiras havia bibelôs antigos, relógios e jarros, almofarizes e retortas, facas e bonecas, penas e encostos para livros, octantes e sextantes, bússolas e barómetros. Uma parede inteira estava coberta de livros, mas não era o tipo de livros que se encontram numa livraria. A biblioteca também parecia uma selecção da produção de livros ao longo de muitos séculos. Nas paredes, estavam pendurados desenhos e quadros. Alguns seriam certamente de décadas mais recentes, mas muitos deviam ser muito antigos. Nas paredes havia também alguns mapas antigos. Um dos mapas representava o fiorde de Sogne entre a região de Trøndelag e o fiorde de Trondheim, que ficam a quase 300 quilómetros para norte daquele.

Sofia ficou parada alguns minutos, sem fala. Voltou-se e não parou até ter visto a sala de todos os ângulos.

— Tu coleccionas muita tralha — afirmou por fim.

— Bem, bem. Imagina quantos séculos de história estão guardados nesta sala. Eu não lhe chamaria tralha.

— Tens uma loja de antiguidades, ou alguma coisa do género?

Alberto fez uma expressão triste.

— Nem todos podem deixar-se levar pela corrente da história, Sofia. Alguns têm de se deter e conservar o que fica nas margens do rio.

— Dizes isso de uma forma tão estranha!

— Mas é a verdade, minha filha. Nós não vivemos apenas na nossa própria época. Também transportamos a nossa história connosco. Não te esqueças de que tudo o que vês aqui foi outrora novo em folha. Esta pequena boneca de madeira do século XVI talvez tenha sido feita para o quinto aniversário de uma menina. Talvez pelo seu velho avô... Depois, chegou à adolescência, Sofia. Depois, tornou-se adulta e casou-se. Talvez ela própria tenha tido uma filha que herdou esta boneca. Depois, envelheceu, e um dia morreu. Talvez tenha tido uma vida longa, mas deixou de existir. E nunca mais regressará. No fundo, ela fez aqui apenas uma curta visita. Mas a boneca está na estante.

— Tudo se torna tão triste e sério quando falas assim.

— Mas a vida é triste e séria. Entramos num mundo lindíssimo, encontramo-nos aqui, apresentamo-nos uns aos outros — e caminhamos juntos mais um pouco. Depois, perdemo-nos e desaparecemos tão súbita e inexplicavelmente como viemos.

— Posso fazer-te uma pergunta?

— Já não brincamos às escondidas.

— Porque é que foste morar para a cabana do major?

— Para que não estivéssemos muito longe um do outro quando nos comunicávamos apenas por carta. Eu sabia que a velha cabana estava vazia.

— E foste simplesmente para lá?

— Fui simplesmente para lá.

— Então talvez possas também explicar como é que o pai de Hilde soube que moravas lá.

— Se não estou em erro, ele sabe quase tudo.

— Mas continuo sem perceber como é que ele conseguiu convencer o carteiro a ir entregar correspondência no meio do bosque.

Alberto esboçou um sorriso astuto.

— Mesmo isso é apenas uma ninharia para o pai de Hilde. Charlatanice barata, um jogo desprezível. Talvez vivamos sob a mais apertada vigilância.

Sofia reparou que estava a ficar irritada.

— Se ele passar alguma vez no meu caminho, arranco-lhe os olhos.

Alberto dirigiu-se para o sofá e sentou-se. Sofia seguiu-lhe o exemplo e afundou-se numa poltrona.

— A filosofia pode levar-nos mais perto do pai de Hilde — afirmou Alberto — Hoje, vou falar-te acerca do Renascimento.

— Começa.

— Poucos anos após a morte de S. Tomás de Aquino, a unidade cultural cristã começou a apresentar fissuras. A filosofia e a ciência libertavam-se cada vez mais da teologia cristã, e isso proporcionou também à religião uma relação mais livre com a razão. Cada vez mais pensadores acentuaram que nós não podemos compreender Deus com o entendimento, porque Deus é sempre inconcebível para o nosso pensamento. Para os homens, o importante não é compreender o mistério cristão, mas submeterem-se à vontade divina.

— Compreendo.

— O facto de a religião e a ciência terem desenvolvido uma relação mais livre entre si levou a um novo método científico e a um novo fervor religioso. Deste modo, lançaram-se as bases para duas importantes revoluções dos séculos XV e XVI, a saber, o *Renascimento* e a *Reforma*.

— Vamos ver uma de cada vez.

— Pelo termo Renascimento, entendemos um período histórico de grande prosperidade cultural que teve início por volta do final do século XIV. Começou em Itália mas difundiu-se rapidamente para norte. Aquilo que devia renascer eram a arte e a cultura da Antiguidade. Também se fala frequentemente de *humanismo* renascentista, porque o homem voltou a ser o centro de tudo, após a longa Idade Média, em que todos os aspectos da vida tinham sido interpretados à luz de Deus. O mote era: «Regresso às fontes!», e a fonte mais importante era o humanismo da Antiguidade. Tornou-se quase um desporto popular desenterrar esculturas e manuscritos da Antiguidade. Também se tornou moda aprender grego, o que levou a um interesse renovado pela cultura grega. O interesse pelo humanismo grego tinha também uma finalidade pedagógica: o estudo das disciplinas humanísticas proporcionava uma «formação clássica» que fomentava o desenvolvimento das «qualidades humanas». «Os cavalos nascem», dizia-se, «mas os homens não nascem, formam-se».

— Temos então de ser *educados* para sermos seres humanos?

— Sim, pensava-se assim naquela época. Mas antes de observarmos mais de perto as ideias do humanismo renascentista vamos falar do pano de fundo político e cultural do Renascimento.

Alberto levantou-se e começou a dar voltas pela sala. Depois parou e apontou para um instrumento muito antigo numa estante. — O que é isto? — perguntou.

— Parece uma bússola antiga.

— Certo.

Apontou então para uma espingarda antiga na parede, acima do sofá.

— E isto?

— É uma espingarda antiga.

— Está certo — e isto?

Alberto tirou um grande livro da estante.

— Isso é um livro antigo.

— Para ser mais preciso, um incunábulo.

— Um incunábulo?

— A palavra significa na realidade «berço». Assim se chamam os livros que foram impressos na infância da tipografia. Isto é, antes de 1500.

— É assim tão antigo?

— Sim, muito antigo. E precisamente estes três inventos que vemos à nossa frente — bússola, pólvora e tipografia —, são importantes condições para a nova época a que chamamos Renascimento.

— Tens de me explicar isso melhor.

— A bússola facilitava a navegação. Era, noutras palavras, uma importante condição para as grandes viagens de descobrimento. O que também era válido para a pólvora. As novas armas trouxeram aos europeus superioridade em relação às culturas americanas e asiáticas, mas a pólvora também teve uma grande importância na Europa. E a tipografia era importante para difundir as novas ideias do Renascimento. Ela contribuiu inclusivamente para que a Igreja perdesse o seu antigo monopólio como propagadora do saber. Posteriormente, seguiram-se novos instrumentos e novos recursos. Um importante instrumento era por exemplo o telescópio. Criou condições completamente novas para a astronomia.

— E, por fim, vieram os foguetões e as naves espaciais que nos permitiram chegar à Lua?

— Agora estás a avançar um pouco depressa de mais. Mas, no Renascimento, iniciou-se um processo que havia de levar finalmente os homens à Lua, embora também a Hiroshima e a Chernobyl. Mas primeiro houve uma série de transformações no domínio cultural e económico. Um pressuposto fundamental foi a passagem de uma economia de subsistência para uma economia monetária. No final da Idade Média, desenvolveu-se nas cidades uma sólida manufactura e um comércio activo de novas mercadorias que levaram a uma notável circulação de dinheiro e à criação de um sistema bancário. Deste modo, surgiu uma burguesia que alcançara pelo trabalho uma certa independência das condições impostas pela natureza. Aquilo que era necessário para viver comprava-se com dinheiro. Este desenvolvimento fomentou a iniciativa, a fantasia e a criatividade do indivíduo, ao qual foram colocadas exigências novas.

— Isso faz lembrar um pouco o aparecimento das cidades gregas dois mil anos antes.

— Talvez, sim. Falei do modo como os filósofos gregos se tinham libertado da concepção mítica do mundo relacionado com a cultura rural. Do mesmo modo, os burgueses começaram a libertar-se dos senhores feudais e do poder da Igreja. Simultaneamente, a cultura grega foi redescoberta devido a um contacto mais estreito com os árabes na Espanha e a cultura bizantina no Oriente.

— Os três rios da Antiguidade confluíram numa única grande corrente.

— Tu és uma discípula atenta. Portanto isto deve ser o suficiente como pano de fundo do Renascimento. Vou falar-te agora acerca do novo modo de pensar.

— Despacha-te, porque tenho de ir para casa à hora do jantar.

Só então é que Alberto se sentou de novo, fixando Sofia nos olhos.

— Antes de mais, o Renascimento trouxe consigo uma nova *concepção do homem*. Os humanistas renascentistas tinham uma confiança totalmente nova no homem e no seu valor, o que estava em nítido contraste com a Idade Média, na qual se realçara apenas a natureza pecaminosa do homem. O homem foi então visto como um ser infinitamente grande e precioso. Uma das figuras principais do Renascimento foi *Marsilio Ficino*. Ele exclamou: «Conhece-te a ti mesma, ó estirpe divina em vestes humanas!». Outro, *Giovanni Pico della Mirandola*, escreveu uma oração sobre a «dignidade do homem». Uma coisa deste género teria sido impensável na Idade Média. Durante todo o período medieval, tudo se movia em torno de Deus. O ponto de partida para os humanistas do Renascimento foi o próprio homem.

— Mas isso já os filósofos gregos tinham feito.

— Por isso falamos também de um «renascimento» do humanismo antigo. No entanto, o humanismo do Renascimento estava mais marcado pelo *individualismo* do que o humanismo da Antiguidade. Não somos apenas homens, somos também indivíduos únicos. Esta ideia deu origem a uma veneração do génio. O ideal tornou-se aquilo a que chamamos o *homem renascentista*, ou seja, um homem que se ocupa com todos os domínios da vida, da arte e da ciência. A nova concepção do homem também estava patente no interesse pela anatomia do corpo humano. Tal como na Antiguidade, começou-se a dissecar cadáveres para se descobrir como o corpo é constituído. Isso foi importante tanto para a medicina como para a arte. Na arte, tornou-se novamente habitual representar o homem nu. Pode dizer-se que isto sucedeu passados mil anos de pudor. O homem ousou de novo ser ele mesmo, já não tinha nada de que se envergonhar.

— Isso parece ter sido um período de grande entusiasmo, — comentou Sofia, apoiando-se na mesinha que estava entre ela e o seu professor de filosofia.

— Sem dúvida. A nova imagem do homem levou a uma *concepção de vida* totalmente nova. O homem não existia apenas para Deus. Deus também criara o homem em função do homem. Por isso, o homem podia alegrar-se com a vida presente. E uma vez que o homem se podia desenvolver livremente, tinha possibilidades ilimitadas. O seu objectivo era ultrapassar todos os limites, o que também era diferente do humanismo da Antiguidade. Os humanistas antigos tinham insistido na serenidade, temperança e autodomínio.

— Mas os homens do Renascimento perderam o autodomínio?

— Pelo menos, não foram particularmente moderados. Tinham a sensação de que o mundo despertara de novo. Surgiu então a consciência da época contemporânea e foi introduzida a designação «Idade Média» para o período entre a Antiguidade e a sua própria época. Iniciou-se uma época única de desenvolvimento em todos os domínios, na arte e na arquitectura, na literatura e na música, na filosofia e na ciência. Vou dar um exemplo concreto. Nós falamos da Roma da Antiguidade, que tinha epítetos imponentes como «cidade das cidades», e «centro do mundo». No decurso da Idade Média, a cidade entrou em decadência e, em 1417, a antiga cidade de mais de um milhão de habitantes tinha apenas dezassete mil.

— Pouco mais do que Lillesand.

— Para os humanistas, reconstruir Roma era um objectivo cultural e político. A grande Basílica de S. Pedro foi erigida então sobre o túmulo do apóstolo Pedro. E no caso da Basílica de S. Pedro, não se pode mesmo falar de moderação. Vários nomes importantes do Renascimento se empenharam no maior projecto arquitectónico do mundo. Os trabalhos começaram no ano de 1506 e duraram cento e vinte anos, e só após outros cinquenta anos, ficava terminada a grande Praça de S. Pedro.

— Deve ser uma igreja muito grande.

— Tem mais de duzentos metros de comprimento e cento e trinta de altura e uma superfície de dezasseis mil metros quadrados. Mas com isto, já falei o suficiente sobre a ousadia dos homens do Renascimento. Também foi muito importante o facto de o Renascimento ter levado a uma nova *concepção da natureza*, de o homem sentir alegria em viver — e de não ver a vida na Terra apenas como preparação para a

179

vida no céu. Isso deu origem a uma posição totalmente nova em relação ao mundo físico. A natureza era já tida como positiva. Muitos acreditavam também que Deus estava presente na Criação. Ele é infinito e, nesse caso, também tem de estar em toda a parte. Esta concepção é designada por *panteísmo*. Os filósofos da Idade Média tinham apontado reiteradamente para o abismo insuperável entre Deus e a Criação. Agora, a natureza podia ser caracterizada como divina — sim, inclusivamente como «manifestação de Deus». Estas novas ideias nem sempre foram acolhidas com simpatia pela Igreja. O destino de *Giordano Bruno* mostrou-o de forma dramática. Ele não afirmava apenas que Deus estava presente na natureza, defendia que o universo era infinito. Por isso, foi severamente punido.

— Como?

— Morreu na fogueira no ano de 1600, no mercado das flores em Roma...

— Isso é terrível — e estúpido. É a isso que chamas humanismo?

— Não, isso não. Bruno era o humanista, não os seus carrascos. Mas durante o Renascimento também se desenvolveu uma coisa a que podemos chamar «anti-humanismo», isto é, um poder autoritário da Igreja e do Estado. Durante o Renascimento, também houve processos contra bruxas e autos de fé, magia e superstição, guerras de religião sangrentas — e ainda a conquista brutal da América. O humanismo sempre teve um lado brutal. Nenhuma época é apenas boa ou apenas má. O bem e o mal são como dois fios que atravessam toda a história da humanidade. Frequentemente, entrelaçam-se. Isso é ainda válido para a nossa próxima palavra-chave. Vou falar do modo como o Renascimento desenvolveu um *novo método científico*.

— Foram contruídas também as primeiras fábricas?

— Ainda não. Mas uma condição para todo o desenvolvimento técnico que se iniciou após o Renascimento foi o novo método científico. Este método consiste numa nova atitude em relação à natureza da ciência. Os frutos técnicos do novo método surgiram pouco a pouco.

— Em que é que consistia esse novo método?

— Sobretudo, tratava-se de investigar a natureza com os sentidos. Já desde o início do século XIV, cada vez mais pessoas criticavam a confiança cega nas autoridades antigas. Essas autoridades eram tanto os dogmas da Igreja como a filosofia natural de Aristóteles. Também se negou que um problema se pudesse resolver apenas por reflexão. Essa confiança exagerada na importância da razão predominara durante toda a Idade Média. Dizia-se que a investigação da natureza tinha de se basear na observação, na experiência e na experimentação. É o chamado método *empírico*.

— O que é que significa?

— Significa simplesmente que obtemos o conhecimento das coisas através de experiências nossas — e não de pergaminhos poeirentos ou fantasias. Na Antiguidade, também se fez ciência empírica, e Aristóteles fez muitas experiências importantes para o conhecimento da natureza. Mas *experimentações* sistemáticas eram algo completamente novo.

— Não havia instrumentos técnicos como hoje, pois não?

— Obviamente não havia máquinas de calcular nem balanças electrónicas. Mas havia a matemática e havia balanças. Foi particularmente realçada a importância de exprimir as observações científicas numa linguagem matemática exacta. «Deve medir-se aquilo que pode ser medido, e tornar mensurável o que não pode ser medido», segundo *Galileu Galilei*, um dos cientistas mais importantes do século XVII. Ele afirmou também que o livro da natureza estava escrito em caracteres matemáticos.

— E através de muitas experimentações e medições estava aberto o caminho para novas invenções?

— A primeira fase foi um novo método científico, que possibilitou a revolução técnica, e o desenvolvimento técnico possibilitou todas as invenções que se realizaram desde então. Podemos dizer que os homens começaram a libertar-se das imposições da natureza. O homem já não era apenas uma parte da natureza. A natureza era uma coisa que podia ser usada e explorada. «Saber é poder», afirmou o filósofo inglês *Francis Bacon*. Com isso, chamava a atenção para a utilidade prática do saber — e isso era algo novo. Os homens começavam a intervir na natureza e a dominá-la.

— Mas isso não foi apenas positivo, pois não?

— Não, e assim estamos de novo na questão do fio bom e do fio mau que se estão sempre a entrelaçar em tudo o que fazemos. O desenvolvimento técnico que se iniciou no Renascimento deu origem ao tear e ao desemprego, a medicamentos e a novas doenças, ao desenvolvimento da agricultura e à destruição da natureza, a novos recursos práticos como máquinas de lavar e frigoríficos, mas também à poluição do meio ambiente e ao problema dos resíduos. industriais. Vendo hoje que o nosso ambiente está terrivelmente ameaçado, muitos vêem a própria revolução técnica como um afastamento perigoso das condições de vida que nos são dadas pela natureza. Nós homens, devido a esta concepção, pusemos em marcha um processo que já não conseguimos controlar. Os optimistas acreditam que ainda vivemos na infância da técnica. A civilização técnica, segundo eles, tem de facto as suas doenças infantis, mas, por fim, os homens hão-de aprender a dominar a natureza sem a ameaçar de morte.

— O que é que tu pensas?

— Que talvez ambos os pontos de vista estejam certos. Em alguns domínios, os homens já não devem intervir na natureza, noutros, podemos fazê-lo com confiança. O certo é que nenhum caminho nos leva de volta à Idade Média. Desde o Renascimento, o homem já não é uma mera parte da Criação. O homem intervém na natureza e forma-a segundo as suas próprias ideias. Isso diz-nos alguma coisa acerca da admirável criatura que é o homem.

— Já fomos à Lua. Nenhum homem da Idade Média achou isso possível?

— Não, podes ter a certeza. E isso leva-nos à *nova concepção do mundo*. Durante toda a Idade Média, os homens olharam para o Sol e para a Lua, estrelas e planetas. Mas ninguém duvidara de que a Terra fosse o centro do universo. Nenhuma observação introduzira a dúvida de que a Terra estava imóvel e os «corpos celestes» circulavam em seu redor. Chamamos a esta concepção a *teoria geocêntrica do universo*. A ideia cristã de que Deus governa todos os corpos celestes também contribuiu para que esta concepção do universo se mantivesse.

— Eu gostaria que fosse assim tão simples.

— Mas, no ano de 1543, foi publicada uma obra intitulada *Seis livros sobre as revoluções das esferas celestes*, escrita pelo astrónomo polaco *Copérnico* que morreu no próprio dia em que foi publicada a sua revolucionária obra. Copérnico afirmava que não era o Sol que girava à volta da Terra, mas a Terra à volta do Sol. Achava-o possível com base nas observações dos corpos celestes que havia até então. Se os homens tinham acreditado que o Sol girava à volta da Terra, era, segundo ele, apenas porque a Terra girava sobre o seu próprio eixo. Ele apontou para o facto de todas as observações dos corpos celestes serem muito mais fáceis de compreender se se pressupuser que a Terra e os outros planetas se movem em trajectórias circulares à volta do Sol. Chamamos a esta concepção *teoria heliocêntrica do universo*, que significa que tudo gira em volta do Sol.

— E essa teoria está certa?

— Não totalmente. O postulado mais importante de Copérnico — o facto de a Terra girar à volta do Sol — está obviamente correcto. Ele pensava que o Sol era o centro do universo. Hoje, sabemos que o

Sol é apenas uma entre inumeráveis estrelas — e que todas as estrelas à nossa volta constituem apenas uma entre muitos milhões de galáxia. Copérnico acreditava também que a Terra e os outros planetas se moviam em trajectórias circulares em torno do Sol.

— E isso não está certo?

— Não, ele não tinha nenhuma prova para os movimentos circulares além da antiga ideia segundo a qual os corpos celestes eram redondos como esferas e descreviam trajectórias circulares apenas porque eram «celestes». Já desde o tempo de Platão, a esfera e o círculo eram considerados as figuras geométricas mais perfeitas. Mas no início do século XVII, o astrónomo alemão *Johannes Kepler* conseguiu apresentar os resultados de observações pormenorizadas que provavam que os planetas se moviam em trajectórias elípticas — ou ovais — à volta do Sol como um dos focos. Ele provou também que os planetas se movem tanto mais rapidamente quanto mais próximos estão do Sol. Finalmente, provou ainda que um planeta se move tanto mais lentamente quanto mais afastado está do Sol. Só através de Kepler se tornou claro que a Terra é um planeta como todos os outros. Kepler sublinhou ainda que as mesmas leis físicas são válidas para todo o Universo.

— Como é que ele tinha a certeza disso?

— Tinha a certeza porque investigou os movimentos dos planetas com os seus próprios sentidos, em vez de confiar cegamente na tradição da Antiguidade. O famoso cientista italiano *Galileu Galilei* viveu aproximadamente na mesma altura que Kepler. Também ele observava os corpos celestes com o telescópio. Estudou as crateras na Lua e verificou que lá existem montes e vales tal como na Terra. Galileu descobriu também que o planeta Júpiter tem quatro luas. Logo, a Terra não era o único planeta com Lua. Mas o mais importante foi o facto de Galileu ter descoberto a chamada *Lei da Inércia*.

— E o que é que diz essa lei?

— «Todos os corpos conservam o estado de repouso ou de movimento constante em trajecto rectilíneo desde que não sejam constrangidos por forças exteriores a alterar esse estado». Mas ele ainda não o formulara assim. Quem o fez, posteriormente, foi *Isaac Newton*.

— Está bem.

— Desde a Antiguidade, um dos mais importantes argumentos contra a ideia de que a Terra girava em torno do seu próprio eixo dizia que, nesse caso, a Terra teria de se mover tão rapidamente que uma pedra lançada ao ar na vertical cairia a muitos metros de distância.

— E por que é que não é assim?

— Quando estás no comboio e deixas cair uma maçã, a maçã não cai longe de ti pelo facto de o comboio estar em movimento. Ela cai em linha recta ao teu lado. Isso deve-se à lei da inércia. A maçã conserva a mesma velocidade que tinha antes de tu a teres deixado cair.

— Acho que estou a perceber.

— Mas no tempo de Galileu não havia comboios. No entanto se tu, de repente, fazes rolar uma esfera pelo chão...

— ... continua a rolar ...

— ... porque a velocidade se mantém mesmo depois de teres largado a esfera.

— Mas no fim ela pára, caso a sala seja suficientemente grande.

— Isso é porque outras forças travam a velocidade, em primeiro lugar, o pavimento, e sobretudo soalhos de madeira não tratada. Mas a força da gravidade também provoca a paragem da esfera mais cedo ou mais tarde. Espera, vou mostrar-te uma coisa.

Alberto levantou-se e dirigiu-se para a velha escrivaninha. Retirou uma coisa de uma gaveta, e colocou-a na mesa perto do sofá. Era simplesmente uma placa de madeira que numa das extremidades tinha alguns milímetros de espessura e na outra era muito fina. Junto à placa de madeira, que cobria quase toda a mesa, ele colocou um berlinde.

— Chama-se a isto «plano inclinado» — afirmou então. — O que te parece que vai acontecer se eu largar o berlinde aqui em cima, onde a placa é mais espessa?

Sofia suspirou.

— Aposto dez coroas em como rola para a mesa e vai cair no chão.

— Vamos ver.

Alberto largou o berlinde, e este portou-se exactamente como Sofia anunciara. Rolou para a mesa, continuou a rolar sobre o tampo da mesa, tocou no solo com um ruído surdo e por fim foi de encontro ao limiar da porta.

— Impressionante — afirmou Sofia.

— É, não é? E Galileu fez estas experiências.

— Ele era assim tão parvo?

— Não te precipites. Ele queria investigar tudo com os próprios sentidos, e nós mal começámos. Diz-me primeiro porque é que o berlinde rola para baixo no plano inclinado.

— Ele começa a rolar porque é pesado.

— Está bem. E o que é verdadeiramente o peso?

— Agora estás mesmo a fazer perguntas parvas.

— Eu não estou a fazer perguntas parvas se tu não consegues responder. Porque é que o berlinde rolou para o chão?

— Por causa da força da gravidade.

— Exactamente — ou da *gravitação,* como também se diz. Logo, o peso tem algo a ver com a força da gravidade. E foi esta força que pôs o berlinde em movimento.

Alberto levantara o berlinde do chão e curvou-se sobre o plano inclinado.

— Agora, vou tentar fazer rolar o berlinde pelo plano inclinado na diagonal — afirmou — observa bem como ele se move.

Ele curvou-se e apontou o berlinde. Depois, fê-lo rolar pelo plano inclinado. Sofia viu que o berlinde se desviou imediatamente e rolou para baixo.

— O que é que aconteceu?

— Ele fez um desvio porque se trata de um plano inclinado.

— Vou pintá-lo com uma caneta de feltro... depois talvez possamos ver exactamente o que tu querias dizer com «desvio».

Pegou numa caneta de feltro e pintou o berlinde de preto. Depois, fê-lo rolar de novo. Sofia podia ver exactamente o trajecto do berlinde no plano inclinado, visto que deixara um traço negro.

— Como é que descreverias o movimento deste berlinde? — perguntou Alberto.

— Como uma curva... parece uma parte de um círculo.

— Acertaste em cheio!

Alberto olhou para ela e ergueu as sobrancelhas.

— Apesar de não ser exactamente um círculo. Esta figura chama-se parábola.

— Sim.

— Mas porque é que a esfera se move exactamente *assim?*

Sofia reflectiu um pouco. Por fim, afirmou:

— Visto que a placa tem uma inclinação, a esfera é arrastada para o chão pela força da gravidade.

— É, não é? Isso é sensacional. Eu trago uma rapariga qualquer a minha casa e, após uma única experiência, ela chega imediatamente à mesma conclusão que Galileu.

Alberto bateu palmas, e Sofia receou por um momento que ele pudesse ter perdido o juízo. Ele prosseguiu:

— Viste o que sucede quando *duas forças* actuam simultaneamente sobre o mesmo objecto. Galileu descobriu que isto também é válido, por exemplo, para uma bala de canhão. Ela é disparada para o ar e continua a voar, mas por fim também é atraída para o solo. E descreve então uma trajectória que corresponde à do nosso berlinde no plano inclinado. E isso foi verdadeiramente uma nova descoberta no tempo de Galileu. Aristóteles acreditava que um projéctil lançado ao ar descreveria primeiro uma ligeira curva e cairia depois no solo em linha recta. Mas isso não era verdade, e só se poderia saber que Aristóteles estava errado quando fosse demonstrado.

— Está bem. Mas isto é mesmo importante?

— Se é importante! É de uma importância cósmica, minha filha. De todas as descobertas científicas na história da humanidade esta é uma das mais importantes.

— Então calculo que me vais explicar imediatamente porquê.

— Mais tarde, veio o físico inglês Isaac Newton, que viveu entre 1642 e 1727. Devemos-lhe a descrição definitiva do sistema solar e dos movimentos dos planetas. Ele não conseguiu apenas descrever *como* os planetas se movem à volta do Sol, conseguiu ainda explicar exactamente *porque* é que o fazem. Conseguiu-o através, entre outras coisas, dos estudos de Galileu e da sua lei da inércia, que ele, como sabemos, formulou definitivamente.

— E os planetas são berlindes num plano inclinado?

— Mais ou menos, sim. Mas espera mais um pouco, Sofia.

— Não tenho outra escolha.

— Já Kepler apontara para o facto de que tem de haver uma força que provoque a atracção entre os planetas. Do Sol, por exemplo, tem de partir uma força que mantenha os planetas nas suas órbitas. Essa força também pode explicar porque é que os planetas na proximidade do Sol se movem mais depressa do que os mais distantes do Sol. Kepler defendia também que a maré baixa e a maré alta, ou seja, a subida e a descida da superfície do mar — estão dependentes de uma força da Lua.

— Isso também está certo.

— Sim, está certo. Mas Galileu contestou isso. Ele fazia troça de Kepler e da sua ideia fixa de que «a Lua domina o mar». Galileu contestou a hipótese de que essas forças pudessem ter efeito a uma grande distância e consequentemente *entre* os planetas.

— Nisso, ele estava errado.

— Sim, neste ponto ele estava errado. E isso é quase cómico, visto que ele se preocupou muito com a força da gravidade da Terra e a queda dos corpos ao solo. Além disso, ele mostrou como diversas forças podem dirigir os movimentos de um corpo.

— Mas tu falaste de Newton.

— Sim, em seguida veio Newton. Ele formulou a chamada lei da *Gravitação Universal*. Esta lei afirma que qualquer objecto atrai outro objecto com uma força que aumenta em proporção ao tamanho dos objectos e que diminui com o crescente distanciamento entre eles.

— Acho que estou a perceber. Entre dois elefantes, por exemplo, existe uma maior força de atracção do que entre dois ratos. E entre dois elefantes no mesmo jardim zoológico há maior força de atracção do que entre um elefante indiano na Índia e um elefante africano em África.

— Nesse caso compreendeste tudo. E agora, vem o mais importante. Newton sublinhou que esta força de atracção — ou gravitação — é universal. Quer dizer que é válida em toda a parte, inclusivamente no espaço entre os corpos celestes. Diz-se que ele chegou a esta conclusão certo dia, quando estava sentado debaixo de uma macieira. Ao ver uma maçã cair da árvore, deve ter perguntado a si mesmo se a Lua é atraída para a Terra pela mesma força e se, consequentemente, a Lua gira à volta da Terra para toda a eternidade.

— Isso foi inteligente, mas não muito inteligente.

— Como não, Sofia?

— Se a Lua fosse atraída para a Terra pela mesma força que faz cair a maçã, a Lua acabaria por cair na Terra, em vez de andar à volta.

— Agora, estamos a aproximar-nos da lei dos movimentos dos planetas de Newton. Naquilo que dizes acerca do modo como a força da gravidade da Terra atrai a Lua, tens apenas cinquenta por cento de razão. Porque é que a Lua não cai sobre a Terra, Sofia? A força da gravidade da Terra atrai a Lua com uma força poderosa. Pensa bem como são necessárias forças potentes para fazer subir o mar um ou dois metros durante a maré alta.

— Não, isso eu não entendo.

— Pensa no plano inclinado de Galileu. O que é que sucedeu quando eu fiz rolar para baixo o berlinde no plano inclinado?

— Mas então há duas forças diferentes que agem sobre a Lua?

— Exacto. No aparecimento do sistema solar, a Lua foi lançada da órbita com muita força — logo, para longe da Terra. Esta força continuará a agir para toda a eternidade, dado que a Lua se move sem resistência no vácuo...

— Mas é simultaneamente atraída para a Terra pela força da gravidade desta?

— Exacto. Ambas as forças são constantes, e ambas agem simultaneamente. Por isso, a Lua vai continuar a girar à volta da Terra.

— Isso é assim tão simples?

— É muito simples, e justamente esta «simplicidade» era para Newton o mais importante. Ele também provou que algumas leis físicas, tal como a lei da inércia, são válidas para todo o universo. E nos movimentos dos planetas, ele aplicou apenas duas leis da natureza, que Galileu já indicara: a lei da inércia e a que afirma que um corpo no qual agem simultaneamente duas forças se moverá numa trajectória elíptica, tal como o mostravam as esferas de Galileu no plano inclinado.

— E com isso, Newton conseguiu explicar porque é que todos os planetas giram à volta do Sol.

— Exacto. Todos os planetas giram à volta do Sol em órbitas elípticas, devido a dois movimentos diferentes: primeiro, o movimento rectilíneo que eles seguiram durante o aparecimento do sistema solar, e em segundo lugar um movimento em direcção ao Sol devido à gravitação.

— Muito inteligente.

— Bem podes dizê-lo. Newton provou que as mesmas leis para os movimentos dos corpos são válidas em todo o universo. Com isto, ele destruiu também antigas concepções medievais, segundo as quais «no céu» são válidas leis diferentes das nossas na Terra. A teoria heliocêntrica teve a sua confirmação e a sua explicação definitiva.

Alberto levantou-se e voltou a pôr o plano inclinado na gaveta. Baixou-se e levantou o berlinde do chão, mas colocou-o na mesa, entre ele e Sofia. Ela achou inacreditável o quanto tinham retirado de uma placa de madeira inclinada e de um berlinde. Ao observar agora o berlinde verde — que ainda estava parcialmente negro de tinta —, pensou imediatamente no globo terrestre. Perguntou:

— E os homens tiveram de se conformar com o facto de viverem num planeta ao acaso no Universo?

— Sim, e a nova teoria era em muitos aspectos um duro golpe. Talvez possa ser comparado com a situação em que Darwin provou que o homem descende dos animais. Em ambos os casos, o homem perdeu algo da sua posição especial na Criação. Em ambos os casos, a Igreja opôs-se energicamente.

— Isso eu consigo perceber. Onde é que fica Deus em toda esta história? De certo modo, tudo era mais fácil quando a Terra estava no centro e Deus e todos os corpos celestes viviam um piso acima.

— Mas isso ainda não era o maior desafio. Quando Newton provou que as mesmas leis físicas eram válidas para todo o Universo, podia ter-se pensado que ele perdera a fé na omnipotência de Deus. Mas a fé pessoal de Newton não foi abalada. Ele via as leis da natureza como prova da grandeza e omnipotência de Deus. O mais grave era a questão da imagem que os homens tinham de si próprios.

— O que queres dizer com isso?

— Desde o Renascimento, o homem tivera que se habituar à ideia de viver num planeta ao acaso no Universo. Mas eu não sei se nos habituámos completamente a isso. Já no Renascimento havia quem afirmasse que o homem passara a ocupar uma posição mais central do que anteriormente.

— Não compreendo.

— Anteriormente, a Terra tinha sido o centro do mundo. Mas quando os astrónomos explicaram que no Universo não há nenhum centro absoluto, concluiu-se que eram tantos os centros quantos os homens.

— Compreendo.

— O Renascimento também trouxe consigo uma nova *concepção de Deus*. À medida que a filosofia e a ciência se separavam da teologia, surgiu uma nova religiosidade cristã. Começou então o Renascimento com a sua nova concepção do homem, e isso também foi importante para a prática religiosa. Mais importante do que a relação com a Igreja como instituição, tornou-se a relação pessoal do indivíduo com Deus.

— A oração da noite, por exemplo?

— Sim, isso também. Na Igreja Católica da Idade Média, a liturgia latina da Igreja e as suas orações tinham formado a verdadeira coluna vertebral do culto religioso. Apenas sacerdotes e monges liam a Bíblia, porque esta só existia em latim. Mas durante o Renascimento a Bíblia foi traduzida do hebraico e do grego para as línguas populares. Isso foi importante para a *Reforma*...

— *Martinho Lutero*...

— Sim, Lutero foi importante, mas ele não foi o único reformador. Também havia reformadores da Igreja que, apesar de pertencerem à Igreja Católica Romana, queriam agir. Um deles foi *Erasmo de Roterdão*.

— Lutero rompeu com a Igreja Católica porque não queria pagar indulgências?

— Sim, também, mas tratava-se de algo muito mais importante. Para Lutero, o homem não precisava de fazer o desvio pela Igreja ou pelos seus sacerdotes para obter o perdão de Deus. E o perdão de Deus não estava dependente de uma quantia para a indulgência paga à Igreja. O chamado tráfico de indulgências também foi proibido na Igreja Católica em meados do século XVI.

— De certeza que Deus se alegrou com isso.

— Lutero distanciou-se de um modo geral de muitos costumes religiosos e dogmas que a Igreja desenvolvera na Idade Média. Ele queria voltar ao cristianismo original tal como o encontramos no Novo Testamento. «Apenas as Escrituras» — afirmava ele. Com este mote, Lutero queria regressar «às fontes» do cristianismo, tal como os humanistas do Renascimento queriam voltar às fontes antigas da arte e da cultura. Ele traduziu a Bíblia para o alemão e criou assim a base para a língua escrita do alemão padrão. Cada qual poderia ler a Bíblia e, de certo modo, ser o seu próprio pastor.

— Como assim? Isso não vai demasiado longe?

— Ele achava que os sacerdotes não ocupam nenhuma posição privilegiada em relação a Deus. As comunidades luteranas também empregavam pastores por razões práticas, e eles celebravam o serviço religioso e realizavam as tarefas religiosas diárias. Mas ele achava que o homem não alcança o perdão de Deus e a remissão dos seus pecados pelos rituais eclesiásticos. A salvação é dada ao homem totalmente «grátis», apenas através da fé, afirmava ele. Ele chegara a esta conclusão por meio da sua leitura da Bíblia.

— Lutero também era um homem típico do Renascimento?

— Sim e não. Um traço típico do Renascimento era a importância que se dava ao indivíduo e à sua relação pessoal com Deus. Ele aprendeu grego com trinta e cinco anos e lançou-se à morosa tarefa de traduzir a Bíblia para o alemão. O facto de a língua popular substituir o latim também era típico do Renascimento. Mas Lutero não era um humanista como *Ficino* ou *Leonardo da Vinci*. Alguns humanistas, como Erasmo de Roterdão, criticaram-no devido à sua concepção demasiado negativa do homem. Lutero sublinhou nomeadamente que o homem estava completamente corrompido pelo pecado original e a humanidade só podia ser salva através da graça divina. Porque a recompensa do pecado é a morte.

— Isso é realmente um pouco triste.

Alberto Knox levantou-se. Tirou o berlinde da mesa e pô-lo no bolso do peito.

— Já passa das quatro! — exclamou Sofia.

— E a próxima grande época na história da humanidade é o Barroco. Mas vamos guardar isso para um outro dia, querida Hilde.

— O que é que disseste?

Sofia levantou-se de um pulo.

— Querida *Hilde* foi o que tu disseste.

— Então foi um lapso.

— Mas os lapsos têm sempre um motivo.

— Talvez tenhas razão. Certamente o pai de Hilde já nos anda a colocar palavras na boca. Acho que ele se aproveita da situação quando nós estamos cansados. Nessa altura, não podemos defender-nos com tanta facilidade.

— Tu disseste que não és o pai de Hilde. Juras-me que isso é verdade?

Alberto acenou afirmativamente.

— Mas então eu sou Hilde?

— Estou cansado, Sofia. Tens de compreender. Já estamos aqui há mais de duas horas e eu falei durante quase todo o tempo. Não tens de ir para casa jantar?

Sofia teve a sensação de que ele a queria pôr na rua. A caminho da saída, perguntava-se incessantemente porque é que ele tivera aquele lapso. Alberto vinha atrás dela.

Debaixo de uma pequena fila de cabides, onde estavam pendurados muitos fatos estranhos que pareciam trajes de teatro, Hermes estava deitado e dormia. Alberto apontou com a cabeça para o cão e afirmou:

— Ele vai buscar-te.

— Obrigada pela lição de hoje — disse Sofia.

Ela pôs-se nos bicos dos pés e abraçou Alberto.

— Tu és o professor mais competente e mais querido que eu já tive.

Em seguida, abriu a porta.

Antes de fechar a porta, Alberto afirmou:

— Ver-nos-emos em breve, Hilde.

E com estas palavras deixou Sofia entregue a si mesma.

De novo, Alberto tivera um lapso, aquele patife. Sofia teria batido de novo à porta, mas algo a impediu de o fazer.

Na rua, lembrou-se de que não tinha dinheiro nenhum. Deste modo, tinha que fazer a pé todo o caminho para casa. Que diabo! A mãe ia ficar furiosa e preocupada se não conseguisse chegar a casa às seis.

Mas alguns metros adiante, descobriu de repente no passeio uma moeda de dez coroas. Um bilhete de transbordo custava exactamente dez coroas.

Sofia foi para a paragem e esperou pelo autocarro seguinte para a praça principal. De lá, partia um outro que ia quase até sua casa.

Só na praça principal reflectiu na sorte que tivera em encontrar a moeda de dez coroas precisamente no momento em que precisava tanto dela.

O pai de Hilde nunca poderia tê-la colocado ali. Mas ele era sem dúvida um mestre na arte de colocar todo o género de coisas nos lugares mais estranhos.

Mas como é que o conseguia, se estava no Líbano?

E porque é que Alberto tivera aqueles lapsos? Não apenas uma vez, mas duas de seguida.

Sofia sentiu um calafrio percorrer-lhe as costas.

O BARROCO

... da mesma matéria de que são feitos os sonhos...

Durante alguns dias, Sofia não teve mais notícias de Alberto, mas procurou por Hermes no jardim várias vezes ao dia. Dissera à mãe que o cão fora sozinho para casa, e o seu dono, um velho professor de física, a convidara para tomar café. Ele falara a Sofia acerca do sistema solar e da nova ciência que nascera no século XVI.

Contou mais a Jorunn. Falou-lhe da sua visita a Alberto, do postal no vão da escada e da moeda de dez coroas que encontrara no caminho para casa. Mas guardou para si o sonho com Hilde e a história do crucifixo de ouro.

Na terça-feira, dia 29 de Maio, Sofia estava na cozinha e enxugava a louça, enquanto a mãe via as notícias na sala de estar. Quando a música de abertura esmoreceu, Sofia ouviu na cozinha que um major do contingente norueguês da ONU fora morto por uma granada.

Sofia deixou cair o pano da louça no lava-louça e correu para a sala de estar. Durante alguns segundos tremeluziu uma fotografia do soldado da ONU no ecrã — depois, as notícias continuaram.

— Oh, não! — exclamou Sofia.

A sua mãe voltou-se.

— Sim, a guerra é terrível...

Sofia desfez-se em lágrimas.

— Mas, Sofia. Não é assim tão grave.

— Disseram o nome dele?

— Sim... mas já não me recordo. Ele era de Grimstad.

— Isso não é o mesmo que Lillesand?

— Não, estás a brincar?

— Mas quando se é de Grimstad, também se pode ir à escola em Lillesand.

Já não chorava. Por sua vez, a mãe reagiu. Levantou-se e desligou o televisor.

— Mas que excessos são estes, Sofia?

— Ah, nada ...

— Sim, tem de haver alguma coisa! Tu tens um namorado, e eu começo a acreditar que ele é muito mais velho que tu. Responde-me agora: conheces algum homem no Líbano?

— Não, não é bem isso...

— Conheces o *filho* de alguém que esteja no Líbano?

— Não, ouve. Eu nem sequer conheço a filha dele!

— De quem é que estás a falar?

— Não tens nada a ver com isso.

— Ah, não?

— Talvez devesse ser antes eu a interrogar. Porque é que o pai nunca está em casa? Talvez porque vocês sejam demasiado cobardes para se separarem? Terás um namorado do qual o pai e eu nada sabemos? E assim por diante. Ambas temos as nossas perguntas.

— De qualquer modo, acho que temos de conversar uma com a outra.

— Talvez. Mas agora estou tão cansada que prefiro ir para a cama. E além disso estou com o período.

Saiu da sala a correr com um nó na garganta.

Mal saíra da casa de banho e se enfiara nos lençóis, a mãe entrou no quarto.

Sofia fingiu que dormia, apesar de saber que a mãe não acreditava. Também sabia que a mãe sabia que Sofia sabia que ela não acreditava nisso. No entanto, a mãe fez como se Sofia já estivesse a dormir. Sentou-se ao canto da cama e acariciou-lhe a cabeça.

Sofia pensou como era difícil levar uma vida dupla. Começava a alegrar-se com o fim do curso de filosofia. Talvez terminasse até ao dia dos seus anos — ou pelo menos até à noite de S. João, quando o pai de Hilde regressasse do Líbano...

— Eu queria fazer uma festa no meu aniversário — afirmou então.

— É uma boa ideia. E quem queres convidar?

— Muitas pessoas... posso?

— Claro. Temos um jardim grande. E talvez o bom tempo se mantenha.

— Mas, de preferência, eu gostaria de festejar só na noite de S. João.

— Está bem, então fazemos isso.

— É um dia importante — afirmou Sofia, e não estava a pensar apenas no seu aniversário.

— Ah...

— Acho que me tornei tão adulta nos últimos tempos.

194

— Sim, não é bom?

— Não sei.

Sofia mantivera a cabeça enterrada na almofada enquanto falavam. A mãe sondou então:

— Mas Sofia, tens de me contar porque é que... porque é que agora estás tão desequilibrada.

— Tu não eras assim com quinze anos?

— Certamente. Mas tu sabes o que quero dizer.

Sofia voltou-se para a mãe.

— O cão chama-se Hermes — afirmou.

— Sim?

— Pertence a um homem chamado Alberto.

— Ahá.

— Ele mora na parte antiga da cidade.

— Foste tão longe atrás do cão?

— Mas não é perigoso.

— Tu disseste que o cão já tinha estado aqui outras vezes.

— Sim!

Sofia tinha de reflectir. Ela queria revelar o máximo que lhe era possível, mas não podia contar tudo.

— Tu quase nunca estás em casa — começou.

— Não, estou muito ocupada.

— Alberto e Hermes já estiveram aqui muitas vezes.

— Mas porquê? Também já estiveram dentro de casa?

— Podes fazer uma pergunta de cada vez? Eles não estiveram na casa. Mas vão frequentemente passear no bosque. Achas isso estranho?

— Não, isso não é nada estranho.

— Como todos os outros, passam pelo nosso portão ao passearem. Uma vez em que eu vinha da escola, Hermes farejava aqui à volta. Foi deste modo que eu conheci o Alberto.

— E quanto ao coelho branco e todas as outras coisas?

— Foi o Alberto que falou nisso. É que ele é um verdadeiro filósofo. Falou-me dos filósofos.

— Assim por cima da vedação do jardim?

— Não, sentámo-nos. Mas ele também me escreveu cartas, bastantes. Por vezes, vieram pelo correio, outras vezes ele pô-las na nossa caixa do correio ao passar.

— Essas eram então as «cartas de amor» de que falámos.

— Só que não eram cartas de amor.

— Ele só escreveu sobre filósofos?

— Sim, imagina tu. E já aprendi mais com ele do que em oito anos de escola. Já ouviste falar, por exemplo, de Giordano Bruno, que morreu na fogueira em 1600? Ou da lei da gravitação de Newton?

— Não, há muita coisa que eu não sei...

— Se bem te conheço, nem sequer sabes porque é que a Terra gira à volta do Sol, e não o contrário.

— Que idade é que ele tem, aproximadamente?

— Não faço ideia. Pelo menos cinquenta.

— E o que é que ele tem a ver com o Líbano?

Isso era mais complicado. Sofia pensou em dez respostas possíveis ao mesmo tempo. Depois escolheu a única que lhe parecia credível:

— O irmão do Alberto é major na ONU. E ele é de Lillesand. Deve ter morado a certa altura na cabana do major.

— Alberto não é um nome um pouco estranho?

— Talvez.

— Soa a italiano.

— Eu sei. Quase tudo o que é importante vem da Grécia ou da Itália.

— Mas ele fala norueguês?

— Sim, fluentemente.

— Sabes o que acho, Sofia? Acho que devias convidar o Alberto para nossa casa. Nunca estive com um verdadeiro filósofo.

— Vamos ver.

— Talvez o possamos convidar para a tua grande festa. É divertido misturar as gerações. E nessa altura, eu podia estar também presente. Eu poderia servir à mesa. Achas uma boa ideia?

— Sim, se ele quiser. De qualquer modo, é muito mais interessante conversar com ele do que com os rapazes da minha turma. Mas... nesse caso, todos acharão que o Alberto é o teu namorado.

— Então, dizes-lhes que isso não é verdade.

— Vamos ver.

— Sim, vamos ver. E Sofia — é verdade que nem tudo foi fácil entre mim e o pai. Mas eu nunca tive um namorado...

— Agora, quero dormir. Tenho uma dor de barriga horrível.

— Queres uma aspirina?

— Está bem.

Quando a mãe voltou com um comprimido e um copo de água, Sofia já tinha adormecido.

O dia 31 de Maio era uma quinta-feira. Sofia esteve preocupada durante as últimas aulas. Em algumas disciplinas tinha melhorado desde que o curso de Filosofia começara. Na maioria das disciplinas estivera sempre entre «bom» e «muito bom»; mas nos últimos meses tinha conseguido um «muito bom» num trabalho escrito de ciências humanas e numa composição de casa. Na matemática as coisas não estavam tão bem...

Na última aula, o professor entregou uma composição que tinha corrigido. Sofia tinha escolhido o tema «O homem e a técnica». Escrevera sobre o Renascimento e o desenvolvimento científico, sobre a nova visão da natureza, sobre Francis Bacon, que afirmara «saber é poder», e sobre o novo método científico. Explicara detalhadamente que o método empírico era mais antigo do que as invenções técnicas. Escrevera depois o que lhe ocorrera acerca das desvantagens da técnica. Tudo o que os homens faziam podia resultar no bem ou no mal, escrevera no fim. Bem e mal eram como um fio branco e um fio preto que se estavam sempre a entrelaçar. Por vezes, ambos os fios estão tão unidos que é impossível separar um do outro.

Ao entregar as composições, o professor olhou para Sofia e piscou--lhe o olho.

Teve um cinco, e o professor perguntou: — Como é que sabes isso tudo?

Sofia agarrou numa caneta de feltro e escreveu em maiúsculas na folha: «EU ESTUDO FILOSOFIA».

Ao fechar o livro de exercícios, algo caiu das páginas do meio. Era um postal ilustrado do Líbano.

Sofia debruçou-se sobre a mesa e leu:

Querida Hilde: Quando leres isto, já teremos falado ao telefone acerca da trágica morte ocorrida aqui. Por vezes, pergunto-me se a guerra e a violência não poderiam ser evitadas se os homens pudessem pensar de outro modo. Talvez o melhor meio contra a guerra e a violência fosse um pequeno curso de filosofia. Que tal um «Pequeno livro de filosofia da ONU» — de que cada novo cidadão do mundo receberia um exemplar na língua materna? Vou expor esta ideia ao secretário-geral.

Ao telefone, contaste que agora já prestas mais atenção às tuas coisas. Isso é bom, porque és realmente a maior cabeça de vento que eu conheço. Depois, disseste que desde a nossa última conversa apenas perdeste uma moeda de dez coroas. Farei o possível para te compensar. Eu estou muito longe de casa, mas ainda tenho uma mão amiga na velha pátria. (Se encontrar a moeda de dez coroas, junto-a ao o teu presente de aniversário.)

Beijos do pai, que tem a sensação de já ter iniciado a longa viagem de regresso.

Sofia acabara de ler o postal quando a aula terminou. De novo se desencadeou uma forte tempestade de pensamentos na sua mente.

No pátio da escola, Jorunn esperava por ela como sempre. A caminho de casa, Sofia abriu a sua pasta da escola e mostrou à amiga o postal.

— De quando é o carimbo? — perguntou Jorunn.

— De certeza que é de 15 de Junho...

— Não, espera... aqui está 30.5.1990.

— Isso foi ontem... ou seja, no dia a seguir à tragédia no Líbano.

— Não acredito que um postal leve apenas um dia do Líbano até à Noruega — reflectiu Jorunn.

— Pelo menos não com esta direcção: Hilde Møller Knag, a/c Sofia Amundsen, Escola Secundária Furulia...

— Achas que veio pelo correio? E o professor meteu-o simplesmente no livro?

— Não faço ideia. E também não sei se me atrevo a perguntar.

Não falaram mais acerca do postal.

— Na noite de S. João, vou fazer uma grande festa no jardim — contou Sofia.

— Com rapazes?

Sofia encolheu os ombros.

— Não precisamos de convidar os mais parvos.

— Mas vais convidar Jørgen?

— Se quiseres. Talvez convide o Alberto Knox.

— Deves estar doida.

— Eu sei.

Não falaram mais, e separaram-se no supermercado.

A primeira coisa que fez quando chegou a casa foi procurar Hermes no jardim. E nesse dia, ele andava de facto entre as macieiras.

— Hermes!

O cão ficou parado por um momento. Sofia sabia exactamente o que se iria passar nesse segundo. O cão ouvira-a chamar, reconhecera a sua voz e decidira verificar se ela estava ali, e de onde viera o ruído. Só então a descobriu e decidiu correr para ela. As suas quatro pernas desataram a agitar-se.

Era de facto muito para um só segundo.

Foi ter com ela a correr, abanou a cauda energicamente e saltou para ela.

— Bonito cão, Hermes! Não... não, pára de lamber, estás a ouvir? Senta... assim, sim!

Sofia abriu a porta de casa. Sherekan surgiu então dos arbustos. O animal estranho era um pouco sinistro para o gato. Mas Sofia colocou comida no prato dele, pôs sementes no comedouro dos pássaros, deixou à tartaruga uma folha de alface e escreveu um bilhete à mãe. Escreveu que queria levar Hermes para casa e que telefonaria caso não pudesse estar em casa antes das sete.

Depois, puseram-se a caminho pela cidade. Desta vez, Sofia tinha trazido dinheiro. Pensou em apanhar o autocarro com Hermes, mas depois lembrou-se que Alberto podia não estar de acordo.

Ao andar atrás de Hermes, começou a pensar no que era um animal. Qual era a diferença entre um cão e um homem? Ela ainda sabia o que Aristóteles dissera a esse respeito. Afirmara que homens e animais eram seres vivos com muitas semelhanças importantes. Mas havia também uma diferença essencial entre um homem e um animal, a razão.

Como é que ele tinha a certeza desta diferença?

Demócrito, por seu lado, não vira uma grande diferença entre homens e animais, visto que ambos são compostos por átomos. Também não acreditava que homens ou animais tivessem almas imortais. Acreditava que a alma era formada por pequenos átomos que se separavam em todas as direcções quando as pessoas morriam. Para ele, a alma do homem estava indissociavelmente ligada ao cérebro.

Mas como é que a alma podia ser constituída por átomos? É que a alma não podia ser tocada, ao contrário de todas as outras partes do corpo. Era algo «espiritual».

Tinham atravessado a praça principal e aproximavam-se da parte antiga da cidade. Quando chegaram ao local onde Sofia encontrara a moeda de dez coroas, o seu olhar dirigiu-se instintivamente para o chão. E ali — precisamente ali, onde já se inclinara uma vez para apanhar uma moeda de dez coroas — estava agora, com a fotografia virada para cima, um postal ilustrado. A fotografia mostrava um jardim com palmeiras e laranjeiras.

Sofia baixou-se e apanhou o postal. Simultaneamente, Hermes começou a rosnar. Parecia não gostar que Sofia tivesse agarrado no postal.

No postal estava escrito:

Querida Hilde! A vida consiste numa cadeia interminável de coinci-
dências. Não é totalmente inverosímil que as dez coroas que perdeste
tenham chegado aqui. Talvez uma senhora idosa, que esperava pelo

autocarro para Kristiansand, a tenha encontrado na praça principal de Lillesand. Em Kristiansand, apanhou o comboio para visitar os seus netos, e muitas horas mais tarde pode ter perdido aqui a moeda de dez coroas. Em seguida, é possível que essa moeda tenha sido apanhada mais tarde por uma rapariga que precisava de dez coroas para poder ir para casa de autocarro. Nunca se pode saber, Hilde, mas se foi mesmo assim temos de nos questionar de facto se não há uma providência divina por trás de tudo.

Beijos do pai que em pensamento já está sentado na doca em Lillesand.

P.S. Eu bem disse que ia ajudar-te a procurar as dez coroas.

Como endereço, estava escrito no postal: «Hilde Møller Knag, a/c de uma transeunte acidental...» O postal tinha o carimbo do dia 15 de Junho.

Sofia subiu os degraus atrás de Hermes. Quando Alberto abriu a porta, disse:

— Sai do caminho, velhote. Aqui vem o correio!

Ela achava que naquele preciso momento tinha uma boa razão para estar um pouco irritada.

Ele deixou-a entrar. Hermes deitou-se debaixo dos cabides, como na vez anterior.

— O major deixou um novo cartão de visita, minha filha?

Sofia olhou para Alberto. Só então descobriu que ele trazia um traje novo.

Reparou primeiro numa comprida peruca encaracolada. Além disso, trazia um fato comprido largo com muitas rendas. À volta do pescoço tinha um vistoso lenço de seda e sobre o fato uma capa vermelha. Trazia meias brancas e, nos pés, elegantes sapatos de verniz, com laços. No conjunto, fazia lembrar aqueles quadros representando a corte de Luís XIV que Sofia já tinha visto.

— Que pavão! — comentou, entregando-lhe o postal.

— Hm... e tu encontraste de facto as dez coroas precisamente no local onde o postal estava hoje?

— Precisamente ali.

— Ele está cada vez mais atrevido. Mas talvez isto seja bom.

— Porquê?

— Assim será mais fácil desmascará-lo. Esta encenação é realmente empolada e repugnante. Cheira a perfume barato.

— Perfume?

— Tem um efeito indiscutivelmente elegante, mas é apenas uma brincadeira. Vês como ele ousa comparar os seus fracos métodos de vigilância com a providência divina?

Ergueu o postal. Depois rasgou-o em pedaços tal como o anterior. Para não perturbar ainda mais o seu estado de espírito, Sofia não mencionou o postal que encontrara no livro da escola.

— Vamos sentar-nos na sala de estar, cara discípula. Que horas são?

— Quatro.

— Hoje vamos falar sobre o século XVII.

Foram para a sala que tinha o tecto inclinado e a clarabóia. Sofia reparou que Alberto substituíra alguns objectos desde a última vez.

Na mesa via-se um antigo cofre com uma colecção de diversas lentes. Ao lado, estava um livro aberto. Era muito antigo.

— O que é isto? — perguntou Sofia.

— É uma primeira edição do famoso livro de *René Descartes, O Discurso do Método*. É do ano de 1637 e é um dos meus objectos mais estimados.

— E o cofre ...

— ... contém uma colecção exclusiva de lentes — ou vidros ópticos. Foram polidos por volta de meados do século XVII pelo filósofo holandês *Espinosa*. Ficaram-me caras, mas também são das minhas preciosidades mais valiosas.

— Eu compreenderia sem dúvida melhor o valor do livro e do cofre se soubesse alguma coisa sobre Descartes e Espinosa.

— Claro. Mas vamos tentar primeiro familiarizar-nos um pouco com a sua época. Sentemo-nos.

E sentaram-se como na vez anterior, Sofia numa poltrona grande e Alberto no sofá. Entre eles estava a mesa com o livro e o cofre. Quando se sentaram, Alberto tirou a peruca e pô-la na escrivaninha.

— Vamos falar agora sobre o século XVII — ou a época que é designada por *Barroco*.

— Barroco? Não é um nome estranho?

— A designação «barroco» provém de uma palavra que significa na realidade «pérola irregular». Típico da arte do Barroco eram as formas exuberantes e com muitos contrastes, ao contrário da arte do Renascimento, mais simples e harmoniosa. O século XVII é caracterizado pela tensão entre opostos inconciliáveis. Por um lado, continuava a haver a visão optimista do mundo como no Renascimento — por outro, muitos se agarraram ao extremo oposto e levavam uma vida de recusa do mundo e retiro religioso. Na arte e na vida real encontramos uma ostentação pomposa de vida. Simultaneamente, surgiram os movimentos monásticos que renunciavam ao mundo.

— Palácios imponentes e mosteiros escondidos, portanto.

— Sim, podes dizê-lo assim. Um chavão do Barroco era o provérbio latino «carpe diem» — que significa: «goza o dia!». Um outro provérbio latino muito evocado diz: «memento mori» — e significa: «Recorda que tens de morrer!». Na pintura, o mesmo quadro podia mostrar simultaneamente uma grande exuberância enquanto num canto inferior estava pintada uma caveira. Em muitos aspectos, o Barroco caracteriza-se pela *frivolidade* e a *afectação*, mas também pela consciência da *efemeridade* de todas as coisas, ou seja, pelo facto de que tudo o que é belo tem de perecer e decompor-se um dia.

— É verdade, mas é uma ideia triste pensar que nada é estável.

— Nesse caso, pensas exactamente como muitas pessoas no século XVII. No domínio político, o Barroco também foi a época de grandes conflitos. Primeiro, a Europa foi devastada por guerras. A mais grave foi a *Guerra dos Trinta Anos*, que assolou quase toda a Europa de 1618 a 1648. Na realidade, consistiu em muitas guerras pequenas, que atingiram sobretudo a Alemanha. Como consequência da Guerra dos Trinta Anos, a França tornou-se pouco a pouco a potência dominante na Europa.

— Porque é que eles combatiam?

— Era sobretudo uma guerra entre protestantes e católicos. Mas também se tratava do poder político.

— Mais ou menos como no Líbano.

— Além disso, o século XVII estava marcado por enormes diferenças de classes. Com certeza já ouviste falar da nobreza francesa e da corte de Versalhes. Não sei se também estudaste a miséria do povo. Mas toda a *ostentação do luxo* assenta sobre a *ostentação do poder*. Diz-se que a situação política do Barroco pode ser comparada com a arte e a arquitectura contemporâneas. Os edifícios do Barroco estavam sobrecarregados de volutas, estuques e decorações. E a política estava cheia de assassínios, intrigas e tramas.

— Não houve um rei sueco que foi assassinado no teatro nessa altura?

— Estás a pensar em Gustavo III, e tens aí um verdadeiro exemplo daquilo a que me refiro. O assassínio de Gustavo III deu-se já no ano de 1792, mas em circunstâncias muito barrocas. Ele foi assassinado num grande baile de máscaras.

— E eu pensava que tinha sido no teatro.

— O baile de máscaras teve lugar na Ópera. O Barroco sueco, no fundo, só terminou com o assassínio de Gustavo III. Durante o seu reinado dominou o *despotismo esclarecido*, mais ou menos como quase cem anos antes com Luís XIV. Além disso, Gustavo III era um homem muito frívolo, que adorava todas as cerimómias e cortesias francesas. E repara que também gostava muito de teatro...

— E isso foi-lhe fatal.

— Mas o teatro no Barroco era mais do que uma mera forma artística. Era o símbolo mais importante da sua época.

— E o que é que simbolizava?

— A vida, Sofia. Não sei quantas vezes se disse durante o século XVII: «A vida é teatro». Certamente muitas vezes. E foi durante o Barroco que surgiu o teatro moderno — com a sua maquinaria e cenografia. No teatro, punha-se em cena uma ilusão — que era desmascarada como mera ficção. Deste modo, o teatro tornou-se a imagem da vida humana em geral. O teatro podia mostrar que «quanto mais alto é o voo, maior é a queda», oferecendo uma representação impiedosa da fragilidade humana.

— *William Shakespeare* viveu no período do Barroco?

— Ele escreveu os seus grandes dramas por volta do ano de 1600. Desse modo, tem um pé no Renascimento e o outro no Barroco. Mas já em Shakespeare se encontram muitas reflexões sobre a vida como teatro. Gostarias de ouvir alguns exemplos?

— Sim, muito.

— No drama *As You Like It*, ele afirma:

O mundo é um palco e todos os homens e mulheres meros actores. Entram e saem de cena, e cada um representa muitos papéis no seu tempo...

E em *Macbeth* diz-se:

A vida é apenas uma sombra inconstante;
Um pobre comediante que se pavoneia e se agita
Durante a sua hora em cena, e depois nada mais
Se ouve dele; é uma história, contada
Por um idiota, cheia de som e de fúria,
Que nada significa.

— Isso é mesmo pessimista.

— Mas a brevidade da vida preocupou-o. Provavelmente já ouviste a mais famosa citação de Shakespeare:

— Ser ou não ser — eis a questão.

— Sim, foi Hamlet que o disse. Num dia estamos na terra — no dia seguinte desaparecemos.

— Obrigada, isso eu já compreendi.

— Quando não comparam a vida com o teatro, os escritores barrocos comparam-na com um sonho. Já Shakespeare afirmava, por exemplo: «Somos feitos da mesma matéria que os sonhos, e esta breve vida abrange um sono...»

— Que poético.

— O poeta espanhol *Calderón*, que nasceu por volta de 1600, escreveu um drama com o título *A vida é sonho*. Aí afirma «O que é a vida? Loucura! O que é a vida? Uma ilusão, uma sombra, uma ficção. E o maior dos bens tem pouco valor, pois a vida é um sonho.

— Talvez ele tenha razão. Nós lemos uma peça na escola. Chamava-se *Jeppe de Bjerget*.

— De *Ludvig Holberg*, sim. Aqui no Norte uma grande figura de transição entre o Barroco e o Iluminismo.

— Jeppe adormece num fosso de estrada... e depois acorda na cama do barão. E pensa ter sonhado ser apenas um pobre camponês. Depois, é levado de volta para o fosso, a dormir — e acorda de novo. E acha nessa altura ter sonhado que estivera deitado na cama do barão.

— Holberg retirou este motivo de Calderón, como Calderón o fizera a partir dos contos árabes das *Mil e Uma Noites*. Mas a comparação entre vida e sonho é ainda mais antiga, e encontramo-la inclusivamente na Índia e na China. Já o antigo sábio chinês *Tchuang Tsu* (cerca de 350 a. C.) sonhou uma vez que era uma borboleta e, após ter acordado perguntou se era um homem que sonhara ser uma borboleta ou uma borboleta que estava nesse momento a sonhar que era um homem.

— De qualquer modo, é impossível provar qual está certo.

— Na Noruega tivemos um poeta barroco típico, de nome *Petter Dass*. Viveu entre 1647 e 1707. Por um lado, queria retratar a vida como é realmente, por outro sublinhava que apenas Deus é eterno e constante.

— Deus é Deus, mesmo se tudo fosse deserto, Deus é Deus, mesmo se todos estivessem mortos...

— Mas no mesmo hino ele descreve também a cultura norueguesa — escrevendo sobre todos os tipos de peixe que se encontram nesta zona. Isso é típico do Barroco. Num mesmo texto é descrito o terreno, imanente — e o celestial, transcendente. O conjunto pode fazer-nos lembrar a separação platónica entre o mundo sensível concreto e o mundo imutável das ideias.

— E a filosofia?

— Também a filosofia era caracterizada por duras lutas entre modos de pensar contraditórios. Como já ouvimos, para alguns filósofos, a realidade era fundamentalmente de natureza mental ou espiritual. Designamos essa perspectiva por *idealismo*. A concepção oposta é o *materialismo*, uma filosofia que defende que a realidade se reduz a substâncias materiais concretas. O materialismo também teve no século XVII muitos defensores. O mais influente talvez tenha sido o filósofo inglês *Thomas Hobbes*. Segundo ele, todos os seres — logo, também homens e animais — consistem exclusivamente em partículas de matéria. Mesmo a consciência do homem — ou a alma humana — nasce através do movimento de partículas minúsculas no cérebro.

— Então ele pensava o mesmo que Demócrito dois mil anos antes.

— Idealismo e materialismo são como fios condutores através de toda a história da filosofia. Mas muito raramente as duas concepções surgiram tão claramente numa mesma época como no Barroco. O materialismo consolidou-se progressivamente através das novas ciências da natureza. Newton mostrou que as mesmas leis para o movimento são válidas em todo o universo, e que as leis da gravitação e dos movimentos dos corpos são responsáveis por todas as transformações na natureza — tanto na terra como no espaço. Portanto, tudo é governado com a mesma regularidade constante — ou com a mesma *mecânica*. Assim, em princípio, podemos calcular qualquer transformação na natureza com exactidão matemática. Deste modo, Newton forneceu os últimos elementos para a chamada *concepção mecanicista do mundo*.

— Ele imaginava o mundo como uma grande máquina?

— Exactamente. O termo «mecânico» provém da palavra grega *mêchanê*, que significa máquina. Mas devemos ter em atenção que nem Hobbes nem Newton viam uma contradição entre uma concepção mecanicista do mundo e a crença em Deus. Isto não é válido para todos os materialistas dos séculos XVIII e XIX. O médico e filósofo francês *La Mettrie* escreveu em meados do século XVIII um livro com o título *L'homme machine*. Significa: «o homem máquina». Tal como a perna tem músculos para andar, assim o cérebro, escreveu ele, tem «músculos» para pensar. Posteriormente, o matemático francês *Laplace* exprimiu com o seguinte pensamento uma concepção mecanicista extrema: se uma inteligência conhecesse a posição de todas as partículas de matéria num certo momento, nada seria incerto, e tanto o futuro como o passado seriam evidentes. Estaria «nas cartas» o que haveria de suceder. Designamos esta concepção por *determinismo*.

— Nesse caso, o homem não pode ter livre arbítrio.

— Não, tudo é produto de processos mecânicos — inclusivamente os nossos pensamentos e sonhos. No século XIX, materialistas alemães afirmaram que os processos de pensamento se comportam em relação ao cérebro tal como a urina em relação aos rins e a bílis em relação ao fígado.

— Mas a urina e a bílis são materiais. Os pensamentos não.

— Estás a dizer uma coisa importante. Posso contar-te uma história que diz o mesmo. Certa vez, um cosmonauta e um neurocirurgião russos discutiam sobre religião. O cirurgião era cristão, o cosmonauta não. «Eu já estive várias vezes no espaço», gabava-se o cosmonauta, «mas não vi nem Deus nem anjos». «E eu já operei muitos cérebros inteligentes», respondeu o cirurgião, «e também não encontrei em lado algum um único pensamento».

— O que não significa que os pensamentos não existam.

— Não. Apenas esclarece que os pensamentos são algo completamente diferente de tudo o que pode ser amputado ou dividido em partes cada vez mais pequenas. Por exemplo, não é fácil remover uma alucinação com uma operação. Um importante filósofo do século XVII, chamado *Leibniz*, referiu que a grande diferença entre tudo o que é feito de *matéria* e tudo o que é feito de *espírito* consiste precisamente no facto de a materia poder ser dividida em partes cada vez mais pequenas. Mas a alma não pode ser cortada em pedaços.

— Pois não, que tipo de faca se usaria?

Alberto abanou a cabeça. Depois, apontou para a mesa entre ambos e afirmou:

— Os dois filósofos mais importantes do século XVII foram Descartes e Espinosa. Também eles se preocuparam com questões como a relação entre alma e corpo. Vamos observar mais pormenorizadamente estes filósofos.

— Conta. Mas, se não estivermos despachados até às sete, tenho de telefonar à minha mãe.

DESCARTES

... ele queria remover todos os velhos materiais
do terreno de construção...

Alberto levantara-se e despira a capa vermelha. Pô-la numa cadeira e voltou a sentar-se confortavelmente no sofá.

— *René Descartes* nasceu em 1596 e viveu em vários países da Europa ao longo da vida. Já na sua juventude, sentia o forte desejo de tomar conhecimento da natureza do homem e do universo. Mas depois de ter estudado filosofia tornou-se consciente sobretudo da sua própria ignorância.

— Mais ou menos como Sócrates?

— Sim, mais ou menos assim. Tal como Sócrates, estava convencido de que só a razão nos pode dar conhecimento seguro. Nunca podemos confiar no que está escrito em livros antigos. Nem sequer podemos confiar no que os nossos sentidos nos transmitem.

— Platão era da mesma opinião. Ele achava que só a razão nos pode dar um saber sólido.

— Exacto. De Sócrates e Platão, através de S. Agostinho, há uma linha directa até Descartes. Todos eles eram racionalistas convictos. Para eles, a razão era a única fonte segura de conhecimento. Após muitos estudos, Descartes reconheceu que não era forçoso confiar no saber transmitido na Idade Média. Podes fazer uma comparação com Sócrates, que não confiava nas concepções mais difundidas com que se defrontava na ágora em Atenas. E o que é que se faz neste caso, Sofia? Sabes responder-me?

— Começa-se a filosofar por si mesmo.

— Exacto. Descartes decidiu então viajar pela Europa — tal como Sócrates, que passou a vida em diálogo com homens de Atenas. Ele próprio relata que a partir dessa altura só queria procurar o saber que podia encontrar em si mesmo ou «no grande livro do mundo». Por isso, entrou para o exército e pôde permanecer em diversos locais da Europa Central. Mais tarde, passou alguns anos em Paris. Em Maio de 1629, viajou para os Países Baixos, onde viveu durante quase vinte anos, enquanto trabalhava nos seus escritos filosóficos. Em 1649, a rainha Cristina convidou-o a viver na Suécia. Mas esta estadia «no país dos ursos, do gelo e dos rochedos», como ele lhe chamou, provocou-lhe uma pneumonia, e morreu no Inverno de 1650.

— Então só tinha 54 anos!

— Mas ainda havia de ser muito importante para a filosofia, mesmo após a sua morte. Sem exagero, podemos dizer que Descartes foi o fundador da filosofia da época moderna. Depois da imponente redescoberta do homem e da natureza no Renascimento, surgiu de novo a necessidade de reunir todas as ideias contemporâneas num único *sistema filosófico* coerente. O primeiro grande construtor de sistema foi Descartes, e seguiram-se-lhe *Espinosa* e *Leibniz*, *Locke* e *Berkeley*, *Hume* e *Kant*.

— O que é que entendes por «sistema filosófico»?

— Entendo uma filosofia contruída desde a base e que procura encontrar uma resposta para *todas* as questões filosóficas importantes. A Antiguidade teve grandes construtores de sistemas como Platão e Aristóteles. A Idade Média teve S. Tomás de Aquino, que queria fazer uma ponte entre a filosofia de Aristóteles e a teologia cristã. Veio depois o Renascimento — com uma mistura de velhas e novas ideias sobre a natureza e a ciência, Deus e os homens. Só no século XVII a filosofia tentou de novo pôr em sistema as novas ideias. O primeiro a fazer esta tentativa foi Descartes. Ele deu o sinal de partida para aquilo que se tornaria o projecto filosófico mais importante para as gerações seguintes. Antes de mais, preocupava-o o que nós podemos saber, ou seja, a questão da *solidez do nosso conhecimento*. A segunda grande questão que o preocupava era a *relação entre corpo e alma*. Estas duas problemáticas determinariam a discussão filosófica dos cento e cinquenta anos seguintes.

— Então ele estava adiantado em relação à época.

— Mas as questões já andavam no ar na época. Na questão de como podemos alcançar saber seguro, alguns exprimiram o seu total *cepticismo* filosófico. Achavam que os homens tinham de se conformar com o facto de nada saberem. Mas Descartes não se conformou com isso. Se o tivesse feito, não teria sido um verdadeiro filósofo. De novo, podemos fazer um paralelismo com Sócrates, que não se contentou com o cepticismo dos sofistas. Justamente na época de Descartes, a nova ciência da natureza desenvolvera um método que havia de fornecer uma descrição totalmente segura e exacta dos processos naturais. Descartes interrogou-se se não havia um método igualmente seguro e exacto para a reflexão filosófica.

— Entendo.

— Mas esse era apenas um dos problemas. A nova física colocara também a questão sobre a natureza da matéria, ou seja, sobre o que determina os processos físicos na natureza. Cada vez mais pessoas defendiam uma compreensão materialista da natureza. Mas quanto mais o mundo físico era concebido de forma mecanicista, mais urgente se tornava a questão da relação entre corpo e alma. Antes do século XVII, a alma fora descrita geralmente como uma espécie de «espírito vital» que percorria todos os seres vivos. Aliás, o significado original de «alma» e «espírito» é também «sopro vital» ou «respiração». É esse o caso em quase todas as línguas europeias. Para Aristóteles, a alma é algo que está presente em todo o organismo como «princípio vital» desse organismo — e que é inconcebível separada do corpo. Por isso também podia falar de uma «alma vegetativa» e de uma «alma sensitiva». Foi só no século XVII que os filósofos estabeleceram uma separação radical entre alma e corpo, porque todos os objectos físicos — também um corpo animal ou humano — eram explicados como processos mecânicos. Mas a alma humana não podia ser uma parte desta «máquina fisiológica»? O que era então? Tinha que se esclarecer como é que algo «espiritual» podia dar origem a um processo mecânico.

— Essa é realmente uma ideia bastante estranha.

— O que queres dizer com isso?

— Eu decido levantar o meu braço — e o braço eleva-se. Ou eu decido correr para o autocarro e imediatamente as minhas pernas começam a mover-se. Por vezes, penso numa coisa triste: as lágrimas vêm-me logo aos olhos. Assim, tem de haver alguma ligação misteriosa entre o corpo e a consciência.

— Foi precisamente este problema que levou Descartes a reflectir. Tal como Platão, ele estava convencido de que há uma divisão rígida entre espírito e matéria. Mas Platão não conseguiu dar resposta ao problema de como o espírito influencia o corpo, ou a alma o corpo.

— Eu também não, por isso estou desejosa de saber o que Descartes descobriu.

— Ouçamos as suas próprias reflexões.

Alberto indicou o livro que estava entre eles na mesa e prosseguiu:

— Neste pequeno livro, *Discurso do Método*, Descartes levanta a questão de qual o método filosófico que um filósofo deve utilizar para resolver um problema filosófico. As ciências da natureza já tinham desenvolvido o seu novo método...

— Já falaste nisso.

— Descartes explica em seguida que não podemos dar nada como verdadeiro enquanto não tivermos reconhecido claramente que é verdadeiro. Para conseguirmos isso, temos que decompor um problema complexo em tantas partes simples quanto possível. Podemos começar então pela ideia mais simples. Talvez se possa dizer que cada ideia é «pesada e medida» — mais ou menos do mesmo modo que Galileu queria medir tudo e tornar mensurável o não mensurável. Descartes achava que o filósofo podia prosseguir do simples para o complexo. Deste modo poderia ser construído um novo conhecimento. Até ao final, é necessário verificar que não se omitiu nada, por meio de um controlo e de uma verificação constantes. Só assim se pode atingir conclusões filosóficas.

— Isso parece um problema matemático.

— Sim, Descartes queria aplicar o «método matemático» à reflexão filosófica. Queria provar verdades filosóficas aproximadamente do mesmo modo que um teorema matemático. Queria usar exactamente o mesmo instrumento que usamos ao trabalhar com números, a *razão*, porque só a razão nos fornece conhecimento seguro. Não estabelece de modo algum que se possa confiar nos sentidos. Já referimos a sua afinidade com Platão. Também este dissera que a matemática e as relações numéricas fornecem conhecimento mais seguro do que os testemunhos dos nossos sentidos.

— Mas é possível responder desse modo a questões filosóficas?

— Voltemos ao raciocínio de Descartes. O seu objectivo é portanto obter conhecimentos seguros acerca da natureza da realidade, e ele torna claro em primeiro lugar que no início devemos duvidar de tudo. Ele não queria edificar o seu sistema filosófico sobre areia.

— Porque se o fundamento cede, toda a casa se desmorona.

— Obrigado pela ajuda, Sofia. Descartes não achava sensato duvidar de tudo, mas pensava que, em princípio, podemos duvidar de tudo. Em primeiro lugar, não é certo que façamos progressos na nossa busca filosófica pela leitura de Platão ou Aristóteles. Talvez alarguemos com isso o nosso saber histórico, mas não descobrimos mais acerca do mundo. Descartes achava importante lançar ao mar o património intelectual antigo antes de iniciar a sua própria investigação filosófica.

— Ele queria remover todos os velhos materiais do terreno de construção, antes de iniciar a construção da nova casa?

— Sim, para ter a certeza de que o novo edifício de ideias era estável, ele queria usar apenas material de construção novo e sólido. Mas as dúvidas de Descartes vão ainda mais longe. Segundo ele, nunca podemos confiar no que os nossos sentidos nos transmitem, porque podemos ser enganados por eles.

— Como é que isso é possível?

— Mesmo quando sonhamos, acreditamos estar a viver uma situação real. E haverá alguma coisa que distinga as nossas sensações, quando estamos despertos, das sensações «sonhadas»? «Quando reflicto cuidadosamente nesta questão, não encontro nenhum indício pelo qual possa distinguir com segurança a vigília do sono», escreve Descartes. E ele prossegue: «São ambos tão semelhantes que eu fico totalmente perplexo e não sei se não estarei a sonhar neste momento.»

— Jeppe também achava que tinha sonhado ter estado deitado na cama do barão.

— E enquanto estava deitado na cama do barão achava que a sua vida como camponês pobre era um sonho. Assim, Descartes duvida de tudo. Muitos filósofos antes dele já tinham terminado as suas reflexões filosóficas neste ponto.

— Nesse caso, não foram muito longe.

— Mas Descartes tentou continuar a trabalhar a partir do zero. Ele chegou à conclusão de que duvidava de tudo e que isso é a única coisa de que se pode ter uma certeza absoluta. E em seguida, há algo que se lhe torna claro: há um facto, do qual ele pode ter toda a certeza: duvida. Mas se duvida, tem que concluir que pensa, e se pensa tem de concluir que é um ser pensante. Ou, como ele próprio diz: «cogito, ergo sum».

— E o que significa?

— Penso, logo existo.

— Não me surpreende que ele tenha chegado a essa conclusão.

— Está bem. Mas não te esqueças com que certeza intuitiva ele se concebe subitamente como um eu pensante. Talvez ainda te lembres que para Platão é mais real o que compreendemos com a razão do que o que obtemos dos sentidos. Com Descartes, passava-se exactamente o mesmo. Ele não compreende apenas que é um eu pensante, entende simultaneamente que este eu pensante é mais real do que o mundo físico, que apreendemos com os sentidos. E a partir daqui, ele prossegue, Sofia. Ainda não concluiu de modo algum a investigação filosófica.

— Prossegue tu também com calma.

— Descartes interrogou-se então sobre se havia algo mais que ele pudesse apreender com a mesma evidência intuitiva, além do facto de ser um ser pensante. Ele descobre que tem também uma ideia clara e nítida de um ser perfeito. Teve sempre essa ideia e, para Descartes, é evidente que essa ideia não pode provir dele mesmo. A ideia de um ser perfeito não pode provir de um ser imperfeito. Por isso, a ideia de um ser perfeito tem de provir desse mesmo ser perfeito — por outras palavras, de Deus. Que Deus existe é deste modo tão imediatamente evidente para Descartes como o facto de alguém que pensa ter de ser um eu pensante.

— Agora, acho que ele precipita um pouco as conclusões. E era tão atento no princípio!

— Sim, houve quem afirmasse ser este o ponto mais fraco de Descartes. Mas tu estás a falar de deduções. Na verdade, não se trata aqui de uma demonstração. Descartes queria apenas dizer que todos nós temos uma ideia de um ser perfeito, e que esta ideia implica que este ser perfeito existe. Porque um ser perfeito não seria perfeito se não existisse. Além disso, não teríamos a ideia de um ser perfeito se esse ser não existisse. Nós somos imperfeitos e, por isso, a ideia do perfeito não pode provir de nós. A ideia de um Deus é, segundo Descartes, uma ideia inata que nos foi implantada ao nascermos — «tal como a marca que o artista imprimiu na sua obra», como ele escreve.

— Mas mesmo que eu tenha uma ideia de um crocofante, isso não significa que existam crocofantes.

— Descartes teria dito que o conceito de «crocofante» não implica que ele exista. Mas o conceito de «ser perfeito» implica que este ser exista. Para Descartes isto é tão certo como o facto de a ideia de círculo implicar que todos os pontos do círculo estão à mesma distância do centro do círculo. Logo, não podes falar de um círculo se ele não preenche estes requisitos. E também não podes falar de um ser perfeito se lhe falta a mais importante de todas as qualidades, a existência.

— É um modo de pensar muito especial.

— Isto é um modo de pensar claramente «racionalista». Tal como Sócrates e Platão, Descartes via uma conexão entre pensamento e existência. Quanto mais evidente uma coisa é para o pensamento, mais certa é a sua existência.

— Até aqui, ele reconheceu que é um ser pensante, e que existe um ser perfeito.

— E, a partir destas certezas, prossegue. Todas as ideias que temos da realidade exterior — por exemplo, Sol e Lua —, podiam também ser apenas visões oníricas. Mas a realidade exterior também tem algumas características que podemos conhecer com a razão. Por exemplo, as relações matemáticas, ou seja, aquilo que pode ser medido, o

212

comprimento, a altura e a profundidade. Estas *propriedades quantitativas* são tão claras para a razão como o facto de eu ser um ser pensante. *Propriedades qualitativas* como cor, cheiro e sabor estão por seu lado relacionadas com os nossos sentidos e não descrevem nenhuma realidade exterior.

— Então afinal a natureza não é um sonho?

— Não. E, neste ponto, Descartes recorre novamente à nossa ideia de um ser perfeito. Se a nossa razão conhece algo muito clara e distintamente — que é o caso das relações matemáticas na realidade exterior — é porque é assim mesmo. Um Deus perfeito não faria pouco de nós. Descartes recorre a Deus como garantia de que aquilo que conhecemos com a nossa razão corresponde a uma coisa real.

— Está bem. Ele descobriu que é um ser pensante, que Deus existe e ainda que existe uma realidade exterior.

— Mas entre a realidade exterior e a realidade das ideias há uma diferença essencial. Descartes pressupõe que existem duas formas diferentes de realidade — ou duas *substâncias*. Uma substância é o *pensamento* ou a alma, a outra a *extensão* ou a matéria. A alma é apenas consciente, não ocupa espaço e, por isso, também não pode ser dividida em partes mais pequenas. A matéria, por seu lado, é extensa, ocupa espaço e pode ser dividida em partes cada vez mais pequenas — mas não é consciente. Descartes afirma que ambas as substâncias provêm de Deus, porque apenas Deus existe independentemente de todas as outras coisas. Mas mesmo provindo pensamento e extensão de Deus, as duas substâncias são completamente independentes uma da outra. O pensamento é livre na sua relação com a matéria — e vice-versa: os processos materiais operam de forma totalmente independente do pensamento.

— E assim, a Criação ficou dividida em dois.

— Exacto. Dizemos que Descartes é *dualista*, e isso significa que ele traça uma clara linha de separação entre a realidade espiritual e a realidade em extensão. Por exemplo, apenas o homem tem alma. Os animais pertencem totalmente à realidade em extensão. A sua vida e os seus movimentos são puramente mecânicos. Descartes via os animais como uma espécie de autómatos complexos. Em relação à realidade em extensão, ele tem dela uma concepção mecanicista — tal como os materialistas.

— Mas eu duvido muito que Hermes seja uma máquina ou um autómato. Certamente, Descartes nunca gostou de um animal. E em relação a nós? Também somos autómatos?

— Sim e não. Descartes chegou à conclusão de que o homem é um *ser duplo* que pensa e ocupa espaço. O homem tem uma alma *e* um corpo extenso. S. Agostinho e S. Tomás de Aquino já tinham afirmado algo semelhante. Acreditavam que o homem tem corpo tal como os animais, mas também espírito como os anjos. Para Descartes, o corpo é um mecanismo muito sofisticado. Mas o homem tem também alma que pode operar independentemente do corpo. Os processos corporais não têm essa liberdade, seguem as suas próprias leis. Mas aquilo que pensamos com a razão não acontece no corpo. Acontece na alma, que é independente da realidade extensa. Eu posso ainda acrescentar que Descartes não queria excluir a possibilidade de também os animais pensarem. Mas, se possuírem essa faculdade, também tem de existir neles a mesma divisão entre pensamento e extensão.

— Já falámos sobre isso. Quando eu decido correr para o autocarro, todo o «autómato» se põe em movimento. E se perco o autocarro, vêm-me as lágrimas aos olhos.

— Nem Descartes podia contestar que existe sempre esse efeito recíproco entre alma e corpo. Enquanto a alma está no corpo, segundo ele, está ligada ao corpo através de um órgão do cérebro muito especial, uma glândula, na qual se dá uma reacção constante entre o espírito e a matéria. Deste modo, segundo Descartes, a alma pode ser permanentemente confundida com os sentimentos e sensações que têm a ver com as necessidades do corpo. O objectivo é transmitir à alma a ordem: Seja qual for a gravidade das minhas dores de barriga, a soma dos ângulos num triângulo é sempre cento e oitenta graus. Deste modo, o pensamento pode elevar-se acima das necessidades do corpo e proceder «racionalmente». Deste ponto de vista, a alma é totalmente independente do corpo. As nossas pernas podem ficar velhas e fracas, as nossas costas tortas, e os nossos dentes podem cair — mas dois mais dois serão sempre quatro, enquanto ainda houver razão em nós. Porque a razão não fica velha e caduca. Os nossos corpos é que envelhecem. Para Descartes, a própria razão é a alma. Paixões e humores inferiores como a concupiscência e o ódio estão estreitamente ligados às funções corporais — e consequentemente à realidade extensa.

— Eu não me conformo com o facto de Descartes ter comparado o corpo com uma máquina ou um autómato.

— O motivo da comparação é o facto de as pessoas, no tempo de Descartes, estarem completamente fascinadas com as máquinas e os mecanismos dos relógios, que aparentemente funcionavam por si mesmos. A palavra «autómato» designa precisamente algo que se move por si mesmo. Mas eles moverem-se por si era apenas uma ilusão. Por exemplo, os homens construíram nessa época um relógio astronómico e deram-lhe corda. Descartes acentua que estes mecanismos artificiais são compostos muito simplesmente por poucas partes, em comparação com as quantidades de ossos, músculos, nervos, artérias e veias que compõem os corpos de homens e animais. Mas porque é que Deus não havia de produzir um corpo animal ou humano com base nas leis mecânicas?

— Hoje fala-se muito de «inteligência artificial».

— Estás a pensar nos nossos autómatos actuais. Construímos máquinas que por vezes nos podem convencer realmente da sua inteligência. Essas máquinas teriam certamente posto Descartes em pânico. Talvez ele se interrogasse se a razão humana é realmente tão livre e autónoma como ele tinha pensado. Há filósofos que pensam que a vida espiritual humana é tão pouco livre como os processos corporais. A alma de um homem é infinitamente mais complexa do que qualquer programa de computador, mas há também quem pense que em princípio somos tão pouco livres como esses programas. Mas olha para aqui, Sofia. Quero mostrar-te uma coisa.

Alberto indicou então uma grande secretária no outro extremo da sala. Havia ali um pequeno ecrã. Ele levantou-se e foi até lá, seguido por Sofia.

Alberto ligou o computador e em breve apareceu escrito no canto superior C:. Ele escreveu «Laila» e disse:

— Este é um programa avançado de conversação.

Em seguida apareceu um texto no ecrã:

— Olá, eu chamo-me Laila. Estás comodamente sentada?

Sofia escreveu três letras: «Sim», apesar de ainda não se ter sentado. Alberto empurrou uma cadeira para ela.

«Como te chamas?», estava agora escrito no ecrã.

«Sofia Amundsen», escreveu Sofia, e o computador respondeu:

«Kløverveien 3. É um prazer conhecer-te, Sofia. Estás entusiasmada com o teu aniversário?»

Sofia sobressaltou-se. Alberto colocou-lhe a mão no ombro e disse:

— Eu apenas dei a Laila o teu nome, a tua morada e a tua data de nascimento. É como quando alguém se apresenta a um novo amigo. Gostamos de saber antecipadamente alguns dados sobre o outro.

«Bem» — escreveu então Sofia.

— Sim, estás mesmo bem, Sofia? Tens de tentar conversar com frases completas.

«Obrigada, estou muito bem. Posso fazer-te uma pergunta?»

«Por favor, faz uma pergunta.»

«Que idade tens?» — perguntou Sofia.

«Fui construída em Atlanta a 8 de Agosto de 1988, e traduzida para norueguês a 28 de Março de 1990 na Escola Superior Técnica Norueguesa.»

«Bolas!»

«Eu disse que tinhas de falar com frases completas.»

«Eu disse: bolas.»

«Não percebo calão. Conheço mais de cem mil palavras, mas a palavra «bolas» só conheço em relação a bola. De que é que estás a falar exactamente?»

«Não sei.»

«Não saber alguma coisa é em geral um estádio na via para um novo conhecimento.»

«Sócrates teria certamente dito o mesmo. Ou Descartes.»

«Sócrates era um filósofo grego que viveu entre 470 e 399 antes de Cristo. Se queres saber mais, toca em F7. Descartes era um filósofo francês que viveu entre 1596 e 1650. Se quiseres saber mais toca em F8.»

«Obrigada, é suficiente. Posso perguntar-te outra coisa?»

«Pergunta outra coisa.»

Alberto sorria. Sofia escreveu:

«Quem é Hilde Møller Knag?»

«Hilde Møller Knag mora em Lillesand e tem a mesma idade que Sofia Amundsen.»

«Como é que sabes isso?»

«Eu não sei como sei, mas encontrei-o no meu disco rígido.»

Sofia sentiu uma mão sobre o ombro.

— Eu dei-lhe o pouco que sabemos sobre Hilde.

«Sabes mais alguma coisa sobre Hilde?» — escreveu Sofia.

«O pai de Hilde é observador da ONU no Líbano. É major e envia postais à filha.»

«Quero que o encontres.»

«Não consigo. Não o encontro em nenhum arquivo, e não estou ligada a mais nenhum terminal.»

«Eu disse para o encontrares!!!!!!!»

«Estás irritada, Sofia? Tantos pontos de exclamação são um indício de sentimentos violentos.»

«Eu quero falar com o pai de Hilde!»

«Tens problemas em controlar a tua vontade. Se quiseres falar sobre a tua infância, toca em F9.»

Alberto colocou de novo a mão no ombro de Sofia.

— Ela tem razão. Isto não é nenhuma bola de cristal, minha filha. Laila é apenas um programa de computador.

«Cala o bico» — escreveu Sofia.

«Como queiras, Sofia. As nossas relações duraram apenas treze minutos e cinquenta e dois segundos. Vou recordar tudo o que nós dissemos. Agora, vou interromper o programa.»

De novo, surgiu o sinal C: no ecrã.

— Agora, podemos voltar ao trabalho — disse Alberto.

Mas Sofia já tinha escrito mais algumas letras. Escrevera «Knag». No momento seguinte, apareceu a seguinte informação no ecrã:

— Aqui estou!

Alberto estremeceu.

«Quem és tu?» — escreveu Sofia.

«Major Albert Knag, às ordens. Venho directamente do Líbano. O que ordenam os senhores?»

— Nunca me aconteceu nada tão terrível — gemeu Alberto. — Agora, o malvado já se introduziu no disco rígido.

Afastou Sofia da cadeira e sentou-se em frente ao teclado.

«Como diabo entraste no meu PC?», escreveu ele.

«Isto não é nada, caro colega. Eu estou exactamente onde desejo estar.»

«Seu vírus de computador repugnante!»

«Então, então! De momento, apresento-me como vírus de aniversário. Posso enviar uma saudação muito especial?»

«Obrigado, já temos que cheguem.»

«Mas eu vou ser rápido: tudo acontece apenas em tua honra, querida Hilde. Eu dou-te os parabéns pelo teu aniversário. Tens de perdoar as circunstâncias, mas gostaria que as minhas felicitações te seguissem por toda a parte onde estejas. Beijos do pai que gostaria tanto de te ter nos braços!»

Antes de Alberto poder escrever mais, apareceu de novo o C: no ecrã.

Alberto escreveu «dir. knag*,*» e obteve a seguinte informação:

knag.lib 147.643 15-06-90 12:47
knag.lil 326.439 23-06-90 22:34

Escreveu «erase knag*.*» e desligou o computador.

— Agora, apaguei-o — afirmou, — mas é impossível dizer onde surgirá de novo.

Olhou fixamente para o ecrã, depois acrescentou:
— O mais grave é o nome. Albert Knag...
Sofia só então se apercebeu da semelhança dos nomes. Albert Knag e Alberto Knox. Mas Alberto estava tão irritado, que ela não se atreveu a abrir a boca. Sentaram-se novamente à mesa.

ESPINOSA

... Deus não é um titereiro...

Já estavam sentados em silêncio há algum tempo. Por fim, Sofia disse, apenas para distrair Alberto:

— Descartes deve ter sido um homem estranho. Ele era famoso?

Alberto respirou fundo por duas vezes com dificuldade antes de responder:

— Ele obteve progressivamente uma grande influência. A mais importante foi talvez a exercida noutro grande filósofo. Estou a pensar no filósofo holandês *Baruch Espinosa*, que viveu entre 1632 e 1677.

— Também vais falar sobre ele?

— Sim, tinha essa intenção. E não nos vamos deixar atrasar por provocações militares.

— Sou toda ouvidos.

— Espinosa pertencia à comunidade judaica de Amesterdão, mas foi excomungado devido às suas supostas heresias. Poucos filósofos da época moderna foram tão escarnecidos e perseguidos por causa dos seus pensamentos como este homem. Tentaram inclusivamente assassiná-lo, só por ter criticado a religião oficial. Ele achava que apenas dogmas rígidos e rituais exteriores mantinham o cristianismo e o judaísmo vivos. Foi o primeiro a fazer uma interpretação «histórico-crítica» da Bíblia.

— Tens que explicar isso melhor.

— Ele contestou que a Bíblia fosse inspirada por Deus até à mais pequena palavra. Quando lemos a Bíblia, segundo ele, temos de ter em conta a época em que teve origem. Esta leitura «crítica» permite-nos reconhecer uma série de contradições entre os diversos Livros e Evangelhos da Bíblia. Sob a superfície dos textos do Novo Testamento encontramos Jesus, o qual podemos designar por porta-voz de Deus. A mensagem de Jesus significava precisamente uma libertação do judaísmo rígido. Jesus anunciou uma «religião racional», para a qual o amor era o valor mais elevado. Espinosa refere-se aqui tanto ao amor a Deus como ao amor ao próximo. Mas também o cristianismo se cristalizara rapidamente em dogmas e rituais rígidos.

— Eu compreendo que essas ideias fossem muito indigestas para as igrejas e para as sinagogas.

— Quando a situação se tornou mais grave, Espinosa foi inclusivamente abandonado pela família. Queriam deserdá-lo por heresia. O paradoxo disto era que poucas pessoas tinham defendido tão energicamente a liberdade de opinião e a tolerância religiosa como Espinosa. As numerosas oposições com que teve de lutar levaram-no por fim a escolher uma vida tranquila, inteiramente dedicada à filosofia. Ganhava o seu sustento a polir vidros ópticos. Algumas destas lentes, como disse, foram adquiridas por mim.

— Impressionante.

— O facto de ele viver de polir lentes é quase simbólico. Os filósofos devem ajudar os homens a ver a realidade segundo uma perspectiva nova. E é fundamental para a filosofia de Espinosa o desejo de ver as coisas sob a «perspectiva da eternidade».

— A perspectiva da eternidade?

— Sim, Sofia. Achas que poderias conseguir ver a tua própria vida num contexto cósmico? Nesse caso, terias de certo modo de te ver a ti mesma e à tua vida com os olhos semicerrados...

— Hm... não é fácil.

— Pensa que és apenas uma partícula minúscula de toda a vida da natureza. Fazes parte de um todo muito grande.

— Acho que percebo o que queres dizer.

— Também consegues entender isso? Consegues abarcar toda a natureza de uma só vez — sim, todo o universo — num único relance?

— Depende. Talvez eu precise de um par de vidros ópticos.

— E eu não estou apenas a pensar no universo infinito. Penso também num espaço de tempo infinito. Há trinta mil anos vivia um menino na Renânia. Era uma partícula minúscula de toda a natureza, um pequeno encrespar num mar infinitamente grande. Assim, também tu vives uma parte minúscula da vida da natureza. Entre ti e esse jovem não há nenhuma diferença.

— Em todo o caso, eu vivo agora.

— Pois, era sobre isso que eu queria que reflectisses. Mas quem és tu daqui a trinta mil anos?

— Isso é que era a heresia?

— Bom, Espinosa não disse apenas que tudo o que existe é natureza. Ele colocou também um sinal de igual entre Deus e a natureza. Ele via Deus em tudo o que existe e tudo o que existe em Deus.

— Então era panteísta.

— Sim. Para Espinosa, Deus não é alguém que criou outrora o mundo e está desde então junto à sua Criação. Não, Deus é o mundo. Ele refere o discurso de Paulo no areópago. «Porque nele vivemos, nele nos movemos e existimos» dissera Paulo. Mas vamos prosseguir no pensamento de Espinosa. A sua obra mais importante chama-se *A Ética Demonstrada Segundo o Método Geométrico*.

— Ética... e método geométrico?

— Isso soa talvez um pouco estranho aos nossos ouvidos. Por ética, os filósofos entendem a teoria de como devemos conduzir-nos para termos uma vida feliz. Neste sentido, falamos por exemplo acerca da ética de Sócrates ou de Aristóteles. Apenas na nossa época a ética foi de certo modo reduzida a algumas regras segundo as quais podemos viver sem pisarmos os pés dos nossos próximos.

— Porque pensarmos na nossa própria felicidade é tido como egoísmo?

— É mais ou menos assim. Quando Espinosa utiliza a palavra ética, ela pode ser traduzida igualmente por arte de viver ou conduta moral.

— Mas então... *Arte de viver demonstrada segundo o método geométrico?*

— O método geométrico diz respeito à linguagem ou à forma de exposição. Ainda te lembras que Descartes queria aplicar o método matemático à reflexão filosófica. Por isso, ele entendia uma reflexão filosófica que é formada a partir de deduções exactas. Espinosa situa-se na mesma tradição racionalista. Na sua ética, queria demonstrar como a vida humana é dirigida pelas leis da natureza. Para isso, temos de nos libertar dos nossos sentimentos e sensações, porque só assim podemos encontrar a tranquilidade e sermos felizes, segundo ele.

— Mas nós não somos apenas governados pelas leis da natureza, pois não?

— Bom, Espinosa não é fácil de compreender, Sofia. Ainda tens presente que Descartes achava que a realidade era constituída por duas substâncias claramente separadas uma da outra, o pensamento e a extensão.

— Como é que eu poderia ter esquecido isso?

— A palavra «substância» pode ser traduzida aproximadamente do seguinte modo: aquilo em que uma coisa consiste, o que é no fundo, ou a que pode ser reduzida. Tudo é ou pensamento ou extensão, segundo ele.

— Não era preciso repetir.

— Mas Espinosa não aceitou esta separação. Ele acreditava que havia uma única substância. Tudo o que existe pode ter origem na mesma coisa, segundo ele. E designou-a simplesmente por *substância*. Noutras passagens chama-lhe «Deus» ou «natureza». Portanto, Espinosa não tem uma concepção dualista da realidade como Descartes. Dizemos que é *monista*. Significa que, segundo ele, toda a realidade se reduz a uma única substância.

— Dificilmente poderiam estar menos de acordo um com o outro.

— Mas a diferença entre Descartes e Espinosa não é tão profunda como se diz muitas vezes. Descartes também aponta para o facto de só Deus existir por si mesmo. Só quando Espinosa põe no mesmo plano Deus e a natureza — ou Deus e a Criação — é que se afasta consideravelmente de Descartes e também da concepção hebraica e cristã.

— Porque aí, a natureza *é* Deus, e basta.

— Mas quando Espinosa usa o termo «natureza», não está apenas a pensar na natureza extensa. Com substância, Deus ou a natureza, entende tudo o que existe, incluindo tudo o que é espiritual.

— Então, tanto pensamento como extensão.

— Tal qual! Segundo Espinosa, nós homens conhecemos duas das qualidades ou manifestações de Deus. Espinosa designa estas qualidades por *atributos* de Deus, e estes dois atributos são justamente o pensamento e a extensão de Descartes. Deus, ou a natureza, surge portanto ou como pensamento ou como uma coisa no espaço. É possível que Deus possua ainda outras qualidades além do pensamento e da extensão, mas os homens conhecem apenas estes dois atributos.

— Sim, mas ele exprime-se de um modo bastante complicado.

— Sim, quase precisamos de martelo e cinzel para penetrarmos na linguagem de Espinosa. Podemos consolar-nos ao encontrar no fim uma ideia que é tão cristalina como um diamante.

— Estou à espera.

— Tudo o que há na natureza, é ou pensamento ou extensão. Os fenómenos particulares, com que deparamos na vida quotidiana — por exemplo, uma flor ou um poema de *Henrik Wergeland** —, são diversos *modi* dos atributos pensamento e extensão. Com *modus* —

---

* Henrik WERGELAND (1808-1845) — Poeta norueguês, defensor de uma cultura especificamente norueguesa, foi um dos fundadores da literatura do seu país.

plural «modi» — entendemos um determinado modo no qual a substância, Deus ou a natureza, se manifestam. Uma flor é um modo do atributo extensão, e um poema sobre a mesma flor um modo do atributo pensamento. Mas no fundo, ambos são expressão da mesma coisa: a substância, Deus ou a natureza.

— Meu Deus, que complicação!

— Mas em Espinosa só a linguagem é realmente complicada. Sob as suas formulações rígidas esconde-se um conhecimento admirável, que é tão simples que a linguagem quotidiana não o consegue traduzir.

— Mas eu acho que prefiro a linguagem quotidiana.

— Está bem. Então vou começar justamente por ti. Quando tens dores de barriga, quem é que tem dores de barriga?

— Tu próprio o dizes. Eu.

— Certo. E quando mais tarde pensas que tiveste dores de barriga, quem é que pensa?

— Eu, também.

— Porque tu és uma pessoa que pode ter hoje dores de barriga e amanhã estar dominada por outro estado de espírito. E Espinosa pensava do mesmo modo que todas as coisas físicas que nos rodeiam ou sucedem à nossa volta manifestam Deus ou a natureza. Isso é também válido para todos os pensamentos que são pensados. Assim, todos os pensamentos que são pensados são os pensamentos de Deus ou da natureza. Porque tudo é uno. Existe apenas um Deus, uma natureza ou uma substância.

— Mas quando eu penso em alguma coisa, então sou *eu* que penso. E quando me mexo, sou *eu* que me mexo. Porque é que queres meter Deus no assunto?

— O teu entusiasmo agrada-me. Mas tu quem és? És a Sofia Amundsen, mas és também expressão de algo infinitamente maior. Bem podes dizer que *tu* pensas, ou que *tu* te mexes, mas não podes afirmar também que a natureza pensa os teus pensamentos e que a natureza se move em ti? É já uma questão das lentes com que queres ver o problema.

— Queres dizer que eu não disponho de mim mesma?

— Bom, talvez tenhas uma espécie de liberdade de mover o teu polegar como desejas. Mas o polegar só se pode mover de acordo com a sua natureza. Não pode saltar da tua mão e correr pela sala. E deste modo tens o teu lugar no todo, minha filha. És a Sofia, mas és também um dedo no corpo de Deus.

— Então Deus determina tudo o que eu faço?

— Ou a natureza, ou as leis da natureza. Para Espinosa, Deus, ou as leis da natureza, são a *causa imanente* de tudo o que acontece. Não é uma causa exterior, porque Deus manifesta-se através das leis da natureza, e apenas através delas.

— Não sei se estou a ver a diferença.

— Deus não é um titereiro, que mexe os fios e determina o que sucede. Um titereiro dirige os fantoches de fora e é assim a «causa exterior». Mas Deus não dirige o mundo deste modo. Deus governa o mundo por meio das leis da natureza. Assim, Deus — ou a natureza — é a causa «imanente» de tudo o que sucede. Isso quer dizer que tudo na natureza acontece necessariamente. Espinosa tinha uma concepção determinista da vida natural.

— Acho que já uma vez disseste uma coisa parecida.

— Estás a pensar nos *estóicos*. Eles também afirmaram que tudo sucede por necessidade. Por isso era tão importante para eles encarar todos os acontecimentos com uma «serenidade estóica». O homem não se devia deixar arrebatar pelos seus sentimentos. É o que diz também a ética de Espinosa, se a quisermos explicar muito sinteticamente.

— Acho que percebo o que ele quer dizer. Mas não me agrada a ideia de não escolher por mim mesma.

— Regressemos a este jovem da Idade da Pedra, que viveu há trinta mil anos. Quando ele cresceu, caçou animais, amou uma mulher, que se tornou a mãe dos seus filhos, e podes ter a certeza de que ele adorava os deuses dos seus antepassados. Em que é que estás a pensar quando afirmas que ele decidiu tudo isto por si mesmo?

— Não sei.

— Ou imagina um leão em África. Achas que escolhe uma vida de animal predador? É por isso que ele se atira a um antílope fraco? Será que ele devia ter escolhido uma vida de vegetariano?

— Não, o leão vive de acordo com a sua natureza.

— Ou de acordo com as leis da natureza. Tu também o fazes, Sofia, porque tu também és natureza. Agora, podes naturalmente — com base em Descartes — objectar afirmando que o leão é um animal e não um homem com faculdades mentais livres. Mas pensa numa criança recém-nascida. Ela chora e agita-se, e quando não recebe leite chucha no dedo. Esta criança tem livre arbítrio?

— Não.

— E quando é que esta criança tem livre arbítrio? Com dois anos, esta criança corre por todo o lado e aponta para tudo o que vê. Com três anos choraminga, e com quatro tem repentinamente medo do escuro. Onde é que está a liberdade, Sofia?

— Não sei.

— Com quinze anos está em frente ao espelho e experimenta cosméticos. Está a tomar as suas decisões pessoais e faz o que quer?

— Eu percebo o que queres dizer.

— Ela é a Sofia Amundsen, está certa disso. Mas também vive de acordo com as leis da natureza. Mas não o reconhece porque, por detrás de cada coisa que faz, escondem-se causas numerosas e complexas.

— Acho que não quero ouvir mais.

— Mas tens de responder a uma última pergunta: duas árvores da mesma idade crescem num grande pomar. Uma das árvores está num local com muito sol e recebe água e está num solo com muitos nutrientes. A outra árvore cresce na sombra e em solo de má qualidade. Qual destas árvores produz mais frutos?

— Obviamente aquela que tem melhores condições para crescer.

— Segundo Espinosa, esta árvore é livre. Tinha toda a liberdade de desenvolver todas as possibilidades que lhe eram inerentes. Mas, se se trata de uma macieira, não tem a possibilidade de produzir pêras ou ameixas. Passa-se exactamente o mesmo com os homens. Por exemplo, certas condições políticas podem pôr obstáculos ao nosso desenvolvimento e ao nosso crescimento pessoal. Circunstâncias exteriores podem constituir obstáculos. Só quando podemos desenvolver livremente as capacidades que possuímos é que vivemos como homens livres. Mas, apesar disso, somos dirigidos por aptidões interiores e condições exteriores tal como o jovem da Idade da Pedra na Renânia, o leão em África ou a macieira no pomar.

— Acho que daqui a pouco não suporto mais.

— Espinosa afirma que apenas um único ser é totalmente «causa de si mesmo» e pode agir com toda a liberdade. Só Deus ou a natureza apresentam este desenvolvimento livre e «não-acidental». Um homem pode ansiar por liberdade para poder viver sem obrigação exterior. Mas nunca alcançará o «livre arbítrio». Não determinamos tudo o que se passa no nosso corpo, porque o nosso corpo é um modo do atributo extensão. E também não «escolhemos» os nossos pensamentos. Logo, o homem não possui uma alma livre. Ela encontra-se presa num corpo mecânico.

— É isso que é um pouco difícil de compreender.

— Espinosa achava que as paixões humanas — por exemplo, a ambição e a cobiça — nos impedem de atingir a verdadeira felicidade e harmonia. Mas, quando reconhecemos que tudo acontece por necessidade, podemos obter um conhecimento intuitivo da natureza como totalidade. Podemos ter uma experiência muito clara de que tudo está relacionado, de que tudo é uno. O nosso objectivo é compreender tudo o que existe numa visão de conjunto coerente. Espinosa chamava a isto: ver tudo *sub specie aeternitatis*.

— E o que é que significa?

— Ver tudo *sob a perspectiva da eternidade*. Não foi por aí que começámos?

— E é por aí que temos de terminar. Tenho de ir para casa agora, sem falta.

Alberto levantou-se e foi buscar uma grande fruteira à estante. Colocou a fruteira na mesa.

— Não queres comer alguma coisa antes de te ires embora?

Sofia tirou uma banana. Alberto escolheu uma maçã verde.

Ela partiu o pé da banana e começou a descascá-la.

— Há aqui qualquer coisa — disse.

— Onde?

— Aqui, dentro da casca da banana. Parece escrito com caneta de feltro preta.

Sofia inclinou-se para Alberto e mostrou-lhe a banana. Ele leu alto:

«Aqui estou de novo, Hilde. Estou por toda a parte, minha filha. Parabéns pelo aniversário!»

— Muito estranho — afirmou Sofia.

— Está cada vez mais refinado.

— Mas isto é... completamente impossível. Sabes se se cultivam bananas no Líbano?

Alberto abanou a cabeça.

— Seja como for, não a vou comer.

— Então deixa-a ficar aí. Uma pessoa que envia os parabéns pelo aniversário à filha no interior de uma banana por descascar tem de estar mentalmente perturbada. Mas, ao mesmo tempo, deve ser muito esperta.

— Tens razão em ambas as coisas.

— Podemos então declarar que Hilde tem um pai esperto? Ele é tudo menos parvo.

— Eu já tinha dito isso. Do mesmo modo, pode ter-te obrigado a chamares-me Hilde. É bem possível que ele nos ponha todas as palavras na boca.

— Não podemos excluir nada. Mas também temos de duvidar de tudo.

— Porque toda a realidade pode ser um sonho.

— Não nos devemos precipitar. Afinal, também pode haver uma explicação mais simples.

— De qualquer modo, tenho mesmo de ir agora para casa. A minha mãe está à espera.

Alberto levou Sofia à porta. Quando ela se ia embora, ele disse:

— Até à próxima, querida Hilde!

Em seguida, a porta fechou-se atrás dela.

LOCKE

... tão vazia como um quadro antes de o professor entrar
na sala de aula...

Sofia chegou a casa às oito e meia. Uma hora e meia mais tarde do que o combinado. Na verdade não tinham combinado nada. Sofia tinha simplesmente saltado a refeição e escrito à mãe numa folha que estaria em casa às sete, o mais tardar.

— Isto não pode continuar assim, Sofia. Tive de telefonar para as informações e perguntar se havia um Alberto no bairro antigo. Riram-se na minha cara.

— Não foi fácil vir-me embora. Acho que nos falta pouco para a resolução de um grande mistério.

— Que disparate.

— Não, isto é mesmo verdade.

— Convidaste-o para a festa no jardim?

— Não, esqueci-me.

— Mas agora eu quero conhecê-lo sem falta. E já amanhã. Não é bom para uma rapariga nova encontrar-se tão frequentemente com um homem mais velho.

— Mas não precisas de ter medo do Alberto. O pai de Hilde é que é talvez mais perigoso.

— Qual Hilde?

— A filha daquele que está no Líbano. Esse parece ser um grande patife. Talvez controle o mundo inteiro...

— Se não me apresentas imediatamente esse Alberto, não te deixo encontrares-te mais com ele. Não tenho descanso enquanto não souber pelo menos qual é o seu aspecto.

Sofia teve uma ideia. Correu para o quarto.

— O que é que te deu? — gritou-lhe a mãe.

Pouco depois, Sofia entrava de novo na sala de estar.

— Podes ver imediatamente qual é o aspecto dele. Mas espero que depois me deixes em paz.

Acenou com a cassete de vídeo que trazia na mão e foi para junto do leitor de cassetes.

— Ele ofereceu-te uma cassete de vídeo?

— De Atenas...

Em breve surgiram as imagens da Acrópole no ecrã. A mãe estava muda de espanto quando Alberto se apresentou e falou directamente para Sofia.

E, nessa altura, Sofia viu uma coisa em que já tinha reparado da primeira vez, mas de que se esquecera: no meio de um dos grupos de turistas na Acrópole, um pequeno cartaz estava erguido — e no cartaz estava escrito «HILDE»...

Alberto avançava pela Acrópole. Em seguida, estava no Areópago, onde o apóstolo Paulo falara aos Atenienses. E da antiga ágora, Alberto dirigia-se a Sofia.

A mãe comentava o vídeo com breves interjeições: «Inacreditável... *este* é o Alberto?... Lá está de novo o coelho... mas, sim, ele está mesmo a falar contigo, Sofia... Eu nem sabia que Paulo esteve em Atenas...

O vídeo aproximava-se do ponto em que a antiga Atenas se erguia subitamente das ruínas. No último segundo, Sofia parou a cassete a tempo. Já tinha mostrado Alberto à mãe, e não tinha de lhe apresentar também Platão. A sala ficou completamente silenciosa.

— Não achas que ele tem um ar distinto? — disse Sofia num tom de provocação.

— Mas deve ser uma pessoa muito estranha, se se faz filmar em Atenas só para enviar o vídeo a uma rapariga que mal conhece. E quando é que ele esteve lá?

— Não faço ideia.

— Mas há mais...

— Sim?

— Ele é parecido com o major que morou durante alguns anos na pequena cabana do bosque.

— Talvez seja ele mesmo, mamã.

— Ninguém o vê há mais de quinze anos.

— Talvez se tenha mudado várias vezes. Para Atenas, por exemplo.

A mãe abanou a cabeça.

— Quando o vi uma vez nos anos 70, não parecia nem um bocadinho mais velho do que este Alberto no vídeo. Tinha um apelido estrangeiro...

— Knox?

— Sim, talvez, Sofia. Talvez se chamasse Knox.

— Ou Knag?

— Não, realmente já não sei... De que Knox ou Knag estás a falar?

— Um é Alberto, o outro é o pai de Hilde.

— Estou a ficar completamente confusa.

— Ainda há alguma coisa para comer?

— Podes aquecer as almôndegas.

Depois disto, passaram-se exactamente duas semanas sem Sofia ter notícias de Alberto. Recebeu mais um postal de aniversário para Hilde, mas, apesar de o dia se aproximar, não veio nenhuma felicitação para ela.

Numa tarde, Sofia foi ao bairro antigo e bateu à porta de Alberto. Ele não estava em casa, mas na porta estava pendurada uma pequena folha, onde se lia:

> *Parabéns, Hilde! Agora, o grande momento está à porta. O momento da verdade, minha filha. Todas as vezes em que penso nisso rio-me tanto que quase não consigo parar. Tem a ver com Berkeley, segura-te bem!*

Sofia arrancou a folha e enfiou-a na caixa do correio de Alberto ao sair do prédio.

Que diabo! Teria ido novamente para Atenas? Como podia deixar Sofia sozinha com todas as perguntas por responder?

Quando chegou da escola na quinta-feira, dia 14 de Junho, Hermes vadiava pelo jardim. Sofia correu para ele e ele saltou para ela. Pôs o braço à sua volta, como se o cão pudesse resolver todos os mistérios.

De novo escreveu um bilhete para a mãe, mas indicou também o endereço de Alberto.

Enquanto andavam pela cidade, Sofia pensava no dia seguinte. Não pensava tanto no seu aniversário, que só seria verdadeiramente festejado na noite de S. João. Mas, no dia seguinte, Hilde fazia anos. Sofia estava convencida de que nesse dia sucederia qualquer coisa de completamente insólito. Em todo o caso, as muitas felicitações do Líbano tinham que terminar.

Depois de atravessarem a praça principal e quando se aproximavam do bairro antigo, passaram por um parque com um campo de jogos. Aí, Hermes parou em frente de um banco; parecia querer que Sofia se sentasse nele.

Ela sentou-se e acariciou o cão amarelo no pescoço, enquanto o olhava nos olhos. De imediato, um forte estremecimento percorreu o cão. «Vai começar a ladrar», pensou Sofia.

As suas maxilas começaram a vibrar, mas Hermes não rosnava nem ladrava. Abriu a boca e disse:

— Parabéns, Hilde!

Sofia ficou petrificada. O cão tinha realmente falado com ela? Não, devia ter imaginado, por estar sempre a pensar em Hilde. Mas, no fundo do coração, ela estava convencida de que Hermes pronunciara aquelas duas palavras, num tom grave, sonoro.

Em seguida, tudo estava como antes. Hermes ladrou duas vezes — como que para disfarçar que acabara de falar com voz humana — e continuou a andar em direcção à casa de Alberto. Durante todo o dia tinha estado bom tempo, mas nesse momento concentravam-se nuvens pesadas ao longe.

Quando Alberto abriu a porta, Sofia disse:

— Por favor, não quero discursos. Tu és um imbecil e sabe-lo muito bem.

— O que é que aconteceu, minha filha?

— O major ensinou Hermes a *falar*!

— Meu Deus! As coisas já chegaram a esse ponto?

— Sim, imagina tu.

— E o que disse?

— Adivinha.

— Ele deve ter dito «parabéns!», ou uma coisa do género.

— Acertaste.

Alberto deixou Sofia entrar em casa. Nesse dia, tinha-se mascarado de novo. Não estava muito diferente da última vez, mas o seu traje quase não apresentava laços, fitas e rendas.

— Mas não é tudo — afirmou então Sofia.

— O que queres dizer?

— Não encontraste a folha na caixa do correio?

— Ah, isso — deitei-a fora imediatamente.

— Por mim, ele pode rir-se sempre que pensa em Berkeley. Mas o que tem este filósofo que provoque isso?

— Vamos ver já.

— Mas vais falar dele hoje, não vais?

— Hoje, sim.

Alberto acomodou-se. Depois disse:

— Na última vez que estivemos aqui, falei sobre Descartes e Espinosa. Concordámos que têm uma coisa importante em comum, são ambos *racionalistas* típicos.

— E um racionalista é uma pessoa que acredita na importância da razão.

— Sim, um racionalista acredita na razão como fonte do saber. Acredita frequentemente em certas ideias inatas do homem — que existem no homem independentemente de qualquer experiência. E quanto mais clara é essa ideia ou concepção, mais certo é que corresponda a um dado real. Ainda te lembras que Descartes tinha uma ideia clara e nítida de um «ser perfeito». A partir desta ideia, ele conclui que Deus existe realmente.

— Eu não sou uma pessoa esquecida.

— Este pensamento racionalista era típico da filosofia do século XVII. Na Idade Média, também estava fortemente implantado e conhecemo-lo ainda de Platão e de Sócrates. Mas, no século XVIII, foi exposto a uma crítica cada vez mais forte. Vários filósofos defenderam a ideia de que não temos conteúdos na consciência, enquanto não temos nenhuma experiência sensível. Esta ideia é designada por *empirismo*.

— E tu queres falar hoje sobre estes empiristas?

— Vou tentar. Os empiristas mais importantes foram *Locke, Berkeley* e *Hume*, todos eles britânicos. Os principais racionalistas do século XVII foram o francês *Descartes*, o holandês *Espinosa* e o alemão *Leibniz*. Por isso, costumamos fazer a distinção entre o *empirismo inglês* e o *racionalismo continental*.

— Por mim, está bem, mas são muitas palavras. Podes repetir o que é que se entende por empirismo?

— Um empirista defende que todo o saber acerca do mundo provém daquilo que os sentidos nos transmitem. A formulação clássica de uma posição empirista provém de Aristóteles, que afirmava que nada estava na consciência que não tivesse estado primeiro nos sentidos. Esta ideia contém uma crítica clara a Platão, que defendia que o homem trazia ideias inatas do mundo das ideias. Locke repete as palavras de Aristóteles e, quando Locke as utiliza, é contra Descartes.

— Não há nada na consciência que não tenha estado primeiro nos sentidos?

— Não temos ideias ou concepções inatas sobre o mundo. Não sabemos absolutamente nada sobre o mundo em que somos postos antes de o termos *percepcionado*. Quando temos uma opinião ou uma ideia que não podemos relacionar com dados percepcionados, trata-se de uma ideia falsa. Quando, por exemplo, usamos palavras como «Deus», «eternidade» ou «substância», a nossa razão move-se no vazio. Porque nunca ninguém percepcionou Deus, a eternidade, ou aquilo a que os filósofos chamam «substância». Assim se escrevem tratados eruditos que no fundo não contêm nenhum conhecimento novo. Essa filosofia reflectida com rigor pode impressionar, mas é apenas devaneio. Os filósofos dos séculos XVII e XVIII tinham herdado muitos desses tratados eruditos. Agora, eram examinados à lupa. Era necessário excluir deles as ideias vazias. Podemos comparar isso à lavagem do ouro. A maior parte é areia e argila, mas de vez em quando encontramos uma pepita.

— E essas pepitas são experiências verdadeiras?

— Ou pelo menos ideias que podem ser relacionadas com as experiências. Para os empiristas britânicos era importante examinar todas as opiniões humanas para verificar se podem ser comprovadas com verdadeiras experiências. Mas vamos falar de um filósofo de cada vez.

— Fala.

— O primeiro foi o inglês *John Locke*, que viveu entre 1632 e 1704. A sua obra mais importante chama-se *An Essay Concerning Human Understanding, Ensaio Sobre o Entendimento Humano*, e foi publicada em 1690. Nessa obra, ele procura esclarecer duas questões. Em primeiro lugar, pergunta de onde é que os homens recebem os seus pensamentos e ideias. Em segundo lugar, se podemos confiar naquilo que os nossos sentidos nos dizem.

— É um grande projecto!

— Vamos tratar de um problema de cada vez. Locke está convencido de que todos os nossos pensamentos e ideias são apenas um reflexo daquilo de que já tivemos sensações. Antes de sentirmos alguma coisa, a nossa consciência é como uma «tabula rasa» — uma «ardósia em branco».

— Podes deixar o latim!

— Antes de sentirmos alguma coisa, a nossa consciência está tão vazia como um quadro antes de o professor entrar na sala de aula. Locke compara também a consciência a uma sala não mobilada. Mas, depois, vêm as nossas sensações. Vemos o mundo à nossa volta, cheiramos, saboreamos, tacteamos e ouvimos. E ninguém o faz de forma mais intensiva do que as crianças pequenas. Deste modo, surgem *ideias simples*. Mas a consciência não recebe estas impressões exteriores passivamente. *Na* consciência também sucede alguma coisa. As ideias simples são trabalhadas por meio de reflexão e meditação, crença e dúvida. Deste modo, surge aquilo a que Locke chama *ideias reflexivas*. Ele distingue portanto «sensação» e «reflexão», porque a consciência não é apenas um receptor passivo. Ordena e trabalha todas as sensações que recebe. E é precisamente aqui que devemos estar alerta.

— Alerta?

— Locke sublinha que através dos sentidos recebemos unicamente *sensações simples*. Quando, por exemplo, como uma maçã, sinto toda a maçã numa única sensação simples. Na realidade, recebo toda uma série dessas sensações simples — que uma coisa é verde, cheira bem, é suculenta e tem um sabor ácido. Só depois de eu ter comido muitas maçãs é que penso: agora, estou a comer «uma maçã». Locke afirma que nós formámos então uma *ideia complexa* de uma maçã. Quando éramos pequenos e comemos pela primeira vez uma maçã, não tínhamos essa ideia complexa. Mas víamos uma coisa verde, provávamos uma coisa fresca e suculenta, ... bom, também era um pouco ácida. A pouco e pouco, ligamos muitas sensações e formamos conceitos como «maçã», «pêra» e «laranja». Mas devemos aos nossos sentidos todo o material para o nosso saber sobre o mundo. O conhecimento que não tem na origem impressões sensíveis simples é portanto falso conhecimento e deve ser rejeitado.

— Pelo menos podemos ter a certeza de que aquilo que vemos e ouvimos, cheiramos e provamos é tal como o percepcionamos.

— Sim e não. Essa é a segunda questão a que Locke procura dar resposta. Ele explicou em primeiro lugar de onde retiramos as nossas ideias e opiniões. Mas, em seguida, pergunta também se o mundo é realmente tal como o percepcionamos. É que isso não é nada evidente, Sofia. Não devemos precipitar-nos. É a única coisa proibida a um verdadeiro filósofo.

— Estou muda como um peixe.

— Locke fazia a distinção entre o que designava por qualidades «primárias» e «secundárias». Reconhecia assim a sua dívida perante os grandes filósofos — incluindo Descartes — que o tinham precedido.

— Explica-me isso!

— Por *qualidades primárias*, ele entende a dimensão, o peso, a forma, o movimento e o número das coisas. Nestas qualidades, podemos ter a certeza de que os sentidos reproduzem as qualidades reais das coisas. Mas também percepcionamos outras qualidades das coisas. Dizemos que uma coisa é doce ou amarga, verde ou vermelha, quente ou fria. A isto, Locke chama *qualidades secundárias*. E essas impressões sensíveis — como cor, cheiro, sabor ou som — não reproduzem qualidades reais que residem nas próprias coisas. Reproduzem apenas o efeito das qualidades exteriores nos nossos sentidos.

— Justamente, gostos não se discutem.

— Exacto. Sobre as qualidades primárias — como extensão e peso — podemos estar todos de acordo, porque residem nas próprias coisas. Mas as qualidades secundárias — como cor e sabor — podem variar de animal para animal e de pessoa para pessoa, dependendo da natureza das sensações de cada indivíduo.

— Quando Jorunn come uma laranja, faz exactamente a mesma cara que outras pessoas quando comem um limão. Geralmente, nunca consegue comer mais do que um gomo. «É acida», diz ela. E, normalmente, eu acho que exactamente a mesma laranja é doce e saborosa.

— E nenhuma das duas tem razão, mas também nenhuma está errada. Vocês descrevem apenas o efeito desta laranja nos vossos sentidos. O mesmo se passa com a experiência das cores. Admitamos, por hipótese, que um certo tom de vermelho não te agrada. Se Jorunn tiver comprado um vestido justamente dessa cor, talvez devesses guardar a tua sensibilidade para ti mesma. Vocês têm uma sensibilidade diferente em relação a esta tonalidade, mas o vestido não é bonito nem feio.

— Mas todos estão de acordo em que uma laranja é redonda.

— Sim, se tens uma laranja redonda, não a podes ver como se fosse cúbica. Podes achá-la doce ou ácida, mas não podes «achar» que pesa oito quilos se pesa apenas duzentas gramas. Podes talvez «acreditar» que pesa vários quilos, mas, nesse caso, estás completamente enganada. Quando várias pessoas têm de adivinhar o peso de um objecto, há sempre uma que está mais perto da verdade do que as outras. Isso também se aplica ao número de coisas. Ou há novecentas e oitenta e seis ervilhas no frasco ou não. O mesmo se passa com o movimento. O carro está em movimento, ou está parado.

— Compreendo.

— No que diz respeito à «realidade extensa», Locke tem a mesma opinião que Descartes, isto é, ela apresenta certas qualidades que o homem pode compreender com o seu entendimento.

— Estar de acordo com isso também não é difícil.

— Em outros domínios, Locke também admite o que designa por conhecimento «intuitivo» ou «demonstrativo». Ele considerava, por exemplo, que certas regras fundamentais da ética são dadas a todos. Assim ele defende a chamada *concepção do direito natural* e isso é uma característica racionalista. Uma outra característica racionalista clara é o facto de Locke achar que é inerente à razão humana saber que Deus existe.

— Talvez tivesse razão.

— Em quê?

— Em dizer que Deus existe.

— Sim, é concebível. Mas ele não deixa que isso seja simplesmente uma questão de fé. Ele acha que o conhecimento que o homem tem de Deus tem origem na razão humana. *Isso é uma característica racionalista.* Devo acrescentar que ele defendia a liberdade de opinião e a tolerância. Defendia também a igualdade de direitos de ambos os sexos. Segundo ele, a posição subordinada da mulher tinha sido criada pelos seres humanos. E, por isso, podiam transformá-la.

— Estou totalmente de acordo.

— Locke foi um dos primeiros filósofos da época moderna que se preocupou com a questão dos papéis dos sexos. Ele foi posteriormente muito importante para o seu homónimo John Stuart Mill, que por sua vez foi muito importante na luta pela igualdade de direitos entre os sexos. Locke manifestou muito cedo ideias liberais que foram retomadas durante o Iluminismo francês do século XVIII. Por exemplo, foi ele o primeiro a defender o chamado *princípio da separação dos poderes*...

— Isso significa que o poder do Estado está repartido em diversas instituições.

— Ainda te lembras de que instituições se trata?

— Há o poder legislativo, ou o parlamento. Depois há o judicial, ou os tribunais. Por fim, há o executivo, ou o governo.

— Essa tripartição provém do filósofo iluminista francês *Montesquieu*. Locke realçara que o poder legislativo e o executivo tinham de estar separados se se quisesse evitar a tirania. Ele foi contemporâneo de Luís XIV, que reunira todo o poder em si. «Eu sou o Estado», afirmou ele. Era um monarca absoluto, e hoje diríamos que governava de modo arbitrário. Locke defendia, pelo contrário, que para garantir um Estado de direito, os representantes do povo têm de criar leis, que são em seguida implementadas pelo rei e pelo governo.

HUME

... então lançai-o à fogueira...

Alberto olhava fixamente para a mesa entre os dois. Por fim voltou-se e olhou pela janela.

— O céu está a ficar nublado — afirmou Sofia.

— Sim, está carregado.

— Vais falar agora de Berkeley?

— Ele foi o segundo dos três empiristas britânicos. Mas uma vez que em muitos aspectos ele é um caso à parte, vamos concentrar-nos primeiro em *David Hume*, que viveu entre 1711 e 1776. A sua filosofia é hoje tida como a mais importante filosofia empírica. Ele também foi de importância essencial por ter inspirado o grande filósofo Immanuel Kant para a sua própria filosofia.

— E não tem importância o facto de a filosofia de Berkeley me interessar muito mais?

— Isso não tem importância, não. Hume cresceu perto de Edimburgo, na Escócia, e a família queria fazer dele um jurista. Mas ele afirmava sentir «uma insuperável aversão a tudo menos à filosofia e ao conhecimento em geral». Viveu, como os grandes pensadores franceses *Voltaire* e *Rousseau*, em plena época do Iluminismo e realizou longas viagens pela Europa, antes de se fixar novamente em Edimburgo. A sua obra mais importante, *Tratado Sobre a Natureza Humana,* foi publicada quando Hume tinha vinte e oito anos. Ele mesmo afirmou que já tivera a ideia para esse livro aos quinze anos.

— Estou a ver que tenho de me apressar.

— Já falta pouco.

— Mas se fizer a minha própria filosofia, será completamente diferente de tudo o que ouvi até agora.

— Sentes a falta de alguma coisa em particular?

— Primeiro, todos os filósofos dos quais ouvi falar até agora eram homens. E os homens parecem viver no seu próprio mundo. A mim interessa-me mais o mundo real. Flores, animais e crianças que nascem e crescem. Os teus filósofos estão constantemente a falar do homem, e está sempre a aparecer um tratado sobre a natureza do ser humano. Mas este ser humano parece ser quase sempre um homem de meia-idade. Afinal, a vida começa com a gravidez e o nascimento. Acho que até agora não houve suficientes fraldas e gritos de crianças. Talvez também tenha havido muito pouco amor e amizade.

— Aí, tens toda a razão. Mas talvez Hume seja justamente um filósofo que pensa de forma um pouco diferente. Mais do que qualquer outro, ele tem como ponto de partida o mundo quotidiano. Acho que Hume tinha um sentido muito apurado para o modo como as crianças — ou seja, os novos cidadãos do mundo — vivem a realidade.

— Eu vou conter-me.

— Enquanto empirista, Hume via como sua tarefa a supressão de todos os conceitos e construções especulativas pouco claros que os teus homens tinham concebido até então. Nessa altura, estava em circulação na escrita e em conversas todo o tipo de conceitos da Idade Média e dos filósofos racionalistas do século XVII. Hume queria regressar à sensibilidade humana original do mundo. Segundo ele, nenhuma filosofia pode alguma vez ignorar as experiências quotidianas ou dar-nos regras de comportamento diferentes daquelas que obtemos por meio da nossa reflexão sobre a vida quotidiana.

— Até agora isso parece aliciante. Podias dar exemplos?

— Na época de Hume, estava muito difundida a ideia de que existem anjos. Por anjo, entendemos uma figura humana com asas. Alguma vez viste um ser desses, Sofia?

— Não.

— Mas já viste uma figura humana?

— Que pergunta tão parva.

— E também já viste asas?

— Claro, mas nunca num homem.

— Segundo Hume, os «anjos» são uma ideia complexa. Esta ideia é constituída por duas experiências diferentes que não estão juntas na realidade, mas foram ligadas na fantasia humana. Por outras palavras, a ideia é falsa e deve ser rejeitada. Do mesmo modo, temos de fazer uma arrumação em todos os nossos pensamentos e ideias. Tal como Hume afirmou: «Pegando ao acaso em qualquer volume acerca de teologia ou filosofia da escola, devemos perguntar: Contém algum raciocínio abstracto acerca da grandeza ou dos números? Não. Contém algum raciocínio sobre factos e sobre a realidade baseado na experiência? Não. Então, lançai-o à fogueira porque só contém ilusão e aparência.»

— Bastante drástico.

— Mas há o mundo, Sofia. Mais fresco e nítido nos seus contornos do que anteriormente. Hume queria regressar ao modo como uma criança vê o mundo — antes de ideias e reflexões ocuparem espaço na mente. Não disseste que muitos filósofos, dos quais ouviste falar, vivem no seu próprio mundo e que o mundo real te interessa mais?

— Sim, mais ou menos isso.

— Hume poderia ter dito exactamente o mesmo. Mas observemos mais exactamente o seu raciocínio.

— Estou a ouvir.

— Hume verifica em primeiro lugar que o homem possui por um lado *impressões*, e por outro *ideias*. Por impressão, ele entende a sensação imediata da realidade exterior. Por ideia ele entende a recordação dessa sensação.

— Exemplos, por favor.

— Se te queimas num fogão quente, tens uma impressão imediata. Mais tarde, podes recordar que te queimaste. É a isso que Hume chama ideia. A diferença é que a impressão é mais forte e viva do que a recordação posterior da impressão. Podes dizer que a impressão sensível é o original e a ideia ou recordação a cópia pálida. Porque, afinal, a impressão é a causa directa da ideia que é conservada na mente.

— Até agora estou a acompanhar bem.

— Mais adiante, Hume sublinha que tanto uma impressão como uma ideia podem ser ou *simples* ou *complexas*. Ainda te lembras que em Locke falámos de uma maçã. A experiência imediata de uma maçã é também uma impressão complexa. Assim, a ideia de uma maçã é também uma ideia complexa.

— Desculpa a interrupção, mas isso é muito importante?

— Se é! Apesar de os filósofos se terem preocupado com uma série de problemas aparentes, não podes agora desistir quando se trata de construir um raciocínio. Hume teria certamente dado razão a Descartes quanto à importância de se construir um raciocínio a partir da base.

— Rendo-me.

— Para Hume, a questão é que, por vezes, podemos juntar coisas sem que exista um objecto composto correspondente na realidade. Assim, surgem ideias falsas de coisas que não existem na natureza. Já mencionámos os anjos. E, antes disso, já se tinha falado de crocofantes. Um outro exemplo é o Pégaso, um cavalo com asas. Em todos estes exemplos, temos de reconhecer que a nossa mente fez uma construção no vazio. Retirou as asas de uma impressão e os cavalos de outra. Todos os elementos foram percepcionados uma vez e por isso entraram no palco da mente como impressões verdadeiras. No fundo, a mente não inventou nada. A mente agarrou na tesoura e na cola e construiu ideias falsas.

— Entendo. E agora também compreendo que isso pode ser importante.

— Ainda bem. Hume quer examinar cada ideia e descobrir se ela é composta de um modo que não encontramos na realidade. Ele pergunta: em que impressões tem origem esta ideia? Em primeiro lugar, ele tem que determinar de que ideias simples é composto um conceito. Deste modo, obtém um método crítico para analisar as ideias humanas. E é assim que quer organizar os nossos pensamentos e ideias.

— Tens um ou dois exemplos?

— Na época de Hume, muitas pessoas tinham uma ideia clara do paraíso. Talvez ainda te lembres que Descartes explicara que ideias claras e evidentes em si podiam ser uma garantia de que existe uma correspondência na realidade.

— Como já disse, não sou esquecida.

— É-nos imediatamente claro que «paraíso» é uma ideia extremamente complexa. Vou referir apenas alguns elementos: no «paraíso» há um «portão de pérolas», há «estradas de ouro» e «exércitos de anjos» — e assim por diante. Mas ainda não examinámos tudo nos seus elementos particulares. Porque também «portão de pérolas», «estradas de ouro» e «exércitos de anjos» são ideias compostas. Só quando verificamos que a nossa ideia complexa de paraíso é constituída por ideias simples como «pérola», «portão», «estrada», «ouro», «figura vestida de branco» e «asa», é que podemos perguntar se já tivemos de facto alguma vez «impressões simples» correspondentes.

— E temos. Mas depois montámos todas as impressões simples numa ilusão.

— Sim, exacto, porque quando sonhamos, usamos, por assim dizer, tesoura e cola. Mas Hume sublinha que toda a matéria, a partir da qual formamos as nossas ilusões, chega à nossa mente na forma de impressões simples. Uma pessoa que nunca tenha visto ouro também não poderá imaginar nenhuma estrada de ouro.

— Ele é muito esperto. E quanto a Descartes e a sua ideia clara de Deus?

— Hume também tem uma resposta para isso. Digamos que imaginamos Deus como um ser infinitamente inteligente, sábio e bom. Temos então uma ideia complexa que é constituída por algo infinitamente sábio, infinitamente inteligente e infinitamente bom. Se nunca tivéssemos tido a experiência da inteligência, sabedoria e bondade, nunca poderíamos ter esse conceito de Deus. Talvez a nossa ideia de Deus implique que ele seja um pai severo, mas justo — ou seja, uma ideia que é composta por «severo», «justo» e «pai». A partir de Hume, muitos críticos da religião apontaram precisamente para este facto: a saber, que esta ideia de Deus pode provir do modo como víamos o nosso próprio pai quando éramos crianças. A ideia de um pai teria levado à ideia de um pai do céu, conforme dizem alguns.

— Talvez seja verdade. Mas eu nunca aceitei que Deus fosse forçosamente um homem. Em compensação, a minha mãe diz por vezes «Graças a Deus», ou uma coisa do género.

— Hume quer atacar todas as concepções e ideias que não provêm de impressões sensíveis correspondentes. Ele afirmava que queria afugentar a algaraviada sem sentido que dominara durante tanto tempo o pensamento metafísico e o desacreditara. Mas também usamos conceitos complexos no quotidiano sem nos questionarmos se possuem de facto legitimidade. É o caso da ideia de um eu ou de um núcleo da personalidade. Esta ideia constituía o fundamento da filosofia de Descartes. Era a ideia clara e evidente sobre a qual edificou toda a sua filosofia.

— Espero que Hume não tenha negado que eu sou eu. Senão falava por falar.

— Sofia, se há uma coisa que eu quero que tu aprendas neste curso de filosofia, é que não podes tirar conclusões precipitadas.

— Continua.

— Não, tu podes usar o método de Hume para analisares o que entendes pelo teu «eu».

— Então tenho de perguntar primeiro se a ideia do eu é simples ou complexa.

— E a que conclusão chegas?

— Tenho de admitir que me sinto bastante complexa. Por exemplo, sou bastante bem humorada. É difícil decidir-me em relação a certas coisas. Além disso, posso gostar e não gostar da mesma pessoa.

— Nesse caso, a tua ideia do eu é complexa.

— Está bem. Agora tenho de perguntar se tenho uma impressão complexa correspondente a eu. E tenho-a mesmo? Tenho-a sempre?

— Não tens a certeza?

— Estou sempre a mudar. Hoje já não sou a mesma que há quatro anos. A minha disposição e a minha ideia de mim própria mudam de minuto para minuto. Por vezes, sinto-me de repente uma pessoa totalmente nova.

— Então a sensação de se ter um núcleo de personalidade inalterável é uma ideia falsa. A nossa ideia do eu consiste numa longa série de impressões particulares que tu nunca experimentaste *simultaneamente*. Hume fala de um «conjunto de diversos conteúdos da consciência que se seguem uns aos outros com uma rapidez inacreditável e estão constantemente em fluxo e movimento». A nossa consciência seria «uma espécie de teatro», em que esses diversos conteúdos «entram em cena uns a seguir aos outros, vão e vêm e se misturam entre si numa variedade infinita de situações e disposições». Para Hume não temos qualquer personalidade de base formada em que essas opiniões e disposições vêm e vão. É como as imagens numa tela de cinema: pelo facto de mudarem tão depressa, não vemos que o filme é composto por imagens individuais. Na realidade, estas imagens não estão ligadas, ou seja, na realidade, o filme é um conjunto de instantes.

— Acho que desisto.

— Isso quer dizer que desistes da ideia de teres um núcleo de personalidade imutável?

— Sim, significa isso.

— E ainda há pouco tinhas uma opinião completamente diferente! Tenho de acrescentar ainda que a análise de Hume da consciência humana e a sua negação de um núcleo imutável da personalidade já tinham sido expostas dois mil e quinhentos anos antes no outro extremo do planeta.

— Por quem?

— Por *Buda*. É quase inquietante a semelhança do modo como ambos se exprimem. Buda via a vida humana como uma série ininterrupta de processos mentais e físicos que alteram o homem a cada instante. O bebé não é o mesmo que o adulto, e eu não sou o mesmo que ontem. Buda afirmava: «Nada há de que eu possa dizer "isto é meu", nada de que possa dizer "isto sou eu". Não há, portanto, nenhum eu nem nenhum núcleo constante da personalidade.»

— Sim, isso tem uma semelhança surpreendente com Hume.

— Como continuação da ideia de um eu imutável, muitos racionalistas tinham por evidente que o homem tem uma alma imortal.

— Mas essa também é uma ideia falsa?

— Pelo menos é o que dizem Hume e Buda. Sabes o que se conta que Buda disse aos seus discípulos imediatamente antes da sua morte?

— Não, como é que posso saber?

— «Todas as coisas compostas estão sujeitas à corrupção.» Hume poderia ter dito o mesmo. Ou Demócrito. Sabemos que Hume recusou qualquer tentativa de provar a imortalidade da alma ou a existência de Deus. Isso não significa que achasse ambas as coisas impossíveis, mas achava um absurdo racionalista acreditar que é possível provar a fé religiosa com a razão humana. Hume não era cristão; mas também não era um ateu convicto. Ele era um homem a quem chamamos *agnóstico*.

— E o que significa isso?

— Um agnóstico é uma pessoa que não sabe se Deus existe. Ao receber a visita de um amigo no leito de morte, o amigo perguntou-lhe se acreditava na vida após a morte. Diz-se que Hume respondeu que também era possível que um bocado de carvão atirado ao fogo não ardesse.

— Ah...

— A resposta foi típica da sua incondicional ausência de preconceitos. Ele apenas aceitava como verdade aquilo de que tinha experiências sensíveis seguras. Deixava todas as outras possibilidades abertas. Ele não rejeitou nem a crença em Cristo nem a crença em milagres. Mas em ambos os casos se trata justamente de *fé* e não de *razão*. Podes dizer que a última ligação entre fé e saber foi desfeita com a filosofia de Hume.

— Disseste que ele não negou categoricamente os milagres.

— Mas isso também não significa que tenha acreditado em milagres. Ele sublinha que os homens têm uma forte necessidade de acreditar naquilo a que hoje chamaríamos «acontecimentos sobrenaturais». Mas todos os milagres que se narram aconteceram muito longe de nós ou há muito tempo. Hume recusava os milagres simplesmente porque não tinha visto nenhum. Mas ele também não viu que não pode haver milagres.

— Tens que ser mais preciso.

— Hume caracteriza um milagre como uma ruptura das leis da natureza. Mas também não podemos afirmar que *percepcionámos* as leis da natureza. Vemos que uma pedra cai no chão quando a largamos, e se não caísse também o veríamos.

— Eu chamaria a isso um milagre — ou algo sobrenatural.

— Acreditas então em duas naturezas, uma natureza e uma «natureza» sobrenatural. Não estarás a voltar ao absurdo nebuloso dos racionalistas?

— Talvez, mas acho que a pedra cai sempre ao chão quando a largamos.

— E porquê?

— Estás a ser insistente.

— Eu não sou insistente, Sofia. Para um filósofo, nunca é errado fazer perguntas. Talvez estejamos a falar do ponto mais importante da filosofia de Hume. Responde agora: como é que podes ter tanta certeza de que a pedra cai sempre ao chão?

— Eu vi-o tantas vezes que tenho a certeza.

— Hume diria que viste muitas vezes uma pedra cair ao chão, mas nunca viste que *cairá sempre*. Normalmente diz-se que a pedra cai ao chão devido à lei da gravidade. Mas nós nunca vimos essa lei. Só vimos que as coisas caem.

— Não é a mesma coisa?

— Não é bem a mesma coisa. Disseste que achas que a pedra vai cair ao chão porque viste isso muitas vezes. É precisamente esse o problema de Hume. Estás tão habituada a que uma coisa se siga à outra que esperas que, cada vez que deixas cair uma pedra, suceda o mesmo. Deste modo, surgem ideias daquilo a que chamamos «leis constantes da natureza».

— Ele quer dizer que se pode pensar que a pedra não caia ao chão?

— Ele estava tão convencido como tu de que a pedra vai cair ao chão sempre, mas diz que não percepcionou *porque é que* é assim.

— Não nos afastámos das crianças e das flores?

— Não, muito pelo contrário. Podes consultar as crianças como testemunhas para as asserções de Hume. Quem te parece que ficaria mais surpreendido se uma pedra ficasse no ar uma ou duas horas — tu ou uma criança de um ano?

— Eu ficaria mais surpreendida.

— E porquê, Sofia?

— Provavelmente porque eu compreendo melhor do que uma criança pequena que isso não seria natural.

— E porque é que a criança não entenderia?

— Porque ainda não aprendeu o que é a natureza.

— Ou porque a natureza não se tornou para ela uma coisa habitual.

— Eu percebo o que queres dizer. Hume queria levar as pessoas a tomarem mais atenção.

— Agora, dou-te a seguinte tarefa: se tu e uma criança pequena vêem juntas um grande ilusionista — que por exemplo põe alguma coisa suspensa no ar —, qual das duas se divertiria mais durante o espectáculo?

— Eu diria que era eu.

244

— E porquê?

— Porque eu compreenderia o que estava errado.

— Está bem. A criança não se alegra por ver as leis da natureza violadas porque ainda não as conhece.

— Também podes dizê-lo dessa maneira.

— Ainda estamos a tratar do cerne da filosofia empírica de Hume. Ele teria acrescentado que a criança ainda não se tornou escrava das suas expectativas. A criança pequena tem menos preconceitos que tu. Resta saber se a criança não é também o maior filósofo. Uma criança não tem opiniões preconcebidas. E isso, minha querida Sofia, é a primeira virtude em filosofia. A criança vive o mundo tal como ele é, sem acrescentar às coisas mais do que o que vê.

— Eu nunca gosto de ter preconceitos.

— Quando Hume trata do poder do hábito, refere-se à chamada *lei da causalidade*. Esta lei diz que tudo o que acontece tem que ter uma causa. Hume usa como exemplo duas bolas de bilhar. Se lanças uma bola de bilhar preta contra uma bola branca parada, o que é que acontece à bola branca?

— Quando a preta toca na branca, esta move-se.

— Sim, e porque é que faz isso?

— Porque foi atingida pela bola preta.

— Neste caso, dizemos que o choque da bola preta é a *causa* do movimento da bola branca. Mas não podemos esquecer que só podemos dizer que uma coisa é totalmente certa quando a experienciámos.

— Eu já experienciei isso várias vezes. Jorunn tem uma mesa de bilhar na cave.

— Hume afirma que tu apenas viste que a bola preta atinge a branca e que a branca rola pela mesa. Tu não conheceste pela experiência a causa pela qual a bola branca rola. Conheceste pela experiência que um acontecimento se segue ao outro temporalmente, mas não que o segundo acontecimento sucede *por causa* do primeiro.

— Isso não é um pouco sofístico?

— Não, é importante. Hume sublinha que a expectativa de que uma coisa se siga à outra não está nos objectos, mas na nossa consciência. Uma criança pequena não teria esbugalhado os olhos se uma bola tivesse atingido a outra e ambas ficassem totalmente imóveis. Quando falamos de «leis da natureza», ou de «causa e efeito», estamos na realidade a falar dos hábitos humanos e não do que é racional. As leis da natureza não são nem racionais nem irracionais, *são*, simplesmente. A expectativa de a bola de bilhar branca ser posta em movimento quando a preta choca contra ela, não é uma ideia inata. Nós nascemos

245

sem quaisquer expectativas sobre o mundo ou sobre o comportamento das coisas. O mundo é como é e nós apreendemo-lo progressivamente pela experiência.

— Tenho de novo a sensação de que isso não é assim tão importante.

— Pode ser importante se as nossas expectativas nos levam a conclusões precipitadas. Hume não contesta que há leis da natureza constantes, mas uma vez que não podemos ter experiência das leis da natureza, podemos tirar as conclusões erradas.

— Podes dar-me exemplos?

— O facto de eu ver um conjunto de cavalos pretos não significa que todos os cavalos sejam pretos.

— Tens toda a razão.

— E mesmo que durante toda a minha vida tenha visto apenas corvos pretos não significa que não haja corvos brancos. Para um filósofo e para um cientista, pode ser importante provar que não existem corvos brancos. Quase podes dizer que a caça ao corvo branco é a tarefa mais importante da ciência.

— Compreendo.

— Quando se trata da relação de causa e efeito, muitos imaginam o relâmpago como causa do trovão, porque o trovão se segue sempre ao relâmpago. Este exemplo não é muito diferente do das bolas de bilhar. Mas será o relâmpago realmente a causa do trovão?

— Não, na realidade relampeja e troveja exactamente ao mesmo tempo.

— Porque relâmpago e trovão são efeitos de uma descarga eléctrica. Mesmo que vejamos sempre que o trovão se segue ao relâmpago, não significa que o relâmpago seja a causa do trovão. Na realidade há um terceiro factor que provoca os dois.

— Compreendo.

— Um empirista do nosso século, *Bertrand Russell*, deu um exemplo um pouco mais grotesco: um pintainho que tem a experiência de receber todos os dias comida quando o avicultor passa pela capoeira, tirará a conclusão de que há uma relação entre a passagem do avicultor pela capoeira e a comida no comedouro.

— Mas um dia o pintainho não é alimentado, pois não?

— Um dia, o avicultor passa pela capoeira e torce-lhe o pescoço.

— Que horror!

— O facto de as coisas se seguirem umas às outras no tempo não significa necessariamente que exista um nexo causal. Impedir os homens de tirar conclusões precipitadas é uma das tarefas mais importantes da filosofia. Além disso, conclusões precipitadas podem levar a muitas formas de superstição.

— Como assim?

— Vês um gato preto andar pela rua. Um pouco mais tarde nesse dia tropeças e partes um braço. Mas isso não significa que haja um nexo causal entre os dois acontecimentos. Em contextos científicos também é importante não se tirar conclusões muito rápidas. Apesar de muitas pessoas ficarem sãs depois de terem tomado um determinado remédio, isso não significa que o remédio as curou. Por isso, precisamos de um grande grupo de controlo de pessoas que acreditam receber o mesmo remédio quando na realidade recebem farinha com água. Se estas pessoas são curadas, tem de haver um terceiro factor que as cura — por exemplo, a confiança na eficácia deste remédio.

— Acho que começo a perceber o que é o empirismo.

— Em relação à etica e à moral, Hume também se opôs ao pensamento racionalista. Os racionalistas achavam que era inerente à razão humana a distinção entre o justo e o injusto. Esta concepção do direito natural apareceu-nos em muitos filósofos de Sócrates a Locke. Mas Hume não acredita que seja a razão a determinar aquilo que dizemos e fazemos.

— Então é o quê?

— Os nossos *sentimentos*. Quando decides ajudar um necessitado, são os teus sentimentos que te levam a isso, não a tua razão.

— E se eu não tiver vontade nenhuma de ajudar?

— Também nesse caso tudo depende dos teus sentimentos. Não ajudar um necessitado não é racional nem irracional, mas pode ser maldoso.

— Mas tem de haver um limite algures. Toda a gente *sabe* que não é correcto matar uma pessoa.

— Segundo Hume, todos os homens têm sensibilidade para o bem-estar dos outros. Temos portanto uma capacidade de compaixão. Mas nada disso tem a ver com razão.

— Não sei se estou de acordo.

— Nem sempre é assim tão irracional assassinar uma pessoa, Sofia. Quando se quer atingir alguma coisa, pode até ser uma grande ajuda.

— Isso é demais! Eu discordo!

— Nesse caso, podes tentar explicar-me porque é que não se deve matar uma pessoa importuna.

— A outra pessoa também ama a vida. Por isso não a podes matar.

— Isso é uma demonstração lógica?

— Não faço ideia.

— O que tu fizeste foi, de uma *frase descritiva* — «a outra pessoa também ama a vida» deduzir uma *frase normativa* — «por isso não a podes matar». Do ponto de vista puramente lógico, isso é um absurdo. Poderias da mesma forma deduzir, do facto de muitas pessoas fugirem aos impostos, que tu também devias fazer o mesmo. Hume explicou que nunca se pode deduzir *proposições de dever* de *proposições de realidade*. Contudo, isso sucede com muita frequência — inclusivamente em artigos de jornais, programas de partidos e discursos no parlamento. Queres que dê alguns exemplos?

— Sim.

— «Cada vez mais pessoas preferem viajar de avião. Por isso, é preciso construir mais aeródromos.» Achas este argumento convincente?

— Não, isso é um disparate. Temos que pensar também no ambiente. Eu acho que devíamos antes construir novas vias férreas.

— Ou então, diz-se: «A ampliação dos campos petrolíferos aumentará o nível de vida do país em dez por cento. Por isso, temos que explorar o mais depressa possível novos campos petrolíferos.»

— Que absurdo! Nesse caso, também temos que pensar no ambiente. Além disso, o nível de vida na Noruega já é suficientemente elevado.

— Por vezes, diz-se também: «Esta lei foi deliberada pelo parlamento, e por isso todos os cidadãos do país têm que agir de acordo com ela.» Mas muitas vezes, seguir essas leis vai contra as convicções mais profundas de um povo.

— Compreendo.

— Verificámos portanto que não podemos provar com a nossa razão o modo como devemos proceder. Um comportamento consciente da responsabilidade não significa que temos de apurar a nossa razão, mas que temos de apurar os nossos sentimentos pelo bem-estar dos outros. Para Hume, não era irracional preferir a destruição de todo o mundo a uma arranhadela no dedo.

— Que afirmação horrível!

— É ainda mais horrível se baralhares as cartas. Sabes que os nazis assassinaram milhões de judeus. O que é que dirias que não estava certo nestes homens, a razão ou os sentimentos?

— Antes de mais, alguma coisa estava errada com os seus sentimentos.

— Muitos deles tinham uma ideia muito clara do que estavam a fazer. Por detrás das resoluções sem sentimentos pode justamente ocultar-se um calculismo extremamente frio. Depois da guerra, muitos nazis foram condenados, mas não por terem sido irracionais. Foram condenados pela sua crueldade. Sucede também que pessoas que não sabem bem o que estão a fazer são absolvidas apesar do seu crime. Dizemos que «não estão em plena posse das faculdades mentais no momento do crime» ou «não estão em plena posse das faculdades por tempo ilimitado». Mas ainda ninguém foi absolvido por falta de sentimentos.

— Pois não, era melhor!

— Mas não precisamos sequer de recorrer aos exemplos mais grotescos. Quando, após uma cheia, muitos homens precisam de ajuda, são os nossos sentimentos que decidem se intervimos. Se nós fôssemos insensíveis e deixássemos esta decisão à «razão fria», talvez reflectíssemos que é bom se alguns milhões de homens morressem, num mundo que sofre já de excesso demográfico.

— Fico furiosa com o facto de alguém poder pensar assim.

— E nesse caso não é a tua razão que fica furiosa.

— Obrigada, já chega.

BERKELEY

... como um planeta que gira vertiginosamente
à volta de um sol incandescente...

Alberto pôs-se à janela que dava para a cidade e Sofia foi ter com ele. Passado um pouco viram um pequeno avião a hélice aparecer por cima dos telhados. Uma longa faixa estava presa ao avião.

Sofia esperava publicidade a um grande concerto ou uma coisa do género na faixa que esvoaçava ao vento como uma grande cauda atrás do avião. Mas quando este se aproximou, ela viu que o que estava escrito era completamente diferente:

«PARABÉNS PELO TEU ANIVERSÁRIO, HILDE!»

— Importuno — foi o único comentário de Alberto.

Nuvens escuras revolviam-se nas colinas a sul em direcção à cidade. O pequeno avião desapareceu numa destas nuvens pesadas.

— Receio que haja um temporal — afirmou Alberto.

— Nesse caso, eu vou de autocarro para casa.

— Se ao menos o major não estivesse por detrás do temporal!

— Mas ele não é omnipotente, pois não?

Alberto não deu resposta. Voltou para junto da mesa e sentou-se na cadeira.

— Temos que falar ainda um pouco de Berkeley — disse ele.

Sofia já voltara a sentar-se. Deu-se então conta de que tinha começado a roer as unhas.

— *George Berkeley* era um bispo irlandês que viveu entre 1685 e 1753 — começou Alberto, e em seguida calou-se por muito tempo.

— Berkeley era um bispo irlandês... — Sofia retomou o fio.

— Mas também era filósofo...

— Sim?

— Ele acreditava que a filosofia e a ciência do seu tempo constituíam uma ameaça para a concepção cristã do mundo. Além disso, via o materialismo, cada vez mais difundido, como uma ameaça à crença cristã de que Deus cria e mantém vivas todas as coisas na natureza...

— Sim?

— Ao mesmo tempo Berkeley era um dos empiristas mais coerentes.

— Ele achava que não podemos saber mais acerca do mundo do que o que sentimos?

— Não apenas isso. Berkeley achava que as coisas no mundo são exactamente como nós as sentimos mas não são «coisas».

— Tens de explicar isso melhor.

— Ainda te lembras que Locke tinha apontado para o facto de nós não podermos dizer nada sobre as «qualidades secundárias» das coisas. Não podemos afirmar que uma maçã *é* verde e ácida. Somos *nós* que sentimos essa maçã desse modo. Mas Locke dissera também que as «qualidades primárias» — como solidez, peso e gravidade — pertencem de facto à realidade exterior à nossa volta. Esta realidade exterior tem portanto uma «substância» física.

— Eu continuo a ter uma memória boa. E pensava que Locke tinha apontado uma diferença importante.

— Ah, Sofia, se fosse só isso!

— Continua!

— Para Locke — como para Descartes e Espinosa — o mundo físico era uma realidade.

— Sim?

— E é precisamente isso que Berkeley põe em dúvida e para isso ele recorre a um empirismo consequente. Ele afirma que a única coisa que existe é o que nós sentimos. Mas não sentimos «matéria» ou «substância». Não sentimos as coisas como «coisas» palpáveis. Quando pressupomos que aquilo que sentimos tem uma «substância» subjacente, estamos a tirar conclusões precipitadas. Não temos nenhuma prova empírica para essa afirmação.

— Que disparate! Observa isto.

Sofia bateu com o punho na mesa.

— Au! — exclamou, tal foi a força com que bateu. — Isto não é uma prova de que a mesa é uma mesa verdadeira e é matéria ou substância?

— O que é que sentiste?

— Uma coisa dura.

— Tiveste uma clara percepção sensível de uma coisa dura, mas não sentiste a verdadeira *matéria* da mesa. Da mesma forma, podes sonhar que bates em algo duro, mas no teu sonho não há nada duro, pois não?

— No sonho não.

— Além disso uma pessoa pode ser persuadida de que «sente» todas as coisas. Uma pessoa pode ser hipnotizada e sentir calor e frio, carícias suaves e socos duros.

— Mas se não era a mesa que era dura, o que me levou a senti-la?

— Segundo Berkeley, é a *vontade* ou *espírito*. Ele também achava que todas as nossas ideias têm uma causa exterior à nossa consciência, mas que esta causa não é de natureza material. Ela é, segundo Berkeley, espiritual.

Sofia voltou a roer as unhas. Alberto prosseguiu.

— Segundo Berkeley, a minha alma pode ser causa dos meus pensamentos — como quando sonho —, mas só uma outra vontade ou espírito pode ser causa das ideias que constituem o nosso mundo material. Tudo vem do espírito, «que realiza tudo em tudo e através do qual tudo subsiste», afirma ele.

— E que espírito é esse?

— Berkeley está naturalmente a pensar em Deus. Ele achava que nós poderíamos afirmar que sentimos a existência de Deus mais claramente do que a de qualquer homem.

— Mas não é óbvio que existimos?

— Bom... tudo o que vemos e sentimos é, segundo Berkeley, um efeito do poder de Deus. É que Deus está intimamente presente na nossa consciência e provoca nela toda a multiplicidade de ideias e sensações às quais estamos constantemente expostos. Toda a natureza à nossa volta e toda a nossa existência residem em Deus. É a única causa de tudo o que existe.

— Para dizer a verdade, estou espantada.

— «Ser ou não ser» não é toda a questão. A questão é também *o que* nós somos. Somos realmente pessoas de carne e osso? O nosso mundo é constituído por coisas reais — ou estamos apenas rodeados pela consciência?

Sofia começou mais uma vez a roer as unhas. Alberto prosseguiu:

— Berkeley não põe apenas a realidade material em dúvida. Ele duvida também de que o tempo e o espaço tenham uma existência absoluta ou autónoma. Mesmo a experiência do tempo e do espaço pode residir apenas na nossa consciência. Uma ou duas semanas para nós não têm de ser uma ou duas semanas para Deus...

— Disseste que para Berkeley este espírito, no qual tudo repousa, é o Deus cristão.

— Sim, foi o que eu disse. Mas para nós...

— Sim?

— ... para nós esta vontade ou espírito que realiza tudo pode ser também o pai de Hilde.

Sofia emudeceu. A sua expressão parecia um grande ponto de interrogação. E, simultaneamente, uma coisa tornou-se-lhe clara.

— Acreditas nisso? — perguntou.

— Não consigo ver nenhuma outra possibilidade. Esta é talvez a única explicação possível para tudo o que presenciámos. Estou a pensar nos diversos postais e notícias que surgiram nos mais diversos locais. Estou a pensar no facto de Hermes falar de repente e estou a pensar nos meus lapsos involuntários.

— Eu...

— A ideia de eu te ter chamado Sofia, Hilde! Eu sempre soube que tu não te chamavas Sofia.

— O que estás a dizer? Estás a enlouquecer de vez!

— Sim, tudo gira e gira, minha filha. Como um planeta que gira vertiginosamente à volta de um sol incandescente.

— E esse sol é o pai de Hilde?

— Podes dizer isso.

— Achas que ele se tornou uma espécie de deus para nós?

— Para ser sincero, sim. Mas devia ter vergonha!

— E quanto a Hilde?

— Ela é um anjo, Sofia.

— Um anjo?

— É a ela que se dirige este «espírito».

— Achas que Alberto Knag fala a Hilde sobre nós?

— Ou escreve sobre nós. Nós não podemos sentir a matéria da qual a nossa realidade é feita. Pelo menos foi o que aprendemos. Não podemos saber se a nossa realidade exterior é constituída por ondas sonoras ou por papel e letras. Segundo Berkeley, só podemos saber que somos feitos de espírito.

— E Hilde é um anjo...

— É um anjo, sim. E com isto, terminámos por hoje. Parabéns, Hilde!

Uma luz azulada invadiu então a sala. Passados poucos segundos, ouviram um trovão a ribombar, e a casa foi abalada.

Alberto estava com um olhar ausente.

— Tenho de ir para casa — disse Sofia. Levantou-se de um pulo e correu em direcção à porta de entrada. Ao abrir violentamente a porta, Hermes, que dormia debaixo dos cabides, acordou. Quando Sofia saiu, parecia dizer:

— Adeus, Hilde!

Sofia desceu as escadas precipitadamente e correu para a rua. Aí, não se via ninguém. Entretanto chovia a cântaros.

Dois carros passaram pelo asfalto molhado, mas Sofia não conseguia encontrar um autocarro. Correu até à praça principal e continuou a correr pela cidade. Enquanto isso, um único pensamento se revolvia na sua cabeça.

«Amanhã faço anos», pensava ela. E não era extremamente duro ter de reconhecer, um dia antes de fazer quinze anos, que a vida é um sonho? Era como sonhar ter ganho um milhão e, pouco antes de o grande prémio ser pago, compreender que tudo fora apenas um sonho.

Sofia correu pelo campo de jogos molhado. Nessa altura viu uma pessoa a correr na sua direcção. Era a mãe. Relâmpagos potentes rasgavam o céu.

A mãe abraçou Sofia.

— O que se passa connosco, minha filha?

— Não sei — Sofia chorava. — É como um pesadelo.

BJERKELY

*... um espelho mágico antigo que a bisavó
comprara a uma cigana...*

Hilde Møller Knag acordou na mansarda na antiga moradia do capitão perto de Lillesand. Olhou para o relógio; eram apenas seis horas. Porém, já era de dia. Uma larga faixa de sol matinal iluminava o quarto.

Hilde levantou-se e foi à janela. A caminho, inclinou-se para sua escrivaninha e para uma folha do calendário da mesa. Quinta-feira, 14 de Junho de 1990. Amarrotou a folha e deitou-a no cesto dos papéis.

«Sexta-feira, 15 de Junho de 1990» era o que estava escrito no calendário; o algarismo brilhava para ela. Já em Janeiro escrevera nesta folha do calendário «15 anos». Achava que fazer quinze anos num dia quinze fazia um efeito especial. Nunca haveria de viver isso de novo.

Quinze anos! Não era o seu primeiro dia na sua vida «adulta»? Ela não conseguia voltar para a cama; além disso, era o último dia de aulas antes das férias. Nesse dia os alunos só tinham de ir à igreja à uma. E além disso, dentro de uma semana o seu pai regressaria do Líbano. Ele prometera estar em casa para a noite de S. João.

Hilde assomou à janela e olhou para o jardim, para a pequena ponte e para o barracão vermelho dos barcos. O barco à vela ainda não fora arranjado para a época do Verão, mas o velho barco a remos estava amarrado à doca. Não se podia esquecer de tirar a água, depois da forte chuvada.

Enquanto observava a pequena enseada, lembrou-se de que uma vez, com seis ou sete anos, trepara para o barco a remos e remara sozinha no fiorde. Em seguida, caíra à água e só a custo conseguira voltar a terra. Arrastara-se por entre os espessos arbustos completamente molhada. Ao chegar ao jardim em frente à casa, a mãe veio a correr. Vira o barco e os remos flutuarem lá fora no fiorde.

Hilde ainda sonhava por vezes com o barco, que boiava lá fora às voltas, completamente abandonado. Tinha sido uma experiência horrível.

O jardim não era nem particularmente frondoso nem cuidado. Mas era grande e pertencia a Hilde. Uma macieira maltratada pelas intempéries e algumas groselheiras que já quase não produziam frutos tinham sobrevivido às violentas tempestades do Inverno.

Entre os rochedos e o matagal estava o velho baloiço, no relvado. À brilhante luz matinal parecia completamente abandonado. Parecia mais triste porque as almofadas estavam em casa. A mãe de Hilde saíra precipitadamente à tarde para as salvar do temporal.

Todo aquele grande jardim estava rodeado de bétulas. Deste modo, ficava um pouco protegido das rajadas de vento mais fortes. Devido a estas árvores — bjørketreer —, o terreno recebera o nome de Bjerkely há mais de cem anos. O bisavô de Hilde mandara construir a casa pouco antes da viragem do século. Ele fora capitão de um dos últimos grandes navios à vela. Ainda hoje, muita gente chamava à casa a «moradia do capitão».

Nessa manhã, ainda se notava pelo jardim que na tarde anterior chovera violentamente. Hilde fora acordada várias vezes por trovões. Mas agora já não se via uma única nuvem no céu.

Após os aguaceiros estivais, o tempo ficava sempre bastante fresco. Nas últimas semanas, o tempo estivera quente e seco, e as bétulas tinham ficado com feias manchas amarelas na parte exterior da folhagem. Agora, o mundo parecia lavado de fresco. Nessa manhã, toda a sua infância parecia também ter-se extinguido com o trovão.

«Claro, dói quando os botões desabrocham...». Não fora uma poetisa sueca que dissera uma coisa do género? Ou fora uma finlandesa?

Hilde pôs-se em frente do espelho de latão que estava pendurado sobre a velha cómoda da avó.

Era bonita? Pelo menos não era feia... Estava talvez no meio termo...

Tinha longos cabelos loiros. Hilde tinha sempre desejado ter os cabelos mais claros ou mais escuros. Esta cor de cabelo intermédia não tinha graça. Mas gostava dos seus caracóis suaves. Muitas das suas amigas tratavam dos cabelos para conseguirem ondulações, mas Hilde nunca precisara disso. Também gostava dos seus olhos verdes, de um verde esmeralda. «São de facto verdes?», perguntavam sempre as tias e os tios quando se inclinavam para ela.

Hilde reflectiu sobre se a imagem que estava a examinar era o reflexo de uma rapariga ou de uma jovem mulher. Chegou à conclusão de que não era nenhuma das duas. O seu corpo já se assemelhava muito ao de uma mulher; o rosto, pelo contrário, fazia lembrar uma maçã ainda verde.

Algo no velho espelho fazia Hilde pensar no pai. Anteriormente, tinha estado pendurado em baixo, no atelier. O atelier ficava por cima do barracão dos barcos e servia ao pai de biblioteca, local de inspiração para escrever e um refúgio para se isolar quando estava irritado. Albert, como Hilde lhe chamava quando ele estava em casa, quisera sempre escrever uma grande obra. Tentara uma vez um romance, mas tinha-se ficado pela tentativa. Alguns poemas e descrições inspiradas na paisagem que o rodeava tinham sido publicados regularmente no jornal local. Hilde ficava quase tão orgulhosa como ele quando via o seu nome impresso. ALBERT KNAG. Pelo menos em Lillesand, este nome tinha uma ressonância especial. O bisavô também se chamava Albert.

O espelho, sim. Há muitos anos, o seu pai dissera na brincadeira que talvez fosse possível piscar os olhos para si mesma no espelho, mas com ambos os olhos isso não seria possível de todo. A única excepção era este espelho de latão por ser um espelho mágico antigo que a bisavó comprara a uma cigana logo a seguir ao seu casamento.

Hilde tentara durante muito tempo, mas piscar ambos os olhos para si mesma era tão difícil como fugir da sua própria sombra. Por fim, recebera de presente a velha peça herdada. Durante toda a sua infância, tentara esta habilidade impossível regularmente.

Não admirava que estivesse um pouco pensativa nesse dia. Não admirava que pensasse só em si. Quinze anos...

Só então deitou um olhar à sua mesa de cabeceira. Estava lá um grande embrulho. Com papel de um lindíssimo azul celeste e uma fita de seda vermelha. Devia ser um presente de aniversário!

Seria esse o «presente»? Seria o grande PRESENTE do seu pai, o presente à volta do qual fizera tanto mistério? Nos seus postais do Líbano, ele fizera repetidamente alusões estranhas. Mas submetera-se a si mesmo a «uma censura rigorosa».

Era um presente que crescia, escrevera ele. E depois fizera alusões a uma rapariga que havia de conhecer em breve — e à qual ele enviara uma cópia de cada postal. Hilde procurara saber pela mãe o que queria ele dizer com aquilo, mas ela também não fazia ideia.

O mais estranho de tudo tinha sido a indicação de que o presente podia talvez ser partilhado com outras pessoas. Não era por acaso que trabalhava na ONU: se o pai de Hilde tinha uma ideia fixa — e ele tinha muitas —, então era a de que a ONU devia assumir a seu cargo

257

uma espécie de responsabilidade governativa em todo o mundo. «Possa a ONU um dia aproximar de facto a humanidade», escrevera ele num postal.

Poderia ela abrir o embrulho antes de a mãe subir com pão de passas e limonada, a canção dos parabéns e a bandeira norueguesa? Podia, certamente, por isso é que estava ali.

Hilde atravessou o quarto de mansinho e levantou o embrulho da mesa de cabeceira. Era pesado! Tinha um cartão: «Para Hilde, do pai, pelos seus quinze anos.»

Ela sentou-se na cama e desfez com cuidado o nó da fita de seda vermelha. Em seguida, já podia remover o papel.

Era um grande *dossier*.

Era este o presente? Era este o presente para o seu aniversário do qual se falara tanto? Era este o presente que crescera e que além disso podia ser partilhado com outros?

Um olhar rápido mostrou que o *dossier* estava cheio de folhas escritas à máquina. Hilde reconheceu o tipo de letra da máquina de escrever que o seu pai levara consigo para o Líbano.

Teria ele escrito um livro para ela?

Na primeira folha estava escrito à mão, em maiúsculas: O MUNDO DE SOFIA

Um pouco mais abaixo lia-se, em letra de máquina:

AQUILO QUE A LUZ DO SOL É PARA A TERRA FÉRTIL
É O VERDADEIRO SABER PARA OS AMIGOS DA TERRA

N. F. S. Grundtvig

Hilde folheou o *dossier*. No cimo da página seguinte começava o primeiro capítulo. O título dizia: «O jardim do Éden». Sentou--se comodamente na cama, apoiou o *dossier* nos joelhos e começou a ler:

Sofia Amundsen regressava da escola. Percorrera com Jorunn o primeiro troço do caminho. Tinham conversado sobre robôs. Para Jorunn, o cérebro humano era um computador complexo. Sofia não estava de acordo. Um homem deveria ser algo mais do que uma máquina.

Hilde continuou a ler, e pouco depois esqueceu-se de todas as outras coisas; esqueceu-se inclusivamente de que fazia anos. De vez em quando, uma ideia ainda conseguia introduzir-se entre as linhas:

Teria o pai escrito um romance? Teria retomado a tentativa de escrever o grande romance e queria terminá-lo no Líbano? Tinha-se queixado tanto de que o tempo demorava a passar.

Sofia também viajava na história universal. Era com certeza a rapariga que Hilde devia conhecer...

Só quando se apercebia que um dia teria desaparecido, compreendia claramente que a vida era infinitamente valiosa... De onde vem o mundo?... Afinal, alguma coisa teria de ter surgido do nada a certa altura. Mas seria isso possível? Este pensamento não seria tão impossível como o de o mundo ter sempre existido?

Hilde continuou a ler, e sentiu-se surpresa ao saber que Sofia Amundsen recebera um postal do Líbano. «Hilde Møller Knag, a/c Sofia Amundsen, Kløverveien 3...»

Querida Hilde! Parabéns pelos teus 15 anos! Como compreendes, quero dar-te um presente, que te ajudará a crescer. Peço desculpa por mandar o postal pela Sofia. Era mais fácil deste modo.

Saudades, do pai

Este malvado! Hilde sempre achara o seu pai um maroto, mas nesse dia surpreendeu-a completamente. Em vez de colocar o postal no embrulho, escrevera-o no própio presente.

Pobre Sofia! Estava totalmente perplexa.

Porque é que um pai enviaria um postal de aniversário para a morada de Sofia, se era óbvio que devia ser enviado para outro local? Que tipo de pai enviaria um postal de aniversário para o endereço errado, impedindo que a filha o recebesse? Como é que poderia ser «mais fácil» deste modo? E sobretudo, como poderia ela encontrar Hilde?

Não, como é que Sofia havia de conseguir? Hilde virou a folha e começou a ler o segundo capítulo. Chamava-se «A cartola». Pouco depois, chegou a uma longa carta que essa pessoa misteriosa escrevera a Sofia. Hilde reteve a respiração.

Interessarmo-nos pela razão da nossa existência não é um interesse ocasional, como o interesse em coleccionar selos. Quem se interessa por

259

tais problemas, preocupa-se com tudo aquilo que os homens discutem desde que apareceram neste planeta...

«Sofia estava exausta.» Hilde também. O pai não lhe escrevera apenas um livro para o aniversário; ele escrevera um livro muito estranho e misterioso.

Breve sumário: um coelho branco é retirado de uma cartola vazia. Dado que é um coelho muito grande, este truque leva muitos biliões de anos. Na extremidade dos pêlos finos nascem todas as crianças humanas. Por isso, podem admirar-se com a inacreditável arte da magia. Mas à medida que envelhecem, deslizam cada vez mais para a pele do coelho. E permanecem ali...

Não era só Sofia a ter a sensação de ter estado à procura de um lugar para si muito em baixo na pelagem do coelho branco. Nesse dia, Hilde fazia quinze anos. Também ela tinha a sensação de ter de se decidir quanto à orientação a seguir.

Leu acerca dos filósofos da natureza gregos. Hilde sabia que o pai se interessava por filosofia. Escrevera no jornal que a filosofia tinha de ser introduzida como disciplina escolar. «Porquê inserir a filosofia nos programas escolares?», era o título do artigo. O pai até levara o tema à discussão na reunião dos pais e professores da turma de Hilde. Para Hilde, isso fora extremamente embaraçoso.

Olhou então para o relógio. Já eram sete e meia. Mas a mãe só subiria daí a uma hora com o pequeno-almoço. Felizmente, porque Hilde estava completamente concentrada em Sofia e nas questões filosóficas. Leu o capítulo sobre Demócrito. Primeiro, Sofia tinha de reflectir acerca de uma questão: «Porque é que as peças do Lego são o brinquedo mais genial do mundo?» Em seguida, encontrou «um grande envelope amarelo» na caixa do correio.

Demócrito concordava com os seus predecessores ao afirmar que as transformações observáveis na natureza não significavam que algo se *alterasse* realmente. Admitiu, portanto, que tudo tinha de ser composto de elementos pequenos e invisíveis, eternos e imutáveis. Demócrito designava estas pequenas partículas por *átomos*.

Hilde inquietou-se quando Sofia encontrou o seu lenço de seda vermelho debaixo da cama. Então era *ali* que fora parar? Mas como é que um lenço podia cair numa história? Tinha de estar noutro lugar...

O capítulo sobre Sócrates começava com Sofia a ler num jornal «algumas linhas sobre o contingente norueguês da ONU no Líbano». Típico do pai! Ele tinha muita pena que as pessoas na Noruega se interessassem tão pouco pelo trabalho dos soldados da ONU de conservar a paz. E se mais ninguém se preocupava com isso, pelo menos Sofia devia fazê-lo. Deste modo, era possível atrair a si uma certa atenção dos *media*.

Hilde não pôde deixar de sorrir quando leu na carta do professor de filosofia endereçada a Sofia um «P.S. 2».

P.S. 2. Se encontrares um lenço de seda, quero pedir-te que o conserves cuidadosamente. Acontece, por vezes, que os objectos são trocados, sobretudo na escola e em locais semelhantes, e esta é na verdade uma escola de filosofia.

Hilde ouviu passos na escada. Devia ser a mãe com o pequeno-almoço do dia de anos. Antes de ela bater à porta, Hilde leu ainda que Sofia tinha encontrado um vídeo de Alberto no seu esconderijo no jardim.

— Parabéns a você, nesta data querida...

A mãe começara a cantar nas escadas.

— Muitas felicidades...

— Entra! — disse Hilde. Estava a ler sobre o professor de filosofia que falava a Sofia directamente da Acrópole. Ele era fisicamente muito parecido com o pai de Hilde — com uma «barba negra bem tratada» e uma bóina azul.

— Parabéns, Hilde!

— Mmm...

— Hilde?

— Deixa-o aí.

— Não queres...

— Não vês que estou ocupada?

— Pensa que já tens quinze anos!

— Já estiveste em Atenas, mamã?

— Não, porquê?

— É bastante estranho que os templos antigos ainda estejam de pé. Têm dois mil e quinhentos anos. O maior chama-se «Parténon».

— Abriste o embrulho do pai?

— Que embrulho?

— Olha para mim, Hilde! Estás completamente nas nuvens!

Hilde deixou cair o grande *dossier* nos joelhos.

A mãe inclinou-se para a cama. No tabuleiro havia velas, sanduíches e sumo de laranja. Havia também um pacote. Mas a mãe só tinha duas mãos e por isso tinha entalado a bandeira norueguesa debaixo do braço.

— Muito obrigada, mamã. É muito amável da tua parte, mas não tenho mesmo tempo.

— Só tens de estar na igreja à uma.

Hilde só nesse momento se apercebeu onde estava. A mãe pôs o tabuleiro na mesa de cabeceira.

— Desculpa. Estava tão concentrada nisto...

Hilde mostrou o *dossier* e prosseguiu:

— Isto é do pai...

— Mas o que é que ele escreveu, Hilde? Estou tão curiosa como tu. Há meses que não se lhe ouve uma palavra sensata.

Por algum motivo, Hilde sentiu-se subitamente embaraçada.

— Ah, é apenas uma história.

— Uma história?

— Sim, uma história. E também um livro de filosofia, mais ou menos.

— Não queres abrir o meu pacote?

Hilde achava que não podia fazer distinção entre os presentes e por isso abriu também o da mãe. Era uma pulseira de ouro.

— Que bonita! Muito obrigada!

Hilde deu um beijo à mãe.

Conversaram um pouco.

— Agora tens de ir embora — disse Hilde depois. — Ele está mesmo no cimo da Acrópole, percebes?

— Quem?

— Bom, não faço ideia, e a Sofia também não. O problema é esse.

— Eu tenho de ir para o escritório. Tens de comer qualquer coisa. O teu vestido está lá em baixo.

Por fim, a mãe foi-se embora. E o professor de filosofia de Sofia fez o mesmo; desceu as escadas da Acrópole e subiu para a elevação do Areópago, para aparecer pouco depois na antiga ágora de Atenas. Hilde sobressaltou-se ao ler que os antigos edifícios se elevavam subitamente das ruínas. O pai tinha a ideia fixa de que todos os países da ONU deviam fazer em conjunto uma cópia fiel da antiga ágora de Atenas. Aí se poderia trabalhar em questões filosóficas e hipóteses de desarmamento. Um projecto gigantesco desses havia de unir a humanidade, segundo ele.

Em seguida leu sobre Platão. «A alma deseja voar nas asas do amor de "volta" ao mundo das ideias. Deseja ser libertada da "prisão do corpo"...»

Sofia tinha passado através da sebe e seguira Hermes, mas perdera--o de vista depois. Após ter lido sobre Platão, caminhou pelo bosque e chegou a uma cabana vermelha junto a um pequeno lago. Havia ali uma fotografia de Bjerkely. Pela descrição, era evidente que tinha de se tratar de Bjerkely de Hilde. E ali estava também um retrato de um homem chamado Berkeley. «Berkeley e Bjerkely... Não era estranho?»

Hilde pousou o volumoso *dossier* na cama, foi à estante e consultou a enciclopédia em três volumes que recebera de presente quando fizera catorze anos. Berkeley... lá estava!

Berkeley, *George, 1685-1753, filósofo anglo-saxónico, bispo de Cloyne. Nega a existência de um mundo material exterior à consciência humana. As nossas percepções sensoriais provêm de Deus. B. é também famoso pela sua crítica às ideias universais abstractas. Obra principal: A* Treatise Concerning the Principles of Human Knowledge — Tratado Sobre os Princípios do Conhecimento Humano *(1710).*

Sim, era estranho. Hilde ficou alguns segundos parada e pensativa, antes de voltar à cama e ao *dossier*.

Teria sido o pai a pendurar aqueles dois quadros? Poderia haver uma outra relação além da semelhança entre os nomes?

Berkeley era um filósofo que negara a existência de um mundo material exterior à consciência humana. Era possível fazer-se muitas afirmações estranhas, mas nem sempre era fácil invalidar essas afirmações. Essa descrição prestava-se ao mundo de Sofia. As suas «sensações» eram provocadas pelo pai de Hilde.

Mas saberia mais se continuasse a ler. Hilde levantou os olhos do *dossier* e riu-se ao ler que Sofia vira o reflexo de uma rapariga no espelho que piscava os dois olhos. «A rapariga do espelho parecia piscar os olhos para Sofia. Parecia querer dizer: eu estou a ver-te, Sofia. Estou aqui do outro lado.»

Lá, encontrou também a carteira verde — com dinheiro e o resto! Como teria ido lá parar?

Que disparate! Por um ou dois segundos, Hilde acreditara que Sofia tinha encontrado de facto a carteira. Mas mesmo depois, tentou compreender como tudo acontecia do ponto de vista de Sofia. Devia ser muito insondável e misterioso.

Pela primeira vez, Hilde sentiu um forte desejo de conhecer Sofia pessoalmente. Gostaria de discutir com ela a relação entre todas as coisas.

Mas agora, Sofia tinha de sair da cabana se não queria ser surpreendida em flagrante. Era óbvio que o barco andava à deriva no lago. Ele não resistira a referir a velha história do barco.

Hilde bebeu um gole de sumo e trincou uma sanduíche com salada de maionese e camarão enquanto lia sobre Aristóteles, que criticara a teoria das ideias de Platão.

Aristóteles aponta para o facto de que nada existe na consciência que não tenha existido primeiro nos sentidos. Platão poderia ter dito que não há nada na natureza que não tenha existido primeiro no mundo das ideias. Desta forma, Platão duplicou o número de coisas, segundo Aristóteles.

Hilde não sabia que fora Aristóteles a inventar o jogo do «reino vegetal, reino animal, reino mineral».

Aristóteles queria fazer uma arrumação profunda no quarto da natureza. Procurou provar que todas as coisas na natureza pertencem a diversos grupos e subgrupos.

Ao ler a concepção de Aristóteles sobre a mulher, ficou simultaneamente admirada e irritada. Como é que alguém pode ser um filósofo tão competente e ao mesmo tempo um ignorante!

Sofia deixara-se inspirar por Aristóteles ao arrumar o seu próprio quarto. E aí, no meio do caos completo, encontrou a meia branca que desaparecera há um mês do armário de Hilde. Sofia reunira todas as folhas que Alberto lhe escrevera num *dossier*. «Agora já tem mais de cinquenta páginas». Hilde, por seu lado, já tinha chegado à página cento e setenta e oito, porque ainda tinha de ler, além das cartas filosóficas de Alberto Knox, toda a história de Sofia.

O capítulo seguinte chamava-se «O Helenismo». Nesse capítulo, Sofia encontrava um postal com a fotografia de um jipe da ONU. O postal tinha o carimbo do contingente da ONU do dia 15 de Junho. Mais um «postal» dirigido a Hilde que o pai integrara no *dossier* em vez de o enviar pelo correio.

Querida Hilde: imagino que deves estar a festejar o teu aniversário. Ou já passa um dia? De qualquer modo, não faz diferença para o teu

264

presente; desfrutarás dele durante toda a tua vida. Dou-te os parabéns mais uma vez. Talvez compreendas agora porque é que mando o postal para a Sofia. Tenho a certeza de que ela to dará.

PS. A mãe contou-me que perdeste a carteira. Prometo reembolsar-te das 150 coroas. Receberás certamente um novo cartão de estudante na escola antes que ela feche para o Verão.

Um abraço do pai

Nada mau, pensou Hilde, com isso tinha ficado com mais cento e cinquenta coroas. Ele achava com certeza que um presente de fabrico caseiro não era suficiente.

Descobriu que o dia 15 de Junho era também o dia de aniversário de Sofia. Mas o calendário de Sofia ainda estava na primeira metade de Maio. Nessa altura, o pai de Hilde devia ter acabado de escrever esse capítulo e dera uma data posterior ao «postal de aniversário» para Hilde.

Entretanto, a pobre Sofia corria para o supermercado, onde Jorunn esperava por ela.

Quem era Hilde? Como é que o pai dela achava evidente que Sofia a encontraria? Não fazia sentido nenhum que ele lhe enviasse os postais em vez de os enviar directamente à filha...

Também Hilde se sentira suspensa no ar enquanto estava a ler acerca de Plotino.

Em tudo o que vemos há algo do mistério divino. Vemos que ele cintila num girassol ou numa papoila. Temos uma ideia mais clara desse mistério impenetrável numa borboleta que levanta voo de um ramo — ou num peixe dourado que nada no seu aquário. Mas estamos mais próximos de Deus na nossa própria alma. Só aí podemos unir-nos ao grande mistério da vida. Em momentos raros podemos sentir que nós mesmos somos esse mistério divino.

Até então, isto era o do mais vertiginoso que ela tinha lido. Mas era ao mesmo tempo o mais fácil. Tudo é uno, e este «uno» é um mistério divino no qual todos participam.

Não era nada que fosse difícil de acreditar. *É assim*, pensava Hilde. E depois, cada um pode acrescentar a palavra «divino», ou o que lhe agradar.

Folheou rapidamente o *dossier* para chegar ao capítulo seguinte. Sofia e Jorunn queriam ir acampar na noite de 17 de Maio. E depois foram para a cabana do major...

Hilde ainda não lera muitas páginas quando saltou da cama agitada e deu alguns passos pelo quarto com o *dossier* nos braços.

Raramente vira um truque tão descarado como aquele! Na pequena cabana do bosque o pai fez com que ambas as raparigas encontrassem cópias de todos os postais que enviara a Hilde na primeira metade de Maio. E as cópias eram autênticas. Hilde tinha lido várias vezes todos os postais do pai. Reconheceu cada palavra:

> *Querida Hilde! Estou quase a rebentar com todos os segredos que têm a ver com o teu aniversário, e várias vezes por dia tenho de me conter para não telefonar e contar tudo. É uma coisa que não pára de crescer. E tu sabes que quanto mais uma coisa cresce mais difícil é guardá-la para nós...*

Sofia recebeu uma nova lição de Alberto. Tratava de Judeus e Gregos e das duas grandes culturas. Hilde ficou contente com esta ampla panorâmica da história. Na escola, nunca tinham aprendido nada assim. Eram só pormenores e mais pormenores. Quando acabou de ler a carta, o pai transmitira-lhe uma perspectiva completamente nova de Jesus e do Cristianismo. Gostou da citação de Goethe: «Quem não sabe prestar contas de três milénios, permanece nas trevas ignorante, vive apenas o dia que passa.»

O capítulo seguinte começava com um bocado de cartão que ficara colado na janela da cozinha de Sofia. Era obviamente mais uma felicitação para Hilde.

> *Querida Hilde! Não sei se ainda estarás a festejar o teu aniversário quando leres este postal. Por um lado, espero que sim, de qualquer modo tenho esperança que ainda não tenham passado muitos dias. Que passem uma ou duas semanas para Sofia não significa que suceda o mesmo connosco. Eu regresso a casa na noite de S. João. Nessa altura, ficaremos sentados no baloiço e poderemos olhar juntos para o mar, Hilde. Temos muito para conversar...*

Em seguida, Alberto telefona a Sofia e ela ouve a sua voz pela primeira vez.

«Falas como se se tratasse de uma espécie de guerra.» «Eu diria que é uma guerra espiritual. Temos de tentar chamar a atenção de Hilde e trazê-la para o nosso lado, antes que o seu pai regresse a Lillesand.»

E depois, Sofia encontra-se com Alberto Knox disfarçado de monge da Idade Média numa antiga igreja de pedra do século XII.

Numa igreja, sim. Hilde olhou para o relógio. Um quarto para a uma. Tinha-se esquecido completamente do tempo.

Talvez não fosse tão grave faltar à escola no seu dia de anos, mas havia uma coisa que a enervava nesse aniversário. Os colegas não festejariam com ela. Bom, no fundo não houvera falta de felicitações.

Em seguida, Hilde teve de ouvir um longo sermão. Alberto não parecia ter grandes problemas em pisar o púlpito. Ao ler sobre Sophia, que se mostrara a Hildegard em visões, teve de recorrer novamente à enciclopédia. Mas não encontrou nem Hildegard nem Sophia. Era típico. Quando se tratava de mulheres ou de alguma coisa relativa a mulheres, a enciclopédia era tão omissa como uma cratera da Lua. Haveria uma comissão de homens a censurar as enciclopédias?

Hildegard von Bingen tinha sido pregadora, escritora, médica, botânica e cientista. E além disso era um «exemplo de que na Idade Média as mulheres eram frequentemente mais práticas — e mesmo mais científicas — que os homens». Mas na enciclopédia não havia uma única sílaba sobre ela. Que vergonha!

Hilde nunca ouvira dizer que Deus também tinha «um lado feminino», ou uma «natureza maternal». E esse lado chamava-se Sophia — mas também não valia um grama de tinta para os autores da enciclopédia.

O mais próximo que encontrou foi a igreja Hagia Sophia em Constantinopla. «Hagia Sophia» queria dizer «santa sabedoria». Uma capital e inúmeras rainhas eram conhecidas por esta «sabedoria», mas na enciclopédia não vinha nada a dizer que tal sabedoria fosse feminina. Se aquilo não era censura...

Hilde continuou a ler e achou que Sofia lhe «aparecia» de facto. Achava poder ver à sua frente a rapariga de cabelos negros...

Quando Sofia chegou a casa, depois de ter passado quase toda a noite na igreja de Santa Maria, pôs-se em frente do espelho de latão que trouxera da cabana no bosque.

Em contornos nítidos, via o seu rosto pálido, que os cabelos negros emolduravam, cabelos que apenas serviam para fazer o penteado «cabelos lisos» naturais. Mas por baixo ou por detrás deste rosto aparecia o rosto de uma outra pessoa.

De repente, a rapariga estranha do espelho piscou energicamente os olhos. Parecia querer avisar que estava, de facto, do outro lado do espelho. Poucos segundos depois, desapareceu.

Quantas vezes Hilde já tinha estado em frente ao espelho como se procurasse a imagem de outra? Mas como é que o pai podia saber isso? Não procurara com os olhos uma rapariga de cabelos negros? A sua bisavó tinha comprado o espelho a uma cigana...

Hilde sentiu que as suas mãos tremiam ao segurar no volumoso *dossier*. Estava convencida de que Sofia existia de facto algures «no outro lado».

Depois, Sofia sonhava com Hilde e Bjerkely. Hilde não a conseguia ver nem ouvir, mas em seguida Sofia encontrou na doca o crucifixo de ouro de Hilde. E este crucifixo, com as iniciais de Hilde — estava na cama de Sofia quando ela acordou do sonho.

Hilde tinha que reflectir. Não podia ter perdido também o seu crucifixo de ouro. Foi à cómoda e tirou a sua caixa de jóias. O crucifixo de ouro — que a avó lhe dera de presente pelo seu baptizado — tinha desaparecido!

Então tinha mesmo perdido a jóia! Bom! Mas como é que o pai podia saber se nem ela reparara nisso?

E mais: Sofia tinha sonhado que o pai de Hilde regressara do Líbano. Mas até lá faltava uma semana inteira. Teria Sofia tido um sonho profético? Pensava o pai que, quando chegasse a casa, Sofia também estaria presente? Ele tinha escrito uma coisa a respeito de ela encontrar uma nova amiga...

Numa visão clara mas também extremamente breve, Hilde teve a convicção de que Sofia era mais do que papel e tinta. Ela *existia*!

O ILUMINISMO

... desde a produção de agulhas até à fundição de canhões...

Hilde começara com o capítulo sobre o Renascimento, mas ouviu então a mãe entrar em casa. Olhou para o relógio. Eram quatro horas.

A mãe subiu as escadas precipitadamente e abriu a porta com violência.

— Não estiveste na igreja?

— Sim, claro.

— Mas... o que é que tinhas vestido?

— O mesmo que agora.

— A tua camisa de noite?

— Mmm... eu estive na igreja de Santa Maria.

— Na igreja de Santa Maria?

— É uma igreja medieval de pedra.

— Hilde!

Hilde deixou cair o *dossier* nos joelhos e levantou os olhos para a mãe.

— Eu esqueci-me totalmente do tempo, mamã. Desculpa, mas vê se compreendes, estou a ler uma coisa empolgante.

A mãe não pôde deixar de sorrir.

— Isto é um livro mágico — acrescentou Hilde.

— Está bem, pronto. E mais uma vez: parabéns, Hilde!

— Não sei se consigo suportar mais felicitações.

— Mas eu não... Olha, vou só descansar um bocadinho e depois faço um jantar óptimo. Comprei morangos.

— E eu vou continuar a ler.

A mãe desapareceu novamente, e Hilde continuou a ler. Sofia passeava com Hermes pela cidade. No vão da escada de Alberto encontrou novamente um postal do Líbano. Também tinha o carimbo de 15 de Junho.

Só então compreendeu o sistema de todas as datas: os postais que eram datados de antes de 15 de Junho eram «cópias» de postais que

Hilde já recebera. Os que eram datados de 15 de Junho só os recebia pelo *dossier.*

Querida Hilde: Agora, Sofia está a entrar na casa do professor de filosofia. Em breve fará quinze anos, enquanto o teu aniversário já foi ontem. Ou será hoje, Hilde? Se for hoje, já deve ser muito tarde. Mas os nossos relógios nem sempre andam a par...

Hilde leu o que Alberto contara a Sofia acerca do Renascimento e da nova ciência, sobre os racionalistas do século XVII e o empirismo britânico.

Sobressaltou-se várias vezes quando chegavam novos postais e felicitações que o pai incluíra na história. Fizera-as cair de um livro, fizera-as surgir no interior da casca de uma banana, e fizera inclusivamente com que se introduzissem num computador. Sem o mínimo esforço, conseguia levar Alberto a «ter lapsos» e a chamar Hilde a Sofia. Mas o cúmulo de tudo era ter posto Hermes a dizer: «Parabéns, Hilde!».

Hilde estava de acordo com Alberto em que o pai estava a ir um pouco longe demais ao comparar-se com Deus e com a providência divina. Mas com quem é que ela estava de acordo? O pai colocara estas palavras repreensivas — ou autocríticas — na boca de Alberto! Ela reconheceu que a comparação com Deus talvez não fosse tão estúpida. O pai era para o mundo de Sofia uma espécie de Deus omnipotente.

Quando Alberto ia falar de Berkeley, Hilde estava tão empolgada como Sofia. O que aconteceria a partir daí? Já se previa há muito tempo que algo de extraordinário sucederia quando chegasse a vez deste filósofo, que negara a existência de um mundo material exterior à consciência humana, como Hilde já vira na enciclopédia.

Começava com Alberto e Sofia à janela a verem o pai de Hilde enviar um avião com uma longa faixa com felicitações. Simultaneamente, nuvens escuras avançavam em direcção à cidade.

— «Ser ou não ser» não é toda a questão. A questão é também o que nós somos. Somos realmente pessoas de carne e osso? O nosso mundo é constituído por coisas reais — ou estamos apenas rodeados pela consciência?

Não admirava que Sofia começasse a roer as unhas. Hilde nunca tivera esse hábito, mas também ela estava muito nervosa.

E veio o momento em que Alberto disse que, para eles, a vontade ou o espírito que realizava tudo podia ser o pai de Hilde.

— Achas que ele se tornou uma espécie de deus para nós?
— Para ser sincero, sim. Mas devia ter vergonha!
— E quanto a Hilde?
— Ela é um anjo, Sofia.
— Um anjo?
— É a ela que se dirige este «espírito».

Depois disso, Sofia correra para a chuva. Mas nunca podia ter sido o mesmo temporal que se abatera na noite anterior sobre Bjerkely — alguns segundos depois de Sofia ter corrido pela cidade!

«Amanhã faço anos», pensava ela. E não era extremamente duro ter de reconhecer, um dia antes de fazer quinze anos, que a vida é um sonho? Era como sonhar ter ganho um milhão e, pouco antes de o grande prémio ser pago, compreender que tudo fora apenas um sonho.

Sofia correu pelo campo de jogos molhado. Nessa altura viu uma pessoa a correr na sua direcção. Era a mãe. Relâmpagos potentes rasgavam o céu.

A mãe abraçou Sofia.
— O que se passa connosco, minha filha?
— Não sei — Sofia chorava. — É como um pesadelo.

Hilde sentiu que os olhos se lhe tinham humedecido. «To be, or not to be — that is the question.»

Hilde atirou o *dossier* para os pés da cama e levantou-se de um pulo. Andou de um lado para o outro no quarto. Por fim, pôs-se em frente do espelho de latão e ficou parada, até que a mãe a chamou para comer. Quando ela bateu à porta, Hilde não fazia ideia de há quanto tempo já estava ali. Mas tinha a certeza, toda a certeza, de que o reflexo do espelho lhe piscara ambos os olhos.

Durante a refeição, Hilde procurou ser uma aniversariante grata. Mas estava sempre a pensar em Sofia e Alberto.

O que seria deles agora, que *sabiam* que o pai de Hilde determinava tudo? Mas — sabiam-no realmente? Era provavelmente um absurdo acreditar que soubessem o que quer que fosse. Era o pai de Hilde que fazia com que soubessem alguma coisa. Porém, o problema era sempre o mesmo: quando Sofia e Alberto conhecessem toda a verdade, estariam de certo modo no fim da viagem.

Hilde quase ficara engasgada com um grande bocado de batata na garganta quando se apercebeu de que a mesma hipótese podia ser válida para o seu próprio mundo. Os homens tinham sem dúvida chegado cada vez mais longe na compreensão das leis da natureza. Mas poderia a história continuar quando a filosofia e a ciência tivessem colocado as ultimas peças do *puzzle* no local respectivo? Ou a história da humanidade aproximar-se-ia do fim? Não haveria uma relação entre o desenvolvimento do pensamento e da ciência por um lado, e realidades como o efeito de estufa e as florestas tropicais desarborizadas por outro? Talvez não fosse estúpido designar o desejo de conhecimento do homem por «pecado original».

A questão era tão importante e tão assustadora que Hilde tentou esquecê-la. Além disso, compreenderia mais se continuasse a ler o presente de aniversário do seu pai.

— Minha querida, queres mais? — disse a mãe, depois de terem comido gelado com morangos italianos. — Agora fazemos aquilo que te apetecer.

— Eu sei que parece estranho, mas o que eu gostaria de fazer era continuar a ler o presente do papá.

— Não podes deixar que ele te dê volta ao juízo.

— Não, não.

— Podemos descongelar uma *pizza* e ver o «Derrick» na televisão...

— Sim, pode ser.

Hilde lembrou-se de como Sofia falara com a mãe. O pai atribuíra certamente à outra mãe algo da sua. Por precaução, decidiu não dizer nada sobre o coelho branco que é retirado da cartola do universo, pelo menos não nesse dia...

— Ah, a propósito — disse, ao levantar-se.

— Sim?

— Não consigo encontrar o meu crucifixo de ouro.

A mãe olhou para ela com uma expressão enigmática.

— Encontrei-o há semanas lá em baixo na doca. Deves tê-lo deixado lá, minha tonta!

— Contaste isso ao papá?

— Deixa cá ver. Sim, contei...

— E onde está agora?

— Espera.

A mãe levantou-se e, pouco depois, Hilde ouviu um grito de admiração vindo do quarto. Depois, a mãe voltou à sala de estar.

— De momento não o consigo encontrar.

— Já estava à espera disso.

Hilde deu um beijo à mãe e correu novamente para a sua mansarda. Finalmente — agora podia continuar a ler sobre Sofia e Alberto. Deitou-se na cama e apoiou o pesado *dossier* sobre os joelhos.

Sofia acordou de manhã, quando a mãe entrou no quarto, trazendo nas mãos um tabuleiro cheio de presentes. Tinha posto uma bandeira numa garrafa de limonada vazia.

— Parabéns, Sofia!

Sofia esfregou os olhos. Tentou lembrar-se do que acontecera no dia anterior. Mas tudo se assemelhava às peças soltas de um puzzle. Uma peça era Alberto, outra Hilde e o major. Uma era Berkeley, outra Bjerkely. E a mais escura era o terrível temporal. Sofia quase ficara em estado de choque. A mãe enxugara-a e metera-a na cama depois de lhe ter levado uma caneca de leite quente com mel. Sofia adormecera imediatamente.

— Acho que estou viva — balbuciou então.

— Claro que estás viva. E hoje fazes quinze anos.

— Tens a certeza absoluta?

— Tenho a certeza absoluta, sim. Achas que uma mãe não sabe quando nasceu a única filha? Foi no dia 15 de Junho de 1975, às... à uma e meia. Foi sem dúvida o momento mais feliz da minha vida.

— Tens a certeza de que tudo isto não é apenas um sonho?

— Seja como for, tem que ser um bom sonho, se acordas com pão de passas, limonada e presentes de aniversário.

Ela pousou o tabuleiro com os presentes numa cadeira e saiu do quarto por pouco tempo. Quando voltou, trazia mais um tabuleiro com pão de passas e limonada. Pousou-o aos pés da cama de Sofia.

Seguiu-se uma manhã normal de aniversário a abrir os presentes, enquanto a mãe lhe falava das dores de parto há quinze anos. Da mãe, Sofia recebeu uma raquete de ténis. Nunca tinha jogado ténis, mas havia um campo a dois minutos de Kløverveien. O pai enviara-lhe um minitelevisor e um rádio de ondas curtas. O ecrã não era maior do que uma fotografia normal. Havia ainda presentes de velhas tias e amigos da família.

Por fim, a mãe disse:

— Achas que hoje devo tirar folga?

— Não, porquê?

— Ontem estavas bastante transtornada. Se isto continua assim, acho que devemos marcar uma consulta para um psicólogo.

— Deixa estar.

— Foi apenas o temporal — ou esse Alberto também tem algo a ver com isto?

— E o que é que se passa contigo? Tu perguntaste — «O que se passa connosco, minha filha?»

— Eu estava a pensar no facto de andares pela cidade para te encontrares com gente estranha. Talvez seja culpa minha...

— Não é «culpa» de ninguém eu fazer um curso de filosofia no meu tempo livre. Vai para o escritório. Tenho de estar na escola às dez. Hoje entregam as notas, e depois ficamos livres.

— Já sabes que notas vais ter?

— Em todo o caso, mais cincos do que no último semestre.

Pouco depois de a mãe ser ter ido embora, o telefone tocou.

— Sofia Amundsen.

— Daqui fala Alberto.

— Oh...

— Ontem o major não poupou nas munições.

— Não percebo o que queres dizer.

— A trovoada, Sofia.

— Não sei em que é que devo acreditar.

— Essa é a primeira virtude de uma verdadeira filósofa. Estou orgulhoso por teres aprendido tanto em tão pouco tempo.

— Tenho medo que nada disto seja real.

— Isso chama-se angústia existencial, e em geral é apenas uma fase no caminho para uma nova tomada de consciência.

— Acho que preciso de uma pausa no curso.

— Há muitas rãs no teu jardim nesta altura?

Sofia sorriu. Alberto prosseguiu:

— Eu acho que devemos continuar. A propósito, parabéns! Temos de terminar o curso até à noite de S. João. É a nossa última esperança.

— A nossa última esperança de quê?

— Estás bem sentada? Isto vai levar o seu tempo, percebes? Ainda te lembras de Descartes?

— *Penso, logo existo.*

— No que diz respeito à nossa dúvida metódica, estamos de mãos vazias. Nem sequer sabemos se pensamos. Talvez se venha a verificar que nós *somos* pensamentos, e isso é completamente diferente de nós mesmos pensarmos. Pelo menos, temos todo o motivo para supor que o pai de Hilde nos criou, que representamos uma espécie de entretenimento de aniversário para a filha do major em Lillesand. Estás a acompanhar-me?

— Sim...

— Mas também há uma contradição nisso. Se somos inventados, não temos o direito de supor o que quer que seja. Nesse caso, toda esta conversa ao telefone é pura ilusão.

— E nós não temos nem um bocadinho de livre arbítrio. Nesse caso, o major planeia tudo o que dizemos ou fazemos. Assim, podíamos até desligar.

— Não, estás a simplificar demasiado.

— Explica-te!

— Queres afirmar que as pessoas planeiam tudo o que sonham? Pode ser verdade que o pai de Hilde *saiba* exactamente tudo o que fazemos. Fugir à sua omnisciência é tão difícil como fugirmos da nossa própria sombra. Mas — e eu comecei a elaborar um plano — não é claro que o major tenha decidido previamente tudo o que vai acontecer. Talvez ele o decida só no último momento — no instante da criação, portanto. Precisamente nessa altura, pode-se pensar que temos uma iniciativa própria que determina o que dizemos e fazemos. Essa iniciativa é muito fraca em comparação com o enorme poder que o major exerce. Talvez estejamos indefesos em relação a coisas exteriores importunas como cães que falam, aviões a hélice, mensagens em bananas e trovoadas por encomenda. Mas não devemos excluir termos a nossa própria vontade, embora fraca.

— Mas como é que isso seria possível?

— O major sabe tudo do nosso pequeno mundo, mas isso não quer dizer que também seja omnipotente. Pelo menos, temos de tentar viver como se ele não o fosse.

— Acho que percebo onde queres chegar.

— O truque seria conseguirmos fazer alguma coisa sozinhos, em segredo, uma coisa que o major não conseguisse descobrir.

— Mas como é que isso é possível, se não existimos?

— Quem diz que não existimos? A questão não é *se* existimos, mas *o que* nós somos e *quem* somos. Mesmo que se verificasse que somos apenas impulsos na mente dividida do major, isso não significa que não tenhamos nenhuma consciência.

— E também não nos retira o nosso livre arbítrio?

— Estou a trabalhar no caso, Sofia.

— Mas o pai de Hilde deve ter plena consciência de que tu «estás a trabalhar no caso».

— Sem dúvida. Mas ele não conhece o meu plano. Estou a tentar encontrar um ponto de Arquimedes.

— Um ponto de Arquimedes?

— *Arquimedes* era um cientista do período helenístico. Ele afirmou — «Dêem-me um ponto fixo e eu moverei a terra.» Temos de encontrar um ponto como esse para sermos lançados para fora do universo interior do major.

— Não será fácil.

— Tens razão. E só podemos escapar-nos quando tivermos terminado o curso de filosofia. Até lá, ele controla-nos. É obvio que decidiu que eu te devo orientar através dos séculos até à nossa época. Mas só faltam poucos dias, depois ele senta-se num avião algures no Médio Oriente. Se não nos tivermos libertado da sua pegajosa fantasia antes de ele chegar a Bjerkely estamos perdidos.

— Estás a assustar-me...

— Em primeiro lugar, tenho de te contar o indispensável acerca do Iluminismo francês. Depois, temos de tratar a filosofia de *Kant* em traços gerais, antes de podermos falar do Romantismo. E, para nós, *Hegel* é uma ajuda importante. Ao tratarmos dele, não podemos ignorar a crítica indignada de *Kierkegaard* à filosofia hegeliana. Temos de falar um pouco sobre *Marx*, *Darwin* e *Freud*. Se conseguirmos ainda algumas observações finais sobre *Sartre* e o Existencialismo, podemos pôr o nosso plano em prática.

— É muita coisa para uma semana.

— Por isso temos de começar imediatamente. Podes vir até cá agora?

— Tenho de ir à escola. Temos uma pequena festa de turma, e depois recebemos os diplomas.

— Esquece a festa! Se somos mera imaginação, então é pura ilusão que limonada e doces saibam bem.

— Mas o diploma...

— Sofia, ou vives num universo extraordinário de um pequeno planeta numa de centenas de milhões de galáxias — ou és apenas um punhado de impulsos electromagnéticos na consciência de um major. E perante esta situação falas-me de um diploma! Devias ter vergonha!

— Desculpa.

— Mas podes passar pela escola antes de vires ter comigo. Poderia exercer uma má influência em Hilde tu faltares ao último dia de aulas. Ela vai certamente à escola mesmo no dia de anos, porque é um anjo.

— Então eu vou logo a seguir à escola.

— Podemos encontrar-nos na cabana do major.

— Na cabana do major?

— ... clic!

*
* *

Hilde deixou o *dossier* cair nos joelhos. O pai tinha feito com que ela se sentisse de facto um pouco arrependida por ter faltado ao último dia de aulas. Que maroto!

Ficou algum tempo sentada, tentando imaginar que plano Alberto iria tramar. Deveria ver a última página do *dossier*? Não, isso era batota; devia antes despachar-se a ler.

Ela estava convencida de que Alberto tinha razão num ponto fundamental. Uma coisa era o seu pai ter uma ideia geral do que sucedia a Sofia e a Alberto, mas, enquanto escrevia, não sabia certamente tudo o que ia suceder. Talvez escrevesse a grande velocidade alguma coisa por descuido, que só descobrisse muito mais tarde. E era justamente neste «descuido» que Sofia e Alberto tinham uma certa liberdade.

Mais uma vez, Hilde tinha quase a nítida sensação de que Sofia e Alberto existiam realmente. Mesmo quando o mar está calmo, isso não significa que nas profundezas não suceda alguma coisa, pensou.

Mas porque é que pensava assim?

Em todo o caso, não era um pensamento claro.

Na escola, Sofia recebeu felicitações e foram-lhe cantados os parabéns, como é habitual quando se trata de uma aniversariante. Talvez recebesse muita atenção porque, diante dos diplomas e da limonada, todos estavam agitados.

Depois de o professor se ter despedido dela com votos de um bom Verão, Sofia correu para casa. Jorunn procurou retê-la, mas Sofia gritou-lhe que tinha de tratar de uma coisa sem falta.

Na caixa do correio encontrou dois postais do Líbano. Em ambos estava escrito: «HAPPY BIRTHDAY — 15 YEARS». Eram postais de aniversário comprados.

Um dos postais vinha dirigido a «Hilde Møller Knag, a/c Sofia Amundsen...». O outro, pelo contrário, era mesmo para Sofia. Ambos os postais tinham o carimbo: «Contingente da ONU, 15 de Junho.»

Sofia leu primeiro o seu próprio postal:

Cara Sofia Amundsen! Hoje também quero felicitar-te pelo teu aniversário. Muitos parabéns, Sofia! Muito obrigado por tudo o que fizeste até agora por Hilde.

Cumprimentos, Albert Knag, major

*

* *

Sofia não sabia bem como havia de reagir ao facto de o pai de Hilde lhe ter finalmente enviado um postal. De certo modo, achou isso comovente. No postal de Hilde estava escrito:

> *Querida Hilde! Não sei nem que dia é nem que horas são agora em Lillesand. Mas, como disse, isso não é muito importante. Se bem te conheço, não estou muito atrasado para uma última ou pelo menos penúltima felicitação. Mas também não podes levantar-te muito tarde! O Alberto vai falar-te dentro em pouco do pensamento do Iluminismo francês, concentrando-se em sete pontos. Esses pontos são:*

> *1. Revolta contra as autoridades*
> *2. Racionalismo*
> *3. Pensamento do iluminismo*
> *4. Optimismo cultural*
> *5. Regresso à natureza*
> *6. Cristianismo humanista*
> *7. Direitos humanos*

Era evidente que o major os tinha debaixo de olho.

Sofia abriu a porta de casa e pôs o diploma com muitos cincos na mesa da cozinha. Em seguida, enfiou-se pela sebe e correu para o bosque.

Novamente, teve de remar no pequeno lago. Alberto estava sentado na soleira da porta quando ela chegou e fez-lhe sinal para ela se sentar ao seu lado.

Estava bom tempo, mas do pequeno lago subia uma corrente de ar fresco e cortante em direcção a eles. O lago parecia não ter recuperado ainda do temporal.

— Vamos directamente ao assunto — começou Alberto. — Após Hume, o alemão Kant foi o grande sistemático seguinte. Mas também a França teve no século XVIII muitos pensadores importantes. Podemos dizer que, na primeira metade do século XVIII, o centro filosófico da Europa estava em Inglaterra, a meio do século na França, e cerca do final do século na Alemanha.

— Uma deslocação de oeste para leste.

— Exacto. Vou apresentar resumidamente algumas ideias que eram comuns a muitos filósofos franceses do Iluminismo, nomes importantes como *Montesquieu, Voltaire, Rousseau* e muitos, muitos outros. Concentrei-me em sete pontos principais.

— Obrigada. Infelizmente, já sei.

Sofia deu-lhe o postal do pai de Hilde. Alberto suspirou profundamente.

— Não era preciso isto... Um primeiro mote é portanto a revolta contra as autoridades. Vários filósofos franceses do Iluminismo tinham visitado Inglaterra, que em alguns apectos era mais liberal do que a sua pátria. A ciência da natureza inglesa fascinava-os, sobretudo Newton e a sua física universal. Mas os filósofos ingleses também os inspiravam, sobretudo Locke e a sua filosofia política. De volta a França, começaram a opor-se a pouco e pouco às velhas autoridades. Achavam importante mostrar cepticismo em relação a todas as verdades herdadas, e pensavam que o indivíduo tinha de encontrar por si mesmo a resposta para todas as perguntas. Neste ponto, a influência de Descartes era evidente.

— Porque ele construiu tudo a partir da base.

— Exacto. A insurreição contra as velhas autoridades dirigia-se também contra o poder da Igreja, do rei e da nobreza. Estas instituições eram, no século XVIII, muito mais poderosas em França do que em Inglaterra.

— E depois veio a Revolução.

— Em 1789, sim. Mas as novas ideias vieram mais cedo. A próxima palavra chave é o *racionalismo*.

— Eu julgava que o racionalismo tivesse desaparecido com Hume.

— Hume só morreu em 1776, cerca de vinte anos depois da morte de Montesquieu e apenas dois anos antes da morte de Voltaire e Rousseau, em 1778. Talvez te lembres que Locke não era um empirista radical. Ele achava, por exemplo, que a fé em Deus e certas normas morais eram elementos constituintes da razão humana. Esse é também o cerne da filosofia iluminista francesa.

— Também disseste que os franceses foram sempre um pouco mais racionalistas do que os britânicos.

— Essa diferença remonta à Idade Média. Quando os ingleses falam de «common sense», os franceses falam de «évidence». A expressão inglesa pode ser traduzida por «senso comum», a francesa por «evidência».

— Compreendo.

— Tal como os humanistas da Antiguidade — como Sócrates e os estóicos — a maior parte dos iluministas tinham uma fé inabalável na razão humana. Essa característica era tão marcada que muitos também designam a época do Iluminismo francês simplesmente por «racionalismo». A nova ciência da natureza tinha mostrado que a natureza estava organizada racionalmente. Para os filósofos do Iluminismo, a sua tarefa era criar um fundamento para a moral, a ética e a religião que estivesse de acordo com a razão imutável do homem. E isso conduziu ao verdadeiro *pensamento do Iluminismo*.

— O nosso terceiro ponto.

— Em primeiro lugar, dizia-se, amplos estratos do povo tinham de ser «iluminados». Isso era a condição absoluta para uma sociedade melhor. Mas o povo era dominado pela ignorância e pela superstição. Foi, portanto, dada muita atenção à educação. Não é por acaso que a pedagogia como ciência tenha sido fundada na época do Iluminismo.

— Então a noção de escola provém da Idade Média, e a pedagogia do Iluminismo.

— Podes dizer isso. O grande monumento do Iluminismo é uma enciclopédia. Estou a pensar na *Enciclopédia*, que foi publicada entre 1751 e 1772, em vinte e oito volumes, com contributos de todos os grandes filósofos iluministas. «Aqui há de tudo», dizia-se, «desde a produção de agulhas até à fundição de canhões».

— O ponto seguinte é o *optimismo cultural*.

— Podes pôr de lado esse postal enquanto eu falo, por favor?

— Desculpa.

— Só quando razão e saber fossem difundidos, segundo os iluministas, é que a humanidade faria grandes progressos. Era apenas uma questão de tempo, e o irracionalismo e a ignorância desapareceriam, e haveria uma humanidade esclarecida. Esta ideia era dominante na Europa Ocidental até há algumas décadas. Hoje já não estamos tão convencidos de que mais saber leve a condições de vida melhores. Aliás, esta crítica da «civilização» já tinha sido apresentada pelos filósofos franceses do Iluminismo.

— Nesse caso, talvez devêssemos tê-los ouvido.

— «Regresso à natureza!» era o lema da crítica da civilização. Mas, por natureza, os filósofos do Iluminismo entendiam quase o mesmo que por razão. Porque a razão é dada ao homem pela natureza — ao contrário da Igreja ou da civilização. Dizia-se que os «povos primitivos» viviam de uma forma mais saudável e feliz do que os europeus, justamente porque não tinham civilização. O estribilho «regresso à natureza!» provém de *Jean-Jacques Rousseau*. Ele explicou que a natureza era boa e por isso o homem também era bom «por natureza». Todo o mal residia na sociedade civilizada que afastava o homem da sua natureza. Por isso, Rousseau queria também deixar viver as crianças no seu estado «natural» de inocência tanto tempo quanto possível. Podemos dizer que a ideia de um valor próprio da infância provém do tempo do Iluminismo. Antes disso, a infância era vista sobretudo como preparação para a vida de adulto. Mas nós somos seres humanos e já estamos a viver quando somos crianças.

— É o que eu acho.

— E, finalmente, para os Iluministas era importante uma religião «natural».

— O que queriam dizer com isso?

— A religião também tinha de ser posta em harmonia com a «razão natural» dos homens. Muitos lutavam por aquilo a que podemos chamar um *cristianismo humanista*, e este é o sexto ponto da lista. Naturalmente, havia também materialistas coerentes que não acreditavam em Deus e se reconheciam como ateus. Mas a maior parte dos filósofos iluministas achavam irracional pensar num mundo sem Deus. Consideravam que o mundo tinha uma ordem demasiado racional. Também Newton, por exemplo, defendera o mesmo ponto de vista. Da mesma forma, a crença na imortalidade da alma era para eles racional. Tal como para Descartes, para os iluministas, a questão da imortalidade da alma humana era mais uma questão de razão do que uma questão de fé.

— É justamente isso que me admira um pouco. Para mim, isso é um exemplo típico daquilo em que se pode acreditar, mas não saber.

— Tu não vives no século XVIII. Os iluministas queriam libertar o cristianismo dos dogmas irracionais que, no decorrer da história da Igreja, tinham sido enxertados na mensagem simples de Jesus.

— Então entendo-os.

— Muitos professavam o chamado *deísmo*.

— Explica-te!

— Por «deísmo» entendemos uma concepção segundo a qual Deus criou o mundo há muito tempo, mas não se revela ao mundo desde então. Deste modo, Deus é o Ser supremo que se dá a conhecer aos homens apenas por meio da natureza e das suas leis — mas que não se revela de modo sobrenatural. Este «Deus filosófico» já nos aparecia em Aristóteles. Para ele, Deus era a primeira causa ou o primeiro motor do universo.

— Agora, já só nos resta um ponto, os *direitos humanos*.

— Mas, em compensação, esse é talvez o mais importante. Podes dizer de um modo geral que a filosofia iluminista francesa tinha uma orientação mais prática do que a inglesa.

— Tiraram as consequências da sua filosofia e agiram de forma coerente com ela?

— Sim, os filósofos franceses do Iluminismo não se contentaram com concepções teóricas sobre o lugar do homem na sociedade. Lutavam activamente por aquilo a que chamavam os «direitos naturais» dos cidadãos. Tratava-se sobretudo da luta contra a censura — ou seja, pela liberdade de imprensa. Em relação à religião, moral e política tinha de se assegurar ao indivíduo o direito de pensar livremente e de exprimir livremente as suas ideias. Além disso, lutou-se contra a escravatura, e por um tratamento mais humano dos criminosos.

— Acho que estou de acordo com quase tudo.

— O princípio da «inviolabilidade do indivíduo» culminou finalmente na «Declaração dos Direitos do Homem e do Cidadão», que foi adoptada em 1789 pela Assembleia Nacional Francesa. Esta Declaração dos Direitos Humanos foi uma base importante para a nossa Constituição Norueguesa de 1814.

— Mais ainda há muitos homens que têm de lutar por esses direitos.

— Sim, infelizmente. Mas os filósofos iluministas queriam estabelecer determinadas leis a que todos os homens tinham direito simplesmente por serem homens. Era o que entendiam por direitos «naturais». Falamos ainda hoje de «direito natural», que pode estar em contradição com as leis oficiais de qualquer país. Ainda vemos indivíduos — ou populações inteiras — que reivindicam a escravatura e a opressão para estes «direitos naturais», quando se defendem contra a anarquia.

— E o que é que se passava com os direitos das mulheres?

— A Revolução de 1789 estabeleceu uma série de direitos que deviam valer para todos os cidadãos. Mas, no fundo, só os homens eram considerados cidadãos. Porém, justamente durante a Revolução Francesa, vemos os primeiros exemplos de um movimento feminista.

— E não era sem tempo.

— Já em 1787, o filósofo iluminista *Condorcet* publicou um tratado sobre os direitos da mulher. Nele concedia às mulheres os mesmos direitos naturais que aos homens. Durante a Revolução de 1789, as mulheres participaram activamente na luta contra a aristocracia. Por exemplo, foram as mulheres que dirigiram as manifestações que obrigaram o rei a abandonar o seu palácio em Versalhes. Em Paris, formaram--se diversos grupos de mulheres. Além dos mesmos direitos políticos que os homens, as mulheres exigiam também novas leis do matrimónio e outras condições de vida.

— Obtiveram esses direitos?

— Não. Como veio a suceder tantas vezes mais tarde, a questão dos direitos das mulheres foi levantada com uma revolução. Mas logo que tudo voltou a acalmar com um novo regime, o velho domínio dos homens foi restabelecido.

— É típico.

— Uma das mulheres que mais lutou pelos direitos das mulheres durante a Revolução Francesa foi *Olympe de Gouges*. Em 1791 — ou seja, dois anos após a Revolução — publicou uma declaração dos direitos das mulheres. A declaração dos direitos dos cidadãos não dedicara propriamente muitos parágrafos aos direitos naturais das mulheres. Olympe de Gouges exigia para as mulheres exactamente os mesmo direitos que para os homens.

— E qual foi o resultado?

— Foi decapitada. As mulheres foram proibidas de ter qualquer actividade política.

— Que horror!

— Só no século XIX é que o feminismo começou verdadeiramente — na França e por toda a Europa. E, muito lentamente, essa luta começou também a produzir frutos. Mas na Noruega, por exemplo, as mulheres só obtiveram o direito de voto em 1913. E em muitos países, as mulheres lutam ainda pela igualdade de direitos.

— Podem contar com o meu apoio.

Alberto olhou para o pequeno lago. Passado um pouco, disse:

— Acho que era tudo o que eu tinha a dizer sobre a filosofia do Iluminismo.

— O que queres dizer com «acho»?

— Não me parece que haja mais alguma coisa.

Enquanto ele dizia isto, algo sucedeu subitamente no meio do lago. A água borbulhava vinda do fundo. E, em seguida, uma criatura enorme e monstruosa ergueu-se acima da superfície da água.

— Uma serpente marinha! — exclamou Sofia.

O escuro monstro contorceu-se várias vezes para a frente e para trás, depois mergulhou de novo, e o lago ficou tão calmo como anteriormente.

Alberto desviara a vista.

— Vamos entrar — disse.

Levantaram-se e entraram na cabana.

Sofia parou em frente às imagens de Berkeley e Bjerkely. Apontou para o quadro de Bjerkely e afirmou:

— Acho que Hilde mora algures nesta imagem.

Entre as imagens estava agora pendurado um bordado onde se lia: LIBERDADE, IGUALDADE, FRATERNIDADE.

Sofia voltou-se para Alberto.

— Foste tu que penduraste isto aqui?

Ele abanou a cabeça com uma expressão triste.

283

Sofia encontrou então um envelope na consola da lareira. «Para Hilde e Sofia», estava escrito. Sofia compreendeu imediatamente quem era o remetente. Abriu o envelope e leu alto:

Minhas queridas Hilde e Sofia! O professor de filosofia da Sofia devia ter ainda sublinhado como a filosofia francesa do Iluminismo foi importante para os ideais e princípios sobre os quais assenta a ONU. Há duzentos anos, o slogan «Liberdade, Igualdade, Fraternidade» ajudou a unir a nação francesa. Hoje, estas palavras têm de unir todo o mundo. A humanidade é hoje uma grande família como nunca foi antes. Os nossos descendentes são os nossos filhos e netos. Que tipo de mundo herdam de nós?

A mãe de Hilde chamou-a, porque «Derrick» começava dentro de dez minutos e ela pusera a *pizza* no forno. Hilde sentia-se esgotada por ter lido tanto. Já estava a pé desde as seis horas.

Decidiu passar o resto da tarde a festejar o aniversário com a mãe. Mas, antes de tudo, tinha de consultar a enciclopédia.

Gouges... não. De Gouges? Também não. Talvez Olympe de Gouges? Não havia nada! A enciclopédia não escrevera uma única palavra sobre a mulher que fora decapitada devido à actividade política a favor das mulheres. Não era escandaloso?

Seria apenas uma invenção do pai de Hilde?

Hilde correu para o piso térreo para consultar a enciclopédia maior.

— Tenho de ver uma coisa rapidamente — explicou à mãe, que a olhava estupefacta.

Retirou o volume de FORV a GP e correu de novo para o quarto com ele.

Gouges... lá estava!

Gouges, Marie Olympe (1748-93), escritora francesa, teve um papel importante durante a Revolução francesa, através de numerosos opúsculos sobre questões sociais e uma série de peças de teatro. Defendeu a opinião de que os direitos humanos também deviam ser válidos para as mulheres e publicou em 1791 «A Declaração dos Direitos das Mulheres». Decapitada em 1793 por ter ousado defender Luís XVI e criticado Robespierre. (Lit: L. Lacour: «Les Origines du féminisme contemporain», 1900).

KANT

... o céu estrelado acima de mim e a lei moral dentro de mim...

O major Albert Knag só telefonou para casa por volta da meia noite, para dar os parabéns a Hilde.

A mãe de Hilde atendeu o telefone.

— Para ti, Hilde.

— Está?

— Aqui é o pai.

— Diz — já é quase meia noite!

— Eu só te queria dar os parabéns...

— Tens feito isso todo o dia.

— ... mas eu queria telefonar só quando o dia já tivesse passado.

— Porquê?

— Não recebeste o *presente*?

— Ah, isso! Sim, muito obrigada!

— Não me aflijas. O que dizes?

— É fantástico. Não comi nada quase todo o dia.

— Tens de comer.

— Mas é tão excitante.

— Até onde já chegaste?

— Eles foram para dentro de casa porque tu brincavas com uma serpente marinha...

— O Iluminismo.

— E Olympe de Gouges.

— Então não me enganei.

— O que queres dizer com isso?

— Acho que só falta uma felicitação. Mas essa tem música, em compensação.

— Eu vou continuar a ler até adormecer.

— Então estás a compreender?

— Hoje aprendi mais coisas do que... em toda a minha vida. É inacreditável que não tenha passado um único dia desde que Sofia chegou a casa e encontrou a primeira carta.

— É estranho o pouco tempo que é necessário...

— Mas eu tenho alguma pena dela.

— De quem?

— Da Sofia, obviamente.

— Ah...

— Ela está completamente confusa, a pobrezinha.

— Mas ela é apenas... quero dizer...

— Queres dizer que foste tu que a criaste.

— Sim, mais ou menos isso.

— Eu acho que a Sofia e o Alberto existem.

— Falaremos sobre isso quando eu voltar para casa.

— Sim.

— E desejo-te uma boa noite.

— O que disseste?

— Boa noite!

— Boa noite!

Quando Hilde foi para a cama, meia hora mais tarde, lá fora havia ainda tanta claridade que podia ver o jardim e a enseada. Nessa estação do ano, não escurecia.

Divertia-a a ideia do que seria viver num quadro pendurado na parede de uma pequena cabana no bosque. Poderia sair da imagem e observar o que havia cá fora?

Antes de adormecer, leu mais algumas páginas do grande *dossier*.

Sofia voltou a pôr a carta do pai de Hilde na consola da lareira.

— O que ele diz sobre a ONU pode ser importante — afirmou Alberto — mas não gosto que ele interfira na minha exposição.

— Acho que não devias preocupar-te tanto com isso.

— A partir de agora, não vou dar atenção a qualquer fenómeno extraordinário como serpentes marinhas e coisas semelhantes. Vamo-nos sentar à janela, e eu falo-te sobre Kant.

Sofia reparou num par de óculos que estava numa pequena mesa entre duas poltronas. Também reparou que as lentes eram vermelhas. Seriam óculos de sol fortes?

— São quase duas — disse ela. — Tenho de estar em casa o mais tardar às cinco. A minha mãe tem provavelmente planos para o meu dia de anos.

— Então temos três horas.

— Começa.

— Immanuel Kant nasceu em 1724 em Königsberg, uma cidade da Prússia Oriental, e era filho de um seleiro. Passou aí quase toda a sua vida até morrer com a idade de oitenta anos. Vinha de uma família extremamente cristã. A sua fé cristã foi uma base importante para a sua filosofia. Tal como Berkeley, também ele queria salvar as bases da fé cristã.

— Eu sei o bastante sobre Berkeley, obrigada.

— Kant foi também o primeiro dos filósofos que tratámos que leccionava filosofia numa universidade. Era professor de filosofia.

— Professor?

— A palavra «filósofo» é usada hoje em dois sentidos diferentes. Por filósofo, entendemos primeiro que tudo uma pessoa que procura encontrar as suas próprias respostas para as questões filosóficas. Mas um filósofo pode também ser um conhecedor da história da filosofia, sem desenvolver necessariamente uma filosofia própria.

— E Kant era um conhecedor?

— Era ambas as coisas. Se ele tivesse sido apenas um professor brilhante — ou seja, um conhecedor das ideias dos outros — nunca teria tido um lugar tão importante na história da filosofia. Mas também é importante o facto de Kant ter conhecido realmente a tradição filosófica como nenhum outro. Ele estava tão familiarizado com racionalistas como Descartes e Espinosa como com empiristas como Locke, Berkeley e Hume.

— Já te disse que parasses de falar de Berkeley.

— Sabemos que os racionalistas consideravam que o fundamento de todo o conhecimento humano residia na razão. E sabemos ainda que os empiristas achavam que todo o conhecimento sobre o mundo provinha da experiência sensível. Hume tinha apontado para o facto de existirem claros limites no que diz respeito às conclusões a que podemos chegar com a ajuda das nossas impressões sensíveis.

— E com quem é que Kant estava de acordo?

— Ele achava que todos tinham de certa forma razão, mas também que todos estavam parcialmente errados. A questão que os preocupava era aquilo que podemos saber sobre o mundo. Esse foi o projecto filosófico comum a todos os filósofos depois de Descartes. Estavam em debate duas possibilidades: o mundo é exactamente como o percepcionamos — ou como a nossa razão o representa?

— E o que achava Kant?

— Kant achava que tanto as sensações como a razão tinham um papel importante no nosso conhecimento do mundo. Ele defendia que os racionalistas davam demasiada importância à razão e que os empiristas defendiam de forma parcial a experiência sensível.

— Se não me deres imediatamente um bom exemplo, fica tudo no ar.

— Kant está de acordo com Hume e com os empiristas ao defender que devemos todos os nossos conhecimentos às sensações. Mas — e nisto concorda com os racionalistas — na nossa razão também há condições importantes para o modo como compreendemos o mundo à nossa volta. Por conseguinte, há certas condições em nós mesmos que contribuem para a nossa concepção do mundo.

— E isso é que é um exemplo?

— Vamos antes fazer uma pequena experiência. Podes trazer os óculos daquela mesa? Isso. Agora, põe-os.

Sofia pôs os óculos. Tudo o que estava à sua volta se tornou vermelho. As cores claras ficaram vermelho claro, as escuras vermelho escuro.

— O que é que vês?

— Vejo exactamente o mesmo que antes, mas agora é tudo vermelho.

— Isso deve-se ao facto de as lentes determinarem o modo como vês a realidade. Tudo o que vês é uma parte de um mundo exterior a ti mesma; mas o modo como a vês está relacionado com as lentes. Não podes dizer que o mundo é vermelho, mesmo que te pareça vermelho.

— Não, claro que não...

— Se tu andasses agora pelo bosque — ou se estivesses em casa na Curva do Capitão —, verias tudo aquilo que sempre viste. Mas tudo o que visses seria vermelho.

— Desde que eu não tirasse os óculos, sim.

— Os óculos são a condição do modo como vês o mundo. E do mesmo modo, segundo Kant, também existem condições na nossa razão que influenciam todas as nossas experiências.

— De que condições é que estamos a falar?

— Tudo o que vemos, é visto primeiro como fenómeno no tempo e no espaço. Segundo Kant, o tempo e o espaço eram as duas «formas da intuição» do homem. E ele sublinha que estas duas formas na nossa consciência são anteriores a qualquer experiência. Isso significa que podemos saber, antes de percepcionarmos alguma coisa, que a vamos ver como fenómeno no tempo e no espaço. Não conseguimos, por assim dizer, tirar os óculos da razão.

— Então ele considerava que compreender as coisas no tempo e no espaço era uma propriedade inata em nós.

— De certo modo, sim. O que vemos depende ainda de termos crescido na Índia ou na Gronelândia. Mas em toda a parte a nossa experiência do mundo é de uma coisa no tempo e no espaço, e sabemo--lo antecipadamente.

— Mas o tempo e o espaço não existem fora de nós?

— Não. Kant explica que o tempo e o espaço pertencem à própria condição humana. Tempo e espaço são sobretudo propriedades da nossa consciência e não propriedades do mundo.

— Isso é um modo de ver completamente diferente.

— A consciência do homem não é, portanto, uma «cera» passiva que apenas regista as sensações exteriores. É uma instância que se exerce criativamente. A própria consciência contribui para determinar a nossa concepção do mundo. Podes comparar com o que se passa quando deitas água num jarro de vidro. A água toma a forma do jarro. Do mesmo modo, as nossas sensações ajustam-se às nossas «formas da intuição».

— Acho que percebo o que queres dizer.

— Kant afirma que não é apenas a consciência que se adapta às coisas. As coisas também se adaptam à consciência. O próprio Kant chamava a isto a «revolução copernicana» na questão do conhecimento humano. Com isso, queria dizer que esta ideia é tão nova e diferente em relação à tradição como a afirmação de Copérnico de que a terra gira à volta do sol e não o inverso.

— Agora entendo o que ele queria dizer ao afirmar que tanto os racionalistas como os empiristas tinham uma parte da razão. Os racionalistas tinham esquecido a importância da experiência, e os empiristas não queriam admitir que a nossa razão influencia a nossa concepção do mundo.

— Também a lei da causalidade — que, segundo Hume, os homens não podiam percepcionar — é para Kant um elemento da razão humana.

— Explica-me isso!

— Ainda te lembras que Hume afirmou que apenas vemos um nexo causal necessário por detrás de todos os fenómenos da natureza devido ao hábito. Hume achava que não podemos ver que a bola de bilhar preta é causa do movimento da bola branca. Por isso, também não podemos provar que a bola preta provoque sempre o movimento da bola branca.

— Ainda me lembro disso.

— Mas justamente aquilo que segundo Hume não podemos provar é visto por Kant como uma propriedade da razão humana. A lei da causalidade é sempre e absolutamente válida pelo facto de a razão humana ver tudo o que acontece como relação entre causa e efeito.

— De novo, eu diria que a lei da causalidade está na natureza e não no homem.

— Kant diz que está em nós. Ele está de acordo com Hume em não podermos saber com segurança o que o mundo é «em si». Apenas podemos saber como o mundo é «para mim» — logo, para todos os homens. A distinção que Kant faz entre as «coisas em si» e as «coisas para nós» é o seu contributo mais importante para a filosofia. Nunca podemos saber com segurança como as coisas são «em si». Em compensação, podemos, sem qualquer experiência, dizer como as coisas são compreendidas pela razão humana.

— E é mesmo assim?

— Antes de saíres de casa de manhã, não podes saber o que vais ver nesse dia. Mas podes saber que apreenderás como fenómenos no tempo e no espaço tudo aquilo que vires. Além disso, podes ter a certeza de que a lei da causalidade é válida porque faz parte da tua consciência.

— Mas também podíamos ter outra estrutura?

— Sim, podíamos ter uma outra estrutura sensível. E, nesse caso, podíamos ter também uma outra percepção do tempo e do espaço, ou ser constituídos de tal modo que não procurássemos as causas dos fenómenos.

— Podes dar um exemplo?

— Imagina um gato que está deitado no chão da sala. Imagina que uma bola rola para dentro do quarto. O que faz o gato nessa altura?

— Eu já experimentei isso várias vezes. O gato vai a correr atrás da bola.

— Sim. E agora imagina que tu estás na sala em vez do gato. Se vês de repente uma bola que vem a rolar, também corres imediatamente atrás dela?

— Em primeiro lugar, volto-me para ver de onde vem a bola.

— Sim, por seres um ser humano, procurarás forçosamente a causa de cada acontecimento. A lei da causalidade faz parte do que te constitui.

— E é de facto assim?

— Hume diria que não podemos sentir nem provar as leis da natureza, mas Kant não se conformava com isso. Acreditava poder provar a validade absoluta das leis da natureza ao mostrar que na realidade estamos a falar de leis do conhecimento humano.

— Uma criança pequena também voltaria a cabeça para saber quem tinha tocado na bola?

— Talvez não. Mas Kant afirma que a razão não está completamente desenvolvida numa criança porque ainda não pôde trabalhar com material sensível. Por um lado, temos as condições exteriores, das quais nada podemos saber antes de as termos percepcionado. Podemos dizer que são a *matéria* do conhecimento. Por outro lado, temos as condições interiores no próprio homem — por exemplo, vermos tudo como fenómenos no tempo e no espaço e também como processos que seguem uma lei causal imutável. Podemos dizer que isso é a *forma* do conhecimento.

Alberto e Sofia ficaram um tempo parados olhando pela janela. De repente, Sofia viu surgir uma rapariga por entre as árvores, na outra margem do lago.

— Olha! — disse Sofia. — Quem é?

— Não faço ideia.

Viram a rapariga durante mais alguns segundos, mas depois desapareceu. Sofia reparara que ela trazia um chapéu vermelho.

— De qualquer modo, não nos podemos distrair.

— Continua.

— Kant também apontou para o facto de existirem claros limites para o que os homens podem conhecer. Podes dizer que os óculos da razão nos impõem limites.

— Como assim?

— Talvez ainda recordes quais foram as verdadeiras «grandes» questões filosóficas dos filósofos anteriores a Kant: se o homem possui uma alma imortal; se Deus existe; se a natureza é constituída por partes indivisíveis; e se o universo é finito ou infinito.

— Sim.

— Kant achava que o homem nunca poderia atingir um conhecimento seguro destas questões. Isso não quer dizer que não se preocupasse com estes problemas. Muito pelo contrário. Se ele tivesse simplesmente rejeitado estas perguntas, dificilmente lhe poderíamos chamar filósofo.

— E então o que é que ele fez?

— Tens de ter um pouco de paciência. Kant achava que nestas grandes questões filosóficas, a razão operava fora dos limites daquilo que o homem pode conhecer. Por outro lado, era inerente à natureza humana, ou à razão humana, a necessidade de colocar essas questões. Quando, por exemplo, perguntamos se o universo é finito ou infinito, perguntamos sobre um todo do qual nós mesmos somos uma parte extremamente pequena. E nunca podemos conhecer este todo completamente.

— Porque não?

— Quando puseste os óculos vermelhos, nós sabíamos que, segundo Kant, há dois elementos que contribuem para o nosso conhecimento.

— Experiência sensível e razão.

— Sim, recolhemos a matéria para o nosso conhecimento através dos sentidos, mas esta matéria também se ajusta às características da nossa razão. Por exemplo, é inerente à nossa razão perguntarmos quais as causas de um fenómeno.

— Por exemplo, porque é que uma bola rola pelo chão.

— Sim. Mas quando nos questionamos sobre de onde vem o mundo — e discutimos respostas possíveis —, a razão move-se de certo modo no vazio. Nessa altura, não pode «trabalhar» nenhuma matéria dos sentidos; não tem experiências às quais se possa agarrar, porque nunca tivemos experiência da realidade total da qual somos uma pequena parte.

— É como se fôssemos uma ínfima parte da bola que rola pelo chão. E por isso não podemos saber de onde vem.

— Mas reside na razão humana a necessidade de *perguntar* de onde vem esta bola. Por isso, perguntamos constantemente e esforçamo-nos para encontrar respostas às grandes questões. Mas como não temos matéria concreta com que possamos trabalhar, nunca obtemos respostas seguras porque a razão discorre no vazio.

— Obrigada, conheço bem essa sensação.

— Nas grandes questões, que dizem respeito à realidade no todo, haverá sempre dois pontos de vista exactamente opostos, igualmente prováveis e improváveis.

— Dá-me exemplos, por favor.

— Faz tanto sentido dizer que o mundo tem um começo no tempo como dizer que não tem começo. A razão não pode decidir entre as duas possibilidades; por isso não pode afirmá-las. Podemos naturalmente afirmar que o mundo existiu sempre — mas *pode* alguma coisa ter existido sempre sem ter tido começo algum? E consideremos o ponto de vista oposto, dizendo que o mundo tem de ter um início — nesse caso, o mundo tem de ter surgido do nada, porque de outro modo apenas poderíamos falar de uma passagem de um estado para outro. *Pode* alguma coisa vir do nada, Sofia?

— Não, ambas as possibilidades são problemáticas. Mas uma tem de ser verdadeira e a outra falsa.

— E sabes que Demócrito e os materialistas tinham explicado que a natureza era constituída por partículas minúsculas, de que tudo é composto. Outros — por exemplo, Descartes — defendiam que a realidade extensa era divisível em partes cada vez mais pequenas. Qual deles tinha razão?

— Ambos... nenhum.

— Muitos filósofos tinham também afirmado que a liberdade do homem era um dos seus mais importantes atributos. Ao mesmo tempo, deparámos com filósofos — por exemplo, os estóicos e Espinosa —, que explicavam que tudo no mundo acontecia apenas segundo as leis necessárias da natureza. Também neste ponto, Kant achava que a razão não podia pronunciar um juízo seguro.

— Ambos os pontos de vista são plausíveis.

— E, por fim, também não podemos provar com a nossa razão a existência de Deus. Nesta questão, os racionalistas — por exemplo, Descartes — tinham tentado provar que Deus existe porque temos a ideia de um ser perfeito. Outros — por exemplo, Aristóteles e S. Tomás de Aquino — eram da opinião que Deus tinha de existir porque tudo tem de ter uma primeira causa.

— E o que é que Kant pensava?

— Ele rejeitou ambas as provas da existência de Deus. Nem a razão nem a experiência têm um fundamento seguro para afirmarem que Deus existe. Para a razão é tão provável como improvável que Deus exista.

— Mas tu disseste primeiro que Kant queria defender as bases da fé cristã.

— Sim, e ele deixa de facto espaço para a religião, a saber, onde a nossa experiência e a nossa razão não alcançam, a religião pode preencher este espaço.

— E foi assim que ele salvou o Cristianismo?

— Podes dizer isso. Mas temos de ter em conta que Kant era protestante. Desde a Reforma, o ênfase na fé foi uma das características do Cristianismo protestante. A Igreja Católica, pelo contrário, confiara mais na razão como um pilar da fé, desde o início da Idade Média.

— Estou a ver.

— Mas Kant fez mais do que verificar que estas questões importantes tinham de ser deixadas no domínio da fé. Para ele, a suposição de que o homem tem uma *alma imortal*, que *Deus existe* e que o homem tem *livre arbítrio* era uma condição imprescindível para a moral.

— É quase como em Descartes. Primeiro, é muito crítico em relação àquilo que podemos compreender. E depois faz entrar novamente Deus e o resto pela porta traseira.

— Mas, ao contrário de Descartes, Kant sublinha expressamente que não foi a razão que o levou até aí, mas a fé. Ele mesmo afirmava que a crença numa alma imortal e inclusivamente a crença na existência de Deus e no livre arbítrio do homem eram *postulados práticos*.

— O que significa isso?

— Postular significa afirmar uma coisa que não pode ser provada. Por postulado prático, Kant entende algo que tem de ser afirmado para a «praxis» do homem, ou seja, para a sua acção e por conseguinte para a sua moral. «É moralmente necessário pressupor a existência de Deus» afirmou.

Subitamente, alguém bateu à porta. Sofia levantou-se imediatamente, e como Alberto ficasse sentado impassível, disse:
— Não devíamos abrir a porta?
Alberto encolheu os ombros, mas acabou por se levantar também. Sofia abriu a porta, e lá fora estava uma rapariga novinha com um vestido branco de Verão e um pequeno capuz vermelho. Era a mesma que Sofia vira na outra margem do lago. Reparou que trazia um cesto com comida.
— Olá — disse Sofia. — Quem és tu?
— O Capuchinho Vermelho, não vês?
Sofia olhou para Alberto e este acenou afirmativamente
— Estou à procura da casa da minha avó — explicou a pequena. — Ela está velha e doente, mas eu levo-lhe comida e vinho.
— Não é aqui — disse Alberto. — Portanto, segue o teu caminho.
Ao dizer isto, fez um gesto com a mão como se estivesse a enxotar uma mosca.
— Mas eu também tenho de entregar uma carta — explicou a rapariga do capuz vermelho.
Tirou um pequeno envelope da algibeira e entregou-o a Sofia. Feito isto, retomou o seu caminho.
— Tem cuidado com o lobo! — exclamou Sofia.
Alberto já ia novamente a caminho da sua poltrona. Sofia seguiu-o e sentou-se à sua frente como anteriormente.
— O Capuchinho Vermelho, imagina — disse Sofia abanando a cabeça.
— E não faz sentido avisá-la. Ela vai para casa da avó e lá será comida pelo lobo. Não aprende nada; tudo se repete para toda a eternidade.
— Mas eu nunca ouvi dizer que ela tivesse batido à porta de outra cabana quando ia ter com a avó.
— Isso é uma ninharia, Sofia.
Só então olhou Sofia para o envelope. Nele estava escrito: «Para Hilde.» Abriu o envelope e leu alto:

Querida Hilde! Mesmo que o cérebro humano fosse tão simples que nós o pudéssemos compreender, seríamos mesmo assim tão estúpidos que não o compreenderíamos.

Um beijo do pai

Alberto acenou afirmativamente.

— Tem toda a razão. E eu acho que Kant poderia ter dito uma coisa semelhante. Não podemos esperar compreender o que *somos*. Talvez possamos compreender realmente uma flor ou um insecto, mas nunca nós mesmos. E muito menos podemos esperar compreender todo o universo.

Sofia teve de ler a estranha frase várias vezes antes de Alberto prosseguir:

— Não nos podemos deixar distrair por serpentes marinhas e artifícios semelhantes. Antes de terminarmos por hoje, ainda te vou falar da ética de Kant.

— Então despacha-te, tenho de ir para casa.

— O cepticismo de Hume em relação ao que a razão e os sentidos nos podem transmitir realmente obrigou Kant a reflectir mais uma vez sobre muitas das mais importantes questões da vida. Isso também era válido para o campo da moral.

— Hume não disse que não podemos provar o que é justo e o que é injusto, porque não podemos concluir frases normativas de frases descritivas?

— Hume considerava que nem a nossa razão nem as nossas experiências estabelecem a diferença entre o justo e o injusto, só os nossos sentimentos. Este fundamento parece a Kant demasiado fraco.

— Sim, eu compreendo bem isso.

— Kant tinha desde o princípio a forte impressão de que a diferença entre o justo e o injusto tinha de ser mais do que uma questão de sentimentos. Nesse aspecto ele estava de acordo com os racionalistas, que tinham explicado que era inerente à razão humana distinguir o justo do injusto. Todos os homens sabem o que é justo e o que não é, e nós sabemo-lo não apenas porque o aprendemos mas também porque é inerente à nossa razão. Kant achava que todos os homens tinham uma *razão prática* que nos diz sempre o que é justo e o que é injusto no domínio da moral.

— Então é inata?

— A capacidade de distinguir o justo do injusto é tão inata como todos os outros atributos da razão. Todos os homens vêem os fenómenos como determinados causalmente — e também têm acesso à mesma *lei moral* universal. Esta lei moral tem a mesma validade absoluta que as leis físicas da natureza. Isso é tão fundamental para a nossa vida moral como é fundamental para a nossa vida racional que tudo tenha uma causa, ou que sete mais cinco sejam doze.

— E o que é que diz essa lei moral?

— Uma vez que precede qualquer experiência, é «formal». Significa que não está relacionada com possibilidades morais de escolha determinadas. É válida para todos os homens em todas as sociedades e em todos os tempos. Logo, não diz que tens de fazer isto ou aquilo nesta ou naquela situação. Diz como te deves comportar em *todas* as situações.

— Mas que sentido tem uma uma lei moral, se não nos diz como nos devemos comportar numa situação determinada?

— Kant formula a lei moral como *imperativo categórico*. Por isto, ele entende que a lei moral é «categórica», quer dizer, é válida em todas as situações. Além disso, é um «imperativo» e consequentemente uma «ordem» e absolutamente inevitável.

— Hm...

— Aliás, Kant formula o seu imperativo categórico de diversas formas. Primeiro, diz: *devíamos agir sempre de tal forma que pudéssemos desejar simultaneamente que a regra segundo a qual agimos fosse uma lei universal.*

— Quando faço alguma coisa, tenho de ter a certeza de que desejo que todos façam o mesmo na mesma situação.

— Exacto. Só nessa altura ages de acordo com a tua lei moral interior. Kant também formulou o imperativo categórico da seguinte forma: *devemos tratar os outros homens sempre como um fim em si e não como um meio para alguma outra coisa.*

— Não podemos portanto «explorar» os outros para obtermos benefícios.

— Não, porque todos os homens são um fim em si. Mas isso não é válido apenas para os outros, mas também para nós mesmos. Também não nos devemos explorar como meio para alcançar algo.

— Isso faz-me lembrar a «regra dourada»: não faças aos outros o que não queres que te façam a ti.

— Sim, e isso é uma norma formal que abrange basicamente todas as possibilidades éticas de escolha. Podes afirmar que essa regra dourada exprime aproximadamente aquilo a que Kant chamou lei moral.

— Mas isso é apenas conversa. Hume tinha razão ao dizer que não podemos provar com a razão o que é justo e o que é injusto.

— Para Kant, a lei moral era tão absoluta e universalmente válida como, por exemplo, a lei da causalidade. Também não pode ser provada pela razão, mas é incontornável. Nenhum homem a contestaria.

— Começo a ter a sensação de que estamos realmente a falar da consciência, porque todos os homens têm uma consciência.

— Sim, quando Kant descreve a lei moral, descreve a consciência humana. Não podemos provar o que a consciência diz, mas sabemo-lo.

— Por vezes, sou muito simpática para com os outros simplesmente porque é vantajoso para mim. Desse modo, posso ser popular.

— Mas quando és simpática para com os outros apenas para seres popular, não estás a agir de acordo com a lei moral. Talvez não estejas a observar a lei moral. Talvez estejas a agir numa espécie de acordo superficial com a lei moral — e isso já é alguma coisa —, mas uma acção moral tem de ser o resultado de uma superação de ti mesma. Só quando fazes algo porque achas ser teu *dever* seguir a lei moral é que podes falar de uma acção moral. Por isso, a ética de Kant é frequentemente chamada *ética do dever*.

— Eu posso achar ser meu dever juntar dinheiro para a Cruz Vermelha ou a Caritas.

— Sim, e o importante é tu fazeres uma coisa porque a achas correcta. Mesmo quando o dinheiro que tu juntaste se extravia ou nunca alimente as pessoas que devia alimentar, tu cumpriste a lei moral. Agiste com a atitude correcta e, segundo Kant, a atitude é decisiva para podermos dizer que uma coisa é moralmente correcta. Não são as consequências de uma acção que são decisivas. Por isso, também dizemos que a ética de Kant é uma *ética da boa vontade*.

— Porque é que era tão importante para ele saber quando é que agimos por respeito à lei moral? Não é mais importannte que aquilo que fazemos ajude os outros?

— Sim, Kant concordaria, mas só quando sabemos que agimos por respeito à lei moral é que agimos em *liberdade*.

— Só obedecendo a uma lei é que agimos em liberdade? Isso não é estranho?

— Segundo Kant, não. Talvez ainda te lembres que ele «postulou» o livre arbítrio do homem. Esse é um ponto importante, porque Kant achava que todas as coisas seguem a lei da causalidade. Como é que podemos ter livre arbítrio assim?

— Não me perguntes.

— Aqui, Kant divide o homem em duas partes, e nisso faz lembrar Descartes, que afirmava que o homem era um ser duplo visto que tem corpo e razão. Enquanto seres sensíveis, estamos completamente sujeitos às leis imutáveis da causalidade, segundo Kant. Não decidimos o que sentimos; as sensações surgem necessariamente e influenciam-nos, quer queiramos quer não. Mas o homem não é apenas um ser sensível. Somos também seres racionais.

— Explica-me isso!

— Enquanto seres sensíveis, pertencemos à ordem da natureza. Por isso estamos sujeitos à lei da causalidade. Deste ponto de vista, não temos livre arbítrio. Mas enquanto seres racionais, participamos no mundo «em si» — ou seja, no mundo independente das nossas sensações. Só quando seguimos a nossa «razão prática» — que nos possibilita fazer uma escolha moral —, temos livre arbítrio. Se obedecermos à lei moral, somos nós que fazemos a lei pela qual nos orientamos.

— Sim, isso está certo. Eu digo — ou alguma coisa em mim diz — que eu não devo ser má para os outros.

— Se decides não ser má — mesmo quando ages contra o teu próprio interesse — então estás a agir livremente.

— Pelo menos, não somos livres e autónomos quando seguimos apenas os nossos instintos.

— Podemos fazer-nos escravos de tudo. Sim, podemos inclusivamente ser escravos do nosso próprio egoísmo. Para nos elevarmos acima dos nossos instintos e vícios é necessário autonomia — e liberdade.

— E quanto aos animais? Eles seguem só os seus instintos e necessidades. Não têm essa liberdade de seguir uma lei moral?

— Não, é justamente esta liberdade que nos torna seres humanos.

— Estou a ver.

— Para concluir, podemos dizer que Kant conseguiu mostrar a saída para o impasse no qual a filosofia caíra com a disputa entre racionalistas e empiristas. Com Kant, termina também uma época na história da filosofia. Ele morreu em 1804 — no começo da época a que chamamos Romantismo. No seu túmulo, em Königsberg, está uma das suas frases mais citadas: «Duas coisas preenchem o meu espírito com uma admiração e respeito sempre novos e crescentes, quanto mais o pensamento se ocupa delas: o céu estrelado acima de mim e a lei moral dentro de mim.»

Alberto recostou-se na sua poltrona.

— É isto — afirmou. — Acho que era o mais importante sobre Kant.

— E já quatro e um quarto.

— Mas há mais. Por favor, espera um momento!

— Eu nunca me vou embora antes de o professor dar a aula por terminada.

— Eu também disse que, segundo Kant, não temos liberdade se vivermos apenas como seres sensíveis.

— Sim, mais ou menos isso.

— Mas quando seguimos a razão universal, somos livres e autónomos. Eu também disse isso?

— Sim, porque é que estás a repetir?

Alberto inclinou-se para Sofia e olhou-a profundamente nos olhos e sussurou:

— Não te deixes enganar por tudo o que vês, Sofia.

— O que é que queres dizer?

— Olha para o outro lado.

— Não estou a perceber nada.

— Dizemos frequentemente: «só acredito quando vir». Mas também não podes acreditar no que vês.

— Já disseste uma vez uma coisa semelhante.

— Sobre Parménides, sim.

— Mas ainda não compreendo o que queres dizer.

— Bom, nós sentámo-nos na soleira da porta e conversámos. E, de repente, uma serpente marinha começou a andar às voltas na água.

— Não foi estranho?

— De modo algum. E depois, o Capuchinho Vermelho bate à nossa porta. «Estou à procura da casa da minha avó.» Isto é embaraçoso, Sofia. Mas todas estas coisas são apenas os truques do major. Tal como a carta na banana e a trovoada absurda.

— Achas que...

— Estou a dizer que tenho um plano. Desde que sigamos a razão, ele não nos pode pregar partidas. Nisso, somos de certo modo livres. Ele pode fazer-nos «experienciar» todas as coisas e nada disso me surpreenderia. Se ele em seguida obscurecer o céu com elefantes que voam, no máximo sorrio. Mas sete mais cinco *são* doze. Isso é um facto que sobrevive a todos estes efeitos de banda desenhada. A filosofia é o contrário da fábula.

Sofia olhou para ele admirada.

— Agora podes ir-te embora — disse por fim. — Volto a telefonar-te para um encontro sobre o Romantismo. Ficas a saber alguma coisa sobre Hegel e Kierkegaard. Mas já só falta uma semana para o major regressar à Noruega. Até lá, temos de nos libertar das suas fantasias de mau gosto. É tudo por hoje, Sofia. Mas quero que saibas que estou a trabalhar num plano fantástico para nós.

— Então vou-me embora.

— Espera — se calhar, esquecemo-nos do mais importante.

— O quê?

— A canção dos parabéns, Sofia. Hilde faz hoje quinze anos.

— Eu também.

— Tu também, sim. Cantemos.

Ambos se levantaram e cantaram:

— Parabéns a você, nesta data querida, muitas felicidades, muitos anos de vida. Hoje é dia de festa, cantam as nossas almas, para a menina Hilde, uma salva de palmas.

Eram quatro e meia. Sofia desceu em direcção ao lago e remou para a outra margem. Empurrou o barco para o canavial e correu pelo bosque.

Quando chegou ao carreiro, viu subitamente uma coisa que se movia entre os troncos. Sofia pensou no Capuchinho Vermelho, que tinha ido sozinho pelo bosque para a casa da avó, mas este vulto entre as árvores era muito mais pequeno.

Aproximou-se. O vulto não era maior do que uma boneca; era castanho, mas trazia uma camisola vermelha.

Sofia ficou petrificada quando se apercebeu que era um urso de peluche. Que alguém tivesse esquecido um urso de peluche no bosque não era estranho, mas este urso de peluche estava vivo e parecia muito preocupado com alguma coisa.

— Olá — disse Sofia.

A pequena figura voltou-se.

— Eu sou Winnie the Pooh — disse — e infelizmente perdi-me no bosque, senão seria um bom dia. Mas nunca te vi.

— Talvez eu nunca tenha estado aqui — disse Sofia. — Estamos perto de tua casa, no Bosque de Cem Acres?

— Essa pergunta é demasiado difícil. Não te esqueças que eu sou um urso pouco inteligente.

— Já ouvi falar de ti.

— Então chamas-te Alice. Christopher Robin falou uma vez sobre ti, deve ter sido assim que nos conhecemos. Bebeste tanto de uma garrafa que ficaste cada vez mais pequena. Mas depois bebeste uma outra garrafa e voltaste a crescer. Temos de ter muito cuidado com aquilo que levamos à boca. Eu próprio comi tanto uma vez que fiquei preso na toca de um coelho.

— Eu não sou Alice.

— Não é importante quem nós somos. O mais importante é o que nós somos. É o que diz a coruja e ela é muito inteligente. «Sete mais quatro são doze», disse num dia de sol. O burro e eu estávamos muito embaraçados; é tão difícil calcular os números. Calcular o tempo é muito mais fácil.

— Eu chamo-me Sofia.

— É um prazer conhecer-te, Sofia. Acho, como disse, que és nova por aqui. Mas agora o pequeno urso tem de se ir embora. Tenho de tentar

300

encontrar o leitão. Fomos convidados para uma grande festa ao ar livre com Bugs Bunny e os seus amigos.

Acenou com uma pata. Só então Sofia descobriu que ele segurava uma folha na outra pata.

— O que tens aí? — perguntou.

Winnie the Pooh levantou a folha e disse:

— Foi por causa disto que me enganei no caminho.

— Mas é apenas uma folha.

— Não, isto não é «apenas uma folha». É uma carta para Hilde — por-trás-do-espelho.

— Oh, então eu posso levá-la.

— Mas tu não és a rapariga do espelho, pois não?

— Não, mas...

— Uma carta deve sempre ser entregue pessoalmente. Foi Christopher Robin que me explicou isso ontem.

— Mas eu conheço Hilde.

— Isso não tem importância. Mesmo quando conhecemos alguém muito bem, nunca devemos ler as suas cartas.

— Eu estou apenas a dizer que lha posso entregar.

— Isso é completamente diferente. Faz o favor, Sofia. Só quando me livrar desta carta encontrarei o caminho para ir ter com o leitão. Para encontrar Hilde do espelho, precisas primeiro de ter um grande espelho, mas isso não é fácil aqui.

O pequeno urso deu a Sofia a folha que segurara na pata e deitou a correr com os seus pequenos pés. Quando ele desapareceu, Sofia desdobrou a folha e leu:

Querida Hilde! É uma vergonha que Alberto não tenha falado a Sofia sobre o facto de Kant se ter pronunciado a favor da fundação de uma «sociedade das nações». Na obra A paz perpétua, de 1795, ele escreveu que todos os países deviam unir-se numa sociedade das nações, que asseguraria a coexistência pacífica das diversas nações. Aproximadamente cento e vinte e cinco anos após a publicação desta obra — imediatamente a seguir à Primeira Guerra Mundial — esta Sociedade das Nações foi realmente fundada. Após a Segunda Guerra Mundial, foi substituída pela ONU. Podes dizer que Kant foi uma espécie de padrinho da ideia da ONU. A ideia de Kant era que a «razão prática» dos homens obrigasse os Estados a abandonar um «estado de natureza» que causa sempre novas guerras, e criasse um sistema jurídico internacional que evitasse as guerras. Apesar de ser longo o percurso até à fundação de uma sociedade das nações que funcione verdadeiramente, é nosso dever tratar de assegurar a paz universal. Para Kant, o estabelecimento de uma sociedade como esta era um objectivo distante, quase o objectivo último da filosofia. Eu mesmo me encontro de momento no Líbano.

Beijos do pai

Sofia pôs a carta no bolso e prosseguiu o seu caminho para casa. Alberto prevenira-a de encontros no bosque. Mas ela não podia deixar o pequeno urso às voltas numa busca interminável de Hilde do espelho.

O ROMANTISMO

... o caminho misterioso conduz ao interior...

Hilde deixou cair o grande *dossier* nos joelhos. Depois, deixou-o escorregar para o chão.

No quarto, já havia mais claridade do que quando fora para a cama. Olhou para o relógio. Eram quase três. Voltou-se e fechou os olhos. Ao adormecer, questionou-se por que razão o seu pai fizera aparecer subitamente o Capuchinho Vermelho e Winnie the Pooh.

Dormiu até às onze da manhã. Em seguida, teve a sensação de que sonhara intensamente durante toda a noite, mas não se conseguia lembrar do que sonhara.

Desceu as escadas e fez o pequeno-almoço. A mãe vestira o fato--macaco. Queria ir para o barracão dos barcos e reparar o barco. Mesmo que não fosse para a água, tinha de estar pronto para navegar quando o pai voltasse do Líbano.

— Vens ajudar-me?

— Primeiro tenho de ler um pouco. Queres que te leve chá e alguma coisa para comer a meio da manhã?

— Qual meio da manhã?

Depois de ter comido, Hilde voltou para o seu quarto, puxou a coberta da cama e sentou-se com o grande *dossier* sobre os joelhos.

Sofia passou através da sebe e viu-se no grande jardim que comparara outrora com o jardim do Éden...

Via que havia ramos e folhas por toda a parte devido ao temporal do dia anterior. Entre o temporal e os ramos soltos, por um lado, e os seus encontros com o Capuchinho Vermelho e Winnie the Pooh, por outro, parecia haver uma relação.

Sofia afastou as agulhas de pinheiro e os ramos do baloiço. Era bom o facto de o baloiço ter almofadas de plástico que não era preciso levar para casa cada vez que chovia. Sofia entrou em casa. A mãe acabara de chegar. Arrumava garrafas de limonada no frigorífico. Na mesa da cozinha havia um bolo de chocolate com um aspecto delicioso.

— Estás à espera de visitas? — perguntou Sofia, que quase se esquecera do seu aniversário.

— Eu pensei que apesar da festa ao ar livre no sábado devíamos festejar hoje.

— Como assim?

— Convidei Jorunn e os pais.

Sofia encolheu os ombros.

— Por mim está bem.

Os convidados chegaram pouco antes das sete e meia. A atmosfera estava um pouco formal porque a mãe de Sofia não se encontrava frequentemente com os pais de Jorunn.

Sofia e Jorunn subiram logo para o quarto de Sofia para escreverem os convites para a festa ao ar livre. Visto que queria convidar também Alberto Knox, Sofia teve a ideia de convidar as pessoas para uma «festa de jardim filosófica». Jorunn concordou. Afinal era a festa de Sofia e nessa altura essas «festas com temas» eram muito populares.

Até terem escrito o texto, passaram mais de duas horas e as duas raparigas não conseguiam parar de rir.

Caro...
Convidamos-te para uma festa de jardim filosófica no sábado, dia 23 de Junho (noite de S. João) às 19 horas em Kløverveien 3. No decurso da noite esperamos resolver o mistério da vida. Traz um casaco quente e ideias inteligentes que possam contribuir para uma resolução dos enigmas da filosofia. Devido ao grande perigo de incêndio florestal, infelizmente não podemos fazer fogueiras, mas as chamas da fantasia podem arder livremente. Entre os convidados encontra-se pelo menos um verdadeiro filósofo. Por isso, o convívio vai ser privado nesta festa. Membros da imprensa não serão admitidos!
Com os nossos melhores cumprimentos,

Jorunn Ingebrigtsen (comissão organizadora)
e Sofia Amundsen (anfitriã)

Depois foram ter com os adultos que já estavam a falar mais à vontade. Sofia deu à mãe o convite que escrevera com uma caneta caligráfica.

— Dezoito fotocópias, por favor — disse. Já tinha pedido outras vezes à mãe para lhe fazer fotocópias no escritório.

A mãe leu rapidamente o convite e passou-o depois ao pai de Jorunn.

— Estão a ver? Ela perdeu completamente a cabeça.

— Mas isto parece mesmo interessante — disse o pai de Jorunn enquanto passava a folha à esposa.

— Estou pasmada! — disse esta. — Também podemos vir, Sofia?

— Então vinte cópias — disse Sofia.

— Deves estar maluca — disse Jorunn.

Antes de ir para a cama nessa noite, Sofia ficou muito tempo a olhar pela janela. Lembrou-se como uma vez vira a sombra de Alberto na escuridão. Já passara mais de um mês. Nesse momento também era de noite, mas era uma noite clara de Verão.

Alberto só voltou a dar notícias suas na manhã de terça-feira. Telefonou logo depois de a mãe de Sofia ter ido trabalhar.

— Sofia Amundsen.

— Alberto Knox.

— Era o que eu estava a pensar.

— Peço desculpa por telefonar só agora, mas estive a trabalhar intensivamente no nosso plano. Só quando o major se concentra completamente em *ti* é que tenho descanso e posso trabalhar sem ser perturbado.

— Estranho.

— Posso esconder-me, percebes? Mesmo o melhor serviço secreto do mundo tem as suas limitações, se tem apenas um agente... Recebi um postal teu.

— Um convite, queres dizer.

— Arriscas mesmo?

— Porque não?

— Nunca se sabe o que pode suceder numa festa destas.

— Vens?

— Claro que vou. Mas há mais uma coisa. Já pensaste que o pai de Hilde regressa do Líbano nesse mesmo dia?

— Não, não tinha pensado nisso.

— É impossível ser obra do acaso que ele te faça organizar uma festa filosófica justamente no dia em que regressa a Bjerkely.

— Como disse, não tinha pensado nisso.

— Mas ele pensou. Bom, ainda vamos falar sobre isso. Podes ir hoje de manhã à cabana do major?

— Eu tenho que tirar a erva daninha de alguns canteiros.

— Então às duas. Pode ser?

— Lá estarei.

Desta vez, Alberto Knox também estava sentado na soleira da porta quando Sofia chegou.

— Senta-te aqui — disse — e foi directo ao assunto. — Até agora falámos sobre o Renascimento, o Barroco e o Iluminismo. Hoje vamos falar sobre o *Romantismo*, ao qual podemos chamar a última grande época cultural da Europa. Estamos a aproximar-nos do fim de uma longa história, minha filha.

— O Romantismo durou tanto tempo?

— Começou em finais do século XVIII e durou até meados do século passado. Mas a partir de 1850 já não faz sentido falar de épocas completas que abranjam do mesmo modo poesia e filosofia, arte, ciência e música.

— Mas o Romantismo foi ainda uma dessas épocas?

— Sim, e como disse, a última na Europa. Teve início na Alemanha, como reacção ao culto da razão no Iluminismo. Após Kant e a sua fria filosofia racional, os jovens na Alemanha pareciam respirar fundo.

— E o que é que colocaram no lugar da razão?

— Os novos *slogans* eram «sentimento», «fantasia», «vivência» e «nostalgia». Alguns pensadores do Iluminismo também tinham apontado para a importância dos sentimentos — por exemplo, Rousseau — e criticado a insistência exclusiva na razão. Esta corrente secundária tornou-se a corrente principal da vida cultural alemã.

— Então Kant não foi popular por muito tempo?

— Sim e não. Muitos românticos viam-se como herdeiros de Kant. Kant afirmara que havia limites para aquilo que podemos conhecer. Por outro lado, mostrara como era importante o contributo do eu para o conhecimento. E agora, no Romantismo, o indivíduo tinha, por assim dizer, livre curso para a sua interpretação pessoal da existência. Os românticos professavam um culto quase desenfreado do eu. Por isso, a essência da personalidade romântica é também o génio artístico.

— Havia muitos génios naquela época?

— Alguns. *Beethoven*, por exemplo. Na sua música, encontramos uma pessoa que exprime os seus próprios sentimentos e nostalgias. Deste modo, Beethoven era um artista «livre» — ao contrário dos mestres do Barroco como Bach e Haendel que compunham as suas obras para glória de Deus e geralmente segundo regras rigorosas.

— Eu conheço apenas a sonata *Ao luar* e a *Quinta sinfonia*.

— Mas vês como é romântica a sonata *Ao luar* e como Beethoven se exprime de forma dramática na *Quinta sinfonia*.

— Disseste que os humanistas do Renascimento também eram individualistas.

— Sim, há muitos paralelismos entre o Renascimento e o Romantismo. Um desses paralelismos é, por exemplo, o grande valor dado à importância da arte para o conhecimento humano. Também neste aspecto, Kant tinha aberto caminho para o Romantismo. Na sua estética ele investigara o que sucede quando somos dominados por uma coisa bela, uma obra de arte, por exemplo. Quando vemos uma obra de arte sem outro interesse que o de «vivê-la» tão intensamente quanto possível, ultrapassamos o limite daquilo que podemos conhecer, ou seja, o limite da nossa razão.

— Isso quer dizer que o artista nos proporciona algo que o filósofo não pode proporcionar-nos?

— Era assim que Kant pensava, e juntamente com ele os românticos. Segundo Kant, o artista joga livremente com a sua faculdade de conhecer. O poeta *Friedrich Schiller* desenvolveu a ideia de Kant. Ele achava que a actividade do artista era como um jogo e só quando o homem jogava era livre, porque fazia as suas próprias leis. Os românticos acreditavam que apenas a arte nos podia aproximar do «indizível». Alguns foram até às últimas consequências e compararam o artista com Deus.

— Porque o artista cria a sua própria realidade, tal como Deus criou o mundo.

— Dizia-se que o artista tinha uma espécie de imaginação criadora de universos. No seu arrebatamento artístico, conseguia experimentar o desaparecimento da fronteira entre sonho e realidade. O poeta *Novalis*, um dos jovens génios da Alemanha, afirmou: «O mundo torna-se sonho, o sonho mundo.» Ele escreveu um romance medieval com o título *Heinrich von Ofterdingen*, que ainda estava incompleto quando o autor morreu em 1801, mas que teve grande importância para o Romantismo. Nele lemos que o jovem Heinrich procurava a «flor azul», que vira uma vez em sonhos e da qual se finava de saudades desde então. O poeta romântico inglês Coleridge exprimiu a mesma ideia do seguinte modo:

What if you slept? And what if, in your sleep, you dreamed? And what if, in your dream, you went to heaven and there plucked a strange and beautiful flower? And what if, when you awoke, you had the flower in your hand? Ah, what then?

(E se adormecesses? E se, no teu sono, sonhasses? E se, no teu sonho, subisses aos céus e ali colhesses uma estranha e bela flor? E ainda se, ao acordares, tivesses a flor na tua mão. Ah, como seria, então?)

307

— Que bonito!

— Este desejo de algo longínquo e inatingível era típico dos românticos. Eles também podiam ter a nostalgia de um mundo desaparecido — por exemplo, a Idade Média, que no Iluminismo fora tida pela idade das trevas e era agora revalorizada. Ou tinham nostalgia de culturas distantes, por exemplo, o «Oriente» com a sua mística. E sentiam-se atraídos pela noite, por ruínas antigas e pelo sobrenatural. Preocupavam-se com aquilo a que chamamos o lado nocturno da vida, ou seja, o obscuro, o lúgubre e místico.

— Acho que parece uma época excitante. Mas quem eram então esses românticos?

— O romantismo foi sobretudo um fenómeno urbano. Na primeira metade do século passado, a cultura urbana viveu uma época áurea em muitas regiões da Europa, em especial na Alemanha. Os «românticos» típicos eram jovens, frequentemente estudantes — apesar de nem sempre serem muito dedicados ao estudo. Tinham uma atitude declaradamente antiburguesa e chamavam a mortais vulgares como polícias, por exemplo, ou às senhorias, «filisteus», ou simplesmente «inimigos».

— Então eu nunca alugaria um quarto a um romântico.

— A primeira geração de românticos era ainda muito jovem por volta do ano 1800. Deste ponto de vista, podemos dizer que o movimento romântico foi a primeira revolta juvenil da Europa. Há um claro paralelismo com a cultura *hippie* cento e cinquenta anos depois.

— Flores e cabelos compridos, tocar a guitarra e não fazer nada?

— Sim, dizia-se que o ócio era o ideal do génio e a inércia a primeira virtude romântica. Era dever do romântico viver a vida — ou afastar-se dela, sonhando. Os filisteus é que deviam preocupar-se com os assuntos do dia-a-dia.

— Houve românticos na Noruega?

— *Wergeland* e *Welhaven* foram dois deles. Wergeland defendeu também muitos ideais do Iluminismo, mas a sua vida foi típica de um romântico. Ele entusiamava-se, estava apaixonado, mas — e este também era um traço romântico típico — Stella, a quem ele dedicou os seus poemas de amor, estava tão distante e tão inacessível como a «flor azul» de Novalis. O próprio Novalis ficou noivo de uma rapariga que tinha apenas catorze anos. Ela morreu quatro dias após ter feito quinze anos, mas Novalis amou-a durante toda a vida.

— Ela morreu mesmo quatro dias após ter feito quinze anos?

— Sim...

— Eu tenho *hoje* quinze anos e dez dias.

— Tens razão...

— Como é que se chamava?

— Chamava-se Sophie.

— O que estás a dizer?

— Sim, chamava-se Sophie...

— Estás a assustar-me! Será um acaso?

— Não faço ideia, Sofia. Mas ela chamava-se Sophie.

— Continua!

— O próprio Novalis morreu com apenas vinte e nove anos. Muitos românticos morreram jovens, geralmente de tuberculose. Alguns suicidaram-se...

— Meu Deus!

— E aqueles que chegaram a velhos, normalmente deixavam de ser românticos quando atingiam os trinta anos. Alguns tornavam-se mais tarde burgueses e conservadores.

— Então passaram-se para o campo do inimigo.

— Sim, talvez. Mas estávamos a falar sobre a paixão romântica: a grande obra sobre o amor inacessível é o romance epistolar de amor, de Goethe, *Die Leiden des jungen Werthers (As mágoas do Jovem Werther)*, que foi publicado em 1774. Termina com o suicídio do jovem Werther por não poder ter aquela que ama...

— Ele não terá ido demasiado longe nisso?

— Os seus contemporâneos podiam compreender muito bem estes sentimentos. Pelo menos, por toda a parte em que o romance foi publicado, o suicídio aumentou rapidamente. Por isso, o livro foi proibido durante algum tempo na Dinamarca e na Noruega. Não era totalmente inofensivo ser-se romântico, estavam em jogo sentimentos muito fortes.

— Quando dizes «romântico», eu penso em grandes pinturas de paisagens. Vejo florestas misteriosas e a natureza selvagem... envolvidas em névoa.

— Aos traços mais característicos do Romantismo pertenciam efectivamente a nostalgia pela natureza e uma verdadeira mística natural. Era um fenómeno urbano, como disse — uma coisa deste género não surge no campo. Sabes que o estribilho «Regresso à natureza!» provém de Rousseau. Só então, no Romantismo, é que este mote recebeu um verdadeiro impulso. O romantismo era também uma reacção à concepção mecanicista do mundo do Iluminismo. Com razão se afirmou que o Romantismo trouxe consigo um Renascimento do antigo pensamento da totalidade.

— Explica-me isso!

— Significa que a natureza foi vista novamente como unidade. Os românticos recorreram a *Espinosa*, mas também a *Plotino* e a filósofos do

Renascimento como *Jakob Boehme* e *Giordano Bruno*. Todos eles tinham visto na natureza um «Eu» divino.

— Eram panteístas...

— Descartes e Hume tinham traçado uma fronteira nítida entre o eu e a realidade «extensa». Também Kant tinha colocado uma separação clara entre o eu como sujeito e a natureza «em si». Agora, a natureza era tida como único grande «eu». Os românticos usavam também expressões como «alma do mundo», ou «espírito do mundo».

— Compreendo.

— O filósofo mais influente do Romantismo foi *Friedrich Wilhelm Schelling*, que viveu entre 1775 e 1854. Ele procurou eliminar a separação entre «espírito» e «matéria». Toda a natureza — tanto a alma do homem como a realidade física — era expressão de um Deus ou do «espírito do mundo», segundo ele.

— Sim, isso faz lembrar Espinosa.

A natureza era o espírito visível, o espírito a natureza invisível, segundo Schelling. Pois em toda a natureza pressentimos um espírito ordenador, estruturante. Via a matéria como uma espécie de inteligência adormecida.

— Tens de explicar isso melhor.

— Schelling via na natureza um espírito do mundo, mas também via este espírito do mundo na consciência do homem. Deste ponto de vista, a natureza e a consciência humana são na verdade expressão da mesma coisa.

— Sim, porque não?

— Podemos procurar o espírito do mundo tanto na natureza como no nosso próprio espírito. Deste modo, Novalis podia dizer que o «caminho misterioso» conduzia ao interior. Ele achava que o homem trazia em si todo o universo e que por isso podia experienciar melhor o mistério do mundo se penetrasse dentro de si.

— É uma ideia bonita.

— Para muitos românticos, a filosofia, a investigação natural e a poesia formavam uma unidade. Quer se estivesse no quarto de estudo e escrevesse poemas inspirados, quer se investigasse a vida das plantas ou a composição das pedras — tratava-se apenas de duas faces da mesma moeda, porque a natureza não era um mecanismo morto, mas um espírito vivo.

— Se contares mais coisas, eu torno-me imediatamente romântica.

— O naturalista norueguês *Henrik Steffens* — a quem Wergeland chamava «desaparecida folha de louro norueguesa», por ele ter ido viver para a Alemanha — foi em 1801 para Copenhaga, para dar aulas sobre o Romantismo alemão. Ele caracterizou o movimento romântico com as seguintes palavras: «cansados das tentativas eternas para forçarmos o caminho pela matéria rude, escolhemos um outro caminho e procurávamos atingir o infinito. Entrámos em nós mesmos e criámos um novo mundo».

— Como é que sabes tudo isso de memória?

— Uma ninharia, Sofia.

— Continua!

— Schelling via também um desenvolvimento na natureza, desde as pedras até à consciência humana, referindo-se a transições progressivas desde a natureza inanimada até formas de vida mais complexas. A visão romântica da natureza estava marcada pela concepção da natureza como um organismo, ou seja, como unidade, que através dos tempos desenvolve as suas potencialidades inerentes. A natureza é como uma flor, que desenvolve as suas folhas e pétalas. Ou como um poeta, que cria os seus poemas.

— Isso não faz lembrar um pouco Aristóteles?

— Sim, claro. A filosofia romântica apresenta tanto traços aristotélicos como traços neoplatónicos. Aristóteles tinha uma concepção mais orgânica dos processos naturais do que os materialistas mecanicistas.

— Estou a ver.

— Também encontramos ideias semelhantes numa nova visão da história. O filósofo da história *Johann Gottfried Herder* que viveu entre 1744 e 1803 teve uma grande importância para os românticos. Segundo ele, o curso da história era o resultado de um processo teleológico. Justamente por isso designamos a sua visão da história como «dinâmica». Os iluministas tinham uma visão «estática» da história. Para eles, havia apenas uma razão universal, e que podia estar ora mais ora menos presente, consoante as diferentes épocas. Herder mostrou, pelo contrário, que cada época da história tinha o seu próprio valor, e cada povo tinha o seu carácter especial, a sua própria «alma do povo». A questão era apenas se e como nos podíamos identificar com outros tempos e culturas.

— Da mesma maneira que nos temos de identificar com a situação de outra pessoa para a entendermos melhor, também temos de nos identificar com outras culturas para as conhecermos.

— Hoje, isso tornou-se quase evidente. Mas, durante o Romantismo, era um conhecimento novo. O Romantismo contribuiu para fortalecer o sentimento da identidade própria de cada nação. Não é por acaso que também aqui na Noruega a luta pela independência nacional se tenha desenvolvido justamente em 1814.

— Compreendo.

— Uma vez que o Romantismo trazia consigo uma nova orientação em tantos domínios, é frequente distinguir duas formas de Romantismo. Por Romantismo entendemos, por um lado, aquilo a que podemos chamar *Romantismo universal*. Estamos a pensar nos românticos que se preocupavam com a natureza, a alma universal e o génio artístico. Esta forma de Romantismo foi a primeira e floresceu sobretudo na cidade alemã de Jena por volta do ano 1800.

— E a outra forma de Romantismo?

— Era o chamado *Romantismo nacional*. Surgiu um pouco mais tarde e o seu centro era em Heidelberg. Os românticos nacionais interessavam-se sobretudo pela história do povo, a sua língua e por toda a cultura «popular». O povo também era visto como um organismo que desenvolve as capacidades que lhe são inerentes — exactamente como a natureza e a história.

— Diz-me com quem andas e dir-te-ei quem és.

— Aquilo que ligava as duas formas de romantismo era sobretudo a palavra-chave «organismo». Todos os românticos viam tanto uma planta como um povo, inclusivamente uma obra de poesia, como um organismo vivo. Por isso, não há uma fronteira nítida entre as duas formas. O espírito do mundo estava tão presente no povo e na cultura popular como na natureza e na arte.

— Compreendo.

— Já Herder reunira canções populares de muitos países e deu à sua colecção o expressivo título «Vozes do povo». Ele dizia que a poesia popular era a «língua materna dos povos». Em Heidelberg, começou-se a reunir canções populares e contos populares. Já ouviste falar dos contos dos *Irmãos Grimm*?

— Claro que sim — a «Branca de Neve», o «Capuchinho Vermelho», a «Gata Borralheira» e «Haensel e Gretel»...

— E muitos, muitos outros. Na Noruega tivemos *Asbjørnsen* e *Moe*, que viajavam pelo país, para recolherem a «Poesia do povo». Era a colheita de um fruto suculento, que se reconheceu subitamente ser saboroso e nutritivo. E era urgente — o fruto já caía das árvores. *Landstad* recolheu canções populares e *Ivar Aasen* recolheu por assim dizer a própria língua norueguesa. Também os mitos e as sagas da época pagã foram redescobertos em meados do século XIX. Em toda a Europa, os compositores utilizavam canções populares nas suas composições. Procuravam assim fazer uma ponte entre a música erudita e a música popular.

— Música erudita?

— A música erudita é composta por uma pessoa determinada — por exemplo, Beethoven. A música popular não foi criada por uma pessoa específica, mas pelo próprio povo. Por isso, também não sabemos exactamente de quando é cada canção. Do mesmo modo distinguimos contos populares e contos eruditos.

— O que significa um conto erudito?

— É um conto que um escritor imaginou, por exemplo, *Hans Christian Andersen*. O género do conto foi cultivado com grande ardor pelos românticos. Um dos mestres alemães foi *E. T. A. Hoffmann*.

— Acho que já ouvi falar dos «Contos de Hoffmann».

— O conto era o ideal literário dos românticos — mais ou menos como o teatro era a forma artística do Barroco. Dava ao escritor a possibilidade de jogar com o seu próprio poder criativo.

— Ele podia representar o papel de Deus para um mundo imaginado.

— Exacto. E agora, é necessário uma espécie de resumo.

— Faz favor.

— Os filósofos do Romantismo compreendiam aquilo a que chamavam «alma do mundo» como um «eu», que cria as coisas no mundo num estado mais ou menos de sonho. O filósofo *Johann Gottlieb Fichte* afirmou que a natureza provinha de uma actividade imaginativa elevada, inconsciente. Schelling afirmava explicitamente que o mundo estava «em Deus». Deus estaria consciente de alguma coisa, segundo ele, mas havia também aspectos da natureza que representavam o inconsciente de Deus. Pois Deus tinha também uma «face obscura».

— Essa ideia é simultaneamente assustadora e fascinante. Faz-me lembrar Berkeley.

— A relação entre o escritor e a sua obra era vista aproximadamente desse modo. O conto dava ao escritor a possibilidade de jogar com a sua imaginação criativa. E o acto criador nem sempre era muito consciente. O escritor podia ter a sensação de que a história que ele escrevia surgia de uma força interior. Ele quase podia escrever como que hipnotizado.

— Sim?

— Mas em seguida também podia romper a ilusão de repente. Podia intervir na história através de pequenos comentários irónicos para o leitor, e este lembrar-se-ia de que o conto era apenas um conto.

— Compreendo.

— Deste modo, o escritor podia também fazer recordar o leitor que a sua existência era fictícia. Esta forma de destruir a ilusão é designada por *ironia romântica*. O dramaturgo norueguês *Henrik Ibsen* põe uma das personagens da sua peça *Peer Gynt* a dizer: «Não se pode morrer no meio do quinto acto.»

313

— Compreendo que essa fala é um pouco estranha. Com isso, ele está simultaneamente a dizer que é apenas um personagem de fantasia.

— Esta fala é tão paradoxal que devíamos terminar com ela um parágrafo.

— O que queres dizer com isso?

— Ah, nada, Sofia. Lembras-te de que a noiva de Novalis se chamava Sofia como tu, e além disso morreu com quinze anos e quatro dias...

— Ainda não percebeste que eu fiquei assustada?

O olhar de Alberto endureceu. Prosseguiu:

— *Tu* não tens que ter medo de vir a sofrer o mesmo destino da amada de Novalis.

— Porque não?

— Porque ainda faltam muitos capítulos.

— O que estás a dizer?

— Digo que todos os que lêem a história de Sofia e Alberto, sentem nas pontas dos dedos que ainda faltam muitas páginas da história. Ainda só chegámos ao Romantismo.

— Estou a ficar mesmo confusa com a tua conversa.

— Na realidade, o major tenta pôr Hilde confusa. Não achas isso maldoso, Sofia? Novo parágrafo!

Alberto não terminara ainda a sua frase quando um rapaz veio a correr do bosque. Trazia vestes árabes e um turbante. Tinha uma lamparina na mão.

Sofia agarrou no braço de Alberto.

— Quem é este? — perguntou.

Mas o jovem respondeu por si mesmo.

— Eu chamo-me Aladino e venho do Líbano.

Alberto examinou-o severamente.

— O que tens na tua lamparina, rapaz?

O rapaz esfegou a lamparina — e dela subiu um fumo espesso. Do fumo formou-se a figura de um homem. Tinha uma barba negra como a de Alberto e trazia uma bóina azul. Flutuava no ar sobre a lamparina e disse:

— Estás a ouvir-me, Hilde? Venho certamente demasiado tarde para novas felicitações. E agora quero apenas dizer que Bjerkely e o sul da Noruega me parecem quase um sonho. Lá nos veremos dentro de poucos dias.

A figura masculina voltou a desaparecer em fumo — e toda a nuvem foi sugada para dentro da lamparina. O rapaz com o turbante pôs a lamparina debaixo do braço, correu para o bosque e desapareceu.

— Isto... isto é inacreditável. — afirmou Sofia.

— Uma bagatela, minha filha.

— O génio falou exactamente como o pai de Hilde.

— Era o seu génio...

— Mas...

— Eu e tu, e tudo o que sucede à nossa volta — tudo isso se passa no fundo da mente do major. É noite avançada no sábado, dia 28 de Abril; à volta do major desperto dormem todos os soldados da ONU, e ele também já está muito sonolento. Mas tem de terminar o livro que quer oferecer a Hilde pelo seu aniversário. Por isso tem de trabalhar, Sofia, por isso o pobre homem não tem descanso.

— Acho que desisto!

— Novo parágrafo!

Sofia e Alberto olhavam fixamente para o pequeno lago. Alberto estava como que petrificado. Passado um pouco, Sofia atreveu-se a dar-lhe um toque no ombro.

— Perdeste a fala?

— Ele interveio directamente, sim. Os últimos capítulos foram inspirados por ele até às mais pequenas letras. Devia ter vergonha. Mas assim também se traiu, deu-se a conhecer completamente. Agora sabemos que vivemos a nossa vida num livro que o pai de Hilde lhe envia pelos anos. Tu ouviste o que eu disse, não ouviste? — Apesar de na realidade não ter sido «eu» quem disse isso.

— Se isso é verdade, vou tentar fugir do livro e seguir o meu próprio caminho.

— É exactamente esse o meu plano secreto. Mas primeiro, temos que tentar falar com Hilde. Ela lê todas as palavras que estamos a dizer. E quando tivermos fugido daqui tornar-se-á muito mais difícil retomar o contacto com ela.

— O que havemos de dizer?

— Acho que o major adormece sobre a sua máquina de escrever. Os seus dedos percorrem ainda o teclado com uma pressa febril.

— Um pensamento estranho.

— Mas, justamente agora, ele pode escrever coisas de que se venha a arrepender. E não tem corrector, Sofia. Este é um elemento importante do meu plano. Ai daquele que der ao major Albert Knag um corrector!

— De mim ele não leva sequer papel nem corrector!

— Exorto neste momento a pobre rapariga a rebelar-se contra o seu pai. Ela devia ter vergonha por se divertir com o seu jogo ridículo de sombras. Se ele estivesse aqui, o senhor major sentiria a nossa irritação no corpo.

— Mas ele não está aqui.

— O seu espírito e a sua alma estão aqui, mas ele está no Líbano. Tudo o que vemos à nossa volta é o «eu» do major.

— Mas ele é mais do que isso.

— Nós somos apenas sombras na sua alma. Não é fácil para uma sombra atacar o seu mestre, Sofia. Para isso, é necessário coragem e uma reflexão madura. Mas nós temos a possibilidade de influenciar Hilde. Só um anjo se pode insurgir contra um deus.

— Nós podemos incitar Hilde a dizer-lhe das boas logo que ele chegue a casa. Ela pode dizer-lhe que acha que ele é um trapaceiro. Pode estragar-lhe o barco — ou pelo menos destruir as luzes de bordo.

Alberto acenou afirmativamente. Em seguida, disse:

— E ela pode fugir dele. É mais fácil para ela do que para nós. Pode deixar a casa do major e não pôr lá mais os pés. Isso seria justo para o major, que brinca à nossa custa com a sua imaginação.

— Já estou a imaginar: o major viaja pelo mundo à procura de Hilde, mas Hilde desapareceu sem deixar rasto porque não quer viver com um pai que faz troça de Sofia e Alberto.

— Ele faz troça, sim. Era o que eu queria dizer com o facto de nos utilizar como entretenimento de aniversário. Mas ele devia ter cuidado, Sofia. E Hilde também.

— O que queres dizer?

— Estás bem sentada?

— Desde que não venham mais génios, sim.

— Tenta imaginar que tudo o que vivemos se passa na consciência de uma outra pessoa. Nós *somos* essa consciência. Não temos uma alma própria, somos a alma de um outro. Até agora encontramo-nos em solo filosófico familiar. Berkeley e Schelling arrebitariam as orelhas.

— Sim?

— E podemos imaginar que esta alma é o pai de Hilde Møller Knag. Ele está no Líbano e escreve à filha um livro de filosofia para o seu aniversário. Quando Hilde acordar no dia 15 de Junho, encontrará o livro na mesa de cabeceira e então ela e outras pessoas podem ler sobre nós. Ele já disse há muito tempo que o «presente» pode ser partilhado com outros.

— Eu sei.

— E Hilde lê aquilo que te estou a dizer depois de o pai ter estado em dada altura no Líbano e ter imaginado que eu te conto que ele está no Líbano... imaginando que eu te conto que ele está no Líbano...

316

De repente, tudo se voltou na cabeça de Sofia. Tentou lembrar-se do que ouvira sobre Berkeley e os românticos. E Alberto prosseguiu:

— Mas por isso eles não deviam estar tão convencidos. E sobretudo não se deviam rir, porque podem engasgar-se com esse riso.

— Quem?

— Hilde e o pai. Não é deles que estamos a falar?

— Mas porque é que eles não deviam estar convencidos?

— Porque não é um pensamento totalmente impossível *eles* serem também apenas consciência.

— Como é que isso é possível?

— Se era possível para Berkeley e para os românticos, também tem de ser possível para eles. Talvez o major seja um fantasma num livro que trata dele e de Hilde, mas também de nós, que somos uma pequena parte da sua vida.

— Isso seria ainda mais grave. Assim, seríamos apenas sombras de sombras.

— Mas podemos pensar que um outro autor está em algum lado e escreve um livro que trata deste major da ONU, Albert Knag que escreve um livro para a sua filha Hilde. Este livro trata de um certo Alberto Knox que começa subitamente a enviar modestas lições de filosofia a Sofia Amundsen, em Kløverveien 3.

— Acreditas nisso?

— Apenas estou a dizer que é possível. Para nós, este autor seria um Deus oculto, Sofia. Apesar de tudo o que dizemos e fazemos vir dele, porque nós *somos* ele, nunca poderemos saber algo sobre ele. Estamos arrumados na caixa mais interior.

Sofia e Alberto ficaram calados muito tempo. Sofia quebrou por fim o silêncio:

— Mas se existe realmente um escritor que imagina a história sobre o pai de Hilde no Líbano exactamente como imaginou a história sobre nós...

— Sim?

— ... nesse caso podemos pensar que ele também não se devia gabar demasiado.

— O que queres dizer com isso?

— Ele está lá, e algures no fundo da sua mente estão Hilde e eu. Mas não se pode imaginar que ele também viva numa consciência ainda mais elevada?

Alberto acenou afirmativamente com a cabeça.

— É evidente, Sofia. Também isso é possível. E se é assim, ele fez-nos ter esta conversa filosófica para indicar essa possibilidade. Assim, quer sublinhar que também é uma sombra indefesa e que este livro, em que Hilde e Sofia vivem, é na realidade um manual de filosofia.

— Um manual?

— Porque todas as conversas que tivemos, todos os diálogos, Sofia...

— Sim?

— São na realidade um monólogo.

— Agora, tenho a sensação de que tudo se dissolve em consciência e em espírito. Estou contente por ainda haver alguns filósofos. A filosofia, que começou tão bem com Tales, Empédocles e Demócrito, não pode encalhar aqui?

— Claro que não. Eu vou falar-te de Hegel. Foi o primeiro filósofo que tentou salvar a filosofia depois de o Romantismo ter dissolvido tudo em espírito.

— Estou ansiosa.

— Para não sermos interrompidos por outros génios ou sombras, vamos para dentro, está bem?

— Está um pouco frio, de qualquer modo.

— Próximo capítulo!

HEGEL

... o que é racional é real...

Hilde deixou cair o grande *dossier* no chão com um estampido. Ficou deitada na cama e a olhar fixamente para o tecto. Tudo parecia andar à roda. O seu pai tinha conseguido efectivamente que ela ficasse tonta. Que pirata! Com é que ele podia fazer isto?

Sofia tinha tentado falar directamente com ela. Exortara Hilde a rebelar-se contra o pai. E tinha realmente conseguido inculcar uma ideia em Hilde. Um plano...

Sofia e Alberto não podiam tocar num cabelo do seu pai, isso era claro. Mas Hilde podia! E através de Hilde, Sofia também.

Hilde estava da acordo com Sofia e Alberto no facto de o seu pai ter ido longe demais com o jogo das sombras. Apesar de ter concebido Sofia e Alberto, havia limites para a demonstração do seu poder.

Pobre Sofia, pobre Alberto! Estavam tão indefesos em relação à fantasia do pai de Hilde como uma tela está indefesa em relação ao projeccionista.

Hilde queria dar-lhe um raspanete quando ele chegasse a casa. Em contornos nítidos, ela via nesse mesmo instante o esboço de um golpe astuto.

Foi para a janela e olhou para a enseada. Eram quase duas horas. Abriu a janela e gritou em direcção ao barracão dos barcos:

— Mãe!

Pouco depois, a mãe apareceu.

— Daqui a uma hora levo-te umas sanduíches. Está tudo bem?

— Sim.

— Ainda tenho que ler um pouco sobre Hegel.

Sofia e Alberto sentaram-se na poltrona em frente à janela que dava para o pequeno lago.

— *Georg Wilhelm Friedrich Hegel* era um verdadeiro filho do Romantismo — começou Alberto. — Quase podes dizer que ele seguiu fielmente o desenvolvimento do espírito alemão. Nasceu em Estugarda em 1770 e iniciou um curso de teologia em Tubinga com dezoito anos. A partir de 1799 trabalhou com Schelling em Iena, onde o movimento romântico estava no apogeu. Depois de ter sido docente em Iena, recebeu uma cátedra em Heidelberg — o centro do Romantismo nacional alemão. Finalmente, tornou-se professor em Berlim em 1818 — exactamente na época em que esta cidade começava a tornar-se um centro espiritual da Europa. Em Novembro de 1831, morreu de cólera, mas nessa altura o «hegelianismo» já tinha grupos de discípulos em quase todas as universidades alemãs.

— Então ele apanhou o principal.

— Sim, e isso também é válido para a sua filosofia. Hegel uniu nela quase todas as ideias que se tinham desenvolvido com os românticos e sintetizou-as. Mas ele era também um forte crítico da filosofia de Schelling, por exemplo.

— O que é que criticou nela?

— Schelling e os outros românticos tinham visto o mais profundo fundamento da realidade no chamado espírito do mundo. Hegel também emprega o conceito «Weltgeist», mas dá-lhe outro significado. Quando Hegel fala de espírito do mundo ou de «razão do mundo», quer dizer a soma de todas as manifestações humanas, pois só o homem tem espírito. Nesta acepção, ele também fala do percurso do espírito do mundo através da história. Não podemos esquecer que ele fala da vida, dos pensamentos e da cultura dos homens.

— Então este espírito é menos assustador. Já não está à espreita como uma inteligência adormecida em pedras e árvores.

— E tu sabes ainda que Kant tinha falado da «coisa em si». Apesar de negar que os homens pudessem ter um conhecimento claro dos segredos mais íntimos da natureza, ele apontou para uma espécie de verdade inatingível. Segundo Hegel, esta verdade era fundamentalmente subjectiva — e negou que pudesse haver uma verdade acima ou além da razão humana. Todo o conhecimento é conhecimento humano.

— Ele queria trazer a filosofia de volta à terra?

— Sim, talvez possas dizer isso. Mas a filosofia de Hegel é tão abrangente e diversificada que temos de nos contentar por agora com a clarificação de alguns dos pontos mais importantes. É difícil dizermos que Hegel tinha uma filosofia própria. Aquilo a que chamamos a filosofia de Hegel é sobretudo um *método* para compreender a evolução da história. Por isso, quase não podemos falar sobre Hegel sem mencionarmos a evolução da história. A filosofia de Hegel não nos ensina realmente nada sobre a «natureza profunda da vida», mas pode ensinar-nos a pensar de um modo frutífero.

— E isso também é muito importante.

— Todos os sistemas filosóficos anteriores a Hegel tinham tentado estabelecer critérios eternos para aquilo que o homem pode saber acerca do mundo. Isso sucede em Descartes e Espinosa, Hume e Kant. Qualquer deles queria investigar qual era o fundamento de todo o conhecimento humano. Mas todos tinham falado sobre os pressupostos *intemporais* para o conhecimento do mundo.

— Não é esse o dever do filósofo?

— Hegel achava impossível encontrar esses pressupostos intemporais. Segundo ele, as bases do conhecimento humano mudam de geração para geração. Por isso, também não há para ele «verdades eternas». Não há razão intemporal. O único ponto fixo em que o filósofo se pode basear é a própria história.

— Não, tens de me explicar isso. A história altera-se constantemente, como é que pode ser um ponto fixo?

— Um rio também se altera constantemente. Mas isso não significa que não possas falar sobre esse rio. Mas não podes perguntar em que parte do vale o rio é mais verdadeiro.

— Não, porque o rio é em toda a parte igualmente rio.

— Para Hegel, a história era como o curso de um rio. O mais pequeno movimento na água num ponto determinado do rio é na realidade determinado pela queda da água e pela agitação da água mais acima. Mas também é importante saber que pedras e curvas há no rio no ponto em que tu estás e o observas.

— Acho que estou a perceber.

— A história do pensamento — ou da razão — é como o curso desse rio. Contém todas as ideias que gerações de pessoas pensaram antes de ti e que determinam o teu pensamento do mesmo modo que as condições de vida da tua época. Por isso, não podes afirmar que uma determinada ideia é eternamente verdadeira. Mas essa ideia pode ser verdadeira onde tu estás.

— Mas isso não significa que tudo é falso — ou que tudo é verdadeiro, pois não?

— Não, uma coisa só pode ser verdadeira ou falsa em relação a um contexto histórico. Se argumentas a favor da escravatura no ano de 1990 tornas-te ridícula, na melhor das hipóteses. Há dois mil e quinhentos anos não era tão ridículo, apesar de já nessa época haver vozes progressistas que defendiam a abolição da escravatura. Mas podemos tomar um exemplo mais próximo. Há apenas cem anos ainda não era irracional queimar extensas áreas de floresta para se obter terreno arável. Mas hoje é extremamente irracional. Nós temos condições completamente diferentes — e melhores — para julgarmos.

— Agora compreendi.

— Também a razão, diz Hegel, é algo dinâmico, é um processo. E a «verdade» é apenas este processo. Não há critérios exteriores ao processo histórico que possam decidir o que é mais verdadeiro ou racional.

— Exemplos, por favor.

— Não podes examinar diversas ideias da Antiguidade ou da Idade Média, do Renascimento ou do Iluminismo e dizer que isto estava certo e aquilo errado. Por isso, também não podes dizer que Platão estava errado ou que Aristóteles tinha razão. Também não podes dizer que Hume estava errado enquanto Kant ou Schelling tinham razão. Isso é um modo de pensar anti-histórico.

— Pois, não me parece bem.

— Não podes arrancar nenhuma filosofia nem nenhuma ideia do seu contexto histórico. Mas, e agora estou a falar de um aspecto novo, uma vez que os homens compreendem sempre coisas novas, a razão é «progressiva». Significa que o conhecimento humano está constantemente em expansão e em progresso.

— Assim, a filosofia de Kant seria um pouco mais correcta do que a de Platão?

— Sim. O «espírito do mundo» desenvolveu-se no tempo que medeia entre Platão e Kant. Se regressarmos à nossa imagem do rio podes dizer que agora leva mais água. Entre as duas épocas passaram mais de dois mil anos. Kant não pode pretender que as suas «verdades» fiquem na margem como pedras imóveis. As suas ideias também não são a última conclusão da sabedoria e a geração seguinte criticá-las-ia seriamente. Foi exactamente o que se passou.

— Mas este rio do qual estás a falar...

— Sim?

— Para onde corre?

— Hegel explicou que o espírito tem cada vez mais consciência de si mesmo. Os rios são cada vez mais largos quanto mais se aproximam do mar. Segundo Hegel, na história, o espírito do mundo desperta lentamente para a consciência de si mesmo. O mundo existiu sempre, mas, através da cultura e do desenvolvimento do homem, o espírito fica cada vez mais consciente do seu valor intrínseco.

— Como é que ele podia ter tanta certeza disso?

— Para ele era uma realidade histórica, não era de modo algum uma mera profecia. Para quem estuda a história, segundo ele, torna-se claro que a humanidade caminha em direcção a um autoconhecimento e a um autodesenvolvimento cada vez maiores. A história mostra um inequívoco desenvolvimento no sentido de uma *racionalidade* e *liberdade* progressivamente maiores. Naturalmente, tem todo o tipo de hesitações, mas em geral avança de modo imparável. Para Hegel, a história dirige-se a um fim.

— Então estamos sempre a desenvolver-nos. Que bom, nesse caso ainda há esperança.

— A história é para Hegel uma longa cadeia de pensamentos, cujos elos não se ajustam ao acaso, mas segundo leis determinadas. Quem estuda a história pormenorizadamente há-de reparar que geralmente uma nova ideia é exposta com base noutra anteriormente expressa. Mas se uma nova ideia é apresentada, será forçosamente contestada por outra nova ideia. Deste modo, surgem duas formas de pensar opostas e entre elas uma tensão. Esta tensão é superada quando uma terceira ideia que preserva o melhor dos dois pontos de vista precedentes é apresentada. Hegel chama a isto o processo *dialéctico*.

— Tens um exemplo?

— Talvez ainda te lembres que os pré-socráticos tinham discutido a questão do elemento primordial e do devir.

— Sim.

— E os eleatas declararam que qualquer transformação era impossível. Por isso, tinham de negar todas as alterações, mesmo que as sentissem com os sentidos. Os eleatas tinham exposto uma perspectiva, e Hegel chama a essa perspectiva uma *tese*.

— Sim?

— Mas cada vez que uma perspectiva é apresentada, surge uma perspectiva contrária. Hegel chama-lhe *negação*. A negação da filosofia dos eleatas era a filosofia de Heraclito, que afirmava que «tudo flui». Surgiu então uma tensão entre duas formas de pensar diametralmente opostas. Mas esta tensão foi «suprimida» quando Empédocles afirmou que ambos estavam parcialmente certos e parcialmente errados.

— Sim, começo a compreender...

— Os eleatas tinham razão em dizer que por princípio nada se altera; mas não era verdade que não podemos confiar nos nossos sentidos. Heraclito tinha razão ao dizer que podemos confiar nos nossos sentidos; mas não tinha razão ao dizer que *tudo* flui.

— Porque existe mais do que um elemento primordial. A composição altera-se, mas os elementos não.

— Exacto. O ponto de vista de Empédocles, que medeia entre os pontos de vista opostos, é designado por Hegel a *negação da negação*.

— Meu Deus!

— Ele também chamava aos três estádios do conhecimento *tese, antítese* e *síntese*. Podes dizer que o racionalismo de Descartes é a tese — o qual foi depois criticado pela antítese empírica de Hume. Mas esta oposição, a tensão entre duas formas de pensamento opostas foi superada pela síntese de Kant. Kant deu razão por um lado aos racionalistas, por outro aos empiristas. Ele mostrou também que ambos estavam errados em pontos importantes. Mas a história não termina com Kant. A síntese de Kant tornou-se o ponto de partida para uma nova cadeia de pensamentos tripartida ou «tríade». Porque a síntese também se torna tese e segue-se uma nova antítese.

— Mas isso é extremamente teórico.

— Sim, é teórico. Mesmo que isto pareça verdade, Hegel não queria de modo algum espartilhar a história num esquema. Ele achava poder retirar este modelo dialéctico da própria história. Estava fortemente convicto de ter encontrado leis para o desenvolvimento da razão — ou para a evolução do espírito através da história.

— Compreendo.

— Mas a dialéctica de Hegel não se aplica apenas à história. Mesmo quando discutimos — ou debatemos — pensamos dialecticamente. Tentamos detectar os erros de uma forma de pensar. Hegel chamou-lhe «pensamento negativo». Mas quando tivermos descoberto os erros de uma forma de pensar conservamos ainda o que estava correcto nela.

— Exemplos, por favor!

— Quando um socialista e um conservador se reunem para resolver um problema social, será logo patente uma tensão entre ambas as maneiras de pensar. Mas isso não quer dizer que um tem toda a razão e o outro está completamente errado. É perfeitamente pensável que ambos estejam parcialmente certos e parcialmente errados. No decurso da discussão conservar-se-ão, se eles são inteligentes, os melhores argumentos de ambos os lados.

— Esperemos que sim.

— Se estamos no meio de uma discussão destas, infelizmente nem sempre é fácil verificar o que é mais racional. No fundo, é a história que tem de mostrar o que é verdadeiro e o que é falso. O que é racional é real, segundo Hegel.

— Isso quer dizer que o que sobrevive está certo?

— Ou ao contrário: o que está certo sobrevive.

— Não tens um pequeno exemplo? Isso parece tudo tão abstracto.

— Há cento e cinquenta anos muitos lutavam pela igualdade de direitos para as mulheres. E muitos lutavam encarniçadamente contra a igualdade. Se hoje examinarmos os argumentos de ambos os lados, não é difícil reconhecer quais eram os mais racionais. Mas não podemos esquecer que posteriormente sabemos sempre mais. Provou-se que aqueles que lutaram pela igualdade de direitos tinham razão. Muitas pessoas teriam certamente vergonha se tivessem de ler o que o seu avô disse acerca deste tema.

— Sim, percebo. O que é que Hegel achava?

— Sobre a igualdade?

— Sim, não é disso que estamos a falar?

— Queres ouvir uma citação?

— Sim.

— «A diferença entre homem e mulher é a mesma que entre o animal e a planta» — escreveu ele. «O animal corresponde mais ao carácter do homem, a planta mais ao da mulher, pois o seu desenvolvimento é mais tranquilo, e o princípio que lhe está subjacente é sobretudo a unidade indeterminada do sentimento. Se as mulheres estão no topo do poder, o governo está em perigo, porque elas não agem de acordo com as exigências da universalidade, mas de acordo com uma inclinação e opinião arbitrárias. A formação das mulheres dá-se, por assim dizer, na atmosfera da imaginação, mais através da vida do que da aquisição de conhecimentos. Enquanto o homem atinge o seu lugar apenas através da aquisição das ideias e de muito empenho técnico.»

— Obrigada, já chega. Prefiro não ouvir mais citações dessas.

— Mas a citação é um exemplo brilhante de que a nossa noção do que é «racional» se altera constantemente. Mostra também que Hegel era um filho do seu tempo — tal como nós. Muito do que nos parece hoje «evidente» não passará o teste da história.

— Tens um exemplo?

— Não, não tenho.

— Porque não?

— Porque eu apenas poderia falar do que já está em vias de transformação. Eu não poderia, por exemplo, dizer que andar de carro será tido um dia como algo terrivelmente estúpido porque destrói a natureza. Hoje, já muita gente pensa assim. Por isso, seria um mau exemplo. Mas a história vai mostrar que muito do que todos nós temos por evidente não passará o teste da história.

— Compreendo.

— E podemos reparar ainda noutra coisa: o facto de os homens no tempo de Hegel fazerem estas afirmações extremas sobre a inferioridade da mulher apenas acelerou o desenvolvimento do feminismo.

— Como assim?

— Os homens apresentaram — como teria dito Hegel — uma tese. A razão pela qual eles achavam isso importante era obviamente o facto de as mulheres já terem começado a insurgir-se. Não é preciso ter uma opinião tão decidida sobre uma coisa com a qual todos estão de acordo. Quanto mais eles discriminavam as mulheres, mais forte se tornava a antítese ou negação.

— Acho que estou a compreender.

— Podes dizer que adversários enérgicos são o melhor que pode acontecer a uma ideia. Quanto mais extremistas melhor, porque mais forte será a reacção a que terão de fazer face. Sob o ponto de vista puramente lógico ou filosófico existe também uma tensão dialéctica entre dois conceitos.

— Exemplos, por favor!

— Quando reflicto sobre o conceito «ser», tenho também que introduzir o conceito oposto «não-ser». É impossível pensarmos que existimos sem nos lembrarmos em seguida que não existiremos sempre. A tensão entre «ser» e «não-ser» é resolvida no conceito «devir». O processo do devir significa de certo modo que uma coisa é e não é.

— Compreendo.

— A razão de Hegel é uma razão dinâmica. Uma vez que a realidade é caracterizada por antíteses, uma descrição da realidade também tem que ser contraditória. Vou dar-te um exemplo: diz-se que o físico dinamarquês *Niels Bohr* pendurou uma ferradura sobre a porta da sua casa.

— Diz-se que traz sorte.

— Mas isso é apenas superstição, e Niels Bohr era de facto tudo menos supersticioso. Quando, certa vez, um amigo o visitou, perguntou-lhe: — «Não acreditas numa coisa dessas, pois não?». «Não», respondeu Niels Bohr, «mas disseram-me que resulta».

— Não tenho palavras.

— A resposta foi bastante dialéctica; alguns diriam que é contraditória. Niels Bohr era conhecido, bem como o poeta norueguês Vinje, por uma visão dialéctica do mundo. Ele afirmou certa vez que existem dois tipos de verdade, as superficiais, cuja antítese era incontestavelmente falsa, mas também as profundas, cuja antítese era tão verdadeira como elas próprias.

— Que tipo de verdades eram essas?

— Se, por exemplo, digo que a vida é curta...

— Eu estou de acordo.

— Numa outra ocasião posso abrir os braços e dizer que a vida é longa.

— Tens razão. De certo modo, também é verdade.

— Para terminar vou dar-te ainda um exemplo de como uma tensão dialéctica pode provocar uma acção espontânea que leva a uma mudança súbita.

— Diz!

— Imagina uma rapariga que diz sempre: «Sim, mamã», «Claro, mamã», «Como queiras, mamã», «Sim, vou já fazer isso, mamã!»

— Sinto um calafrio nas costas.

— Certo dia, a mãe irrita-se por a filha ser sempre tão obediente e grita enervada: «Não sejas tão obediente!», e a filha responde: «Sim, mamã!»

— Nesse caso, eu dava-lhe uma bofetada.

— É, não é? Mas o que farias se ela tivesse respondido: «Não, eu quero ser obediente.»

— Seria uma resposta estranha. Talvez lhe desse à mesma uma bofetada.

— Por outras palavras, estamos num impasse. A tensão dialéctica agravou-se tanto que *tem* de haver uma mudança.

— Referes-te à bofetada?

— Temos de mencionar ainda um último aspecto da filosofia de Hegel.

— Sou toda ouvidos.

— Lembras-te que caracterizámos os românticos como individualistas?

— O caminho misterioso conduz ao interior.

— Justamente este individualismo encontrava na filosofia de Hegel a sua «negação». Hegel dava um grande peso àquilo a que chamava «poderes objectivos», isto é, a família e o Estado. Podes dizer que Hegel não perdeu o indivíduo de vista; apenas o via sobretudo como um elemento orgânico da comunidade. A razão, ou o espírito, são visíveis sobretudo na colaboração entre homens, segundo Hegel.

— Explica-te!

— A razão manifesta-se sobretudo na língua. E a língua é algo no qual nascemos. A língua norueguesa passa bem sem o senhor Hansen, mas o senhor Hansen não pode viver sem a língua norueguesa. Não é o indivíduo que forma a língua, mas a língua que forma o indivíduo.

— Sim, podes dizer isso.

— Assim como o indivíduo nasce numa língua, também nasce no seu contexto histórico. E ninguém tem uma relação «livre» com esse contexto. Quem não encontra o seu lugar no Estado é uma pessoa anti-histórica. Talvez te lembres ainda que esta ideia também era importante para os grandes filósofos de Atenas. O Estado é tão inconcebível sem cidadãos como os cidadãos sem o Estado.

— Compreendo.

— Para Hegel, o Estado é «mais» do que o cidadão individual. E é mais do que a soma de todos os cidadãos. Hegel acha impossível que alguém se despeça, por assim dizer, da sociedade. Quem encolhe os ombros em relação à sociedade em que vive e prefere «encontrar-se a si mesmo» é, segundo ele, um louco.

— Não sei se estou de acordo, mas está bem.

— Para Hegel, não é o indivíduo que se encontra a si mesmo, mas o espírito.

— O espírito encontra-se a si mesmo?

— Hegel tentou mostrar que o espírito regressa a si em três estádios, ou seja, torna-se consciente de si mesmo em três estádios.

— Continua!

— Em primeiro lugar, o espírito toma consciência de si no indivíduo, a que Hegel designa *espírito subjectivo*. O espírito atinge uma consciência mais elevada de si na família, na sociedade, e no Estado, que Hegel designa por *espírito objectivo*, porque é uma razão que se manifesta na interacção entre os homens. Mas há ainda um terceiro estádio...

— Estou ansiosa.

— A forma mais elevada de autoconhecimento é atingida pelo espírito no *espírito absoluto*. E este espírito absoluto é a arte, a religião e a filosofia. Dentre estas, a filosofia é a forma mais elevada da razão, pois na filosofia o espírito reflecte sobre o seu papel na história. Só na filosofia é que o espírito se encontra a si mesmo. Deste ponto de vista, poderíamos dizer que a filosofia é o espelho do espírito.

— Isso parece tão misterioso que tenho que assimilá-lo com calma. Mas a última coisa que disseste agradou-me.

— Eu disse que a filosofia é o espelho do espírito.

— Isso é bonito. Achas que isso tem alguma coisa a ver com o espelho de latão?

— Sim, já que perguntas.

— O que queres dizer com isso?

— Eu penso que este espelho de latão tem uma importância especial, uma vez que está sempre a vir à baila.

— Então também tens uma ideia de qual é a importância dele?

— Não, não. Eu apenas disse que o espelho não seria mencionado tantas vezes se não *tivesse* uma importância especial para Hilde e o seu pai. Mas só Hilde pode revelar qual é a sua importância.

— Isto foi ironia romântica?

— É uma pergunta sem esperança, Sofia.

— Porquê?

— *Nós* não podemos ser irónicos. Somos *vítimas* indefesas dessa ironia. Quando uma criança desenha alguma coisa numa folha de papel, não podes perguntar ao papel o que representa o desenho.

— Deixas-me arrepiada.

KIERKEGAARD

... a Europa está a caminho da bancarrota...

Hilde olhou para o relógio. Já passava das quatro. Pôs o *dossier* na escrivaninha e desceu a correr para a cozinha. Tinha de ir para o barracão dos barcos com as sanduíches antes que a mãe desistisse de esperar. Ao sair, lançou um olhar ao espelho de latão.

Com toda a pressa, pôs ao lume a água para o chá e barrou alguns pães.

Sim, havia de pregar uma partida ao pai. Hilde via-se cada vez mais como aliada de Sofia e Alberto. Ele já devia estar a partir de Copenhaga...

Desceu para o barracão com um grande tabuleiro nas mãos.

— Faça favor, a refeição!

A mãe tinha um grande pedaço de lixa na mão. Limpou da fronte os cabelos, cinzentos devido ao pó de esmeril.

— Mas assim, saltamos o almoço.

Sentaram-se na doca e comeram.

— Quando é que chega o pai? — perguntou Hilde passado um pouco.

— No sábado. Mas tu sabes isso.

— Mas quando? Não disseste que ele tem de fazer transbordo em Copenhaga?

— Sim...

A mãe mastigava uma sanduíche com chouriço e pepino.

— ... ele chega a Copenhaga por volta das cinco. O avião parte em seguida às oito e um quarto para Kristiansand. Acho que ele chega às nove e meia.

— Então fica algumas horas em Copenhaga.

— Sim. Porquê?

— Ah... eu só queria saber qual era o percurso.

Continuaram a comer. Quando Hilde achou que já tinha passado tempo suficiente, perguntou:

— Tens ouvido falar de Anne e Ole ultimamente?

— Sim, às vezes telefonam. Vêm cá em Julho, de férias.

— Não vêm antes disso?

— Não, acho que não.

— Então estão em Copenhaga esta semana...

— Hilde, o que é que se passa?

— Nada. Sobre alguma coisa temos que falar.

— Mas já falaste duas vezes sobre Copenhaga.

— A sério?

— Falámos sobre o facto de o pai passar por lá...

— E depois lembrei-me de Anne e Ole de repente.

Depois de terem comido, Hilde colocou os pratos e as chávenas no tabuleiro.

— Tenho de continuar a ler, mamã...

— Suponho que sim...

Haveria nesta resposta uma ligeira censura? Tinham dito que queriam ter o barco preparado até ao regresso do pai.

— O pai quase me fez prometer que eu teria o livro terminado quando ele chegasse.

— Não sei se acho isso bem. Uma coisa é ele estar fora tantas vezes, mas dirigir ao longe tudo o que se passa aqui em casa...

— Se tu soubesses tudo o que ele dirige — disse Hilde misteriosamente. — E nem podes calcular como ele gosta disso.

Foi para o quarto e continuou a ler.

Sofia ouviu alguém bater à porta. Alberto lançou-lhe um olhar severo.

— Não queremos ser incomodados.

Bateram com mais força.

— Vou falar-te sobre um filósofo dinamarquês que se irritou muito com a filosofia de Hegel — disse Alberto.

Mas estavam a bater com tanta força que a porta tremia.

— É obvio que o major nos enviou de novo alguma personagem fantástica para ver se caímos na armadilha — explicou Alberto. — Não lhe custa nada.

— Mas se não abrirmos e virmos quem é, também não lhe custa nada deitar a casa abaixo.

— Talvez tenhas razão. Vamos abrir.

Foram à porta. Uma vez que tinham batido com tanta força, Sofia esperava um pessoa grande. Mas lá fora estava uma rapariga novita com um vestido florido e cabelos loiros compridos. Tinha duas pequenas garrafas nas mãos. Uma era vermelha, a outra azul.

— Olá — disse Sofia — quem és tu?

— Eu chamo-me Alice — disse a rapariga, e fez uma mesura acanhada.

— Já estava à espera — afirmou Alberto. — É a Alice no País das Maravilhas.

— Mas como é que ela encontrou o caminho?

Alice respondeu por Sofia:

— O País das Maravilhas é um país totalmente ilimitado. Significa que está em toda a parte — mais ou menos como a ONU. O País das Maravilhas devia por isso tornar-se sócio honorário da ONU. Devíamos ter representantes próprios em todas as comissões.

— Ah, aquele major! — disse Alberto, sorridente.

— O que te traz aqui? — perguntou Sofia.

— Tenho de entregar estas garrafas de filosofia.

E entregou a Sofia as pequenas garrafas. Ambas eram de vidro brilhante, mas numa encontrava-se um líquido vermelho, na outra um líquido azul. Na garrafa vermelha estava escrito: BEBE-ME!, na azul: BEBE-ME TAMBÉM!

Em seguida, passou um coelho branco a correr pela cabana. Andava direito sobre as patas traseiras e trazia colete e casaco. Em frente da cabana, tirou um relógio do bolso do colete e disse:

— Não, agora estou demasiado atrasado.

Depois, desatou a correr. Alice correu atrás dele. Ao afastar-se, fez mais uma vénia e disse:

— Lá começa tudo de novo!

— Tens de cumprimentar Dina e a rainha! — gritou-lhe Sofia.

E Alice desapareceu. Alberto e Sofia ficaram parados na escada e observaram as garrafas.

— BEBE-ME! e BEBE-ME TAMBÉM! — leu Sofia alto. — Não sei se me atrevo. Se calhar é veneno.

Alberto encolheu os ombros.

— As garrafas vêm do major, e tudo o que vem do major é apenas consciência. É apenas sumo imaginário.

Sofia tirou a rolha da garrafa vermelha e levou-a à boca com cuidado. O sumo tinha um sabor doce e estranho. Imediatamente, aconteceu algo com o mundo à sua volta: primeiro, as imagens do lago, do bosque e da cabana pareciam convergir. Em seguida, Sofia julgou estar a ver apenas uma pessoa e esta pessoa era ela própria. Quando finalmente olhou para Alberto, este também parecia ter-se tornado uma parte de si mesma.

— Que estranho — afirmou. — De repente, tudo o que eu vejo parece estar relacionado. Tenho a sensação de que tudo é apenas uma consciência.

Alberto acenou afirmativamente — mas Sofia teve a sensação de estar a acenar para si mesma.

— Isso é o panteísmo ou a filosofia da unidade — disse Alberto. — É o espírito dos românticos. Eles viram tudo como um único grande «eu». Também é Hegel — que por um lado não descurou o indivíduo, e por outro lado entendia tudo como expressão de uma razão universal.

— Será que devo beber da outra garrafa?

— É o que está escrito.

Sofia tirou a rolha da garrafa azul e bebeu um grande gole. Este sumo tinha um sabor mais fresco e amargo do que o vermelho, mas também se deu uma mudança súbita com tudo à sua volta: num segundo desapareceu o efeito da bebida vermelha; e tudo voltou ao lugar. Alberto era de novo Alberto, as árvores eram de novo árvores e a água parecia de novo um lago. Isso durou apenas um segundo, e em seguida tudo o que Sofia via deslizou afastando-se. O bosque já não era um bosque, a mais pequena árvore parecia-lhe um mundo à parte, o mais pequeno ramo um conto sobre o qual se podiam contar mil histórias. O pequeno lago parecia-lhe um mar infinito — não por ser muito fundo ou extenso, mas devido aos seus milhares de pontos cintilantes e formas variadas de ondas. Sofia compreendeu que podia observar este mar até ao resto da sua vida — e contudo ele havia de lhe parecer sempre um mistério insondável.

Sofia elevou o olhar em direcção à copa de uma árvore. Aí, três pequenos pardais faziam um jogo divertido. Já estavam na árvore quando Sofia bebera da garrafa vermelha, mas Sofia não os tinha visto bem. A garrafa vermelha tinha apagado todos os contrastes e todas as diferenças individuais.

Sofia desceu da laje sobre a qual estava e ajoelhou-se na relva. E aí encontrou um novo mundo — mais ou menos como se tivesse mergulhado e abrisse os olhos no fundo do mar pela primeira vez. Entre tufos de relva e caules de plantas formigavam seres vivos. Sofia viu uma aranha que se arrastava pelo musgo com energia e segurança, um pulgão vermelho que corria para cima e para baixo numa haste, e todo um exército de formigas trabalhando em conjunto. Mas cada formiga movia as pernas à sua maneira.

O mais estranho sucedeu quando Sofia se levantou e olhou para Alberto, que ainda estava à soleira da porta. De repente, viu nele um ser completamente estranho, qualquer coisa como um homem de um outro planeta — ou como uma figura encantada de um conto de fadas. E viu-se também como um indivíduo único: não era apenas uma pessoa, não era apenas uma rapariga de quinze anos — era Sofia Amundsen, e só ela o era!

— O que estás a ver? — perguntou Alberto.

— Vejo que és um pássaro estranho.

— A sério?

— Acho que nunca vou compreender como é ser uma outra pessoa. Não há duas pessoas iguais em todo o mundo.

— E o bosque?

— Já não parece o mesmo. É todo um universo de contos fantásticos.

— Era o que eu suspeitava. A garrafa azul é o individualismo. Foi a reacção de Søren Kierkegaard ao idealismo dos românticos. O contista Hans Christian Andersen não foi contemporâneo de Kierkegaard por acaso. Ele tinha o mesmo olho apurado para a infinita riqueza de pormenores da natureza. Leibniz já o possuíra cem anos antes e reagiu à filosofia da unidade de Espinosa tal como Kierkegaard a Hegel.

— Estou a ouvir o que dizes, mas soa tão estranho que tenho vontade de rir.

— Compreendo. Nesse caso bebe um gole da garrafa vermelha. E depois sentamo-nos aqui na escada. Temos de dizer alguma coisa sobre Kierkegaard antes de terminarmos por hoje.

Sentaram-se e Sofia bebeu um gole da garrafa vermelha. As coisas confluíram de novo, inclusivamente um pouco demais, pois Sofia tinha novamente a sensação de que nenhuma diferença tinha qualquer importância. Tocou no gargalo da garrafa azul com a língua e o mundo ficou mais ou menos como estava antes de Alice ter trazido as garrafas.

— Mas isto é *verdadeiro*? — perguntou então Sofia. — É a garrafa vermelha ou a azul que nos proporciona a verdadeira experiência do que o mundo é na realidade?

— Ambas, Sofia. Não podemos dizer que os românticos estavam errados. Mas talvez fossem um pouco parciais.

— E a garrafa azul?

— Acho que Kierkegaard deve ter bebido alguns fortes goles dessa. Ele tinha um olho extremamente apurado para o significado do indivíduo. Mas nós também não somos apenas «filhos do nosso tempo». Cada um de nós é igualmente um indivíduo único que apenas vive uma vez.

— Aparentemente, Hegel não estava particularmente interessado nisso?

— Não, ele preocupava-se sobretudo com as grandes linhas da história. E foi justamente isso que irritou Kierkegaard. Ele achou que a filosofia da unidade dos românticos e o *historicismo* de Hegel tinham retirado ao indivíduo a responsabilidade pela sua própria vida. Para Kierkegaard, Hegel e os românticos eram talhados exactamente na mesma pedra.

— Consigo compreender que ele se tenha irritado.

— Søren Kierkegaard nasceu em 1813 em Copenhaga e foi educado pelo pai de uma forma muito severa. Dele herdou também a melancolia religiosa.

— Isso não é bom.

— Não. Devido a melancolias, sentiu-se forçado a romper um noivado quando era jovem, o que não foi nada bem aceite pela burguesia de Copenhaga. Ele tornou-se muito cedo uma pessoa excluída e escarnecida. Bom, com o tempo, aprendeu a reagir. Com o tempo, tornou-se aquilo que Ibsen descreveu mais tarde como «inimigo do povo».

— Tudo isso por causa de um noivado desfeito?

— Não, não apenas por isso. Sobretudo por volta do final da sua vida, tornou-se um crítico cada vez mais acérrimo de toda a cultura europeia. Ele achava que a Europa estava a caminho da bancarrota. Julgava viver numa época sem paixão nem empenho, e vociferava contra a atitude tíbia e desleixada da Igreja. A sua crítica ao chamado «Cristianismo de domingo» era tudo menos delicada.

— Hoje devíamos falar antes de «Cristianismo do crisma». A maior parte das crianças só são crismadas por causa dos presentes.

— Sim, tens razão. Para Kierkegaard, o Cristianismo era ao mesmo tempo tão grandioso e tão irracional que só podia haver um ou/ou. Era impossível, segundo ele, ser-se «um pouco» cristão ou cristão «até um certo grau». Ou Jesus ressuscitou no Domingo de Páscoa — ou não. E se Ele ressuscitou verdadeiramente dos mortos, se Ele morreu verdadeiramente por nós, isso é tão grandioso que *tem* de determinar toda a nossa vida.

— Compreendo.

— Kierkegaard sentia que a Igreja e a maior parte dos cristãos do seu tempo tinham uma posição francamente pedante em relação às questões religiosas. Para ele, isso era impensável. Religião e razão eram para ele como fogo e água. Não era suficiente ter o cristianismo por *verdadeiro*, segundo ele. Fé cristã significava seguir o exemplo de Jesus.

— E o que é que isso tinha a ver com Hegel?

— Oh! Se calhar começámos pela ponta errada.

— Então proponho que metas a marcha atrás e comeces do princípio.

— Kierkegaard iniciou os estudos de teologia com dezassete anos, mas começou a interessar-se cada vez mais por questões filosóficas. Com vinte e oito anos fez o seu doutoramento com a dissertação *O conceito de ironia, sobretudo em Sócrates.* Nela fez contas com a ironia romântica e o jogo descomprometido dos românticos com a ilusão. Confrontou a ironia romântica com a «ironia socrática». Sócrates também se tinha servido do efeito da ironia, mas apenas para ensinar aos seus interlocutores as verdades fundamentais sobre a vida. Sócrates era para Kierkegaard, ao contrário dos românticos, um pensador existencial, ou seja, um pensador que tem totalmente em conta a sua existência na sua reflexão filosófica. Ele acusou os românticos de não o fazerem.

— Ah!

— Depois de ter desfeito o seu noivado, Kierkegaard foi para Berlim em 1841, onde assistiu às lições de Schelling.

— Encontrou-se com Hegel lá?

— Não, Hegel morrera dez anos antes, mas as ideias de Hegel predominavam ainda em Berlim e muitas partes da Europa. O seu «sistema» era usado como uma espécie de explicação multi-usos para todas as questões filosóficas possíveis. Kierkegaard tomou a posição radicalmente oposta e explicou que as «verdades objectivas» com as quais a filosofia hegeliana se ocupava eram completamente irrelevantes para a existência do indivíduo.

— Quais são então as verdades relevantes?

— Mais importante do que a busca da Verdade com letra maiúscula era, para Kierkegaard, a busca das verdades importantes para a vida do indivíduo. Importante era, segundo ele, encontrar a «verdade para mim». Ele confrontava o «sistema» com o indivíduo. Segundo Kierkegaard, Hegel esquecera-se de que ele próprio era apenas um homem. Ele fazia troça do tipo de professor hegeliano que vive num castelo de nuvens e, enquanto explica toda a realidade, se esquece, na sua distracção, do próprio nome e de que é um homem, simplesmente um homem, não um parágrafo subtil.

— E o que é um homem para Kierkegaard?

— Não se pode responder a isso de uma forma tão geral. Uma descrição universalmente válida da natureza humana ou do «ser» humano é totalmente desinteressante para Kierkegaard. Importante é a *existência* do indivíduo. E o homem não vive atrás de uma escrivaninha. Só quando agimos — e sobretudo quando fazemos uma *escolha* importante —, agimos em relação à nossa existência. Uma história sobre Buda pode ilustrar o que Kierkegaard tinha em mente.

— Sobre Buda?

— Sim, porque a filosofia de Buda também tem como ponto de partida a existência humana. Era uma vez um monge que achava que Buda dava respostas pouco claras sobre questões importantes, por exemplo, o que é o mundo ou o que é um homem. Buda respondeu contando a história de uma pessoa que tinha sido ferida por uma flecha envenenada. Este homem nunca perguntaria por puro interesse teórico de que material é feita a flecha, em que veneno foi embebida ou a partir de que ponto ele fora atingido.

— Ele havia de querer que alguém lhe tirasse a flecha e tratasse a ferida.

— É, não é? Isso seria existencialmente importante. Buda e Kierkegaard sentiam que existiam por um curto espaço de tempo. E como eu disse: nesse caso, não nos sentamos a uma escrivaninha a especularmos sobre o espírito.

— Compreendo.

— Kierkegaard disse também que a verdade é «subjectiva». Não queria afirmar que é indiferente o que pensamos ou aquilo em que acreditamos. Queria dizer que as verdades realmente importantes são *pessoais*. Só essas verdades são «verdades para mim».

— Podes dar-me um exemplo de uma verdade subjectiva desse tipo?

— Uma questão importante é, por exemplo, se o Cristianismo é a verdade. Segundo Kierkegaard, não podemos ter uma posição teórica ou académica em relação a essa questão. Para alguém que se vê como ser existente, é uma questão de vida ou de morte. Não se discute sobre isso apenas por amor da discussão. É uma coisa com que nos preocupamos muito.

— Compreendo.

— Se cais à água, não tens uma atitude teórica em relação à questão se te vais afogar ou não. Nesse caso, não é interessante nem desinteressante saber se há crocodilos na água. É uma questão de vida ou de morte.

— Sim, sem dúvida!

— Por isso temos de fazer a distinção entre a questão filosófica sobre a existência de Deus e a relação do indivíduo com a mesma questão. Qualquer indivíduo está completamente só perante essas questões. Além disso, só podemos aceder a elas pela *fé*. As coisas que podemos compreender com a nossa razão não são importantes para Kierkegaard.

— Tens de explicar isso.

— Oito mais quatro são doze, Sofia. Podemos ter a certeza disso. É um exemplo de verdades da razão, de que todos os filósofos desde Descartes falaram. Mas vamos incluí-las na nossa oração da noite? E vamos quebrar a cabeça com elas no leito de morte? Não, essas verdades podem ser «objectivas» e «universais», mas justamente por isso são indiferentes para a existência do indivíduo.

— E quanto à fé?

— Não podes saber se uma pessoa te perdoou por lhe teres feito algo de mal. Mas justamente por isso é importante para ti existencialmente. É uma questão com a qual tens uma relação viva. Também não podes saber se alguém gosta de ti. Só podes acreditar ou esperar que goste. No entanto, isso é mais importante para ti do que o facto indiscutível de a soma dos ângulos de um triângulo perfazer cento e oitenta graus. Enfim, também não se pensa na lei da causalidade ou nas formas kantianas da intuição quando se dá o primeiro beijo.

— Não, isso seria estranho.

— A fé é o mais importante quando se trata de questões religiosas. Kierkegaard pensa que se posso compreender Deus objectivamente, não acredito, mas justamente porque não posso compreender, tenho de acreditar. E se quero conservar a minha fé, tenho de ter em atenção não esquecer que estou na incerteza, e no entanto acredito.

— Isso é um pouco complicado.

— Antigamente, muitos tentaram provar a existência de Deus — ou pelo menos compreendê-la com a razão. Mas se nos contentamos com essas provas da existência, ou argumentos racionais, perdemos a fé — e consequentemente também o sentimento religioso. Porque o essencial não é o cristianismo ser verdadeiro, mas ser verdadeiro *para mim*. Na Idade Média a mesma ideia foi expressa através da fórmula «credo quia absurdum».

— O quê?

— Significa: «creio porque é absurdo». Se o cristianismo tivesse apelado à razão — e não a outros aspectos nossos, não seria uma questão de fé.

— Compreendi isso agora.

— Vimos então o que Kierkegaard entendia por «existência», «verdade subjectiva» e «fé». Estes três conceitos foram formulados como uma crítica à tradição filosófica e sobretudo a Hegel. Mas havia neles toda uma *crítica da civilização*. Segundo Kierkegaard, na sociedade urbana moderna, o homem tornara-se «público», e a primeira característica da multidão era a «tagarelice» irrelevante. Hoje usaríamos talvez o termo «conformismo», ou seja, todos «pensam» e «defendem» as mesmas coisas, sem que ninguém tenha uma relação apaixonada com isso.

— Eu pergunto-me o que é que Kierkegaard teria dito dos pais de Jorunn.

— De qualquer modo, não era muito tolerante com os seus próximos. Ele tinha uma pena afiada e podia ser irónico de uma forma mordaz. Escreveu, por exemplo: «a multidão é a falsidade». Explicou também que a maior parte das pessoas tinha uma atitude demasiado superficial em relação à existência.

— Uma coisa é coleccionar Barbies. Ser uma Barbie é mais grave ainda...

— Isso leva-nos à teoria de Kierkegaard dos três estádios da vida.

— O que disseste?

— Segundo Kierkegaard, existiam três possibilidades de existência. Ele próprio usa o termo «plano». Chama a estas possibilidades o «plano estético», o «plano ético» e o «plano religioso». Ao escolher o termo «plano» quer mostrar que podemos viver num dos dois inferiores e fazer subitamente o «salto» para um mais elevado. Mas muitos homens passam toda a sua vida no mesmo plano.

— Aposto que vem aí uma explicação. E além disso estou curiosa para saber em que plano me encontro.

— Quem vive no *plano estético*, vive no momento e procura sempre o prazer. O que é bom é o que é belo, interessante ou agradável. Assim, essa pessoa vive completamente no mundo dos sentidos. O esteta torna--se joguete dos seus próprios prazeres e disposições. Tudo o que é monótono é negativo, como se diz hoje.

— Eu conheço essa atitude.

— O típico romântico é esteta, porque não se trata apenas de prazer sensual. Uma pessoa com uma atitude contemplativa em relação à realidade — ou por exemplo em relação à arte ou à filosofia, com que se preocupa — vive no estádio estético. Mesmo em relação à aflição e ao sofrimento nos podemos comportar de um modo estético ou «contemplativo». É a frivolidade que reina. Ibsen descreveu o retrato de um esteta típico em *Peer Gynt*.

— Acho que percebo o que Kierkegaard queria dizer.

— Conheces alguém assim?

— Não totalmente assim. Mas acho que faz lembrar um pouco o major.

— Sim, talvez, Sofia — apesar de isso ser novamente um exemplo da sua ironia romântica de mau gosto. Devias levar pimenta na língua!

— O que disseste?

— Bom, não é culpa tua.

— Continua.

— Quem vive no plano estético está exposto aos sentimentos de angústia e de vazio. Se sente estes sentimentos, ainda há esperança. Para Kierkegaard, a *angústia* é algo quase positivo. É um sinal de que alguém se encontra numa «situação existencial». O esteta pode decidir que quer fazer o *salto* para um estádio mais elevado. Ou consegue, ou não consegue. Não serve de nada ter quase saltado, quando não salta de facto. *Ou/ou*. E ninguém pode fazer o salto por nós. Temos de decidir e saltar por nós próprios.

— É o mesmo quando alguém quer deixar a bebida ou as drogas.

— Sim, talvez. Quando Kierkegaard fala sobre esta decisão, faz lembrar um pouco Sócrates, que explicara que qualquer conhecimento verdadeiro vem de dentro. A escolha que leva um homem a saltar de uma visão da vida estética para uma visão ética ou religiosa também tem que vir de cada um. É exactamente isso que Ibsen descreve em «Peer Gynt». Uma outra descrição magistral de uma escolha existencial que surge da necessidade e desespero interiores encontramo-la num romance do escritor russo *Dostoievski*. Chama-se *Crime e Castigo* e, quando tivermos terminado o curso, tens de lê-lo sem falta.

— Vamos ver. Então Kierkegaard pensa que quando alguém é sério deve escolher uma outra forma de vida?

— E começa a viver no *plano ético*. Este caracteriza-se pela seriedade e decisões coerentes com critérios morais. Faz lembrar a ética do dever de Kant, que também exige que procuremos viver de acordo com a lei moral. Tal como Kant, também Kierkegaard dirige a sua atenção em primeiro lugar para a sensibilidade humana. Não é importante o que alguém considera verdadeiro ou falso. O importante é que alguém se decida a ter uma opinião em relação ao que é correcto ou falso. O esteta interessa-se apenas pelo que é divertido ou aborrecido.

— Mas não nos podemos tornar *demasiado* sérios se vivermos assim?

— Sim, claro. Mas o plano ético não satisfaz Kierkegaard. O homem ético também se cansa de ser apenas consciente do dever. Muitas pessoas vivem essa fase de enfado e cansaço quando são adultos. E alguns recaem então na vida leviana do plano estético. Mas outros fazem um novo salto para o novo plano, o *plano religioso*. Ousam fazer o verdadeiro grande salto na profundidade da fé. Preferem a fé ao gozo estético e às leis da razão. E apesar de poder ser assustador «cair nas mãos do Deus vivo», como Kierkegaard afirmou, só então o homem se pode reconciliar com a sua vida.

— Pelo Cristianismo, portanto.

— Para Kierkegaard o estádio religioso era o Cristianismo. Mas, a sua filosofia influenciou pensadores não-cristãos. No nosso século nasceu mesmo uma filosofia existencial fortemente inspirada por ele.

Sofia olhou para o relógio.

— São quase sete. Tenho de ir para casa, senão a minha mãe endoidece.

Acenou com a mão ao seu professor de filosofia e desceu a correr para o lago e para o barco.

MARX

... um fantasma assombra a Europa...

Hilde levantara-se da cama e assomou à janela que dava para a enseada. Tinha começado o sábado a ler sobre o aniversário de Sofia. No dia anterior fora o seu próprio aniversário. Se o pai calculara que ela já tivesse chegado até aí no aniversário de Sofia, sobrestimara-a. No dia anterior, ela de facto *só* tinha lido! Por outro lado, recebera só mais uma felicitação: quando Alberto e Sofia tinham cantado os parabéns. Isso fora embaraçoso para Hilde.

Sofia tinha convidado amigos para uma «festa filosófica ao ar livre» no dia em que o seu pai voltava do Líbano. Hilde estava convencida de que nesse dia sucederia qualquer coisa de que nem ela nem o pai tinham uma ideia clara.

Uma coisa era certa: antes de o pai voltar para Bjerkely, devia receber um pequeno raspanete. Era o mínimo que ela podia fazer por Alberto e Sofia, pensou Hilde. Eles tinham-lhe pedido ajuda...

A mãe ainda estava no barracão. Hilde desceu silenciosamente para o piso de baixo e dirigiu-se ao telefone. Procurou o número de Anne e Ole em Copenhaga e marcou.

— Anne Kvamdal.

— Olá, é a Hilde.

— Que simpática! Como vão as coisas em Lillesand?

— Muito bem, estou de férias. E agora falta apenas uma semana para o pai voltar do Líbano.

— Vai ser bom, não achas, Hilde?

— Claro, estou ansiosa. E sabes, é justamente por isso que te estou a telefonar...

— Ah, sim?

— Acho que ele chega no dia 23 a Kastrup, por volta das cinco da tarde. Vocês vão estar em Copenhaga?

— Acho que sim.

— Queria saber se me podiam fazer um favor.

— É claro que podemos.

— Mas é um favor um pouco especial. Não sei sequer se é possível.

— Estou a ficar curiosa.

Hilde contou. Falou sobre o *dossier*, sobre Alberto e Sofia e tudo o resto. Teve de recomeçar várias vezes porque ela e a tia desatavam a rir. Mas, quando desligaram, o plano de Hilde estava decidido.

Em casa também tinha de fazer certos preparativos. Bom — não havia pressa.

Hilde passou o resto da tarde e a noite com a mãe. Acabaram por ir de carro a Kristiansand e foram ao cinema, como uma espécie de substituição de festa de anos, visto que no dia anterior não tinham festejado verdadeiramente. Quando passaram pelo desvio para o aeroporto, Hilde juntou mais algumas peças ao grande *puzzle* em que pensara ininterruptamente desde manhã.

Só quando foi para a cama nessa noite continuou a ler o grande *dossier*.

Quando Sofia entrou pelo carreiro, eram quase oito. A mãe estava a trabalhar nos canteiros à entrada, quando ela apareceu.

— Donde é que vens?

— Da sebe.

— Da sebe?

— Não sabes que há um caminho do outro lado?

— Onde é que estiveste, Sofia? Não vieste para o jantar, sem me informares.

— Desculpa. O tempo estava tão bom. Dei um grande passeio.

A mãe levantou-se e olhou para ela.

— Por acaso não te encontraste de novo com esse filósofo?

— Sim, encontrei-me. Eu contei-te que ele gosta de passear.

— Mas ele vem à festa?

— Sim, claro, está ansioso.

— Eu também, Sofia. Conto os dias.

Não havia um tom severo na sua voz? Por precaução, Sofia disse:

— Estou contente por ter convidado também os pais de Jorunn. De outro modo, seria um pouco embaraçoso.

— Bom... pelo menos, vou falar com esse Alberto de adulto para adulto.

— Vocês podem ir para o meu quarto. Tenho a certeza de que vais gostar dele.

— Espera. Chegou uma carta para ti.

— Ah...

— No carimbo está escrito: «Contingente da ONU.»

— Então é do irmão do Alberto.

— Acho que já é de mais, Sofia.

Sofia reflectiu febrilmente e, passado alguns segundos, lembrou-se de uma resposta adequada. Um espírito solícito parecia tê-la inspirado.

— Eu disse a Alberto que colecciono selos raros. Podes ver para que é que servem os irmãos.

Com esta resposta, conseguiu acalmar a mãe.

— O jantar está no frigorífico — disse ela, num tom um pouco mais amigável.

— Onde está a carta?

— Em cima do frigorífico.

Sofia correu para a cozinha. A carta tinha o carimbo de 15.6.1992. Abriu o envelope e retirou uma folha bastante pequena:

Então que vale a eterna criação?
Coisas criadas ao nada reduzir!

Não, para esta pergunta, Sofia não tinha resposta. Antes de comer, juntou a folha a todas as outras coisas que reunira no armário nas semanas anteriores. Haveria de saber na altura devida por que motivo esta pergunta lhe fora feita.

Na manhã seguinte, Jorunn visitou-a. Primeiro, jogaram *badminton*, depois ocuparam-se novamente com a planificação da festa filosófica. Precisavam de algumas surpresas para o caso de não haver a atmosfera desejada.

Quando a mãe de Sofia veio do trabalho, ainda estavam a falar sobre a festa. A mãe estava sempre a repetir uma frase: «Não, não vamos poupar em nada.» Não o dizia ironicamente.

Ela parecia estar fortemente convencida de que uma festa filosófica era exactamente o que Sofia precisava para pôr novamente os pés na terra, após tantas semanas de lições intensivas de filosofia.

Por fim, chegaram a acordo sobre tudo — desde as tortas e lampiões nas árvores até ao questionário filosófico com um livro de filosofia para jovens como prémio. Caso houvesse um livro desse tipo. Sofia não tinha a certeza.

Na quinta-feira, dia 21 de Junho — apenas dois dias antes da noite de São João, Alberto voltou a telefonar.

— Sofia.

343

— Alberto.

— Como estás?

— Muito bem. Acho que encontrei a solução.

— Solução para quê?

— Tu sabes. Para a prisão espiritual em que vivemos há demasiado tempo.

— Ah, isso...

— Mas eu só posso falar sobre o plano quando tudo estiver em curso.

— Não é muito tarde? Tenho que saber no que me estou a envolver.

— Estás a ser ingénua. Sabes bem que somos espiados sempre e em toda a parte. O mais sensato seria guardarmos silêncio...

— É assim tão grave?

— Claro. O mais importante sucede quando *não* falamos um com o outro.

— Oh...

— Vivemos a nossa vida numa realidade fictícia, por detrás das palavras de uma longa história. Cada letra é batida pelo major numa máquina de escrever portátil barata. Nada do que é escrito pode escapar à sua atenção.

— Não, eu compreendo. Mas como nos podemos esconder dele?

— Chiu!

— O quê?

— Nas entrelinhas também acontecem coisas. É justamente aí que procuro agir com toda a minha astúcia.

— Ah...

— Temos de nos encontrar hoje e também amanhã. No sábado acontece tudo. Podes vir imediatamente?

— Vou já.

Sofia pôs comida aos pássaros e aos peixes, deu a Govinda uma folha de alface e abriu uma lata de comida para Sherekan. Ao sair, colocou o prato com a comida na escada. Depois, enfiou-se pela sebe e saiu para o caminho do outro lado. Após ter andado um bocado, descobriu no meio da urze uma grande escrivaninha. Atrás da escrivaninha estava sentado um homem velho. Parecia concentrado a fazer contas. Sofia foi ter com ele e perguntou-lhe o nome.

— Scrooge — disse e voltou a debruçar-se sobre os seus papéis.

— Eu chamo-me Sofia. És um homem de negócios?

Ele acenou afirmativamente.

— E podre de rico. Não se pode desperdiçar nem um centavo. Por isso, tenho de me concentrar na minha contabilidade.

— Como é que aguentas?

Sofia acenou-lhe com a mão e prosseguiu. Mas não andara muito quando viu uma rapariga sentada sozinha debaixo de uma árvore grande. A pequena estava vestida com andrajos e parecia pálida e doente. Quando Sofia passou, enfiou a mão num pequeno saco e tirou uma caixa de fósforos.

— Queres comprar fósforos? — perguntou.

Sofia procurou no seu bolso. Ainda tinha uma coroa.

— Quanto custam?

— Uma coroa.

Sofia deu a coroa à pequena e ficou imóvel com a caixa de fósforos nas mãos.

— És a primeira pessoa que me compra alguma coisa há mais de cem anos. Às vezes, passo fome, às vezes, fico com frio.

Sofia pensou que não era de admirar que a pequena não conseguisse vender fósforos no meio do bosque. Mas lembrou-se do homem de negócios rico. A rapariga não tinha necessidade de passar fome, se ele tinha tanto dinheiro.

— Vem comigo — disse Sofia.

Pegou na mão da pequena e levou-a consigo para junto do homem rico.

— Tens de fazer com que esta rapariga tenha uma vida melhor — afirmou.

O homem levantou os olhos dos seus papéis e declarou:

— Isso custa dinheiro, e eu já te disse que não se pode desperdiçar um centavo sequer.

— Mas é injusto que tu sejas tão rico e ela tão pobre — insistiu Sofia.

— Que disparate! Só há justiça entre iguais.

— O que queres dizer com isso?

— Eu venci pelo trabalho e o trabalho deu os seus frutos. Chama-se a isso progresso.

— Vejam só!

— Se não me ajudas, eu morro — disse a rapariga pobre.

O homem de negócios voltou a levantar os olhos dos papéis. Depois, atirou com a pena para a mesa num gesto impaciente.

— Tu não fazes parte da minha contabilidade. Por isso, vai para o asilo.

— Se não me ajudas, incendeio o bosque — disse a rapariga pobre.

O homem só então se levantou da sua escrivaninha, mas a rapariga já tinha acendido um fósforo. Levou-o a alguns tufos de erva seca que se incendiaram imediatamente.

O homem rico agitava freneticamente os braços.

— Socorro — gritou. — Fogo!

A rapariga olhou para ele com um sorriso malicioso.

— Certamente não sabias que eu era comunista.

No momento seguinte, a rapariga, o homem de negócios e a escrivaninha tinham desaparecido. Sofia estava ali sozinha, enquanto a erva seca ardia cada vez mais. Tentou apagar as chamas com o pé e, passado pouco tempo, conseguiu.

Graças a Deus! Sofia olhou para os tufos de erva negros. Segurava na mão uma caixa de fósforos. Não teria sido ela a deitar o fogo?

Quando encontrou Alberto em frente à cabana, contou-lhe o que lhe tinha sucedido.

— Scrooge é um capitalista avarento em *Um Conto de Natal* de Charles Dickens. A rapariga com os fósforos conhece-la certamente do conto de Hans Christian Andersen.

— Mas não é estranho que eu os tenha encontrado aqui no bosque?

— Não, de modo algum. Este não é um bosque normal. E uma vez que vamos falar de *Karl Marx* é bom que tenhas visto um exemplo das enormes lutas de classes em meados do século passado. Mas vamos lá para dentro. Apesar de tudo, estamos um pouco mais protegidos do major.

Sentaram-se à mesa junto da janela que dava para o lago. Sofia ainda se lembrava bem como vira o pequeno lago depois de ter bebido da garrafa azul. Nesse momento, a garrafa vermelha e a garrafa azul estavam sobre a consola da lareira. Na mesa havia uma reprodução em miniatura de um templo grego.

— O que é isto? — perguntou Sofia.

— Cada coisa de sua vez, minha filha.

E Alberto começou a falar sobre Marx:

— Quando Kierkegaard foi para Berlim em 1841, talvez tenha estado sentado ao lado de Marx nas lições de Schelling. Kierkegaard escreveu uma tese sobre Sócrates e Karl Marx escreveu na mesma altura uma tese sobre Demócrito e Epicuro — ou seja, sobre o materialismo na Antiguidade. Assim, já tinham definido o curso futuro da sua filosofia.

— Porque Kierkegaard se tornou um existencialista e Marx materialista?

— Marx é definido como um *materialista histórico*. Mas ainda vamos voltar a esse ponto.

— Continua!

— Seja Marx, seja Kierkegaard, tiveram como ponto de partida a filosofia de Hegel. Ambos foram influenciados pelo seu modo de pensar, mas também ambos se distanciaram da ideia de Hegel de um espírito do mundo — ou daquilo a que chamamos o *idealismo* de Hegel.

— Isso era um pouco vago.

— Exacto. De um modo geral, dizemos que a época dos grandes sistemas filosóficos terminou com Hegel. Depois dele, a filosofia segue uma orientação completamente nova. Em lugar de grandes sistemas especulativos surgem as chamadas «filosofias da existência», ou também «filosofias da acção». Em relação a isto, Marx dizia que até então os filósofos apenas tinham interpretado o mundo, em vez de o transformar. Estas palavras caracterizam um ponto de viragem importante na história da filosofia.

— Depois de ter encontrado Scrooge e a rapariguinha dos fósforos, não tenho dificuldade em compreender o que Marx tinha em mente.

— O pensamento de Marx tinha uma finalidade prática — e política. Devemos também reparar que ele não era apenas filósofo. Era também historiador, sociólogo e economista.

— E foi inovador em todos esses domínios?

— Pelo menos, nenhum outro filósofo teve tanta importância para a política prática. Por outro lado, temos que nos precaver de identificar com o seu pensamento tudo o que foi designado por «marxista». Diz-se que Marx se tornou «marxista» por volta de 1845; mas ele não gostou da designação durante toda a vida.

— Jesus era cristão?

— Isso também é discutível.

— Continua.

— Desde o início, o seu amigo e colega *Friedrich Engels* contribuiu para aquilo que mais tarde foi designado por *marxismo*. No nosso século, *Lenine, Estaline* e *Mao* desenvolveram o marxismo. Nos países de Leste falava-se de «marxismo-leninismo», a partir de Lenine.

— Então eu proponho que nos limitemos a Marx. Disseste que era um «materialista histórico»?

— Não era um materialista filosófico como os atomistas da Antiguidade e os materialistas mecanicistas do século XVII e XVIII. Segundo ele, são antes de mais as condições materiais de vida numa sociedade que determinam o nosso pensamento e a nossa consciência. Estas relações materiais são também determinantes para o desenvolvimento histórico.

— Isso parece totalmente diferente do «espírito» de Hegel.

— Hegel defendera que o desenvolvimento histórico derivava da tensão entre os opostos, que desapareciam por meio de mudança súbita — e com eles a tensão. Marx achou correcta esta ideia. Mas considerava que Hegel tinha colocado tudo de pernas para o ar.

347

— Não para todo o sempre, espero?

— Hegel chamava à força que faz avançar a história «espírito do mundo» ou «razão do mundo». Segundo Marx, esta perspectiva invertia a verdade. Ele queria provar que as transformações das condições materiais são determinantes para a história. Não são as condições espirituais numa sociedade que levam a alterações materiais, mas o inverso: as relações materiais determinam em última análise as espirituais. São sobretudo as forças económicas numa sociedade que provocam as transformações em todos os outros domínios e dirigem a história.

— Podes dar-me um exemplo?

— A filosofia e a ciência da Antiguidade tinham um fim puramente teórico. Não interessava aos filósofos da Antiguidade que o seu saber teórico implicasse quaisquer vantagens práticas.

— Ah, sim?

— Isso tinha a ver com o modo como as sociedades em que viviam estavam organizadas. A vida e a produção de bens nas sociedades antigas eram baseadas sobretudo na mão-de-obra escrava. Por isso, os cidadãos não achavam necessário melhorar a produção por meio de inventos práticos. Isso é um exemplo do modo como as relações materiais numa sociedade podem nela influenciar o pensamento filosófico.

— Compreendo.

— Marx designava estas relações materiais, económicas e sociais como a *base* da sociedade. O modo como se pensa uma sociedade, as suas instituições políticas, as suas leis, e também a sua religião, a moral, a arte, a filosofia e a ciência eram designados por Marx a sua *superstrutura*.

— Base e superstrutura, portanto.

— E agora, podes-me passar o templo grego?

— Faz favor.

— É uma cópia em miniatura do antigo Pártenon na Acrópole. Na realidade já o viste.

— Em vídeo, queres tu dizer.

— Vês que o templo tem um telhado elegante e com muitos ornamentos. Talvez seja o telhado e o frontão que atraem primeiro a atenção. É isto que poderíamos designar por superstrutura. Mas o telhado não fica suspenso no ar.

— É sustentado por colunas.

— Todo o edifício precisa de um fundamento sólido, uma base que sustente toda a construção. Segundo Marx, as relações materiais sustentam de certo modo todos os pensamentos e ideias que há na sociedade. Significa que a superstrutura de uma sociedade é um reflexo da sua base material.

348

— Queres dizer com isso que a teoria das ideias de Platão é apenas um reflexo da olaria daquela época e da viticultura ateniense?

— Não, também não é assim tão simples, e Marx chamou a atenção para isso. Naturalmente, a estrutura e superstrutura de uma sociedade influenciam-se reciprocamente. Se Marx tivesse negado isso, teria sido um «materialista mecanicista», mas uma vez que admitiu que entre a estrutura e a superstrutura existia também uma relação recíproca, uma tensão, dizemos que Marx é um *materialista dialéctico*. Ainda te lembras do que Hegel entendia por desenvolvimento dialéctico. E além disso podes reparar que Platão não era nem oleiro nem viticultor.

— Compreendo. Queres dizer mais alguma coisa sobre o templo?

— Sim. Observando bem a base, podes fazer-me uma descrição dela?

— As colunas estão sobre um fundamento constituído por três níveis ou degraus.

— Analogamente, podemos distinguir três níveis na base da sociedade. Em baixo está aquilo que Marx designa por *condições de produção* de uma sociedade. Por isto, entende as condições e recursos naturais de uma sociedade, ou seja, o tipo de vegetação, o clima, as matérias-primas, as riquezas do solo, entre outras coisas. Constituem os verdadeiros alicerces de uma sociedade, e estes alicerces estabelecem limites claros para o tipo de produção possível na sociedade. Desse modo, estabelecem também claros limites para o tipo de sociedade e cultura que podem existir num local.

— No Sara é impossível a pesca do arenque. E na Lapónia é impossível o cultivo de tâmaras.

— Entendeste perfeitamente. Mas numa cultura nómada, os homens pensam de um modo completamente diferente do de uma aldeia de pescadores no norte da Noruega. O nível seguinte é constituído pelas *forças produtivas* de uma sociedade. Marx refere-se à mão-de-obra humana, mas também aos seus utensílios, aos seus instrumentos e às suas máquinas, os chamados meios de produção.

— Antigamente pescava-se em barcos a remos, hoje o peixe é apanhado por arrastões enormes.

— E, desse modo, chegas ao terceiro nível da base de uma sociedade. Torna-se mais complicado, porque diz respeito a quem possui os meios de produção numa sociedade e ao modo como o trabalho é nela organizado, ou seja, diz respeito às relações de propriedade e à divisão do trabalho. Marx chama-lhes as *relações de produção* numa sociedade. Constituem o terceiro nível.

— Compreendo.

349

— Até agora, podemos pois verificar que, segundo Marx, o *modo de produção* numa sociedade determina as relações políticas e ideológicas que encontramos nela. Não é um acaso o facto de pensarmos hoje de um modo diferente — e termos uma moral um pouco diferente — da dos membros de uma sociedade feudal.

— Então Marx não acreditava num direito natural válido eternamente?

— Não, a resposta à pergunta do que é moralmente correcto era para Marx um produto da base social. De facto não é por acaso que numa antiga sociedade camponesa os pais decidiam com quem os filhos iriam casar. Era um problema ligado à herança da terra. Numa grande cidade moderna, as relações sociais são diferentes e por isso as pessoas também escolhem os seus companheiros de um modo diferente. Podemos conhecer os nossos futuros companheiros numa festa ou na discoteca, e se estamos bastante apaixonados vamos morar juntos.

— Eu não aceitaria que os meus pais me escolhessem o marido.

— Não, porque tu és filha do teu tempo. Marx acentua ainda que geralmente é a classe dominante numa sociedade que determina o que é falso e o que é correcto, porque toda a história, segundo ele, é a história da *luta de classes*, ou seja, de lutas para decidir quem possuirá os meios de produção.

— Então os pensamentos e as ideias dos homens não contribuem para mudar a história?

— Sim e não. Marx sabia que as relações na superstrutura de uma sociedade influenciam a sua base; mas negava que a superstrutura tivesse uma história independente. Aquilo que faz a história progredir desde a sociedade da Antiguidade *baseada na escravidão* até à sociedade industrial foi acima de tudo, segundo ele, transformações na estrutura.

— Sim, já disseste isso.

— Em todas as fases da história existia, segundo Marx, uma oposição entre duas classes sociais dominantes. Na *sociedade esclavagista* da Antiguidade, havia a oposição entre os cidadãos livres e os escravos, na *sociedade feudal* da Idade Média entre o senhores feudais e os servos e, mais tarde, entre nobres e burgueses. Mas mesmo no tempo de Marx, numa *sociedade burguesa* ou *capitalista*, a oposição existia sobretudo entre capitalistas e trabalhadores ou proletários — ou seja, entre aqueles que detinham os meios de produção e aqueles que não os possuíam. E visto que a classe dirigente nunca cederia o seu poder voluntariamente, só por meio de uma revolução poderia haver mudança.

— E quanto à sociedade comunista?

— Marx preocupava-se sobretudo com a questão da passagem de uma sociedade capitalista para uma sociedade *comunista*. Ele faz uma análise detalhada do modo de produção capitalista. Mas, antes de tratarmos disso, temos de falar um pouco sobre a sua concepção do trabalho humano.

— Diz.

— Antes de se tornar comunista, o jovem Marx tinha-se interessado pelo que sucede verdadeiramente com os homens quando trabalham. Hegel também o tinha analisado e vira um efeito recíproco ou «dialéctico» entre o homem e a natureza. O jovem Marx defendeu a mesma tese: quando o homem modifica a natureza, o próprio homem é modificado. Ou, dito de outra forma: quando o homem trabalha, intervém na natureza e influencia-a; mas neste processo de trabalho a natureza também intervém no homem e influencia o seu modo de pensar.

— Diz-me que trabalho fazes e dir-te-ei quem és.

— Exacto. Marx achava que o modo como trabalhamos influencia a nossa consciência, e que a nossa consciência também influencia o modo como trabalhamos. Podes dizer que existe uma relação recíproca entre «mão» e «cabeça». Deste modo, o conhecimento do homem está estreitamente relacionado com o seu trabalho.

— Então deve ser terrível ser-se desempregado.

— Sim, quem não tem trabalho sente-se de certo modo vazio. Já Hegel falara neste aspecto. Para Hegel e Marx, o trabalho é uma coisa positiva, que diz respeito à natureza, que tem a ver com o ser humano.

— Então é positivo ser-se trabalhador?

— Sim. Mas, justamente nesse ponto, Marx faz uma crítica demolidora ao modo de produção capitalista.

— Diz!

— No sistema capitalista, o trabalhador trabalha para outra pessoa. E assim, o trabalho torna-se exterior a ele — ou uma coisa que não lhe pertence. O trabalhador torna-se estranho ao seu próprio trabalho — e consequentemente, a si mesmo. Ele perde a sua dignidade humana. Marx, usando uma expressão hegeliana, fala de *alienação*.

— Eu tenho uma tia que embrulha bombons numa fábrica há mais de vinte anos, e por isso percebo perfeitamente o que queres dizer. Ela diz que odeia quase todos os dias ir para o trabalho.

— E se ela odeia o trabalho, Sofia, tem de se odiar a si mesma.

— Pelo menos odeia bombons.

— Na sociedade capitalista, o trabalho está organizado de tal forma que um trabalhador executa na realidade um trabalho de escravo para uma outra classe social. Deste modo, o trabalhador não «aliena» apenas a sua mão-de-obra, mas toda a sua natureza humana.

— É assim tão grave?

— Estamos a falar do modo como Marx via as coisas. Por isso, temos de ter como ponto de partida as relações nas sociedades europeias em meados de 1850. E aí, a resposta tem de ser um sim. Os trabalhadores tinham um dia de catorze horas em recintos gelados. O salário era tão baixo que até crianças e parturientes tinham de trabalhar, o que deu origem a condições sociais indescritíveis. Muitas vezes, uma parte do salário era paga em aguardente barata e muitas mulheres tinham de se prostituir, e os seus clientes eram os melhores senhores da cidade: exactamente aquilo que devia dignificar o homem, o trabalho, fazia do trabalhador um animal de carga.

— Isso põe-me furiosa.

— Também Marx se enfureceu. Ao mesmo tempo, os filhos da burguesia podiam tocar violino em salas grandes e quentes após terem tomado um banho refrescante.

— Que injustiça!

— Marx também pensava assim. No ano de 1848, publicou juntamente com Friedrich Engels o famoso *Manisfesto do Partido Comunista*. A primeira frase neste manifesto diz: «Um espectro assombra a Europa — o espectro do comunismo.»

— Estou a ficar assustada.

— Foi o que se passou com os burgueses, porque os proletários começaram a sublevar-se. Queres ouvir como o «manifesto» termina?

— Sim.

— «Os comunistas rejeitam ocultar as suas opiniões e intenções. Declaram publicamente que os seus objectivos apenas podem ser alcançados pelo derrube violento de toda a organização social existente. As classes dominantes que tremam perante uma revolução comunista. Os proletários não têm nada a perder senão as suas correntes. Têm um mundo a ganhar. *Proletários de todos os países, uni-vos!*»

— Se as relações eram de facto tão más como disseste, eu também subscreveria isso. Mas hoje são diferentes, não são?

— Na Noruega, sim, mas não em toda a parte. Ainda hoje muitos homens vivem em condições desumanas. Ao mesmo tempo, produzem mercadorias que tornam os capitalistas cada vez mais ricos. A isso chama Marx *exploração*.

— Podes explicar um pouco melhor essa palavra?

— Quando o trabalhador produz uma mercadoria, esta mercadoria tem um certo valor de venda.

— Sim.

— Se tu retirares ao preço de venda do produto o salário do trabalhador e outros custos de produção, sobra uma quantia. A esta soma chama Marx mais-valia ou lucro. Significa que o capitalista se apodera de um valor que na verdade foi o trabalhador a produzir. E a isso chama Marx exploração.

— Compreendo.

— Nesse caso, o capitalista pode investir uma parte do lucro em novo capital — por exemplo, na modernização das instalações de produção, na expectativa de poder produzir artigos ainda mais baratos e, consequentemente, aumentar ainda mais o seu lucro no futuro.

— Sim, é lógico.

— Pois, pode parecer lógico, mas sob este aspecto e ainda sob outros, Marx previa que, a longo prazo, as coisas não se passam como o capitalista imagina.

— O que é que isso significa?

— Segundo Marx, o modo de produção capitalista era contraditório em si. O capitalismo era um sistema económico autodestrutivo, porque lhe faltava um governo racional.

— De certo modo, é um bem para os oprimidos.

— Pode-se dizer isso. Marx estava certo de que o sistema capitalista caminhava para a ruína devido às suas contradições. O capitalismo era «progressivo» — ou seja, orientado para o futuro —, mas apenas porque era um estádio necessário a caminho do comunismo.

— Podes dar-me um exemplo do facto de o capitalismo ser autodestrutivo?

— Sim. Falámos do capitalista que tem muito dinheiro de sobra e moderniza a sua empresa com uma parte deste excesso. Ao mesmo tempo, tem de pagar as lições de violino dos filhos e além disso a esposa adquiriu certos hábitos caros.

— Sim?

— Mas isso não é tão importante neste contexto. Ele moderniza, ou seja, compra novas máquinas e por isso não precisa de tantos empregados. Fá-lo para aumentar o poder concorrencial.

— Compreendo.

— Mas não é o único a pensar assim. Significa que o conjunto da produção num ramo é constantemente racionalizado. As fábricas são cada vez maiores e pertencem a menos pessoas. E o que é que acontece então, Sofia?

— Hm...

— É preciso menos mão-de-obra. E cada vez mais trabalhadores ficam desempregados. Por isso, há problemas sociais cada vez maiores e essas *crises*, segundo Marx, são um indício de que o capitalismo se aproxima do declínio. Mas o capitalismo tem ainda mais características autodestruidoras. Se há cada vez mais lucro com os meios de produção, sem se criar simultaneamente mais-valia suficiente para manter a produção a preços concorrenciais... Sim? O que faz o capitalista nessa altura? Sabes-me dizer?

— Não, não sei mesmo.

— Mas imagina que tinhas uma fábrica, e não consegues atingir os teus objectivos. Temes a falência. E agora pergunto-te: de que modo podes poupar dinheiro?

— Talvez baixando os salários.

— Esperta! Sim, isso é o mais inteligente que podes fazer. Mas se todos os capitalistas são tão inteligentes como tu — e são-no — os trabalhadores ficam tão pobres que já não te podem comprar nada. Dizemos então que o poder de compra numa sociedade diminui. E caímos num círculo vicioso. Para a propriedade particular capitalista é a hora fatal, porque nos encontramos numa situação que se torna revolucionária.

— Compreendo.

— Para resumir: Marx acreditava que, por fim, os proletários se sublevariam e se apoderariam dos meios de produção.

— E depois?

— Segundo Marx, há por algum tempo uma nova sociedade de classes, na qual os proletários submetem a burguesia pela força. A esta fase de transição chamava Marx *ditadura do proletariado*. Em seguida, a ditadura do proletariado era substituída por uma *sociedade sem classes*, o *comunismo*. E seria uma sociedade em que os meios de produção pertencem «a todos» — ou seja, ao povo. Nessa sociedade cada um trabalharia «segundo a sua capacidade» e «receberia de acordo com as suas necessidades». O trabalho pertenceria ao povo e por isso deixaria de haver alienação.

— Isso soa muito bem, mas o que se passou de facto? Deu-se a revolução?

— Sim e não. Hoje, os economistas podem provar que Marx errou em vários pontos importantes, inclusivamente na sua análise das crises do capitalismo. Marx também não teve em conta a exploração da natureza que hoje é cada vez mais perigosa. Mas — porque há um grande mas...

— Sim?

— O marxismo levou a grandes transformações. Não há dúvida de que o *socialismo*, que se baseia em Marx na sua luta por justiça social, mesmo que não o siga em tudo e recuse por exemplo a ditadura do proletariado, conseguiu vencer na luta por uma sociedade mais humana. Sem dúvida vivemos hoje na Europa numa sociedade mais justa e solidária do que no tempo de Marx. E devemo-lo também a todo o *movimento socialista*.

— Podias explicar mais exactamente o que é o movimento socialista?

— Depois de Marx, esse movimento dividiu-se em duas correntes principais: de um lado a *social-democracia*, de outro o *leninismo*. A social-democracia, que queria seguir uma via progressiva e pacífica para uma organização mais justa, tornou-se dominante na Europa ocidental. Podemos dizer que esta via consiste numa revolução lenta. O leninismo, que continuava a acreditar que apenas a revolução podia combater a antiga sociedade de classes, foi importante para a Europa de Leste, Ásia e África. Cada um destes movimentos, à sua maneira, lutou contra a miséria e a opressão.

— Mas não se criou uma nova forma de opressão? Por exemplo, na União Soviética e na Europa de Leste?

— Sem dúvida. E aqui vemos novamente que tudo aquilo em que o homem toca se torna uma mistura de bem e de mal. Seria errado responsabilizar Marx pelos erros e pelos aspectos negativos dos países socialistas cento e cinquenta anos após a sua morte. O que se pode dizer é que ele reflectiu pouco sobre o facto de que mesmo o comunismo, se viesse a existir, não seria levado a cabo sem os homens — e os homens cometem erros. Por isso, acho difícil imaginar um paraíso na terra. Os homens arranjarão sempre novos problemas.

— Claro.

— E com isto, terminamos com Marx.

— Um momento! Não disseste que apenas há justiça entre iguais?

— Não, foi Scrooge que disse isso.

— Como é que sabes que ele disse isso?

— Bom, nós dois temos o mesmo escritor. Deste modo, estamos muito mais estreitamente ligados do que possa parecer a uma observação superficial.

— Maldita ironia!

— Dupla, Sofia, foi uma ironia dupla.

— Mas voltemos a essa questão da injustiça. Disseste que, para Marx, o capitalismo era uma sociedade injusta. Como definirias uma sociedade justa?

— Um filósofo moral de inspiração marxista, *John Rawls*, tentou dar uma definição, servindo-se deste exemplo: imagina que eras membro de um conselho supremo que tem de fazer todas as leis de uma sociedade futura.

— Consigo muito bem imaginar-me num conselho desses.

— Eles têm de pensar em tudo, porque mal estiverem de acordo e tiverem subscrito todas as leis, morrem.

— Que horror!

— E segundos mais tarde acordarão na sociedade cujas leis fizeram. O truque é o facto de não fazerem ideia de *onde* acordarão nessa sociedade, ou seja, qual será a sua posição nela.

— Compreendo.

— Uma sociedade destas seria uma sociedade justa. Cada um estaria entre iguais.

— E cada *uma* entre iguais.

— É evidente. Porque no jogo de Rawls também não saberíamos se íamos acordar como homem ou como mulher. E uma vez que a probabilidade é de cinquenta para cinquenta, a sociedade seria organizada de forma igual para mulheres e homens.

— Isso parece fascinante.

— Diz-me então. A Europa no tempo de Marx era uma sociedade assim?

— Não!

— Então talvez me possas indicar uma sociedade semelhante no mundo de hoje.

— Bem...

— Reflecte sobre isso. Terminámos com Marx.

— O que é que disseste?

— Fim de capítulo!

DARWIN

... um barco que atravessa a vida
com uma carga de genes...

Na manhã de domingo, Hilde acordou com um estrondo. O *dossier* caíra ao chão. Tinha lido até tarde sobre Sofia e Alberto, que falavam sobre Marx. Depois adormecera meio sentada, com o *dossier* sobre a coberta. A lâmpada tinha ficado acesa toda a noite.

O despertador na mesa de cabeceira indicava em números verdes as 8.59.

Hilde sonhara com fábricas gigantescas e cidades enegrecidas pela fuligem. A um canto de uma rua uma miudita vendia fósforos. Pessoas bem vestidas, com casacos compridos, passavam sem prestar atenção.

Quando Hilde se levantou, lembrou-se dos legisladores que haviam de acordar numa sociedade organizada por eles mesmos. Hilde estava contente por acordar em Bjerkely. Gostaria de acordar na Noruega sem saber exactamente onde e quando? Na Idade Média, por exemplo — ou numa sociedade da Idade da Pedra há dez mil anos? Hilde procurou imaginar como seria estar sentada à entrada duma caverna. Talvez estivesse a raspar uma pele. Como teria vivido uma rapariga de quinze anos antes de ter existido qualquer coisa como a civilização? Como pensaria, se fosse essa rapariga de quinze anos?

Hilde vestiu um pulóver, levantou o *dossier* do chão e sentou-se na cama com ele para continuar a ler o que o pai escrevera.

Mal Alberto dissera «Fim de capítulo!», alguém bateu à porta da cabana do major.

— Não temos outra escolha, pois não? — perguntou Sofia.

— Não — resmungou Alberto.

Lá fora estava um homem muito velho com cabelos compridos e barba. Na mão direita trazia um bordão de viandante, na esquerda um grande cartaz que mostrava um barco. No barco havia animais de todo o género.

— E quem é este senhor? — perguntou Alberto.

— O meu nome é Noé.

— Já imaginava.

— Teu antepassado, meu rapaz. Mas já não está na moda lembrar-mo-nos dos antepassados, pois não?

— O que tens aí na mão?

— Uma imagem de todos os animais que foram salvos do Dilúvio Universal. Toma, minha filha, isto é para ti.

Sofia pegou no grande cartaz e o velho disse:

— E agora tenho que ir para casa, regar as videiras.

Deu um pequeno salto, bateu os calcanhares no ar e foi a saltitar em direcção ao bosque, como só os homens muitos velhos e com bom humor sabem fazer.

Sofia e Alberto voltaram para dentro e sentaram-se. Sofia olhou para o grande cartaz, mas ainda não vira muito quando Alberto lho arrancou das mãos.

— Primeiro, temos de nos concentrar nas grandes linhas.

— Então começa.

— Esquecemo-nos de referir que Marx passou os últimos trinta e quatro anos da sua vida em Londres. Mudou-se em 1849 para Londres e lá morreu em 1883. Durante todo este tempo, *Charles Darwin* também viveu nos arredores de Londres. Morreu em 1882 e foi sepultado com todas as honras na abadia de Westminster como um dos grandes filhos da Inglaterra. Mas não foi apenas no tempo e no espaço que os caminhos de Marx e Darwin se cruzaram. Marx quis dedicar a edição inglesa da sua grande obra, *O Capital*, a Darwin, mas este recusou. Quando Marx morreu, um ano após Darwin, o seu amigo Friedrich Engels disse: «Tal como Darwin descobriu a lei da evolução da natureza orgânica, também Marx descobriu a lei da evolução da história humana.»

— Compreendo.

— Um outro pensador importante que também pode ser relacionado com Darwin é o psicólogo *Sigmund Freud*. Também ele passou, mais de meio século mais tarde, os seus últimos anos de vida em Londres. Freud apontou para o facto de a teoria da evolução, tal como a sua psicanálise terem ofendido os homens no seu «ingénuo amor próprio».

— São nomes a mais. Vamos falar de Marx, Darwin ou Freud?

— Num sentido lato, podemos falar também de uma *corrente naturalista* que se estendeu de meados do século XIX até ao nosso. Por «naturalismo» entendemos uma concepção da realidade que não aceita nenhuma outra realidade além da natureza e do mundo sensível. Um naturalista, consequentemente, vê também o homem como uma parte da natureza. Primeiro que tudo, um investigador naturalista parte apenas dos factos dados pela natureza — logo, não parte nem de especulações racionalistas nem de qualquer forma de revelação divina.

— E isso é válido tanto para Marx como para Darwin e para Freud?

— Exacto. Em meados do século XIX, as palavras-chave eram «natureza», «ambiente», «história», «evolução» e «crescimento». Marx tinha referido que a consciência humana era um produto da base material de uma sociedade. Darwin provou que o homem é o resultado de uma longa evolução biológica, e o estudo de Freud do inconsciente revelou que as acções do homem se devem frequentemente a certos impulsos ou instintos «animais» que residem na sua natureza.

— Acho que compreendo mais ou menos o que queres dizer com naturalismo. Mas não devíamos falar de um de cada vez?

— De Marx já falámos. Falemos então sobre Darwin. Talvez ainda te lembres de que os pré-socráticos queriam encontrar *explicações naturais* para os processos da natureza. Do mesmo modo, para isso tinham de se libertar de antigas explicações mitológicas, Darwin teve de se libertar da doutrina cristã vigente sobre a criação do homem e dos animais.

— Mas ele era um filósofo?

— Darwin era biólogo e naturalista. Foi o cientista que nos últimos tempos fez vacilar a visão bíblica do lugar do homem na Criação, mais do que qualquer outro.

— Então vais falar sobre a teoria da evolução de Darwin.

— Vamos começar pelo próprio Darwin. Nasceu em Shrewsbury em 1809. O seu pai, o doutor Robert Darwin, era um médico conhecido e foi muito severo na educação do filho. Quando Charles frequentava a escola superior de Shrewsbury, o reitor descreveu-o como um rapaz que vadiava e dizia disparates, sem fazer nada de útil. Por útil, entendia ele o estudo dos verbos gregos e latinos. E quando falava de vadiar pensava no facto de Charles coleccionar todo o tipo de coleópteros.

— Deve ter-se arrependido dessas palavras.

— Ainda durante o seu curso de teologia, Darwin já se interessava mais por aves e insectos que pelos estudos. Por isso, não fez nenhum exame em teologia com boa nota. Mas, paralelamente ao curso de teologia, conseguiu obter uma certa fama como naturalista. Interessava-se também por geologia, que era naquela época a ciência mais em expansão. Depois de ter feito o seu exame final de teologia em Cambridge, em Abril de 1813, viajou pelo Norte do País de Gales, para estudar formações rochosas e procurar fósseis. Em Agosto do mesmo ano, com apenas vinte e dois anos, recebeu uma carta que havia de ser determinante para toda a sua vida...

— O que estava escrito nessa carta?

— A carta era do seu amigo e professor John Steven Henslow. Escreveu que lhe tinham pedido para dar o nome de um naturalista que pudesse viajar com o capitão Fitzroy, o qual recebera da parte do governo o encargo de desenhar uma carta geográfica da ponta meridional da América do Sul, e que achava Darwin a pessoa mais qualificada para essa tarefa. Não sabia nada sobre o salário para o investigador procurado, mas a viagem duraria dois anos...

— Como consegues fixar tudo de memória?

— Nada mais fácil, Sofia.

— E ele aceitou?

— Ele tinha uma grande vontade de aproveitar a oportunidade, mas naqueles tempos os jovens não faziam nada sem o consentimento dos pais. Darwin perguntou ao pai, que concordou depois de muita hesitação — e ainda pagou a viagem do filho. No que diz respeito ao salário, viu-se logo que não estava previsto...

— Ah...

— O navio pertencia à Marinha Inglesa e chamava-se *H.M.S. Beagle.* Largou de Plymouth a 27 de Dezembro de 1831 em direcção à América do Sul e só regressou a Inglaterra em Outubro de 1836. Os dois anos passaram a cinco e a viagem à América do Sul tornou-se uma volta ao mundo. E estamos a falar da viagem de investigação mais importante da época moderna.

— Eles viajaram mesmo à volta do mundo?

— No verdadeiro sentido da palavra, sim. A partir da América do Sul, a viagem prosseguiu pelo Pacífico em direcção à Nova Zelândia, Austrália e África do Sul. Daqui, navegaram novamente para a América do Sul para regressarem finalmente a Inglaterra. O próprio Darwin afirmou que a viagem com o *Beagle* fora o acontecimento mais importante de toda a sua vida.

— Não devia ser fácil ser naturalista no mar, pois não?

— Durante o primeiro ano, o *Beagle* navegou de um lado para o outro ao longo da costa sul-americana. Isso deu a Darwin a oportunidade de se familiarizar em terra com o continente. De importância decisiva foram também os numerosos desembarques nas ilhas Galápagos no oceano Pacífico, a oeste da América do Sul. Deste modo, ele recolheu material precioso que era progressivamente enviado para o seu país. Guardou para si as numerosas reflexões que fez sobre a natureza e a evolução da vida. Quando regressou a casa, com apenas vinte e sete anos, era já um famoso naturalista. E secretamente tinha já uma ideia clara daquilo que seria a sua teoria da evolução. No entanto, passaram muitos anos até ele publicar a sua obra principal. Porque Darwin era um homem cauteloso, Sofia, e assim deve ser sempre um naturalista.

— Como se chama essa obra principal?

— Bom, houve várias. Mas o livro que desencadeou em Inglaterra os debates mais acesos foi A Origem das Espécies, publicado em 1859. O seu título completo era On the Origin of Species by Means of Natural Selection or the Preservation of Favoured Races in the Struggle for Life. Este título comprido é basicamente um resumo da teoria de Darwin.

— Então devias traduzi-lo para mim.

— Isso não é fácil, porque os conceitos que aparecem nele foram traduzidos de diversos modos desde então. Uma tradução actual poderia ser: Sobre a Origem das Espécies por Meio de Selecção Natural ou a Preservação das Raças Favorecidas na Luta pela Vida.

— É um título muito rico em conteúdo.

— Vamos analisá-lo parte por parte. Na Origem das Espécies, Darwin apresentou duas teorias ou teses principais: primeiro, partiu do princípio de que todas as plantas e animais existentes hoje descendem de formas anteriores primitivas. Pressupôs também uma evolução biológica. Em segundo lugar, afirmou que esta evolução se devia à «selecção natural».

— Por que motivo são os mais fortes que sobrevivem?

— Vamos concentrar-nos primeiro na ideia de evolução. Isso por si só não era particularmente original. Em certos meios, a aceitação de uma evolução biológica já estava muito difundida cerca do ano 1800. O zoólogo francês Jean de Lamarck já dera o tom. Ainda antes dele, o avô de Darwin, Erasmus Darwin, apresentara a teoria segundo a qual plantas e animais tinham evoluído a partir de algumas espécies primitivas. Mas ninguém tinha fornecido uma explicação aceitável para o modo como essa evolução se tinha dado. E, por isso, também não eram adversários muito perigosos para a Igreja.

— Ao contrário de Darwin?

— Sim, e havia um motivo para isso. Tanto os religiosos como muitos cientistas seguiam a doutrina bíblica segundo a qual as diversas espécies vegetais e animais são imutáveis. Partiam do princípio de que cada espécie animal tinha nascido de uma vez para sempre através de um único acto criador. E, além disso, esta concepção cristã estava de acordo com a de Platão e Aristóteles.

— Como assim?

— A teoria das ideias de Platão pressupunha que todas as espécies animais eram imutáveis, uma vez que eram criadas segundo o arquétipo da respectiva ideia ou forma. O facto de as espécies animais serem imutáveis era também um ponto assente na filosofia de Aristóteles. Mas justamente no tempo de Darwin, fizeram-se algumas observações e descobertas que punham em risco esta concepção tradicional.

— Que tipo de observações e descobertas foram?

— Em primeiro lugar, descobriram-se cada vez mais fósseis e em segundo lugar descobriram-se grandes fósseis dos ossos de animais extintos. O próprio Darwin se admirou ainda com o facto de se terem encontrado fósseis de animais marinhos em montanhas. Ele mesmo fizera essas descobertas nos Andes, na América do Sul. Mas o que faziam animais marinhos nos Andes, Sofia? Sabes responder-me?

— Não.

— Havia quem achasse que homens ou animais os tinham deixado aí. Outros achavam que Deus tinha criado esses fósseis de animais marinhos para induzir em erro os incrédulos.

— E o que pensava a ciência?

— A maioria dos geólogos seguia uma «teoria da catástrofe», segundo a qual a Terra fora assolada várias vezes por grandes cheias, terramotos e outras catástrofes que tinham destruído todas as formas de vida. Uma catástrofe desse género é descrita na Bíblia: o Dilúvio Universal, devido ao qual Noé construiu a sua arca. Após cada catástrofe, Deus teria renovado a vida na Terra criando plantas e animais novos — e mais perfeitos.

— Nesse caso, os fósseis seriam as marcas de todas as formas de vida anteriores que tinham sido exterminadas por essas catástrofes gigantescas?

— Exacto. Dizia-se, por exemplo, que os fósseis eram as marcas de animais que não tiveram lugar na arca. Mas quando Darwin partiu com o *Beagle*, levou consigo o primeiro volume da obra *Principles of Geology* do geólogo inglês *Charles Lyell*. Ele achava que a geografia actual da Terra — com montanhas altas e vales profundos — era o resultado de uma evolução muito longa e lenta e afirmava que alterações muito pequenas podiam provocar grandes alterações geográficas se se tivesse em consideração grandes espaços de tempo.

— Em que tipo de mudanças estava ele a pensar?

— Nas mesmas forças que ainda hoje actuam: o tempo e o vento, degelos, terramotos e desabamentos. Diz-se que o gotejar constante fura a pedra, não pela sua força mas pela sua acção contínua. Lyell defendia que essas transformações pequenas e progressivas podiam alterar completamente a natureza num grande espaço de tempo. Darwin compreendeu que esta ideia não podia explicar só por si o motivo pelo qual encontrara nos Andes fósseis de animais marinhos. Mas nunca se esqueceu, durante toda a sua vida de investigador, que *mudanças pequenas e progressivas* podem levar a alterações dramáticas se pensarmos no factor tempo.

— Ele pensava que uma explicação semelhante podia ser aplicada à evolução dos animais?

— Sim, e fez a si mesmo essa pergunta. Mas, como eu disse, Darwin era um homem prudente. Ponderava longamente as questões antes de ousar dar as respostas. Deste modo, usava o método de todos os verdadeiros filósofos, que afirma: é importante perguntar mas não é preciso pressa para responder.

— Compreendo.

— Um factor decisivo na teoria de Lyell era a idade da Terra. No tempo de Darwin estava muito difundida a opinião de que Deus tinha criado a Terra há cerca de seis mil anos. Tinha-se calculado este número contando todas as gerações desde Adão e Eva até ao presente.

— Que ingenuidade!

— Sabemos sempre mais posteriormente. Darwin estimou a idade da Terra em trezentos milhões de anos. Uma coisa era clara: nem a teoria de Lyell da evolução biológica progressiva nem a própria teoria da evolução de Darwin faziam sentido se não se tinha em conta períodos muito extensos.

— Qual é a idade da Terra?

— Hoje sabemos que a Terra tem alguns milhares de milhões de anos.

— Já é suficiente...

— Até agora, concentrámo-nos num dos argumentos de Darwin a favor de uma evolução biológica, o da *presença estratificada de fósseis* nas várias formações rochosas. Um outro argumento era a *distribuição geográfica* das espécies vivas. A viagem de pesquisa de Darwin forneceu material novo e extremamente rico. Ele vira com os próprios olhos que as diversas espécies animais de uma região se podiam distinguir entre si graças a diferenças mínimas. Fez algumas observações interessantes sobretudo nas ilhas Galápagos, a oeste do Equador.

— Conta!

— Trata-se de um grupo de ilhas vulcânicas muito próximas entre si. Por isso não havia grandes diferenças na flora e fauna. Mas Darwin estava interessado justamente nas pequenas diferenças. Em todas as ilhas encontrou grandes tartarugas gigantes, que diferiam sempre um *pouco* de ilha para ilha. Teria Deus realmente criado uma raça específica de tartarugas gigantes para cada ilha?

— É pouco provável.

— Mais importante ainda foi o que Darwin observou nas vida das aves das ilhas Galápagos. De ilha para ilha variavam as espécies de tentilhões — sobretudo na forma do bico. Darwin demonstrou que estas variações estavam intimamente relacionadas com o modo como os tentilhões se alimentavam nas diversas ilhas. O tentilhão de bico afiado vivia de pinhões, o tentilhão pequeno vivia de insectos, o tentilhão de bico mais grosso alimentava-se de insectos que viviam nos troncos e nos ramos. Cada uma destas espécies tinha um bico que se ajustava perfeitamente ao modo de se alimentar. Poderiam todos estes tentilhões descender de uma mesma espécie de tentilhão? Essa espécie tinha-se adaptado de tal forma ao seu ambiente nas diversas ilhas, com o decurso dos anos, que tivessem surgido finalmente novas espécies de tentilhões?

— Foi essa a conclusão a que ele chegou?

— Foi. E provavelmente Darwin só se tornou um «darwinista» nas ilhas Galápagos. Ocorreu-lhe também que a fauna nesse pequeno arquipélago apresentava grandes semelhanças com muitas espécies que ele vira na América do Sul. Tinha Deus criado de uma vez por todas estes animais ligeiramente diferentes uns dos outros — ou teria havido uma evolução? Teve cada vez mais dúvidas de que as espécies fossem imutáveis. Mas faltava-lhe ainda uma boa explicação para o modo como poderia suceder uma evolução ou uma adaptação ao mundo. O que ele possuía era um argumento a favor do parentesco entre todos os animais na Terra.

— Qual era?

— Era o desenvolvimento dos fetos nos mamíferos. Se comparares os fetos do cão, morcego, coelho e homem no mesmo estádio primitivo, quase não vês diferenças. Só num estádio muito mais tardio do desenvolvimento dos fetos podes distinguir fetos de homens e de coelhos. Seria isso um indício de que somos parentes afastados?

— Mas ele ainda não tinha encontrado uma explicação para o modo *como* a evolução para espécies diferentes se tinha dado?

— Ele continuava a reflectir sobre a teoria de Lyell acerca das pequenas transformações que tinham grandes efeitos com o decorrer do tempo. Mas não encontrou uma explicação que pudesse servir como princípio universal. Conhecia a teoria de Lamarck, que reconhecera que as diversas espécies animais tinham desenvolvido exactamente aquilo de que precisavam. E considerara que as girafas tinham um pescoço muito comprido por se terem esticado durante muitas gerações para chegar às folhas das árvores. Lamarck achava portanto que as características que um indivíduo adquire através do próprio esforço são legadas à descendência. Mas a teoria de que as «características adquiridas» eram hereditárias foi recusada por Darwin — precisamente porque Lamarck não podia provar as suas teses ousadas. Porém havia outra coisa — e muito mais próxima — na qual Darwin pensava cada vez mais. Podes dizer que o verdadeiro mecanismo da evolução das espécies estava à frente do seu nariz.

— Estou muito curiosa.

— Preferia que descobrisses esse mecanismo por ti. Por isso, pergunto: Se tens três vacas, mas apenas comida suficiente para duas, o que fazes?

— Tenho de abater uma vaca.

— Exacto... e que vaca havias de abater?

— Aquela que dá menos leite.

— Estás a falar a sério?

— Sim, é lógico.

— É exactamente isso que os homens fazem desde há milénios. Mas ainda sobram duas vacas. Partindo do princípio que queres fazer reprodução com uma, qual é que escolhes?

— A que dá mais leite. Nesse caso, a vitela será também uma boa vaca leiteira.

— Preferes boas vacas leiteiras às más? Então, só nos falta uma tarefa. Se gostas de caçar e tens dois cães da caça, mas tens de dar um deles, que cão conservarias para ti?

— Ficaria com aquele que tivesse melhor faro para a caça.

— Preferirias portanto o melhor cão de caça, sim. E é assim, Sofia, que os homens criam os animais há mais de dez mil anos. As galinhas nem sempre puseram cinco ovos por semana, as ovelhas não tiveram sempre tanta lã e os cavalos não foram sempre tão fortes e rápidos como são hoje. Os homens fizeram uma *selecção artificial*. Isso também é válido para o reino vegetal. Não plantamos batatas más se queremos ter renovos melhores. Não nos damos ao trabalho de ceifar espigas sem grãos. Segundo Darwin, não há duas vacas, duas espigas, dois cães e dois tentilhões iguais. A natureza apresenta uma enorme variedade. Nem na mesma espécie há dois indivíduos totalmente iguais. Tu mesma te apercebeste disso quando bebeste o líquido azul.

— Podes ter a certeza!

— Darwin tinha que pôr a questão: poderia haver também na natureza um mecanismo análogo? Seria possível que a natureza também fizesse uma «selecção natural» dos indivíduos que devem sobreviver? E

365

poderia esse mecanismo a longo prazo provocar o aparecimento de espécies vegetais e animais completamente novas?

— Aposto que a resposta é sim.

— Darwin ainda não conseguia imaginar exactamente como essa selecção natural podia dar-se. Mas em Outubro de 1838 — passados exactamente dois anos depois do seu regresso com o *Beagle* — veio-lhe às mãos por acaso um pequeno livro do economista *Thomas Malthus*. O livro tinha o título *An Essay on the Principle of Population*. O americano *Benjamin Franklin*, que tinha inventado entre outras coisas o pára-raios, dera a Malthus a ideia de escrever esse livro. Franklin referira que na natureza também tem de haver factores limitantes, porque, de outro modo, uma única espécie vegetal ou animal ter-se-ia difundido em todo o planeta. Só por existirem muitas espécies diversas é que elas se equilibram umas às outras.

— Compreendo.

— Malthus desenvolveu esta ideia e aplicou-a à situação demográfica da Terra. Explicou que a capacidade de procriação do homem é tão grande que nasciam sempre mais crianças do que as que podiam sobreviver. E uma vez que a produção de alimento nunca pode andar a passo com o crescimento populacional, um grande número de pessoas está condenado a sucumbir na luta pela existência. Conseguirão sobreviver — e consequentemente assegurar a subsistência da sua família — só aqueles que melhor se impuserem na luta pela sobrevivência.

— Parece lógico.

— E era justamente esse o mecanismo universal de que Darwin estivera à procura. De repente, tinha uma explicação para o modo como decorria a evolução: a *selecção natural* na luta pela sobrevivência, graças à qual quem está melhor adaptado ao ambiente continuará a viver e a reproduzir-se. Era a segunda teoria por ele proposta no seu livro *A Origem das Espécies*. Ele escreveu: «O elefante reproduz-se mais lentamente do que todos os outros animais, e eu tive o cuidado de calcular o mínimo provável da sua reprodução natural. Podemos ter como bastante seguro que ele inicia a reprodução aos trinta anos e a mantém até ao nonagésimo ano de vida, e que durante este período gera seis crias e vive até aos cem anos. Neste caso, ao cabo de 740 a 750 anos haveria cerca de 19 milhões de elefantes descendentes de um primeiro casal.»

— Para não falar dos milhares de ovos de um único bacalhau.

— Darwin explicou ainda que a luta pela sobrevivência entre as espécies mais semelhantes é frequentemente mais dura, porque lutam pelo mesmo tipo de alimento. E, nessa altura, são as pequenas diferenças — as pequenas vantagens em relação à média — que são determinantes. Quanto mais dura é a luta pela sobrevivência mais rapidamente se dá o desenvolvimento de novas espécies. Só os indivíduos mais bem adaptados ao ambiente sobrevivem: todos os outros se extinguem.

— Então, quanto menos alimento e quanto mais descendência há, mais rápida é a evolução?

— Não se trata apenas de alimento. Também pode ser importante não se ser devorado por outros animais. Pode ser uma vantagem ter uma certa cor de camuflagem, poder correr rapidamente, aperceber-se da presença de animais inimigos — ou pelo menos ter mau sabor. Um veneno que mate um predador é também importante. Não é por acaso que muitos cactos são venenosos, Sofia. No deserto, quase só crescem cactos. E por isso estão particularmente expostos aos ataques dos animais herbívoros.

— Além disso, a maior parte dos cactos têm picos.

— A capacidade de reprodução tem também uma importância fundamental. Darwin estudou bem a polinização. As plantas, com os seus perfumes e as suas cores, atraem os insectos que contribuem para a difusão do pólen. O canto dos pássaros também é importante para a reprodução. Um touro lento e melancólico, que não se interessa por vacas, não é importante para a história da sua espécie. A única tarefa do indivíduo é atingir a maturidade sexual e reproduzir-se, para conservar a espécie. É como uma longa estafeta, em que aqueles que, por algum motivo, não conseguem transmitir os genes são sempre excluídos. Deste modo, a raça melhora progressivamente. A resistência às doenças também é uma característica que se conserva nas variantes que sobrevivem.

— Então tudo melhora progressivamente?

— A selecção contínua faz com que aqueles que estão adaptados a um determinado ambiente — ou a um determinado nicho ecológico — sobrevivam nesse ambiente. Mas aquilo que é uma vantagem num ambiente pode não sê-lo noutro. Para alguns dos tentilhões das ilhas Galápagos, a capacidade de voar era muito importante, mas não se o alimento tem que ser escavado do solo e não existem animais predadores. Justamente porque na natureza há tantos nichos é que se desenvolveram tantos animais com o decurso do tempo.

— Mas há apenas uma espécie humana.

— Sim, porque os homens possuem uma capacidade fantástica de se adaptar às mais diversas condições de vida. Darwin ficou impressionado quando viu como os índios da Terra do Fogo conseguiam sobreviver num clima tão frio. Se os homens junto ao equador têm uma pele mais escura do que os habitantes das regiões setentrionais é porque a pele escura protege da luz solar. Homens de pele branca que se expõem demasiado ao sol estão mais sujeitos ao cancro de pele.

— A pele branca também é uma vantagem quando se vive num país a norte?

— Claro, senão os homens teriam por toda a parte a pele escura. Mas a pele branca tem mais facilidade em produzir um certo tipo de vitaminas — do grupo D —, e isso é muito importante nas regiões que têm pouco sol. Hoje, isso tem pouca importância porque tomamos vitaminas através da alimentação, mas nada é casual na natureza: tudo se deve àquelas pequenas variações que actuaram por um número infinito de gerações.

— Isso é uma ideia fantástica.

— É, não é? Podemos agora resumir a teoria de Darwin deste modo...

— Despacha-te!

— ... dizendo que: a matéria-prima responsável pela evolução da vida na Terra são as contínuas *variações* entre indivíduos dentro de uma mesma espécie. E é a alta *taxa de natalidade* que permite que uma pequena percentagem deles consiga sobreviver. O mecanismo na base da evolução é a *selecção natural* na luta pela sobrevivência. Esta selecção faz com que apenas os mais fortes ou os que se adaptam melhor consigam sobreviver.

— Parece lógico. Como foi recebido o livro sobre a origem das espécies?

— Desencadeou uma grande celeuma. A Igreja protestou fortemente e o meio científico inglês dividiu-se. No fundo, estas reacções não eram estranhas, uma vez que Darwin eliminara em parte Deus do acto criador. Mas algumas pessoas, mais iluminadas, disseram que era obra muito maior criar alguma coisa que contivesse em si as possibilidades de desenvolvimento do que criar todas as coisas de uma vez por todas, determinadas nos mínimos detalhes.

De repente, Sofia levantou-se de um pulo do seu sofá.

— Olha, ali! — exclamou.

Apontava para a janela. Junto ao lago, um homem e uma mulher passeavam de mão dada. Estavam completamente nus.

— São Adão e Eva — afirmou Alberto. — Mais tarde ou mais cedo, tinham de compartilhar a mesma irrealidade do Capuchinho Vermelho e da Alice. Por isso apareceram aqui.

Sofia foi à janela para ver melhor, mas o par desapareceu rapidamente entre as árvores.

— Porque, segundo Darwin, o homem evoluiu dos animais?

— Em 1871, publicou *The Descent of Man, A Descendência do Homem*, no qual evidencia as semelhanças existentes entre os homens e os animais, e defende que os seres humanos e os símios antropóides devem ter-se desenvolvido a partir de um antepassado comum. Entretanto, tinham-se encontrado os primeiros fósseis de crânios de um tipo humano extinto, primeiro numa pedreira no Rochedo de Gibraltar e alguns anos mais tarde em Neandertal, na Renânia. Por estranho que pareça, houve menos reacção em 1871 do que em 1859, o ano em que Darwin publicara *A Origem das Espécies*, se bem que, de facto, a tese de que o homem descendia de animais já estava implícita no primeiro livro. E como eu já disse, quando morreu em 1882, Darwin foi sepultado com muitas honras como um pioneiro da ciência.

— E obteve no fim fama e glória?

— No fim, sim. Mas antes disso chamaram-lhe o homem mais perigoso de Inglaterra.

— Meu Deus!

— «Esperemos que não seja verdade, mas se é esperemos que não se venha a saber», disse uma senhora da alta sociedade. Um cientista conhecido disse uma coisa semelhante: «Uma descoberta humilhante, e quanto menos se falar dela, melhor.»

— Desse modo, quase demonstraram que o homem é aparentado com a avestruz!

— Sim, bem podes dizer isso. Mas é fácil para nós criticar. Muitas pessoas se sentiram forçadas a rever a sua opinião sobre a narração bíblica da Criação. O jovem autor *John Ruskin* exprimiu-o do seguinte modo: «Se os geólogos pudessem deixar-me em paz! No fim de cada versículo da Bíblia ouço as suas marteladas.»

— E as marteladas eram as dúvidas quanto à palavra de Deus?

— Era isso que ele queria dizer, porque não foi apenas a interpretação literal da descrição bíblica a ser abalada. A teoria de Darwin afirmava também que variações totalmente *casuais* tinham criado o homem. E mais, Darwin reduziu o ser humano a um produto de uma coisa tão «desprezível» como a luta pela existência.

— Darwin explicou o modo como nascem essas «variações casuais»?

— Estás a tocar no ponto mais frágil da sua teoria. Darwin tinha apenas ideias muito vagas sobre a hereditariedade. Alguma coisa desaparece no cruzamento. Um casal nunca tem dois filhos exactamente iguais e isso já representa uma certa variação. Por outro lado, dificilmente surge alguma coisa verdadeiramente nova. Além disso, há plantas e animais que se reproduzem através de germinação ou simples divisão celular, logo sem cruzamentos. Para explicar como se criam estas variações viria depois o chamado *neodarwinismo*, que completou a teoria de Darwin.

— Conta!

— Toda a vida e toda a reprodução andam à volta da divisão celular. Quando uma célula se divide em dois, formam-se duas células exactamente iguais com o mesmo material genético. Por divisão celular entendemos portanto que uma célula se copia a si mesma.

— Sim?

— Mas, por vezes, há erros minúsculos neste processo — e por isso a célula copiada não é totalmente igual à célula mãe. Este fenómeno é chamado *mutação* na biologia moderna. As mutações podem ser insignificantes ou, pelo contrário, levar a transformações evidentes nas características do indivíduo. Podem ser directamente prejudiciais e, neste caso, os «mutantes» são constantemente eliminados. Muitas doenças também se devem a mutações. Mas, por vezes, uma mutação pode fornecer ao indivíduo precisamente aquela característica positiva da qual precisa para se poder impor na luta pela sobrevivência.

— Um pescoço mais comprido, por exemplo?

— A explicação de Lamarck para o longo pescoço das girafas era que as girafas tinham esticado constantemente o pescoço para comerem as folhas das árvores. Mas, segundo Darwin, as características adquiridas pelo hábito não podiam ser transmitidas. Para Darwin, o pescoço comprido das girafas era uma variação natural dos pescoços dos seus antepassados. O neodarwinismo completa esta tese indicando a causa de tais variações.

— As mutações.

— Sim. Algumas mutações casuais no material genético deram a alguns antepassados das girafas um pescoço ligeiramente mais longo do que a média. Variação que se pode ter tornado positiva e importante num período de escassez de alimento: quem chegava aos ramos mais altos das árvores conseguia sobreviver melhor. Podemos ainda imaginar que algumas destas «primeiras girafas» desenvolveram a capacidade de esgravatar alimento do solo. Passado muito tempo, uma espécie animal pode ter-se dividido em duas novas espécies animais.

— Compreendo.

— Vou dar exemplos mais recentes do mecanismo da selecção natural. O princípio é muito simples.

— Diz.

— Em Inglaterra há uma espécie de borboleta que vive nos troncos claros das bétulas. Se recuarmos ao século XVIII, podemos verificar que a maior parte destas borboletas eram de um tom cinzento-claro. Porquê, Sofia?

— Para não serem vistas pelos pássaros.

— De quando em quando, nasciam exemplares mais escuros e isso devia-se a mutações casuais. O que te parece que aconteceu às variantes escuras?

— Eram mais visíveis, e por isso presa fácil dos pássaros.

— De facto, nesse ambiente, ou seja, nos troncos claros das bétulas, a cor escura não era uma característica favorável, razão pela qual as borboletas de cor clara se multiplicaram muito. Mas, em seguida, aconteceu uma coisa no ambiente: com a industrialização, em muitas localidades, os troncos brancos tornaram-se mais escuros por causa da fuligem. O que aconteceu então a estas borboletas?

— Foi a vez de os exemplares escuros se desenvencilharem melhor.

— Precisamente, e não foi necessário muito tempo para o seu número aumentar. De 1848 a 1948 a quantidade dos exemplares escuros passou, em algumas zonas, de um a noventa e nove por cento. O ambiente tinha mudado, e não era uma vantagem ter-se cor clara, pelo contrário! Os exemplares brancos eram imediatamente eliminados pelos pássaros mal pousavam nos troncos. Mas houve uma nova transformação do ambiente: um uso mais limitado do carbono e melhores instalações de filtragem tornaram nos últimos anos o ambiente mais limpo.

— Então agora os troncos das bétulas são novamente brancos?

— Por esse motivo as borboletas estão a voltar à cor branca. É o que chamamos *adaptação* e estamos a falar de uma lei da natureza. Há também outros exemplos que mostram como os seres humanos intervieram no ambiente.

— A que é que te referes?

— Tentou-se eliminar animais nocivos recorrendo a várias substâncias venenosas. De início, o resultado foi positivo, mas quando pulverizamos um campo ou um pomar com insecticidas, provocamos na realidade uma pequena catástrofe ecológica para os elementos nocivos que queremos exterminar. E devido a mutações contínuas, pode desenvolver-se um grupo de factores nocivos mais *resistentes* contra o veneno usado. Estes «vencedores» têm mais possibilidades de sobreviver e tornam-se cada vez mais difíceis de eliminar justamente *porque* o ser humano tentou destruí-los. São as variantes mais resistentes que sobrevivem.

— Terrível!

— Mesmo no nosso corpo tentamos eliminar parasitas nocivos: refiro-me às bactérias.

— Usamos a penicilina ou antibióticos.

371

— Uma cura à base de penicilina representa realmente uma «catástrofe ecológica» para estes hóspedes indesejados, mas, pouco a pouco, algumas bactérias resistem inclusivamente à penicilina. Temos de recorrer a doses cada vez maiores, e no fim...

— No fim saem-nos pela boca, talvez tenhamos de começar a disparar contra elas.

— Isso seria talvez um pouco exagerado. Mas é evidente que a medicina moderna criou um sério dilema. Não se trata apenas do facto de as bactérias se terem tornado mais resistentes do que eram. Antigamente, muitos bebés morriam destas doenças, e sobreviviam muito poucos. Num certo sentido, a medicina moderna eliminou a selecção natural. Mas aquilo que ajuda o indivíduo pode a longo prazo enfraquecer a capacidade de resistência da humanidade às doenças. Quer dizer que, a longo prazo, a capacidade hereditária dos homens de resistir a doenças sérias torna-se mais fraca.

— É uma perspectiva terrível.

— Mas um filósofo tem de referir isso. Uma questão completamente diferente é a de saber quais são as suas consequências. Tentemos fazer um pequeno resumo.

— Faz favor!

— Podemos dizer que a vida é uma grande lotaria onde apenas vemos os bilhetes vencedores.

— O que queres dizer?

— Aqueles que perderam na luta pela existência, desapareceram. Por detrás de cada espécie animal e vegetal sobre a face da Terra, há milhões de anos de extracções de «bilhetes perdedores». Todas as espécies animais e vegetais presentes hoje no mundo devem ser consideradas, pelo menos por enquanto, «vencedoras» na grande lotaria da vida.

— Porque apenas os melhores sobrevivem.

— Podemos dizer isso. E agora vamos ver o cartaz que Noé te deu.

Sofia passou-lhe o cartaz. De um lado, havia a imagem da arca de Noé, noutro estava desenhada a árvore genealógica de todas as diferentes espécies animais. Era esse o lado que Alberto lhe queria mostrar.

— O esquema mostra a subdivisão das diferentes espécies animais e vegetais: podes ver como cada espécie pertence a diversos grupos e classes.

— Sim, estou a ver.

— O homem pertence, juntamente com os símios, aos chamados primatas. Todos os primatas são mamíferos e todos os mamíferos pertencem ao grupo dos vertebrados, que por sua vez pertence ao grupo dos animais pluricelulares.

— Faz lembrar Aristóteles.

— É verdade. Mas o esquema não mostra apenas qual é a subdivisão das espécies modernas. Também diz algo sobre a história da evolução. Podes ver, por exemplo, que os pássaros se separaram dos répteis, que por sua vez se separaram dos anfíbios, que por sua vez se separaram dos peixes.

— Sim, é muito claro.

— Cada vez que uma destas linhas se divide, é porque houve mutações que levaram à formação de novas espécies. Deste modo, no decurso de milhões de anos formaram-se os diversos grupos e classes de animais. Mas este esquema é muito simplificado: na realidade hoje existe mais de um milhão de espécies animais, e este milhão é apenas uma pequena parte de todas as espécies animais que viveram na Terra. Como vês, um grupo animal como o dos trilobites extinguiu-se completamente.

— E em baixo temos os animais unicelulares.

— Alguns desses não mudaram provavelmente desde há alguns milhões de anos. Vês também uma linha que vai desde estes organismos unicelulares até ao reino vegetal porque, muito provavelmente, as plantas provêm da mesma célula primordial que os animais.

— Estou a ver, mas agora tenho uma pergunta.

— Sim?

— Donde vem essa célula primordial? Darwin deu uma resposta?

— Eu disse-te que era um homem prudente, mas neste aspecto especulou um pouco. Ele escreveu: «Se (e que se!) pudéssemos imaginar uma pequena poça de água quente, onde todo o tipo de sais de amónio e fósforo, a luz, o calor, a electricidade estivessem presentes, e onde se tivesse criado um composto proteico, apto a sofrer mutações ainda mais complexas...»

— Sim, e então?

— Darwin estava a imaginar de que modo a primeira célula viva se podia ter formado da matéria inorgânica. E mais uma vez acertou no alvo. A ciência de hoje pensa que a primeira forma de vida nasceu numa «pequena poça de água quente» tal como Darwin a imaginara.

— Continua!

— Um esboço sumário deve ser o suficiente. Lembra-te de que estamos a deixar Darwin e a dar um salto para as mais recentes investigações sobre a origem da vida na terra.

— Isso põe-me um pouco nervosa. Ninguém *sabe* como a vida surgiu?

— Talvez não, mas cada vez mais peças do quadro se ajustam para formar a imagem de como a vida *pode* ter surgido.

— Continua!

— Devemos primeiro que tudo ter presente que toda a forma de vida na terra, vegetal ou animal, é constituída pelas mesmas substâncias. A definição mais simples da vida é: cada ser vivo possui um metabolismo e reproduz-se autonomamente. Este processo é dirigido por uma substância a que chamamos ADN. Desta substância são feitos os cromossomas, ou seja, o material genético que se encontra em qualquer célula viva. O ADN é uma molécula, ou melhor, uma macromolécula, muito complexa. A pergunta é: como nasceu a primeira molécula de ADN?

— Como?

— A Terra foi criada quando se formou o sistema solar há cerca de 4500 milhões de anos. Inicialmente era uma massa incandescente, mas pouco a pouco, a crusta terrestre arrefeceu. E, segundo a ciência moderna, a vida surgiu há cerca de três a quatro mil milhões de anos.

— Parece inacreditável.

— Só podes dizer isso depois de teres ouvido o resto. Antes de mais, deves reparar que a Terra era muito diferente do que é hoje. Visto que não havia nenhuma forma de vida, nem sequer havia oxigénio na atmosfera. O oxigénio livre só foi criado com a fotossíntese das plantas. O facto de não existir oxigénio era importante: é impossível que os fundamentos da vida, que podem dar origem ao ADN, tivessem nascido numa atmosfera rica em oxigénio.

— Porquê?

— Porque o oxigénio é uma substância muito reactiva: antes de poderem formar complicadas moléculas de ADN, estes tijolos da molécula de ADN ter-se-iam oxidado.

— Está bem.

— Por isso sabemos com segurança que hoje não pode nascer nenhuma forma nova de vida, nem uma bactéria ou vírus. *Por isso, toda* a vida na Terra deve ter a mesma idade. Um elefante tem uma árvore genealógica tão longa como a da mais simples bactéria. Podemos dizer que um elefante, ou um homem, é na realidade uma colónia de animais unicelulares porque em cada célula do nosso corpo temos exactamente o mesmo material genético. A receita pela qual somos o que somos está em cada célula do nosso corpo.

— É estranho.

— Um dos grandes mistérios da vida é que todavia as células dos animais pluricelulares têm a capacidade de se especializarem numa função particular, porque as diversas características hereditárias não estão activas em todas as células. Algumas destas características, ou genes, estão «activadas», outras «desactivadas». Uma célula hepática produz proteínas diferentes das de uma célula nervosa ou de uma célula da pele. Mas em todas encontramos a mesma molécula de ADN que contém toda a receita do organismo de que estamos a falar.

— Continua!

— Quando não havia oxigénio na atmosfera, não havia sequer, à volta do globo terrestre, uma camada protectora de ozono. Isso significa que não havia nada a deter as radiações provenientes do espaço. Isto também é importante porque, muito provavelmente, estas últimas tiveram um papel decisivo na formação das primeiras moléculas complexas. Uma radiação cósmica foi a energia que uniu as diversas substâncias químicas presentes na Terra para formar macromoléculas complexas.

— Está bem.

— Vou recapitular: para que se possam constituir as moléculas complexas de que se forma a vida, pelo menos duas condições têm de ser satisfeitas: *não pode existir oxigénio na atmosfera, e não deve haver obstáculo às radiações provenientes do espaço.*

— Compreendo.

— Na pequena «poça de água quente» — ou «sopa primordial», como lhe chama a ciência moderna, formou-se a dada altura uma macromolécula muito complexa, que tinha a estranha capacidade de se poder dividir. E com isto se iniciou a longa evolução, Sofia. Se quisermos simplificar um pouco, diremos que já podemos falar do primeiro material genético, do primeiro ADN ou da primeira célula viva. Ela continuou a dividir-se; desde o primeiro momento sucederam mutações constantes. Depois de um espaço de tempo muito longo, sucedeu que os organismos unicelulares se uniram para constituir organismos pluricelulares mais complexos. Do mesmo modo, teve início a fotossíntese das plantas, e assim se formou uma atmosfera rica em oxigénio. Este acontecimento teve um efeito duplo: antes de mais, a atmosfera permitiu que se pudessem desenvolver animais aptos a respirar com os pulmões. Além disso, a atmosfera protegeu a vida das radiações nocivas provenientes do espaço. Na realidade, estas radiações, importantes «centelhas» para a criação da primeira célula, são também prejudiciais para toda a vida animada.

— Mas a atmosfera não se formou da noite para o dia. Como conseguiram sobreviver as primeiras formas de vida?

— A vida nasceu primeiro no oceano, aquilo a que chamamos a «sopa primordial». Aí, as primeiras formas de vida puderam desenvolver--se protegidas das radiações perigosas. Só muito mais tarde, quando a vida no oceano criou a atmosfera, é que os primeiros anfíbios subiram para terra. Já falámos do resto. Estamos aqui sentados numa cabana de de um bosque e olhamos em retrospectiva para um processo que durou três ou quatro mil milhões de anos. E foi justamente em nós que este processo teve consciência de si mesmo.

— Mas achas que foi tudo mero acaso?

— Não disse isso. O cartaz de Noé mostra-nos que a evolução tinha uma *direcção*. Durante milhões de anos desenvolveram-se animais dotados de um sistema nervoso cada vez mais complexo e com um cérebro cada vez maior. Pessoalmente não acho que tenha sido um acaso. O que é que tu pensas?

— O olho humano não pode ter surgido por mero acaso. Não achas que haja um significado por detrás do facto de podermos ver o mundo que nos rodeia?

— A evolução do olho também surpreendeu Darwin. Não conseguia imaginar que uma coisa tão bela e delicada pudesse ter nascido devido à selecção natural.

Sofia olhou para Alberto. Pensou como era estranho ela estar a viver naquele momento, o facto de viver apenas aquela vez e de não tornar a viver. De repente, exclamou:

— «Então que vale a eterna criação? Coisas criadas ao nada reduzir!»

Alberto fixou-a severamente:

— Não podes falar assim, minha filha. Essas são as palavras do diabo.

— Do diabo?

— Ou de Mefistófeles — no *Fausto* de Goethe.

— O que querem dizer exactamente estas palavras?

— Enquanto Fausto morre, e olha retrospectivamente para a sua longa vida — diz num tom triunfante:

És tão belo, demora-te! Por séculos
E séculos de meus terrenos dias
Não se apaga o vestígio — Agora mesmo,
Somente em pressentir tanta delícia,
Gozo ditoso o mais celeste instante.

— Que bonito!

— Mas agora é a vez do diabo. Mal Fausto morre, exclama:

Acabou-se! Palavra sem sentido!
Acabou-se porquê? Acabou e nada,
É tudo a mesma coisa! Então que vale

A eterna criação? Coisas criadas
Ao nada reduzir! «Está acabado!...»
Que quer isto dizer? É exactamente
Como se nunca fosse, e todavia
Circula, como tendo inda existência!
Preferira ao que acaba o vácuo eterno. *

— Que pessimismo. Gostei mais da primeira citação. Apesar de a sua vida ter terminado, Fausto viu um significado nos vestígios que deixou atrás de si.

— Não é uma consequência da teoria da evolução de Darwin sentir-mo-nos parte de alguma coisa de grande onde a mais pequena forma de vida tem um significado na totalidade? Nós somos o planeta vivo, Sofia! Somos a grande embarcação que navega à volta de um sol ardente no universo. Mas cada um de nós é também um barco que atravessa a vida com uma carga de genes. Quando a tivermos transportado até ao porto seguinte, não teremos vivido em vão. Bjornstjerne Bjornson exprimiu a mesma ideia no poema «Salmo II»:

Louva o eterno na nossa vida
que criou todas as coisas!
Na manhã da ressurreição o mínimo é dado,
apenas as formas se perdem.
A estirpe gera a estirpe,
e alcança poderes crescentes;
a espécie gera a espécie
em milhões de anos
Mundos morrem e nascem.
Na alegria de viver, tu, a quem foi concedido
ser uma flor desta primavera,
goza um dia em honra do eterno
na condição de homem;
oferece o teu óbolo
até ao surgir do eterno,
respira num único e
imperceptível fôlego
o dia eterno!

---

* J. W. Goethe, *Fausto*. Tradução de Agostinho de Ornellas — nova edição ao cuidado de Paulo Quintela. Por ordem da Universidade de Coimbra, 1953.

— Que bonito!

— Mas agora vamos terminar. Digo apenas: fim de capítulo!

— Pára com essa tua ironia!

— Fim de capítulo, disse eu. Presta atenção ao que eu te digo!

FREUD

... um desejo horrível, egoísta, emergira nela...

Hilde Møller Knag saltou da cama com o grande *dossier* nos braços. Deixou-o na mesinha de cabeceira, correu com a roupa para a casa de banho, tomou duche em dois minutos e vestiu-se a toda a pressa. Em seguida, desceu as escadas a correr.

— Pequeno-almoço, Hilde?

— Antes tenho de remar um pouco.

— Mas, Hilde!

Hilde saiu a correr da casa para o jardim. Desamarrou o barco da doca e saltou para dentro dele. Depois, começou a remar. Remou sem direcção pela enseada, primeiro com golpes enfurecidos, depois começou a acalmar-se. *«Nós somos o planeta vivo, Sofia! Somos a grande embarcação que navega à volta de um sol ardente no universo. Mas cada um de nós é também um barco que atravessa a vida com uma carga de genes. Quando a tivermos transportado até ao porto seguinte, não teremos vivido em vão...»*

Hilde sabia-o de cor: afinal tinha sido escrito para si. Não para Sofia, mas para si. Tudo o que estava escrito no *dossier* era uma carta do pai para ela.

Retirou os remos dos toletes e pô-los dentro do barco, que começou a balouçar para cima e para baixo. As ondas batiam levemente no fundo.

Tal como o pequeno barco se movia na água de uma pequena enseada em Lillesand, também ela era uma casca de noz na superfície da vida.

Onde estavam Sofia e Alberto neste quadro? Sim, onde estavam Sofia e Alberto?

Não conseguia aceitar a ideia de que fossem apenas «impulsos electromagnéticos» no cérebro do pai. Não fazia sentido que fossem apenas papel e tinta de uma fita da máquina de escrever do pai. Nesse caso poderia dizer que ela própria era uma aglomeração de ligações proteicas que se tinham reunido outrora «numa pequena poça quente». Mas ela era mais do que isso. Ela era Hilde Møller Knag!

O *dossier* era, de facto, um presente de aniversário fantástico. E o pai soubera fazer ressoar nela uma corda nova. Mas o tom impertinente com o qual escrevia sobre Sofia e Alberto não lhe agradava.

O major havia de levar um raspanete no regresso a casa. Ela devia-o àqueles sobre os quais estava a ler. Hilde já estava a ver o pai a andar de um lado para o outro como um garoto no aeroporto de Copenhaga.

Hilde tinha-se acalmado. Remou novamente até à doca e amarrou o barco. Depois tomou o pequeno-almoço com a mãe. Gostaria de poder dizer que o ovo estava muito bom, mas na realidade estava um pouco mole.

À noite, voltou a pegar no *dossier*. Já não faltavam muitas páginas.

Voltaram a bater à porta.

— Tapamos as orelhas? — perguntou Alberto. — Talvez parem.

— Não, eu quero ver quem é.

Quando foi à porta, Alberto foi atrás dela.

Lá fora estava um homem nu. Pusera-se numa postura muito solene, mas a única coisa que trazia vestida era uma coroa na cabeça.

— Então? — perguntou. — O que pensam os senhores das novas vestes do rei?

Alberto e Sofia ficaram mudos de perplexidade, mas isso não fez diferença para o homem nu.

— Vós nem vos inclinais! — exclamou.

Alberto ganhou coragem:

— É verdade, mas o rei está completamente nu.

O homem manteve a mesma posição solene. Alberto inclinou-se para Sofia e sussurrou-lhe ao ouvido:

— Julga ser uma pessoa muito distinta.

O homem fez uma expressão carrancuda.

— Esta casa exerce algum tipo de censura? — perguntou.

— Infelizmente — respondeu Alberto. — Aqui estamos completamente despertos e em plena posse das nossas faculdades mentais. Na condição vergonhosa em que se encontra não lhe é permitido passar a soleira desta pequena casa.

Sofia achou aquele homem, pomposo mas nu, tão cómico que desatou a rir. Como se isso fosse o sinal secreto, o homem com a coroa na cabeça deu-se subitamente conta de não ter nada vestido. Cobriu-se com ambas as mãos, correu para o bosque e desapareceu. Talvez se encontrasse com Adão e Eva, Noé, Capuchinho Vermelho e Winnie the Pooh.

Alberto e Sofia ficaram à porta. Finalmente, Alberto disse:

— Talvez seja melhor voltarmos a entrar. Vou falar-te de Freud e da sua teoria sobre o inconsciente.

Sentaram-se em frente à janela. Sofia olhou para o relógio e disse:

— Já são duas e meia, e ainda tenho que fazer muita coisa para a festa do jardim.

— Eu também. Vamos falar rapidamente sobre Sigmund Freud.

— Era um filósofo?

— Podemos defini-lo como um filósofo da cultura. Freud nasceu em 1856 e estudou medicina na universidade de Viena, cidade em que passou a maior parte da sua vida, justamente no período em que a vida cultural de Viena estava no apogeu. Especializou-se no ramo da medicina que se chama neurologia. Em finais do século passado — e durante a primeira metade deste século — elaborou a sua *psicologia analítica* ou *psicanálise*.

— Espero que expliques isso melhor.

— Por psicanálise entendemos quer uma descrição da psicologia humana em geral quer um método para a cura das doenças nervosas e psíquicas. Não tenho intenção de te fornecer um quadro completo nem de Freud nem da sua actividade, mas a sua doutrina do inconsciente é fundamental para compreendermos o que é um ser humano.

— Já conseguiste despertar o meu interesse. Fala!

— Segundo Freud, existe sempre uma tensão entre um ser humano e o ambiente que o rodeia. Mais precisamente, trata-se de uma tensão, ou de um conflito, entre as pulsões e necessidades do homem e as exigências do mundo externo. Não é exagerado afirmar que foi Freud a descobrir a vida instintiva do homem, e isto torna-o um expoente das correntes naturalistas, dominantes no final do século.

— O que queres dizer com «vida instintiva» do homem?

— Nem sempre a razão domina as nossas acções: o homem não é apenas um ser racional como os racionalistas do século XVIII pensavam. Muitas vezes, são os impulsos irracionais que determinam o que pensamos, o que sonhamos e fazemos. Estes impulsos irracionais podem ser expressão de pulsões profundas ou de necessidades. Tão importante como a necessidade de sucção do recém-nascido é o impulso sexual do homem.

— Compreendo.

— Em si, talvez não fosse uma verdadeira descoberta, mas Freud mostrou que as necessidades deste género podem ser «camufladas» ou «transformadas» e dominar assim as nossas acções sem que tenhamos consciência disso. Mostrou ainda que mesmo as crianças têm a sua forma de sexualidade. Esta constatação da sexualidade infantil provocou na burguesia culta vienense uma reacção de repulsa que tornou Freud muito impopular.

— Não é de admirar.

— Estamos a falar da chamada época vitoriana, quando tudo o que tinha a ver com a sexualidade era considerado tabu. Freud tinha chegado às suas conclusões sobre a sexualidade infantil através da sua prática como psicoterapeuta, logo, as suas afirmações tinham um fundamento empírico. Ele tinha também verificado que muitas formas de doenças psíquicas podiam ser reconduzidas a conflitos na infância. Gradualmente, desenvolveu um método de cura que podemos definir como uma espécie de «arqueologia psíquica».

— O que queres dizer com isso?

— Um arqueólogo procura encontrar vestígios de um passado longínquo escavando os diversos estratos culturais: encontra uma faca do século XVII, um pouco mais abaixo descobre um pente do século XIV e ainda mais abaixo um vaso do século IV.

— E então?

— Da mesma forma, um psicólogo pode «escavar» na consciência do seu paciente com a ajuda deste, para trazer à luz as experiências que estão na origem dos sofrimentos psíquicos. Segundo Freud, conservamos dentro de nós todas as recordações do passado.

— Agora compreendo.

— E por vezes encontra uma experiência dolorosa que o paciente tentou sempre esquecer, mas que permaneceu no fundo e destrói a sua resistência. Quando essa «experiência traumática» é trazida à consciência — e apresentada ao paciente — ele pode «libertar-se» dela e curar-se.

— Parece lógico.

— Mas fui demasiado rápido. Vamos primeiro ver como Freud descreve a mente humana. Já alguma vez viste um recém-nascido?

— Eu tenho um primo de quatro anos.

— Quando vimos ao mundo, vivemos de modo directo e sem constrangimento as nossas necessidades físicas e psíquicas. Se não nos dão leite, choramos e gritamos. Fazemo-lo também quando as fraldas estão molhadas. E exprimimos directamente o nosso desejo de contacto físico e de calor humano. Freud chama a este «princípio de prazer» id. Quando somos bébés somos quase apenas id.

— Continua!

— O *id* está presente em nós durante toda a vida, mas pouco a pouco aprendemos a controlar os nossos desejos e a adequar-nos às circunstâncias. Aprendemos a adaptar as pulsões instintivas ao «princípio de realidade». Freud diz que construímos um eu (ou *ego*) que tem esta função reguladora. Mesmo se desejamos algo, não podemos simplesmente pôr-nos a gritar até que os nossos desejos ou necessidades sejam satisfeitos.

— Claro que não.

— Pode acontecer desejarmos algo intensamente e simultaneamente o mundo não o aceitar. Nesse caso, temos de *reprimir* os nossos desejos, ou seja, tentamos afastá-los ou esquecê-los.

— Compreendo.

— Freud tem ainda em conta uma terceira instância na mente humana: desde a infância confrontamo-nos constantemente com as obrigações morais impostas pelos pais e pelo mundo exterior. Quando fazemos alguma coisa errada, os pais dizem: «Isso não!», ou «Que vergonha!». Mesmo na idade adulta trazemos connosco um eco dessas obrigações morais e dessas condenações. As convenções morais do mundo externo parecem ter penetrado em nós e terem-se tornado parte de nós. A isso chama Freud superego.

— Queria dizer consciência?

— Num passo, Freud diz efectivamente que o superego se coloca perante o Eu como consciência moral. Mas aquilo que importa a Freud é que em primeiro lugar o superego nos dá sinal de si quando temos desejos «indecorosos» ou «inconvenientes», sobretudo se se trata de desejos eróticos ou sexuais. E, como dissemos, Freud afirmou que esse tipo de desejos já estão presentes num estádio precoce da infância.

— Explica-te!

— Hoje sabemos e vemos que as crianças pequenas gostam de tocar nos órgãos genitais. Podemos observar isso em qualquer praia. No tempo de Freud, crianças de dois ou três anos levavam uma palmada nos dedos por isso. Nesse tempo, as crianças ouviam constantemente: «Que vergonha!», ou «Está quieto!», ou «As mãos quietas!».

— Isso está mal.

— Deste modo, cria-se um sentimento de culpa, e uma vez que este sentimento de culpa se conserva no superego, muitas pessoas, — segundo Freud a maior parte — têm um sentimento de culpa em relação ao sexo. Mas os desejos e as necessidades sexuais são uma componente natural e fundamental do homem. E então, minha cara Sofia, surge um conflito entre prazer e culpa que durará toda a vida.

— Não achas que esse conflito se atenuou desde o tempo de Freud?

— Certamente. Mas muitos dos pacientes de Freud viviam-no tão intensamente que desenvolviam aquilo a que Freud chamou *neurose*. Uma das suas pacientes, por exemplo, estava apaixonada pelo cunhado. Quando a irmã morreu devido a uma doença, ela pensou: «Agora ele está livre e podemos casar!» Este pensamento entrou naturalmente em contradição com o superego. Era tão monstruoso que ela o *recalcou*, como diz Freud. Quer dizer que ela o empurrou para o inconsciente. Essa rapariga adoeceu e apresentou graves sintomas histéricos, e quando Freud se encarregou da cura, verificou-se que ela se tinha esquecido completamente da cena junto ao leito de morte da irmã e do desejo horrível, egoísta, que emergira nela. Mas durante o tratamento recordou-o, reproduziu aquele momento patogénico e ficou curada.

— Agora compreendo melhor o que queres dizer com «arqueologia psíquica».

— Então vou tentar fazer uma descrição geral de mente humana. Após uma longa experiência na cura dos doentes, Freud chegou à conclusão de que a *consciência* constitui apenas uma pequena parte da mente humana. A parte consciente é comparável à ponta de um icebergue que vemos sobressair da água. Sob a superfície da água, — ou sob o limiar da consciência — há o *inconsciente*.

— Então o inconsciente é tudo aquilo que está em nós mas que esquecemos ou não recordamos?

— Não temos sempre presentes na consciência todas as nossas experiências, mas tudo o que pensámos ou vivemos e que nos vem à mente se «pensarmos um pouco», foi designado por Freud «pré-consciente». O termo inconsciente foi usado por Freud apenas para aquilo que recalcámos, ou seja, as coisas que queremos esquecer por serem desagradáveis, indecentes ou repugnantes. Se temos desejos ou vontades que são intoleráveis para a nossa consciência — ou para o superego, — empurramo-los para o rés-do-chão. Fora com eles!

— Compreendo.

— Este mecanismo funciona em todas as pessoas sãs, mas manter longe da consciência os pensamentos desagradáveis ou proibidos exige tal esforço que provoca problemas nervosos. Aquilo que é recalcado tenta reemergir por si na consciência, de forma que cada vez mais energia tem de ser usada para manter os impulsos desse género longe da consciência. Quando Freud deu lições sobre a psicanálise em 1909 nos EUA, explicou com um exemplo simples o funcionamento deste mecanismo de recalcamento.

— Conta!

— Ele disse aos ouvintes: «Imaginemos que nesta sala se encontra um indivíduo que me perturba e distrai rindo de um modo insolente, falando e batendo com os pés. Declaro que assim não posso continuar a conferência e, nessa altura, alguns homens robustos levantam-se e depois de uma breve luta lançam fora o importuno. Ele é assim «removido» e eu posso continuar. Para que não haja mais distúrbios, caso o indivíduo tente entrar novamente na sala, os homens que executaram a minha vontade põem as suas cadeiras à porta, feita a remoção, e ficam lá como "resistência". Se imaginarmos a sala como o consciente e o corredor como o inconsciente, temos uma boa imagem do processo de recalcamento.»

— Eu também acho que é uma boa imagem.

— Mas o indivíduo quer voltar a entrar, Sofia. Isto é o que acontece, pelo menos com os pensamentos e os impulsos recalcados: vivemos sob uma «pressão» constante devido aos pensamentos recalcados que tentam emergir do inconsciente. Por esse motivo, dizemos ou fazemos frequentemente coisas sem querer e, deste modo, as reacções inconscientes dominam os nossos sentimentos e as nossas acções.

— Podes dar-me um exemplo?

— Freud descreve muitos destes mecanismos. Por exemplo, aqueles a que chamou «actos falhados», quando dizemos ou fazemos coisas que tentámos recalcar. Ele dá o exemplo de um empregado que ia brindar ao seu chefe, que não era muito popular. Ele era aquilo a que se pode chamar «um sacana».

— E o que aconteceu?

— O empregado levantou-se, elevou o seu copo solenemente e disse: «Convido-vos a arrotarem pelo nosso chefe.»

— Não tenho palavras.

— O empregado também não. Na realidade tinha apenas dito aquilo que pensava sem a intenção de o dizer. Esta expressão involuntária de sinceridade era um lapso, ou seja, uma troca de palavras devido à semelhança. Em alemão — não te esqueças de que Freud era vienense — o verbo *anstossen*, «beber à saúde», é muito semelhante a *aufstossen* que significa entre outras coisas «arrotar». Queres ouvir outro exemplo?

— Sim.

— A família de um pastor, que tinha muitas filhas boas e amáveis, esperava a visita de um bispo. Acontece que este bispo tinha um nariz extremamente grande e por isso foi imposto às raparigas não fazerem comentários sobre o seu nariz. Porém, acontece muitas vezes que as crianças deixem escapar alguma coisa, porque o seu mecanismo de recalcamento ainda não está muito desenvolvido.

— E então?

— O bispo chegou e as raparigas esforçaram-se o máximo para não dizerem nada sobre o nariz. E mais ainda: tentaram nem sequer olhar para o nariz; tinham de tentar esquecê-lo. E pensavam nisso o tempo todo. Mas quando uma das filhas mais pequenas serviu o açúcar para o café, pôs-se em frente do austero bispo e disse-lhe: «Quer um pouco de açúcar no nariz?»

— Embaraçoso.

— Por vezes, também *racionalizamos*, ou seja, damos a nós e aos outros, para justificarmos aquilo que fazemos, motivos diferentes da verdadeira causa, precisamente porque a causa real é desagradável.

— Um exemplo, por favor.

— Eu posso hipnotizar-te e fazer com que abras a janela. Ordeno-te portanto que te levantes e abras a janela quando eu bater com os dedos na mesa. Depois pergunto-te por que razão abriste a janela. Talvez me respondas que abriste a janela porque achaste que estava calor. Mas esse não é o verdadeiro motivo: não queres admitir para ti mesma que fizeste uma coisa por minha ordem, sob hipnose. Neste caso estás a racionalizar, Sofia.

— Compreendo.

— Quase todos os dias acontece comunicarmos, por assim dizer, com sentido duplo.

— Eu falei do meu primo de quatro anos. Não me parece que tenha muitas crianças com quem jogar, pelo menos fica muito contente quando o vou ver. Uma vez disse-lhe que tinha de me apressar para voltar a casa e sabes o que me respondeu?

— Diz!

— «Ela é estúpida», disse ele.

— Sim, isso é verdadeiramente um exemplo do que entendemos por racionalização: o rapaz queria dizer que segundo ele era estúpido que tivesses que te ir embora, mas não queria admiti-lo. Por vezes, acontece também que «projectamos».

— Traduz.

— Quando projectamos, transferimos para outros características nossas que tentamos recalcar. Uma pessoa muito avara, por exemplo, está inclinada a dizer que os outros são avaros. Uma outra pessoa que não quer admitir para si mesma ter interesse por sexo, será talvez a primeira a irritar-se porque os outros têm fixação pelo sexo.

— Compreendo.

— Segundo Freud, a nossa vida quotidiana apresenta numerosos exemplos de acções inconscientes. Acontece frequentemente esquecermos o nome de uma pessoa, remexermos na roupa enquanto falamos ou mudarmos o sítio dos objectos, aparentemente por acaso, na sala. Além disso, podemos tropeçar nas palavras e enganarmo-nos a falar, acções que poderiam parecer totalmente inócuas. Mas, para Freud, os lapsos nem sempre são tão casuais nem tão inocentes como acreditamos, devem ser vistos como sintomas. Actos falhados deste tipo ou «acções casuais» podem revelar os segredos mais íntimos.

— A partir de agora vou reflectir bem antes de dizer uma palavra.

— Mas não conseguirás fugir aos teus impulsos inconscientes. A arte reside em não nos esforçarmos em empurrar demasiadas coisas desagradáveis para o inconsciente. É o mesmo que querermos tapar o buraco de uma toupeira. Podemos consegui-lo, mas também podemos ter a certeza de que a toupeira aparecerá numa outra parte do jardim. O mais saudável é deixar entreaberta a porta entre consciente e inconsciente.

— Se fechamos a porta podemos ter distúrbios psíquicos?

— Sim, um neurótico é justamente uma pessoa que despende demasiada energia para afastar da consciência aquilo que é desagradável. Frequentemente, são experiências particulares que esta pessoa quer recalcar: Freud chamou-lhes *traumas*. A palavra é grega e significa «ferida».

— Compreendi.

— Na cura do paciente, foi importante para Freud tentar abrir com cautela esta porta fechada, ou talvez abrir uma nova. Com a colaboração do paciente tentava trazer à luz as experiências recalcadas. O paciente não tem consciência daquilo que recalca, mas pode desejar que o médico (ou «analista» como se diz na psicanálise) o ajude a encontrar os traumas escondidos.

— Como procede o psicanalista?

— Freud chamou-lhe a técnica da *associação livre*. Fazia o paciente deitar-se descontraido e deixava-o falar sobre o que lhe vinha à cabeça nesse momento, independentemente de poder parecer insignificante, casual, desagradável ou embaraçoso. O analista parte do princípio de que, naquilo que o paciente associa no divã, estão sempre contidas referências aos seus traumas e às resistências que impedem que eles se tornem conscientes. É que os pacientes preocupam-se com os seus traumas sempre — mas não conscientemente.

— Quanto mais nos esforçamos por esquecer alguma coisa, mais pensamos inconscientemente nisso?

— Exacto. Por isso é importante tomar atenção aos sinais que provêm do inconsciente. O caminho certo para penetrar no inconsciente reside, segundo Freud, nos sonhos. Um dos seus livros mais importantes foi de facto *A Interpretação dos Sonhos*, publicado em 1900. Nessa obra ele afirmou que aquilo que sonhamos não é casual: através dos sonhos os pensamentos inconscientes tornam-se manifestos à consciência.

— Continua!

— Depois de muitos anos de experiência com os pacientes, e depois de ter analisado os seus próprios sonhos, Freud afirmou que todos os sonhos são a *satisfação* de um desejo. Podemos observar isto nas crianças, afirmou. Sonham com gelados e cerejas. Mas, nos adultos, os desejos que o sonho quer realizar são frequentemente camuflados, porque, mesmo quando dormimos, há uma censura relativamente àquilo que podemos ou não podemos fazer. Mesmo se durante o sono essa censura, ou mecanismo de recalcamento, está enfraquecida em relação ao nosso estado de vigília, é suficientemente forte para deformar os desejos que não queremos reconhecer.

— É por isso que os sonhos têm de ser interpretados?

— Freud defende que devemos distinguir o sonho como o recordamos de manhã do seu verdadeiro significado. Chamou às imagens oníricas, ou seja, ao «filme» que sonhamos, o *conteúdo manifesto* do sonho. Este conteúdo manifesto tem por motivo acontecimentos que se deram recentemente, muitas vezes no dia anterior. Todavia, o sonho tem também um significado mais profundo e oculto à consciência. Freud chamou-lhe *conteúdo onírico latente*. Estes pensamentos ocultos, de que o sonho trata, podem dizer respeito a um tempo passado, por exemplo, a primeira infância.

— Então temos de analisar o sonho para compreendermos do que se trata.

— Sim, e quando são pessoas doentes, é interpretado com o terapeuta. Mas não é o médico que interpreta sozinho o sonho: só o pode fazer com a ajuda do paciente. Nesta situação, o psicanalista desempenha a função de uma parteira socrática que está presente e ajuda durante a interpretação.

— Compreendo.

— A transformação que se dá na passagem dos pensamentos oníricos latentes ao conteúdo manifesto é chamada por Freud *trabalho onírico*. Podemos falar de um camuflamento ou de uma codificação do verdadeiro significado do sonho; através da sua interpretação, deve-se percorrer um processo inverso para desmascarar ou descodificar o motivo do sonho, para descobrir o verdadeiro tema do sonho.

— Podes dar-me um exemplo?

— Nos livros de Freud há muitos desses exemplos. Mas nós podemos imaginar um muito freudiano e simples. Quando um jovem sonha que a sua prima lhe envia dois balões...

— Sim?

— Não, tens que tentar interpretá-lo sozinha.

— Hmm... o «conteúdo manifesto» do sonho é exactamente aquilo que disseste: recebe dois balões da sua prima.

— Continua!

— Disseste que o material contido pode ter a ver com algo recentemente vivido... No dia anterior, ele estava numa feira popular ou viu a fotografia de dois balões no jornal.

— Sim, é possível, mas bastava-lhe ter visto a palavra «balão» algures ou uma coisa que lhe fizesse recordar um balão.

— Mas quais são os pensamentos oníricos latentes, ou seja, o verdadeiro significado do sonho?

— Tu és a analista.

— Talvez desejasse apenas dois balões.

— Não, isso é pouco provável. É verdade que o sonho é a realização de um desejo, mas um homem adulto não pode desejar ardentemente ter dois balões. E mesmo que isso fosse um desejo seu, não teria necessidade de sonhar com isso.

— Então, acho que na realidade ele desejava a sua prima, e os dois balões são os seus seios.

— Sim, é uma explicação provável, sobretudo se esse desejo é um pouco embaraçoso para ele, de tal forma que não goste de o admitir no estado de vigília.

— Então os nossos sonhos falam numa linguagem que é preciso descodificar?

— Sim. Segundo Freud, o sonho é uma realização camuflada de desejos recalcados. Aquilo que nós hoje camuflamos pode ter mudado muito desde que Freud era médico em Viena, mas o mecanismo de camuflagem do conteúdo onírico é o mesmo.

— Compreendo.

— A psicanálise de Freud teve uma grande importância nos anos 20, sobretudo na cura de pacientes que sofriam de distúrbios psíquicos. Mas a teoria do inconsciente foi também muito importante para a arte e para a literatura.

— Queres dizer que os artistas começaram a interessar-se mais pela vida inconsciente da mente?

— Exacto. Se bem que esse interesse já se tivesse manifestado na literatura nos últimos dez anos do século passado, ou seja, antes de a psicanálise de Freud ser conhecida. Isso significa que não foi por acaso que a psicanálise de Freud surgiu nessa época.

— Queres dizer que fazia parte do espírito do tempo?

— Freud foi o primeiro a afirmar que não fora ele a inventar fenómenos como o recalcamento, os actos falhados e a racionalização, mas simplesmente o primeiro a levar essas experiências humanas à psiquiatria. Freud foi muito hábil a servir-se de exemplos literários para ilustrar a sua teoria. Mas, como dissemos, a partir dos anos 20 a psicanálise influencia mais directamente a arte e a literatura.

— Como?

— Os poetas e os pintores procuraram servir-se das forças inconscientes no seu trabalho de criação. Isto é válido para os chamados *surrealistas*.

— E quem eram?

— «Surrealismo» é uma palavra de origem francesa e significa literalmente «além da realidade». Em 1924, *André Breton* publicou um «manifesto surrealista» no qual afirmou que a arte devia provir do inconsciente, pois só assim o artista podia obter as suas imagens oníricas com inspiração livre e tender para uma «supra-realidade», na qual as diferenças entre sonho e realidade são suprimidas. De facto, também pode ser importante para um artista destruir a censura da consciência, para que as palavras e as imagens possam fluir livremente.

— Compreendo.

— De certo modo, Freud tinha mostrado que todos os homens são artistas: um sonho é uma pequena obra de arte e todas as noites criamos sonhos. Para interpretar os sonhos dos seus pacientes, Freud tinha de atravessar uma floresta de símbolos, mais ou menos como sucede quando interpretamos um quadro ou um texto literário.

— E sonhamos todas as noites?

— Investigações recentes mostram que sonhamos cerca de vinte por cento do tempo em que dormimos, ou seja, duas a três horas por noite. Se somos perturbados durante o sono, tornamo-nos nervosos e irritáveis. Isto significa, entre outras coisas, que todos os homens têm uma necessidade inata de dar expressão artística à sua situação existencial, e o sonho trata de nós. Somos os realizadores, somos nós que imaginamos o enredo, somos nós que desempenhamos todos os papéis. Uma pessoa que afirma não entender nada de arte conhece-se mal.

— Compreendo.

— Freud também mostrou que a consciência humana é fantástica. O seu trabalho com os pacientes convenceu-o de que conservamos em algum local profundo da mente tudo aquilo que vimos e que vivemos e todas estas impressões podem ser trazidas à superfície. Quando temos um «vazio mental» e depois temos isso «na ponta da língua» e por fim «nos veio à mente», estamos a falar de algo que estava no inconsciente e que de repente se torna manifesto passando por uma porta entreaberta.

— Mas, por vezes, isso demora muito tempo.

— Todos os artistas têm consciência disso, mas, subitamente, todas as portas e gavetas dos arquivos parecem abrir-se. Tudo flui por si, e podemos escolher exactamente as palavras e as imagens de que precisamos. Isso sucede quando abrimos um pouco mais a porta para o inconsciente. Também podemos chamar a isso *inspiração*, Sofia. Temos então a sensação de que aquilo que desenhamos ou escrevemos não vem de nós mesmos.

— Deve ser uma sensação maravilhosa.

— Certamente já a experimentaste. Podemos observar esse estado em crianças muito cansadas. Por vezes, as crianças estão tão cansadas que agem de forma totalmente desperta. De repente começam a falar, e é como se descobrissem palavras que ainda não aprenderam. Mas aprenderam-nas. Essas palavras e pensamentos estavam latentes na consciência, porém só naquele momento, quando devido ao cansaço o cuidado diminui e já não há censura, é que elas vêm à luz. Para um artista a situação é diferente. Mas para ele também é importante que a razão e a reflexão não controlem aquilo que se desenvolve melhor de uma forma livre, espontânea e inconsciente. Posso contar-te uma pequena fábula que ilustra o que eu disse?

— De bom grado.

— É uma fábula muito séria e muito triste.

— Começa!

— Era uma vez uma centopeia que com as suas cem pernas era muito boa a dançar. Quando dançava, os animais reuniam-se no bosque para a admirar e todos estavam muito impressionados pela sua habilidade. Só um animal não podia suportar que a centopeia dançasse, um sapo...

— Certamente tinha inveja.

— «Como é que posso impedi-la de dançar», pensou o sapo. Não podia dizer que não gostava da dança nem que era melhor a dançar do que a centopeia, seria um absurdo. Por fim, tramou um plano diabólico.

— Fala!

— Escreveu uma carta à centopeia: «Ó incomparável centopeia! Sou um devoto admirador da tua requintada dança. Gostaria de saber como te moves a dançar. Levantas primeiro a perna esquerda número 22 e depois a perna direita número 59? Ou começas por levantar a tua perna direita número 26 antes de levantares a tua perna esquerda número 44? Aguardo ansiosamente uma resposta tua. Saudações cordiais, o sapo.»

— Que horror!

— Quando a centopeia recebeu esta carta, reflectiu pela primeira vez na sua vida no que fazia quando dançava. Que perna movia em primeiro lugar? E que perna vinha a seguir? O que te parece que aconteceu depois?

— Acho que a centopeia não voltou a dançar.

— Sim, foi o fim. É justamente isso que pode suceder quando a fantasia é sufocada pela razão.

— É uma história mesmo triste.

— Para um artista pode ser importante «deixar-se ir». Os surrealistas tentaram atingir um estado no qual tudo fluísse por si. Sentavam-se em frente a uma folha em branco e começavam a escrever sem pensarem no que estavam a escrever. Chamaram-lhe *escrita automática*. A expressão provém do espiritismo, onde um médium acreditava que a caneta era guiada pelo espírito de um defunto. Mas voltaremos a falar destas coisas amanhã.

— Está bem.

— O artista surrealista também é de certo modo um médium, o médium do seu inconsciente. Mas talvez esteja presente um elemento inconsciente em qualquer processo criativo. Porque, o que é na realidade aquilo a que chamamos «criatividade»?

— Não é o facto de se criar uma coisa nova?

— Sim, e isso sucede quando existe uma colaboração entre fantasia e razão. Demasiadas vezes, a razão sufoca a fantasia e isso é uma coisa grave, porque sem fantasia nunca nasce algo verdadeiramente novo. Eu vejo a fantasia como um sistema darwiniano.

— Desculpa, mas não compreendi isso.

— O darwinismo mostra que na natureza nascem mutantes uns a seguir aos outros, mas a natureza só precisa de alguns. Só alguns têm a possibilidade de sobrevivência.

— Sim?

— O mesmo sucede quando pensamos, quando estamos inspirados e temos muitas ideias. Um «pensamento mutante» surge a seguir a outro na nossa consciência, se não nos submetemos a uma censura demasiado severa. Mas só alguns destes pensamentos podem ser utilizados. Neste ponto a razão ocupa o seu lugar, porque também tem uma função importante. Quando a caça do dia está na mesa, não podemos esquecer-nos de ser selectivos.

— É uma boa comparação.

— Imagina que tudo aquilo que nos impressionou, ou seja, toda a nossa fonte de inspirações, passasse pelos nossos lábios! Ou abandonasse o bloco de notas ou a gaveta da escrivaninha. O mundo afogar-se-ia num mar de ideias acidentais e não haveria qualquer escolha, Sofia.

— E é a razão que selecciona todas as ideias?

— Sim, ou achas que não? Talvez seja a fantasia que cria uma coisa nova, mas não é responsável pela escolha. Não é a fantasia que «compõe»: uma composição, e qualquer obra de arte é uma composição, surge de uma colaboração admirável entre fantasia e razão, ou entre sensibilidade e pensamento. Há sempre algo de casual num processo criativo e, numa certa fase, é importante não fechar a porta a essas ideias casuais. É preciso soltarmos as ovelhas antes de começarem a pastar.

Alberto ficou em silêncio algum tempo a olhar pela janela. Sofia seguiu o seu olhar e viu uma grande multidão de personagens de Walt Disney de todas as cores na margem do pequeno lago.

— Olha o Pateta — disse. — E o Pato Donald e os sobrinhos... e a Margarida... e o Tio Patinhas. Vês o Tico e o Teco? Não ouves o que eu digo, Alberto? Lá em baixo estão também o Rato Mickey e o Pardal!

Ele voltou-se para ela:

— Sim, isto é triste, minha filha.

— O que queres dizer com isso?

— Estamos aqui sentados, vítimas impotentes das ovelhas postas em liberdade pelo major. Mas é culpa minha, fui eu a falar do jogo livre da fantasia.

— Não tens nada a censurar-te.

— Queria dizer que a fantasia também é importante para nós filósofos. Para pensarmos uma coisa nova, temos de ter a coragem de nos deixarmos ir. Mas eu exprimi-me de um modo um pouco vago.

— Não te preocupes.

— Eu queria dizer alguma coisa sobre a importância da reflexão silenciosa. E ele vem-nos com estas doidices coloridas. Devia ter vergonha!

— Estás a ser irónico?

— *Ele* está a ser irónico, eu não. Mas tenho uma consolação, a verdadeira pedra angular do meu plano.

— Já não estou a perceber nada.

— Falámos sobre sonhos: nisso há uma pequena ponta de ironia! O que somos senão as imagens oníricas do major?

— Ah...

— Mas ele esqueceu-se de uma coisa.

— O quê?

— Talvez tenha consciência do seu sonho, sabe tudo o que fazemos e o que dizemos, tal como o sonhador recorda o conteúdo onírico manifesto. É ele que o escreve. Mas mesmo que se lembre de tudo o que dizemos um ao outro, não está completamente desperto.

— O que queres dizer com isso?

— Não conhece os pensamentos oníricos latentes, Sofia. Esquece-se de que também este é um sonho disfarçado.

— Falas de um modo tão estranho...

— O major também pensa assim. E é assim porque não compreende a sua própria linguagem onírica. Devíamos alegrar-nos com isso, porque nos dá um mínimo de espaço para agirmos. Com esta liberdade conseguiremos escapar à sua consciência lamacenta como um arganaz que num dia quente de sol sai da sua toca.

— Achas que conseguimos?

— Temos de conseguir. Dentro de dois dias dar-te-ei um novo horizonte, e nessa altura o major já não saberá onde estão os arganazes e onde vão aparecer.

— Mesmo que sejamos apenas imagens oníricas, eu sou à mesma uma filha. São cinco horas. Tenho que ir para casa preparar a festa de jardim.

— Mmmm... podes fazer-me um pequeno favor enquanto vais para casa?

— O quê?

— Tenta atrair a atenção. Tenta fazer com que o major não te perca de vista durante todo o caminho para casa. Tenta pensar nele quando chegares a casa — assim, ele também pensará em ti.

— Para quê?

— Desse modo, posso trabalhar no meu plano sem ser perturbado. Mergulharei nas profundezas do inconsciente do major, Sofia, e ficarei lá até nos voltarmos a ver.

O NOSSO TEMPO

... o homem está condenado à liberdade...

O despertador indicava 23.55. Hilde olhava para o tecto. Tentava deixar fluir as associações livres que lhe vinham à mente. Cada vez que o curso dos pensamentos se interrompia, tentava compreender por que motivo não conseguia avançar.

Seria algo que tentava recalcar?

Se conseguisse eliminar toda a censura, talvez começasse a sonhar estando desperta, pensamento que a assustava um pouco.

Quanto mais tentava descontrair-se e abrir-se aos seus pensamentos e imagens, mais tinha a sensação de estar na cabana do major junto ao lago, no bosque.

O que estaria Alberto a maquinar? Bom, na verdade era o pai dela que decidira que Alberto maquinasse qualquer coisa. Mas saberia exactamente o quê? Talvez estivesse a tentar afrouxar tanto as rédeas que Alberto o surpreendesse por fim?

Faltavam poucas páginas: deveria dar uma olhadela à última? Não, isso não seria correcto. Mas não era só isso: Hilde não tinha a certeza de que já estivesse decidido o que sucederia na última página.

Não era uma ideia estranha? O *dossier* estava ali, e o pai não podia acrescentar mais nada. No máximo Alberto, se conseguisse. A surpresa...

Mas Hilde haveria de tratar de algumas surpresas por si mesma. O major Knag não tinha controlo sobre ela. Mas teria ela controlo sobre si mesma?

O que era a consciência? Não seria um dos maiores mistérios do universo? O que era a memória? O que é que faz com que «recordemos» tudo o que vimos e vivemos? Que tipo de mecanismo nos faz criar sonhos fabulosos noite após noite? Enquanto reflectia sobre estas questões, Hilde fechava por vezes os olhos. Depois abria-os de novo e voltava a fixar o tecto. Por fim esqueceu-se de os reabrir.

Dormia.

Quando acordou com os gritos das gaivotas, o despertador indicava as 6.66. Era um número estranho! Hilde saltou da cama. Como sempre, foi à janela e observou a enseada: tinha-se tornado um hábito, tanto no Verão como no Inverno.

Enquanto estava ali, teve subitamente a sensação de que na sua cabeça explodia um conjunto de cores: lembrou-se do que sonhara. Mas fora mais do que um sonho normal. Tivera cores e contornos tão vivos...

Sonhara que o pai regressara do Líbano, e todo o sonho era como uma continuação do sonho de Sofia quando esta encontrara o seu crucifixo de ouro.

Hilde estava sentada na doca — exactamente como no sonho de Sofia. Depois ouvira uma voz muito suave a sussurrar-lhe: «Eu chamo-me Sofia!». Hilde tinha ficado imóvel, tentando compreender de onde vinha aquela voz semelhante a um fraco crepitar, como se um insecto lhe estivesse a falar: «Deves ser cega e surda!». Em seguida, o pai chegara ao jardim no seu uniforme da ONU. «Hilde!», gritara. Hilde correra em direcção a ele e lançara-lhe os braços à volta do pescoço. O sonho terminara aí.

Recordou alguns versos de um poema de Arnulf Øverland:

Acordei uma noite de um estranho sonho,
era como se uma voz me estivesse a falar,
longínqua como uma corrente subterrânea...
e eu levantei-me: o que queres de mim?

Enquanto estava à janela, a mãe entrou no quarto.
— Bom dia! Já estás acordada?
— Não sei...
— Volto cerca das quatro, como de costume.
— Está bem.
— Desejo-te um bom dia, Hilde.
— Obrigada.

Mal ouviu a porta de entrada a fechar-se, voltou à cama e abriu o *dossier*.

«Mergulharei nas profundezas do inconsciente do major, Sofia, e ficarei lá até nos voltarmos a ver.»

Sim, chegara até ali. Hilde continuou a ler. Com o indicador direito, sentiu que faltavam poucas páginas para o fim.

Quando Sofia deixou a cabana do major, viu que junto ao lago ainda havia algumas personagens de Walt Disney, mas que se diluíam à medida que se aproximava. Quando chegou ao barco, tinham desaparecido todas.

Enquanto remava e depois de ter puxado o barco para a margem, tentou fazer caretas e agitar os braços: tinha de chamar a atenção do major, para que Alberto pudesse trabalhar sem ser incomodado.

Enquanto corria pelo bosque, pôs-se a saltitar. Depois, tentou caminhar como uma boneca de corda e, por fim, para evitar que o major se aborrecesse, começou a cantar.

Por um momento, parou para reflectir procurando compreender em que é que consistiria o plano de Alberto... Mas quando se apercebeu do seu erro, ficou tão arrependida que trepou a uma árvore.

Subiu tão alto quanto pôde. Quando estava quase no topo, percebeu que não conseguiria descer imediatamente. Teria de fazer uma nova tentativa mais tarde, mas não podia ficar quieta ali em cima — o major cansar-se-ia de ficar a vê-la e começaria à procura de Alberto para descobrir o que estava a fazer.

Sofia agitou os braços, por duas vezes tentou cantar como um galo, depois cantou à tirolesa. Era a primeira vez que o fazia e estava muito contente com o resultado.

Tentou descer, mas estava presa. De repente, um grande ganso pousou sobre um dos ramos ao qual Sofia se segurava. Tendo visto recentemente as personagens de Disney, Sofia não se admirou pelo facto de o ganso começar a falar:

— Chamo-me Morten — disse. — Na verdade sou um ganso doméstico, mas excepcionalmente venho hoje do Líbano com gansos selvagens. Pareces precisar de ajuda para descer.

— Mas tu és demasiado pequeno para me ajudares — respondeu Sofia.

— Uma conclusão precipitada, minha jovem. Tu é que és demasiado grande.

— Faz alguma diferença?

— Fica a saber que eu transportei um camponês por toda a Suécia. Chamava-se Nils Holgersson.

— Eu tenho quinze anos.

— E Nils tinha catorze. Um ou dois anos de diferença não tem importância.

— Como conseguiste levá-lo?

— Dei-lhe uma bofetada ao de leve e ele perdeu os sentidos. Quando voltou a acordar, estava tão pequeno como um polegar.

— Então podes tentar dar-me também uma leve bofetada. Eu não posso ficar aqui sentada eternamente. No sábado dou uma festa filosófica.

— Isso é interessante. Então este é certamente um livro de filosofia. Quando voei pela Suécia com Nils Holgersson, fiz escala em Mårbacka na região de Värmland. Nils encontrou aí uma senhora de idade que tinha a intenção de escrever um livro sobre a Suécia: seria um livro para crianças, por isso devia ser instrutivo e conter toda a verdade, dizia sempre. Quando ouviu o que acontecera a Nils, decidiu escrever um livro sobre aquilo que o rapaz vira no dorso de um ganso.

— Que estranho.

— Para dizer a verdade foi uma coisa um pouco irónica porque nós já estávamos nesse livro.

Sofia sentiu uma bofetada na face e em seguida estava muito pequena. A árvore parecia todo um bosque, e o ganso era tão grande como um cavalo.

— Sobe — disse o animal.

Sofia caminhou ao longo do ramo e subiu para o dorso do ganso. As penas eram macias, mas estava tão pequena que picavam em vez de fazerem cócegas.

Mal encontrou uma posição cómoda, o ganso levantou voo. Voaram alto sobre as árvores. Sofia olhou para o lago e para a cabana do major. Lá estava Alberto a elaborar os seus planos complicados.

— Deves contentar-te com uma breve volta panorâmica — afirmou o ganso batendo as asas.

Depois aterrou ao pé da árvore à qual Sofia subira há pouco. Quando o ganso tocou o solo, Sofia escorregou para o chão. Depois de alguns trambolhões na urze, sentou-se e verificou que tinha adquirido as suas dimensões normais.

O ganso bamboleou-se à sua volta algumas vezes.

— Muito obrigada pela ajuda — disse Sofia.

— De nada. Não disseste que este é um livro de filosofia?

— Não, tu é que disseste isso.

— Bom, é a mesma coisa. Por mim, ter-te-ia levado a voar através de toda a história da filosofia, tal como levei Nils Holgersson a voar através da Suécia. Poderíamos ter dado uma volta por Mileto e Atenas, Jerusalém e Alexandria, Roma e Florença, Londres e Paris, Jena e Heidelberg, Berlim e Copenhaga...

— Obrigada, já chega.

— Mesmo para um ganso muito irónico seria muito difícil voar através dos séculos: é mais fácil sobrevoar as regiões da Suécia.

Dito isto, o ganso tomou balanço e levantou voo.

Sofia estava exausta, mas, quando entrou para o jardim pelo carreiro, pensou que Alberto teria certamente ficado muito satisfeito com a sua manobra de distracção: era impossível que o major tivesse conseguido pensar em Alberto na última hora. Caso contrário, sofria de um grave desdobramento de personalidade.

Sofia tinha acabado de entrar em casa quando a mãe chegou do trabalho. Evitara assim ter de justificar o facto de um ganso doméstico a ter ajudado a descer de uma árvore.

Após a refeição, começaram os preparativos para a festa. Subiram ao sótão para irem buscar um tampo de mesa de quase quatro metros de comprimento e levaram-no para o jardim; depois foi a vez dos pés.

Queriam pôr a mesa debaixo das árvores de fruto. A última vez que tinham utilizado a mesa fora por ocasião do décimo aniversário do casamento dos seus pais. Sofia tinha apenas oito anos, mas lembrava-se muito bem da grande festa ao ar livre, na qual tinham participado todos os parentes e amigos.

A previsão do tempo era óptima. Desde o violento temporal na véspera do aniversário de Sofia não caíra uma gota de chuva. Decidiram deixar a decoração e a toalha da mesa para sábado de manhã. A mãe de Sofia já estava satisfeita com o facto de a mesa estar no jardim.

À tarde fizeram pão usando dois tipos diferentes de massa. Haveria frango assado e salada. E bebidas. Sofia receava que alguns rapazes da sua turma trouxessem cerveja. Não queria problemas.

Quando Sofia se foi deitar, a mãe quis assegurar-se mais uma vez de que Alberto viria realmente à festa.

— É claro que vem — exclamou Sofia. — Ele até prometeu fazer um truque filosófico.

— Um truque filosófico... Que tipo de truque?

— Bom... se ele fosse um ilusionista, faria um número de magia, tirar um coelho branco de uma cartola, por exemplo...

— Outra vez a mesma história?

— ... mas uma vez que é filósofo, faz um truque de filosofia. Afinal é uma festa filosófica. Estás a pensar em fazer algum número?

— Sim, não te preocupes.

— Um discurso?

— Não digo nada. Boa-noite!

Na manhã seguinte, Sofia foi acordada pela mãe que se queria despedir antes de ir trabalhar. Deu a Sofia uma pequena lista de coisas que ela devia comprar na cidade para a festa.

Mal saíra, o telefone tocou: era Alberto. Já sabia quando Sofia estava sozinha em casa.

— Como vai o teu plano secreto?

— Chiu! Nem uma palavra. Ele não pode ter sequer a possibilidade de pensar sobre isso.

— Acho que o distraí muito bem ontem.

— Isso é bom.

— E a filosofia?

— É por isso que telefono. Já chegámos ao nosso século e a partir de agora devias conseguir orientar-te sozinha. A coisa mais importante eram as bases. Todavia, temos de nos encontrar para falarmos um pouco sobre o nosso tempo.

— Mas tenho que ir à cidade...

— Perfeito. Não te disse que vamos falar sobre o nosso tempo?

— E então?

— Será muito bom encontrarmo-nos lá.

— Vou a tua casa?

— Não, não. Aqui há muita confusão! Ando à procura de microfones escondidos por toda a parte.

— Ah...

— Abriram um bar novo na praça principal, o Café Pierre. Sabes onde é?

— Sim. A que hora nos encontramos?

— Pode ser ao meio-dia?

— Ao meio-dia no café.

— Ficamos assim.

— Adeus.

Dois minutos após o meio-dia, Sofia entrou no Café Pierre. Era um dos novos cafés na moda com mesinhas redondas e cadeiras negras e garrafas voltadas e suspensas, baguetes e sanduíches.

O café não era muito grande, e Sofia apercebeu-se logo de que Alberto não estava lá. Havia muitas pessoas sentadas nas mesinhas, mas nenhuma tinha o rosto de Alberto.

Não estava habituada a ir sozinha a cafés. Deveria sair e voltar mais tarde para ver se Alberto tinha chegado?

Dirigiu-se ao balcão de mármore e pediu um chá de limão. Depois pegou na chávena e foi sentar-se numa mesa livre. Fixou a porta de entrada. Muitas pessoas entravam e saíam, mas Alberto não chegava.

Se ao menos tivesse um jornal!

Passado um pouco, não resistiu à tentação de olhar em seu redor e alguém lhe devolveu o olhar: por um momento sentiu-se uma mulher jovem. Tinha apenas quinze anos, mas podia aparentar dezassete — ou pelo menos dezasseis e meio.

O que pensariam todas aquelas pessoas sobre o facto de existirem? Quase parecia que estavam simplesmente ali, que estavam sentadas por acaso. Discutiam e gesticulavam, mas não pareciam falar de algo importante.

De repente, veio-lhe à mente o que Kierkegaard dissera: a característica mais importante da multidão era a tagarelice irrelevante. Todas aquelas pessoas viviam então no estado estético? Ou haveria algo realmente importante existencialmente?

Numa das suas primeiras cartas, Alberto escrevera que havia uma ligação entre crianças e filósofos. Sofia pensou novamente que tinha medo de se tornar adulta. E se acabasse por entrar no pêlo do coelho branco que é retirado da cartola negra do universo?

Se bem que estivesse concentrada nos seus pensamentos, Sofia não perdera de vista a porta de entrada. Alberto entrou de repente. Apesar de ser Verão, trazia uma bóina negra e um sobretudo cinzento de meio comprimento com padrão espinhado. Ele viu-a imediatamente e foi ter com ela. Sofia pensou que um encontro com ele em público era algo completamente novo.

— É meio-dia e um quarto! Seu pateta!

— Chama-se o quarto de hora académico. Posso oferecer algo de comer à jovem?

Sentou-se e fixou-a nos olhos. Sofia encolheu os ombros.

— Está bem. Pode ser uma sanduíche.

Alberto foi ao balcão. Voltou com uma chávena de café e baguetes grandes com queijo e fiambre.

— Foi caro?

— Uma ninharia, Sofia.

— Não tens pelo menos uma desculpa para justificares o teu atraso?

— Não, não tenho, porque cheguei atrasado de propósito. Vou-te já explicar porquê.

Deu algumas mordidelas na sua sanduíche e depois disse:

— Agora vamos falar do nosso século.

— Houve alguma coisa importante na filosofia?

— Muitas coisas, tantas que se estendem a todos os domínios. Para começar falaremos de uma corrente que se chama existencialismo. Este termo reúne diversas correntes filosóficas que têm como ponto de partida a situação existencial do homem. Falamos também da filosofia existen-

401

cial do século XX. Muitos dos pensadores que se podem chamar existencialistas basearam as suas ideias não apenas em Kierkegaard mas também em Hegel e Marx.

— Ah...

— Um outro filósofo que teve muita influência no século XX foi o alemão *Friedrich Nietzsche* que viveu entre 1844 e 1900. Nietzsche também reagiu à filosofia de Hegel e ao «historicismo» alemão proveniente dela. A um interesse anémico pela história contrapôs a própria vida. Exigia uma «transformação de todos os valores». Recusava sobretudo a moral cristã — a que chamou «moral dos escravos» — para que a força vital dos fortes não fosse reprimida pelos fracos. Segundo Nietzsche, tanto o cristianismo como a tradição filosófica se tinham afastado do mundo verdadeiro e dirigido para o «céu» ou o «mundo das ideias». Eram considerados o «verdadeiro mundo» mas eram na realidade um mundo falso. «Sede fiéis à terra», disse. «Não deis ouvidos àqueles que vos oferecem esperanças sobrenaturais.»

— Bem...

— Um filósofo existencialista que foi influenciado por Kierkegaard e por Nietzsche foi o alemão *Martin Heidegger*. Mas vamos concentrar-nos no existencialista francês *Jean-Paul Sartre*, que viveu entre 1905 e 1980. Foi o filósofo existencialista mais influente, pelo menos para o grande público. Elaborou o seu pensamento sobretudo nos anos 40, após a II Guerra Mundial. Em seguida aderiu ao movimento marxista francês, mas nunca foi membro de nenhum partido.

— É por esse motivo que nos encontrámos num café francês?

— Digamos que não foi por acaso. O próprio Sartre era um frequentador assíduo de cafés. Foi justamente num destes que encontrou a companheira da sua vida, *Simone de Beauvoir*. Também ela foi uma filósofa existencialista.

— Uma filósofa?

— Sim.

— Já era tempo de a humanidade se tornar civilizada.

— Mas a nossa época é também um período de grandes preocupações.

— Ias falar do existencialismo.

— Sartre afirmou: «Existencialismo é humanismo.» Significa que o existencialismo parte exclusivamente do homem. Podemos acrescentar que o humanismo de Sartre vê a situação do homem de uma forma diferente e mais sombria do que o humanismo do Renascimento.

— E porquê?

— Kierkegaard e alguns existencialistas do nosso século eram cristãos, mas Sartre defende o que chamamos um existencialismo ateu.

A sua filosofia pode ser considerada uma análise impiedosa da situação humana desde que «Deus morreu», uma expressão de Nietzsche.

— Continua!

— A palavra-chave da filosofia de Sartre, como para Kierkegaard, é *existência*, um termo que não significa o mesmo que «existir». Também as plantas e os animais existem, ou seja, vivem, mas não sabem o que isso *significa*. O homem é o único ser vivo consciente da sua existência. Sartre diz que as coisas físicas são «em si», mas o ser humano é também «para si». Ser homem é portanto diferente de ser uma coisa.

— Estou de acordo.

— Sartre afirma também que a existência humana é anterior ao seu significado: o facto de eu existir é anterior ao que eu sou. «A existência precede a essência», afirmou.

— Que frase complicada.

— Com essência entendemos aquilo que uma coisa é realmente, a «natureza» de uma coisa. Para Sartre, o homem não tem nenhuma natureza deste género, por isso deve criar-se a si mesmo: deve criar a sua natureza ou «essência» porque esta não está dada *a priori*.

— Acho que compreendo o que queres dizer.

— Durante toda a história da filosofia, os filósofos tentaram responder à questão de o que é um homem — ou qual é a natureza do homem. Segundo Sartre, por seu lado, o homem não possui nenhuma «natureza» eterna. Por isso é inútil procurar o significado da vida em geral. Por outras palavras, estamos condenados a improvisar. Somos como actores que são mandados para cena sem ter um papel, um guião ou um ponto que nos possa sussurrar aquilo que devemos fazer. Nós próprios temos de escolher como queremos viver.

— De certo modo é verdade. Seria bom se bastasse consultarmos a Bíblia ou um manual de filosofia para sabermos como devemos viver.

— Compreendeste. Mas quando o homem sente que vive, e que vai morrer um dia, e sobretudo quando não vê sentido em tudo isto, gera-se a *angústia*, segundo Sartre. Talvez te lembres de que a angústia era também um elemento importante na descrição que Kierkegaard fizera do homem que se encontra numa situação existencial.

— Sim, lembro-me.

— Sartre diz ainda que o ser humano se sente *estranho* num mundo privado de sentido. Quando descreve a «alienação» do homem, aceita ideias centrais de Hegel e de Marx. A sensação humana de se ser um estranho no mundo gera um sentimento de desespero, tédio, náusea e absurdo.

— É normal sentir-se deprimido ou frustrado.

— Sim, Sartre descreve o homem do século XX. Recordas que os humanistas renascentistas tinham afirmado quase triunfalmente a liberdade e a independência do homem? Sartre sentia a liberdade humana como uma maldição. «O homem está condenado a ser livre», afirmou. Condenado porque não se criou a si mesmo, mas todavia é livre, porque quando é posto no mundo é responsável por tudo o que faz.

— Não pedimos a ninguém que nos criasse como seres livres.

— É essa a questão, segundo Sartre. Porém, nós *somos* indivíduos livres e a nossa liberdade faz com que durante toda a vida estejamos condenados a escolher. Não existem nem valores eternos nem normas pelas quais nos possamos orientar. Por isso é ainda mais importante a *escolha* que fazemos, porque somos totalmente responsáveis pelas nossas acções. Sartre põe em evidência justamente o facto de o homem não poder negar a sua responsabilidade pelo que faz: deve tomar as suas decisões e não pode, para se subtrair a essa responsabilidade, afirmar que «devemos» trabalhar ou «devemos» orientar-nos por determinadas perspectivas burguesas acerca do mundo no qual «devemos» viver. Quem se envolve assim na massa anónima é apenas um homem massificado e impessoal: foge de si mesmo e vive uma vida de mentiras. A liberdade humana, pelo contrário, impõe-nos que façamos algo de nós mesmos, que existamos «de um modo autêntico».

— Compreendo.

— Isso é válido sobretudo para as nossas escolhas éticas. Não podemos nunca atribuir a culpa à «natureza humana», à «fraqueza humana», ou coisa semelhante. Por vezes sucede que certos homens se comportam de modo ignóbil e empurram a sua responsabilidade para o «velho Adão», que supostamente têm em si. Mas esse «velho Adão» não existe, é apenas uma personagem a que recorremos para fugirmos à nossa responsabilidade.

— Devia haver um limite para aquilo de que o homem pode ser acusado.

— Se bem que Sartre afirme que a vida não tem significado algum *a priori*, isso não significa que queira que seja assim: Sartre não era um *niilista*.

— O que é isso?

— Um niilista é uma pessoa para a qual nada tem significado e tudo é possível. Para Sartre, a vida deve ter um significado, mas somos nós que o devemos criar para a nossa vida: existir é criar a nossa própria existência.

— Podes explicar isso um pouco melhor?

— Sartre tenta demonstrar que a consciência não é nada antes de percepcionar alguma coisa, porque consciência é sempre consciência *de* alguma coisa. E essa coisa depende tanto de nós como do ambiente que nos rodeia: nós próprios temos um papel activo no que percepcionamos, escolhendo o que é importante para nós.

— Tens um exemplo?

— Duas pessoas podem estar presentes no mesmo local e senti-lo de um modo completamente diferente, porque, quando percepcionamos o mundo externo, fazemo-lo partindo do nosso ponto de vista ou dos nossos interesses. Por exemplo, uma mulher grávida pode ter a sensação de ver grávidas em todo o lado. Isso não significa que antes não houvesse, mas a gravidez fez com que o mundo adquirisse para ela um novo significado. Uma pessoa doente pode ver ambulâncias por toda a parte...

— Acho que compreendo.

— A nossa existência contribui portanto para determinar o modo como percepcionamos as coisas: se uma coisa não é importante para mim, não a vejo. Agora posso explicar-te o motivo do meu atraso.

— Disseste que foi de propósito, não é verdade?

— Quero saber o que viste quando entraste aqui.

— A primeira coisa em que reparei foi que tu não estavas.

— Não é um pouco estranho que a primeira coisa que tenhas visto fosse algo que não estava aqui?

— Talvez, mas eu tinha um encontro contigo.

— Sartre serve-se justamente de um encontro no café para explicar o modo como nós «destruimos» o que não tem importância para nós.

— Foi apenas para mostrar isso que chegaste atrasado?

— Sim, eu queria que compreendesses esse ponto importante na filosofia de Sartre. Podes vê-lo como um pequeno exercício.

— Safa!

— Se estás apaixonada e esperas uma chamada do teu namorado, «ouves» durante todo o tempo que não te telefona. Reparas justamente no facto de ele não te telefonar. Se tens de ir ter com ele à estação, e há um mar de gente nas plataformas, tu não vês as pessoas: apenas perturbam, são insignificantes para ti. Se calhar até as achas desagradáveis e repugnantes. Ocupam muito espaço. A única coisa em que reparas é que *ele* não está lá.

— Compreendo.

— Simone de Beauvoir tentou aplicar o existencialismo à análise dos papéis dos sexos. Sartre tinha afirmado que o homem não tem uma natureza eterna a que se agarre. Nós próprios criamos o que somos.

— Sim?

— Isso também se aplica à nossa concepção dos sexos. Simone de Beauvoir defende que não existe uma «natureza feminina» e uma «natureza masculina». Mas esta é a opinião tradicional. Por exemplo, afirmou-se sempre que o homem tem uma natureza «transcendente», ou seja, que supera o mundo sensível, e por isso procura sempre um significado e um objectivo fora do domínio doméstico. E que a mulher, pelo contrário, tem uma orientação de vida oposta: ela é «imanente», ou seja, quer estar onde está. Por isso se preocupa com a família, com a natureza e com as coisas próximas. Hoje diz-se que a mulher está mais interessada do que o homem nos aspectos mais suaves e doces da vida.

— Mas Simone de Beauvoir pensava desse modo?

— Não, não me ouviste com atenção. Segundo Simone de Beauvoir não existe uma natureza feminina ou masculina desse género. Pelo contrário: segundo ela, as mulheres e os homens devem libertar-se desses preconceitos.

— Estou de acordo.

— O seu livro mais importante foi publicado em 1949 e tinha o título O Segundo Sexo.

— O que é que queria dizer com esse título?

— Pensava na mulher, que na nossa cultura foi sempre considerada o «segundo sexo». Só um homem aparece como sujeito nesta cultura. A mulher é tratada como o objecto do homem e por isso é privada da responsabilidade pela sua vida.

— Continua.

— Para Simone de Beauvoir, a mulher deve reconquistar esta responsabilidade. Deve recuperar-se a si mesma e não ligar a sua identidade ao homem. Com efeito, não é apenas o homem que oprime a mulher, a mulher também se reprime a si mesma não assumindo a responsabilidade pela sua vida.

— Somos nós que decidimos de que modo queremos ser livres e independentes?

— Exacto. O existencialismo também influenciou a literatura desde os anos quarenta até hoje. Isso é válido sobretudo para o teatro. O próprio Sartre escreveu romances e obras teatrais. Outros autores importantes são o francês *Albert Camus*, o irlandês *Samuel Beckett*, o romeno *Eugène Ionesco* e o polaco *Witold Gombrowicz*. A característica comum a estes e a muitos outros escritores, foi a tendência para enfatizar a presença do *absurdo* na vida, um termo que é usado sobretudo quando se fala de teatro.

— Bom.

— Compreendes o que se entende por «absurdo»?

— Não significa uma coisa que não tem sentido ou é irracional?

— Exacto. O «teatro do absurdo» nasceu por contraposição ao «teatro realista» e queria mostrar em cena a falta de sentido da existência. Esperava-se que os espectadores não apenas vissem mas também reagissem. Mas não se tratava de um culto do absurdo. Pelo contrário, mostrando e pondo a nu o absurdo, por exemplo nos acontecimentos de todos os dias, o público era forçado a reflectir na possibilidade de uma existência mais autêntica e verdadeira.

— Continua.

— Muitas vezes, o teatro do absurdo apresenta situações completamente banais: por isso podemos falar de uma espécie de «hiper-realismo». O homem é representado exactamente como é. Mas se se mostra no palco de um teatro aquilo que acontece numa casa de banho de um dia qualquer numa casa qualquer, o público começa a rir. Este riso pode ser interpretado como uma defesa por se ser posto a nu em cena.

— Sim, é possível.

— O teatro do absurdo também pode ter conotações surrealistas: muitas vezes as personagens encontram-se enredadas nas situações mais improváveis e quase oníricas. Se aceitam tudo sem se espantarem, o público é obrigado por seu lado a reagir com perplexidade. Isto também vale para os filmes mudos de *Charles Chaplin*: o aspecto cómico das suas obras cinematográficas consiste frequentemente na ausência de espanto do protagonista perante as situações absurdas nas quais se encontra. O público é levado a entrar em si mesmo para procurar algo mais verdadeiro e mais autêntico.

— É incrível ver como as pessoas toleram certas situações.

— Por vezes pode ser melhor *fugir*, mesmo que não se saiba aonde ir.

— Se a casa arde, devo deixá-la mesmo que não tenha outra onde ir morar.

— Sim, é mesmo assim. Queres mais chá, ou preferes uma *coca-cola*?

— Pode ser *coca-cola*. De qualquer modo não devias ter chegado atrasado.

Alberto voltou com um expresso e uma *coca-cola*. Enquanto isso, Sofia tinha chegado à conclusão de que lhe agradava a vida nos cafés. Já não estava tão convencida de que as conversas nas outras mesas eram tão insignificantes.

Alberto bateu com a garrafa da *coca-cola* na mesa: o ruído fez alguns dos presentes voltarem-se.

— E com isto chegámos ao fim — disse.

— Queres dizer que a história da filosofia termina com Sartre e o existencialismo?

— Não, seria um exagero dizer isso. O existencialismo teve uma grande importância em todo o mundo. Como vimos, tinha as suas raízes na história, e através de Kierkegaard poder-se-ia voltar a Sócrates. Outras correntes filosóficas do passado também tiveram seguimento no nosso século.

— Podes dar-me exemplos?

— O *neotomismo* recupera ideias que pertencem à tradição de S. Tomás de Aquino. A chamada *filosofia analítica* ou o *empirismo lógico* parte de Hume e do empirismo britânico e da lógica de Aristóteles. E além disso, no nosso século, o *neomarxismo,* com todas as suas diferentes ramificações, teve uma grande importância. Já falámos sobre o *neodarwinismo* e depois sobre a influência da *psicanálise* na cultura e na filosofia do nosso século.

— Compreendo.

— Uma última corrente que vale a pena citar é o materialismo, que tem raízes profundas na história. A ciência moderna pode sugerir-nos um paralelismo com os esforços dos pré-socráticos: por exemplo, continua à procura daquela «partícula elementar» indivisível da qual é formada toda a matéria. Mas ninguém nos consegue ainda explicar com exactidão o que é a «matéria». As ciências modernas, por exemplo a física nuclear ou a bioquímica, são tão fascinantes que se tornaram uma parte importante na concepção de vida de muitas pessoas.

— Um misto de velho e novo, portanto.

— Podemos dizer isso porque as mesmas perguntas com que iniciámos o nosso curso não tiveram ainda uma resposta. Sartre tocou um ponto importante ao dizer que as questões existenciais nunca terão uma resposta definitiva: uma questão filosófica é por definição uma coisa que cada geração, sim, cada ser humano, deve colocar a si mesmo novamente.

— Um pensamento um pouco triste.

— Não sei se estou de acordo. Não é justamente colocando-nos estas questões que sentimos que estamos vivos? Além disso, não sucedeu sempre que quando o homem se esforçou por encontrar uma resposta às grandes questões, encontrou respostas claras e definitivas a questões menores? Ciência, investigação e técnica nasceram, por assim dizer, da reflexão filosófica. No fundo, não foi o espanto do homem pela existência que o levou por fim à Lua?

— É verdade.

— Quando Neil Armstrong pôs o pé na Lua, comentou: «É um pequeno passo para o homem, mas um grande salto para a humanidade.» E incluía assim todos os homens que viveram antes dele na sensação que sentia dando o primeiro passo na Lua. Não era apenas mérito seu.

— Claro que não.

— O nosso tempo também teve de defrontar problemas completamente novos, sobretudo os ambientais. Uma nova corrente filosófica surgiu, a filosofia ecologista, ou *ecofilosofia*. Muitos filósofos ecologistas mostraram que toda a civilização ocidental está na via errada, em rota de colisão com aquilo que o nosso planeta pode suportar. Estes filósofos tentaram ir mais fundo, para além dos fenómenos concretos de poluição e destruição ambiental, e concluiram que há algo de errado no próprio modo de pensar do Ocidente.

— Acho que têm razão.

— Os filósofos ecologistas debateram, por exemplo, o próprio conceito de desenvolvimento. Este conceito baseia-se na premissa de que o homem é superior na natureza, que é o seu dono. Precisamente este modo de pensar pode ser perigoso para toda a vida do planeta.

— Irrito-me sempre que penso nisso.

— Na sua crítica a este modo de pensar, os ecofilósofos tiveram em conta as ideias e reflexões de outras culturas, por exemplo, a indiana. Estudaram também o modo de pensar dos chamados «povos primitivos», para retornar àquilo que perdemos.

— Compreendo.

— Nos próprios meios científicos muitas vozes se levantaram nos últimos anos para explicar que o nosso modo científico de pensar se encontra perante uma *mudança paradigmática*, ou seja, uma transformação fundamental. Em alguns campos específicos vimos já os primeiros frutos, por exemplo, em «movimentos alternativos» que põem a tónica num pensamento global e trabalham para um novo estilo de vida.

— Isso é bom.

— Todavia, como sempre em tudo o que os homens fazem, temos de separar o trigo do joio. Alguns anunciaram que estamos a entrar numa nova época, ou *New Age*. Mas nem tudo o que é novo é melhor, assim como nem tudo o que é velho deve ser deitado fora. Também por este motivo te ofereci um curso de filosofia: agora tens uma bagagem histórica tal que te permitirá orientares-te sozinha na vida.

— Obrigada pela atenção.

— Verificarás, acho, que muito do que é entendido por New Age é apenas disparate. «Neo-religiosidade», «neo-ocultismo», «superstição moderna» invadiram o mundo moderno nos últimos decénios. Tornaram-se uma grande indústria. Aproveitando a menor influência do cristianismo, as novas ofertas no mercado das concepções de vida apareceram como cogumelos.

— Tens um exemplo?

— A lista é tão extensa que nem ouso começar. De resto, não é fácil descrever o nosso próprio tempo. Mas agora proponho-te irmos dar uma volta pela cidade, quero mostrar-te uma coisa.

Sofia encolheu os ombros.

— Não tenho muito tempo. Não te esqueceste da festa de amanhã, pois não?

— Claro que não, porque vai acontecer alguma coisa extraordinária. Temos apenas que terminar o curso de filosofia de Hilde. O major não pensou em mais nada e por isso perderá também uma parte da sua vantagem.

Levantou a garrafa da *coca-cola*, que já estava vazia, e bateu com ela na mesa.

Sairam para a rua. Pessoas muito apressadas corriam de um lado para o outro ocupadas como formigas num formigueiro. Sofia perguntou a si mesma que coisa lhe quereria Alberto mostrar.

Passaram junto a uma loja de electrodomésticos: vendiam de tudo, desde televisores a câmaras de vídeo, das antenas parabólicas aos telefones portáteis, dos computadores ao telefax.

Alberto apontou para a vitrina da loja e disse:

— Eis o século XX, Sofia. A partir do Renascimento podemos dizer que o mundo explodiu: os europeus começaram então a viajar por todo o mundo. Hoje sucede o contrário: podemos chamar-lhe uma explosão ao contrário, ou «implosão».

— O que queres dizer?

— Quero dizer que o mundo está concentrado numa única rede de comunicação: não passou muito tempo desde que os filósofos tinham de viajar de cavalo e carroça para se encontrarem com outros pensadores ou conhecer o mundo. Hoje podemos encontrar-nos em qualquer parte do mundo e recolhermos toda a informação humana num ecrã de computador.

— É uma ideia fantástica, mas simultaneamente um pouco assustadora.

— O problema é se a história se está a aproximar do fim ou se pelo contrário estamos no limiar de uma nova era. Já não somos apenas cidadãos de uma cidade ou de um único Estado, vivemos numa civilização planetária.

— É verdade.

410

— O desenvolvimento técnico, sobretudo no que diz respeito às comunicações, foi mais rápido nos últimos trinta, quarenta anos, do que em toda a história. Talvez seja apenas o início...

— Era isto que me querias mostrar?

— Não, é do outro lado da igreja, lá em baixo.

Quando se preparavam para prosseguir, no ecrã de um televisor apareceu a imagem de alguns soldados da ONU.

— Olha! — exclamou Sofia.

Via-se um soldado em grande plano. Tinha quase a mesma barba negra de Alberto. De repente, levantou um cartaz onde estava escrito: «Chego dentro em pouco, Hilde!». Acenou e depois desapareceu.

— É louco! — exclamou Alberto.

— Era o major?

— Nem quero responder.

Atravessaram o parque em frente à igreja e chegaram à rua principal. Alberto estava ligeiramente nervoso e, naquele momento, apontou para uma livraria. Chamava-se Libris e era a maior da cidade.

— Queres mostrar-me alguma coisa aqui?

— Vamos entrar.

Na livraria, Alberto apontou para a estante maior. Tinha três secções: NEW AGE, ESTILOS DE VIDA ALTERNATIVOS e MISTICISMO.

Nas estantes, havia livros com títulos muito empolgantes: *Haverá Vida para Além da Morte?*, *Os Segredos do Espírito*, *Tarot*, *O Fenómeno OVNI*, *Healing*, *O Regresso dos Deuses*, *A Reencarnação*, *O Que é a Astrologia?*, e muitos outros. Havia mais de cem títulos diferentes. Sobre um banco via-se uma pilha de livros semelhantes.

— Isto também é o século XX, Sofia. Este é o templo do nosso tempo.

— Não acreditas nestas coisas?

— Muito disto é disparate, mas vende tão bem como pornografia. De facto, muito do conteúdo destes livros pode ser definido como uma espécie de pornografia. Aqui, os jovens podem comprar exactamente aquilo que mais lhes interessa. Todavia, a relação entre a verdadeira filosofia e estes livros é comparável à relação que existe entre o amor verdadeiro e a pornografia.

— Não estarás a exagerar?

— Vamos sentar-nos no parque.

Saíram da livraria e encontraram um banco livre em frente à igreja. Debaixo das árvores, alguns pombos pavoneavam-se e havia um ou outro pardal agitado.

— É a parapsicologia ou PES — explicou Alberto. — Ou «telepatia», «clarividência», «psicocinética», ou «espiritismo», «astrologia» e «ovnilogia».

— Mas diz-me: achas que isso é tudo uma fraude?

— Não seria digno de um filósofo tratar tudo da mesma maneira. Mas não quero excluir a hipótese de que os termos que referi possam formar um mapa bastante detalhado de uma paisagem que não existe. E há muito daquilo a que Hume chamava «ilusão e engano» e queria lançar às chamas. Em muitos destes livros não se encontra uma única experiência autêntica.

— Mas então porque são escritos tantos livros deste género?

— É um dos negócios mais lucrativos do mundo e é isto que muitas pessoas gostam de ler.

— E porque é que achas que gostam de ler estas coisas?

— Porque sentem um desejo de algo «místico», de algo «diferente» que quebre a monotonia do quotidiano. É andar à procura de uma coisa que está à frente do nariz.

— O que queres dizer?

— Fazemos parte de uma aventura maravilhosa. Em frente a nós há uma obra, a criação. À luz do dia, Sofia! Não é inacreditável?

— Sim.

— Porque havíamos de ir à procura da cigana que lê a sina ou de saguões académicos para experimentar algo de «empolgante» ou «transcendente»?

— Achas que aqueles que escrevem estes livros contam apenas mentiras?

— Não, não foi isso que eu disse. Vou-te explicar de um modo darwinista.

— Estou a ouvir!

— Pensa em tudo o que se passa no decorrer de um único dia. Limita-te a um dia da tua vida. Pensa em tudo o que vês e experimentas.

— Sim?

— Por vezes, há coincidências estranhas. Entras numa loja, por exemplo, e gastas vinte e oito coroas. Mais tarde encontras Jorunn que te restitui as vinte e oito coroas que lhe tinhas emprestado, finalmente vão ao cinema e dão-te o lugar número vinte e oito.

— Sim, seria uma estranha coincidência.

— Mas seria uma coincidência. A questão é que algumas pessoas recolhem coincidências deste tipo. Reúnem-se experiências misteriosas ou inexplicáveis e quando elas, fruto da vida de alguns milhares de pessoas, são reunidas num livro, podem dar a impressão de ser um imponente material de prova. E o material aumenta constantemente. Mas neste caso, também estamos perante uma lotaria onde apenas os bilhetes vencedores são visíveis.

— Não há pessoas videntes ou «médiuns» que têm experiências destas constantemente?

— Sim, há. E se excluirmos os vigaristas, encontramos também uma outra explicação para essas experiências «místicas».

— Diz!

— Recordas que falámos de Freud e da sua teoria do inconsciente?

— Quantas vezes tenho de te dizer que a minha memória é boa?

— Já Freud mostrara que muitas vezes nos podemos comportar como se fôssemos médiuns do nosso inconsciente. Podemos fazer ou dizer coisas de repente sem conseguirmos compreender porquê. O motivo disso é o facto de nós termos mais experiências, pensamentos e recordações do que aqueles de que temos consciência.

— E então?

— Por vezes, as pessoas falam ou andam enquanto dormem. Chamamos a este género de fenómenos «automatismo psíquico». Mesmo sob hipnose, os homens podem dizer ou fazer coisas que sucedem «por si». E lembras-te dos surrealistas, que tentavam escrever «automaticamente». Tentavam tornar-se assim médiuns da sua própria consciência.

— Ainda me lembro disso.

— Com intervalos regulares, neste século, surgem notícias de homens, de médiuns, que conseguem entrar em contacto com defuntos. Falando com a voz do morto, ou servindo-se da escrita automática, o médium receberia uma mensagem de um ser humano que tinha vivido há muitos séculos. Estes factos são usados como prova de que existe uma vida além da morte ou de que um homem vive muitas vidas.

— Compreendo.

— Não estou a dizer que todos estes médiuns sejam vigaristas: alguns agiram de boa fé. De facto, foram médiuns, mas do seu inconsciente. Houve bastantes médiuns que em estado de transe mostraram capacidades e conhecimentos que nem eles próprios nem os outros sabiam explicar. Por exemplo, uma mulher que não sabia hebraico, começou a falar nessa língua. Das duas uma: ou tinha vivido uma vida anterior ou estava em contacto com o espírito de um morto.

— O que te parece?

— Soube-se depois que a mulher tinha tido uma *baby sitter* judia quando era pequena...

— Ah...

— Ficaste desiludida? De qualquer modo, é fantástico ver até onde vai a capacidade de algumas pessoas de acumularem no inconsciente experiências anteriores.

— Compreendo o que queres dizer.

— Muitas coisas estranhas quotidianas também podem ser explicadas à luz da teoria do inconsciente. Se recebo uma chamada de um amigo que não vejo há muitos anos, justamente quando estava à procura do seu número de telefone...

— Sinto um arrepio...

— A explicação pode ser, por exemplo, que ambos ouvimos uma velha canção na rádio, uma canção que ouvimos juntos na última vez que nos vimos. O ponto fundamental é o facto de esta relação oculta não ser consciente...

— Então, ou é aldrabice... ou o truque do bilhete vencedor na lotaria... ou o inconsciente?

— De qualquer modo, é melhor aproximarmo-nos com cepticismo destas estantes, sobretudo para um filósofo. Em Inglaterra existe uma associação dos cépticos. Há muitos anos, esta associação ofereceu uma grande soma de dinheiro à primeira pessoa que conseguisse um único exemplo verificável de uma coisa sobrenatural. Não era necessário ser um milagre, bastava um pequeno exemplo de transmissão de pensamento. Até agora, ninguém se apresentou.

— Compreendo.

— Uma coisa completamente diferente é admitirmos que há muitas coisas que não compreendemos. Talvez não conheçamos ainda todas as leis da natureza. No século passado, muita gente considerava o magnetismo e a electricidade como uma espécie de magia. Aposto que a minha bisavó abriria os olhos de espanto se eu lhe falasse da televisão ou dos computadores.

— Então não acreditas em nada de sobrenatural?

— Já falámos disso. A própria expressão «sobrenatural» é um pouco bizarra. Não, acho que existe uma única natureza, que em compensação é espantosa.

— E todos aqueles fenómenos de que falam os livros que me mostraste?

— Todos os verdadeiros filósofos devem manter os olhos abertos. Mesmo que não tenhamos visto nenhum corvo branco, não devemos deixar de o procurar. E um dia, mesmo um céptico como eu será obrigado a aceitar um fenómeno em que não acreditara anteriormente. Se não mantivesse aberta esta possibilidade, seria um dogmático, e não um verdadeiro filósofo.

Sofia e Alberto ficaram sentados no banco em silêncio. Os pombos estendiam o pescoço e arrulhavam, e de quando em quando assustavam-se com uma bicicleta ou com o movimento brusco de um transeunte.

— Tenho de ir para casa preparar a festa — disse por fim Sofia.

— Mas antes de nos separarmos, quero mostrar-te um corvo branco. Está mais próximo do que pensamos.

Levantou-se e fez sinal para entrarem de novo na livraria.

Desta vez passou por todos os livros sobre fenómenos sobrenaturais para parar em frente de uma estante muito pequena que se encontrava no fundo da livraria. Sobre a estante estava escrito FILOSOFIA.

Alberto indicou um livro e Sofia teve um sobressalto quando leu o título: O MUNDO DE SOFIA.

— Queres que eu to compre?

— Não sei se tenho coragem para o ler.

Um pouco mais tarde, voltava para casa com o livro numa mão e um saco com o que tinha comprado para a festa na outra.

A FESTA NO JARDIM

... um corvo branco...

Hilde estava sentada na cama como que paralisada. Sentia os braços rígidos e as mãos, que seguravam no *dossier*, tremiam.

Eram quase onze. Tinha lido durante mais de duas horas. Por vezes, rira alto, outras assustara-se. Felizmente não havia ninguém em casa.

E o que ela lera em duas horas! Primeiro, Sofia tinha tentado atrair a atenção do major quando voltava a casa, depois subira a uma árvore, o ganso Morten viera do Líbano como anjo salvador.

Mesmo tendo passado muito tempo, Hilde nunca se esquecera de que o pai lhe tinha lido *A Viagem Maravilhosa de Nils Holgersson Através da Suécia*. Durante muitos anos tinham usado entre si uma língua secreta que estava relacionada com aquele livro. E agora, o seu pai trazia de novo à baila o velho ganso.

Depois, Sofia estreara-se como frequentadora de cafés. Hilde lera com grande interesse as páginas nas quais Alberto explicara Sartre e o existencialismo. Quase conseguira convencê-la, como de resto soubera fazer muitas outras vezes.

No ano anterior, Hilde comprara um livro sobre astrologia, depois chegara a casa com cartas do *tarot* e finalmente com um livro sobre o espiritismo. Todas as vezes o pai a advertira a respeito da superstição, fazendo apelo ao seu «sentido crítico», mas agora chegara a hora da vingança. O contra-ataque tinha sido muito forte. Era evidente que a filha não tinha intenções de abandonar aquele tipo de leituras. E ele, por precaução, aparecera no ecrã de um televisor numa loja de electro-domésticos e fizera-lhe sinal. Não era preciso aquilo...

O que a espantava mais era a rapariga de cabelos escuros.

Sofia, Sofia, quem és? De onde vens? Porque entraste na minha vida?

Por fim, Sofia recebera um livro sobre si mesma. Seria o mesmo que Hilde tinha nas mãos naquele momento? Mas era apenas um *dossier*. Tanto fazia: como era possível encontrar num livro sobre si mesma? O que aconteceria se Sofia tivesse começado a ler aquele livro? O que sucederia agora? O que *poderia* suceder?

Hilde sentiu com os dedos que faltavam poucas páginas.

No autocarro que a levava a casa, Sofia encontrou a mãe. Que diabo! O que diria se lhe visse o livro na mão?

Sofia tentou pô-lo no saco juntamente com as serpentinas e os balões comprados para a festa, mas não conseguiu.

— Olá, Sofia! As duas no mesmo autocarro? Que bom!

— Olá...

— Compraste um livro?

— Não.

— *O Mundo de Sofia* — que estranho!

Sofia compreendeu que não tinha hipótese de mentir à mãe.

— Foi o Alberto que mo deu.

— Ah! Como já te disse várias vezes, estou ansiosa por conhecê-lo. Posso ver o livro?

— Não podes esperar até chegarmos a casa? É o meu livro, mãe.

— Está bem, é o teu livro. Quero apenas dar uma vista de olhos à primeira página... Então: «Sofia Amundsen regressava da escola. Percorrera com Jorunn o primeiro troço do caminho. Tinham conversado sobre robôs...

— É mesmo o que está aí escrito?

— Sim, está escrito assim mesmo, Sofia. O autor é um certo Albert Knag. Nunca ouvi falar dele. Como se chama o teu Alberto?

— Knox.

— Vais ver que esse homem estranho escreveu um livro inteiro sobre ti, Sofia, usando um pseudónimo.

— Não é ele, mãe. Porque é que não desistes? De qualquer modo, não compreenderias.

— Está bem. Amanhã é a festa: nesse altura tudo voltará ao normal.

— Albert Knag vive noutra realidade. Por isso, este livro é um corvo branco.

— Não tinhas falado de um coelho branco?

— Deixa estar!

A conversa entre a mãe e a filha foi interrompida pela chegada do autocarro à paragem de Kløverveien. Aí, Sofia e a mãe depararam com uma manifestação.

— Meu Deus! — exclamou a mãe de Sofia. — Julgava que estávamos a salvo de manifestações nesta zona da cidade.

Não tinha mais do que dez ou doze pessoas. Nos cartazes estava escrito: «O MAJOR CHEGA EM BREVE!», «VIVA A BOA COMIDA PARA A NOITE DE S. JOÃO» e «MAIS PODER PARA A ONU!».

Sofia teve pena da mãe.

— Não te preocupes com eles — disse.

— Que manifestação tão estranha, Sofia. Quase absurda.

— Não é nada importante.

— O mundo está a mudar cada vez mais depressa. Para dizer a verdade, não me espanta.

— Devias espantar-te de não te espantares.

— De modo algum. Estes manisfestantes não são violentos. Basta que não tenham pisado as nossas roseiras. De resto, não sei para que serve uma manifestação num jardim. Vamos para casa para ver.

— Era uma manifestação filosófica, mamã. Os verdadeiros filósofos não pisam as roseiras.

— Sabes o que te digo, Sofia? Não sei se acredito na existência de verdadeiros filósofos: hoje em dia quase tudo é artificial.

Passaram a tarde e a noite ocupadas com os preparativos. Na manhã seguinte começaram a decorar o jardim e a pôr a mesa. Jorunn chegou e também ajudou.

— Meu Deus! — disse. — Os meus pais também vêm à festa. Tu é que és a culpada, Sofia.

Meia hora antes da chegada dos convidados estava tudo pronto. As árvores no jardim tinham sido decoradas com serpentinas e lampiões de papel. Longos cabos eléctricos partiam da cave. O portão, as árvores ao longo do carreiro que levava ao jardim e a fachada da casa estavam decoradas com balões. Sofia e Jorunn tinham passado duas horas a enchê-los.

Sobre a mesa estava já disposta a comida: frango assado, salada e sanduíches. Na cozinha havia um bolo com natas, outro com chocolate, roscas, mas no centro da mesa havia um bolo gigantesco com vinte e quatro andares sobrepostos. Em cima do bolo via-se uma pequena rapariga que ia ser crismada. A mãe de Sofia assegurou que também podia ser uma rapariga de quinze anos não crismada, mas Sofia estava convencida de que a figura estava no bolo porque Sofia afirmara há pouco tempo que ainda não sabia se queria ser crismada.

— Não, não poupámos nada — repetia constantemente a sua mãe.

Depois chegaram os convidados. As primeiras foram três colegas da escola. Traziam camisas de verão e casacos de malha leves, com saias compridas e uma sombra de maquilhagem nos olhos. Depois, foi a vez de Jørgen e Lasse entrarem pelo portão passeando vagarosamente com um misto de timidez e de arrogância juvenil.

— Parabéns!

— Agora, também és adulta!

Sofia reparou que Jorunn e Jørgen deitavam olhares furtivos um ao outro. Havia algo no ar: era a noite de S. João.

Todos tinham trazido um presente. Uma vez que se tratava de uma festa filosófica, muitos convidados tinham tentado descobrir o que era a filosofia e encontrar um «presente filosófico»; nem todos tinham conseguido, mas a maior parte tinha-se esforçado por escrever alguma coisa filosófica nos cartões de parabéns. Sofia recebeu um dicionário filosófico e um diário com cadeado que dizia: «Os meus apontamentos filosóficos.»

À medida que os convidados entravam, a mãe de Sofia servia sumo de maçã em copos altos.

— Bem-vindo! Como se chama o jovem?... Não nos conhecemos... Que bom teres vindo, Cecília!

Só depois de todos os jovens terem chegado e quando já passeavam, com os copos na mão, debaixo das árvores de fruto, é que o Mercedes branco dos pais de Jorunn estacionou em frente do portão de entrada. O conselheiro financeiro trazia um belo fato cinzento de corte elegante, enquanto a sua mulher trazia um fato completo — casaco e calças vermelhas com lantejoulas vermelho-escuro. Sofia calculou que tinha comprado uma Barbie com este fato numa loja de brinquedos, e ido a um alfaiate para lhe fazer um fato igual. Havia outra possibilidade: talvez o conselheiro financeiro tivesse comprado a boneca, levando-a a um feiticeiro, que a transformara numa mulher de carne e osso. Mas essa hipótese era tão pouco provável que Sofia a rejeitou.

Desceram do Mercedes e entraram no jardim, enquanto os jovens olhavam espantados para eles. Foi o conselheiro financeiro a entregar um embrulho comprido e estreito da parte da família Ingebrigtsen. Sofia tentou manter a calma quando viu que se tratava justamente de uma Barbie. Jorunn estava fora de si:

— Vocês estão doidos? A Sofia já não brinca com bonecas!

A senhora Ingebrigtsen interveio precipitadamente, e as suas lantejoulas tiniram.

— Também pode estar exposta como adorno, Jorunn.

— Muito obrigada — disse Sofia, para acalmar a tensão. — Talvez comece uma colecção.

Entretanto, os convidados já estavam à volta da mesa.

— Só falta o Alberto — disse a mãe de Sofia com um tom de voz simultaneamente excitado e inquieto. Os convidados já lhe tinham perguntado várias vezes quando apareceria o convidado especial, o «verdadeiro filósofo».

— Ele prometeu que vinha, logo não tardará a chegar.

— Entretanto, porque não nos sentamos?

— Sim, sentemo-nos.

A mãe de Sofia começou a sentar as pessoas à volta da mesa. Deixou um lugar vago entre ela e Sofia. Disse algumas coisas sobre a comida, o bom tempo e sobre o facto de Sofia ser quase uma mulher adulta.

Estavam sentados há meia hora quando um homem de meia-idade, com uma pêra negra e uma bóina entrou pelo portão. Trazia nas mãos um grande ramo com quinze rosas.

— Alberto!

Sofia levantou-se de um pulo e correu para ele. Lançou-lhe os braços ao pescoço e recebeu as rosas. Alberto reagiu a esta recepção começando a remexer nos bolsos do casaco. Tirou algumas bombinhas de carnaval que acendeu e atirou para o ar. Enquanto se dirigia para a mesa, acendeu uma vela mágica e colocou-a em cima do bolo antes de ocupar o lugar vago entre Sofia e a mãe.

— É um grande prazer — disse Alberto com um sorriso.

Os convidados estavam estupefactos. A senhora Ingebrigtsen lançou ao marido um olhar eloquente. A mãe de Sofia, pelo contrário, estava tão aliviada pela sua chegada que se sentia disposta a perdoar-lhe qualquer coisa. A festejada só com todo o esforço conseguiu reprimir uma risada.

A mãe de Sofia tocou no seu copo e disse:

— Vamos dar as boas-vindas a Alberto Knox nesta festa filosófica! Não é o meu novo namorado, porque se bem que o meu marido esteja sempre no mar, não tenho nenhum namorado. Este homem é o professor de Filosofia de Sofia. Significa que sabe mais do que acender bombinhas. Este homem é, por exemplo, capaz de retirar um coelho vivo de uma cartola. Ou era um corvo, Sofia?

— Obrigado, obrigado — disse Alberto, e sentou-se.

— Tchin, tchin! — exclamou Sofia e os presentes elevaram os copos e beberam à sua saúde.

Ficaram sentados algum tempo a comer frango e salada. Mas a certa altura, Jorunn levantou-se e dirigiu-se a Jørgen com um passo decidido e beijou-o na boca. Jørgen respondeu a esta tentativa de aproximação tentando puxá-la para si para poder retribuir melhor o beijo.

420

— Acho que vou desmaiar — disse a senhora Ingebrigtsen.

— À mesa não, meninos — foi o único comentário da senhora Amundsen.

— Porque não? — Alberto voltou-se para ela.

— Que pergunta estranha.

— Para um verdadeiro filósofo não há perguntas estranhas.

Naquele momento, dois rapazes que não tinham sido beijados começaram a lançar os ossos do frango ao ar. Isso provocou também um comentário da parte da mãe de Sofia.

— Parem com isso, por favor! É tão chato ter ossos de frango nas goteiras.

— Desculpe — disse um dos jovens, e passaram a atirar os ossos pela sebe.

— Acho que chegou a hora de recolher os pratos e de servir os doces — disse a senhora Amundsen. — Quem quer café?

O casal Ingebrigtsen, Alberto e dois dos convidados levantaram o braço.

— Sofia e Jorunn podiam-me ajudar...

Enquanto iam à cozinha, as duas amigas conversaram.

— Porque é que o beijaste?

— Vi a boca dele, e tive uma vontade terrível. Ele é tão giro.

— Como foi?

— Foi diferente do que eu tinha imaginado, mas...

— Então foi a primeira vez?

— Mas não será a última.

Em seguida, havia café e bolo na mesa. Alberto distribuiu bombinhas pelos jovens, mas naquele momento a mãe de Sofia pediu novamente a palavra.

— Não tenho intenção de fazer um grande discurso, mas tenho apenas uma filha e esta é a primeira e a última vez que ela faz quinze anos. Fê-los há uma semana e um dia, para ser exacta. Como podem ver, não poupámos em nada. O bolo tem vinte e quatro andares, ou seja, pelo menos um para cada. Quem se servir primeiro pode tirar dois, porque começaremos por cima, e os andares são progressivamente maiores. O mesmo sucede com a nossa vida. Quando Sofia era pequena, movia-se timidamente em círculos pequenos, mas, com o passar dos anos, os círculos tornaram-se cada vez maiores. Agora, chegam à cidade. Além disso, tendo um pai que viaja muito, Sofia telefona para o mundo inteiro. Parabéns pelos teus quinze anos, Sofia!

— Encantador! — exclamou a senhora Ingebrigtsen.

Sofia não sabia se aludia à sua mãe, ao discurso, ao bolo ou a ela.

Os convidados aplaudiram e um dos rapazes atirou uma bombinha para uma pereira. Naquele momento, Jorunn pôs-se de pé e tentou fazer com que Jørgen se levantasse da cadeira. Ele deixou-se levar e ambos começaram a beijar-se deitados na relva, depois rolaram para debaixo dos arbustos.

— Hoje em dia são as raparigas a tomarem a iniciativa — afirmou o conselheiro financeiro.

Com estas palavras levantou-se e foi para junto dos arbustos para ver de perto o que se passava ali. Todos os convidados seguiram o seu exemplo. Apenas Alberto e Sofia ficaram sentados. Em seguida, os convidados estavam em semicírculo à volta de Jorunn e Jørgen, que tinham abandonado os beijos inocentes e tinham passado a beijos mais audazes.

— Ninguém os consegue deter! — disse a senhora Ingebrigtsen com um certo orgulho.

— Não, o bom sangue não mente — disse o marido. Olhou em redor com a esperança de obter uma espécie de aprovação pelas suas palavras bem escolhidas. Teve apenas um sinal mudo de assentimento, e acrescentou:

— Não se pode fazer nada contra.

Mesmo de longe, Sofia reparou que Jørgen tentava desabotoar a camisa branca de Jorunn, que já estava suja de erva. Ela tentava desapertar o cinto dele.

— Cuidado para não apanharem uma constipação — aconselhou a senhora Ingebrigtsen.

Sofia olhou para Alberto com um olhar desesperado.

— As coisas estão a precipitar-se — disse Alberto. — Temos de nos afastar daqui o mais rapidamente possível. Farei apenas um pequeno discurso.

Sofia bateu palmas.

— Podem sentar-se de novo? Alberto quer fazer um discurso.

Com excepção de Jorunn e Jørgen, todos voltaram ao seu lugar.

— Quer realmente fazer um discurso? — perguntou a mãe de Sofia — Que amável!

— Agradeço-lhe atenção.

— Soube que gosta de passear! É tão importante mantermo-nos em forma. E sobretudo acho simpático levar consigo um cão. Chama-se Hermes, não é verdade?

Alberto levantou-se e bateu com a colher na chávena.

— Querida Sofia — começou. — Quero antes de mais recordar que esta é uma festa filosófica e por isso farei um discurso filosófico.

422

Foi imediatamente interrompido por aplausos.

— Nesta festa animada pode ser útil uma dose de razão... Mas, em primeiro lugar, não nos esqueçamos de dar os parabéns à aniversariante pelos seus quinze anos.

Ainda não terminara a frase quando ouviram o ruído de um avião: o aparelho passou pelo jardim em voo rasante. Preso à cauda havia uma longa faixa onde estava escrito: «Parabéns pelos teus quinze anos!»

O facto desencadeou aplausos mais ruidosos.

— Como podem ver — exclamou a senhora Amundsen — este homem não sabe apenas acender bombinhas.

— Obrigada, não foi nada. Nestas últimas semanas, Sofia e eu levámos a cabo uma grande investigação filosófica. Nesta ocasião, queremos expor-vos as nossas conclusões: vamos revelar o grande segredo da nossa existência.

Entre os convidados reinava um tal silêncio que era possível ouvir os pássaros cantar e os ruídos vindos dos arbustos.

— Continua! — disse Sofia.

— Após minuciosas investigações filosóficas, que vão desde os primeiros filósofos gregos até hoje, descobrimos que vivemos as nossas vidas na consciência de um major que se encontra no Líbano como observador na ONU e que escreveu um livro sobre nós para a sua filha que vive em Lillesand. Ela chama-se Hilde Møller Knag e fez quinze anos no mesmo dia que a Sofia. O livro que fala de todos nós encontrava-se na sua mesinha de cabeceira quando acordou na manhã do dia 15 de Junho. Mais precisamente, trata-se de um volumoso *dossier*. Neste momento, ela sente as últimas páginas passarem sob o seu indicador.

Um certo nervosismo começara a espalhar-se à volta da mesa.

— A nossa existência é apenas um presente de aniversário para Hilde Møller Knag, porque todos nós fomos criados para servir de enquadramento ao ensinamento filosófico que o major quer dar à filha. Isto significa, por exemplo, que o *Mercedes* branco estacionado à entrada não vale um tostão furado. Não vale mais do que todos os *Mercedes* brancos na cabeça do pobre major da ONU, que acaba de se sentar à sombra para evitar uma insolação. No Líbano faz muito calor, meus amigos.

— Que loucura! — exclamou o conselheiro financeiro. — Isso é um disparate.

— Cada um pode pensar o que quiser, naturalmente — continuou Alberto impassível. — Mas na verdade o absurdo é toda esta festa. Aqui, a única dose de razão é o discurso que eu estou a fazer.

O conselheiro levantou-se e disse:

— Estamos a fazer o possível para cumprirmos o nosso dever a fim de que as coisas corram bem. Temos o cuidado de fazer seguros em relação a tudo. E de repente, vem um relaxado imbecil que tenta destruir tudo com base em certas afirmações «filosóficas».

Alberto acenou afirmativamente.

— Contra esta espécie de conhecimento filosófico não há seguro que sirva. Estamos a falar de uma coisa pior do que qualquer catástrofe natural, senhor administrador do erário e, como bem sabe, as seguradoras não cobrem este género de coisas.

— Esta não é uma catástrofe natural.

— Não, é uma catástrofe existencial. Pode dar uma olhadela aos arbustos e compreenderá o que quero dizer. Não podemos assegurar-nos contra a destruição da nossa existência, como não o podemos fazer contra o desaparecimento do sol.

— E temos que nos conformar? — perguntou o pai de Jorunn à esposa, que abanou a cabeça, como a mãe de Sofia.

— Que tristeza! — disse esta. — E nós que não quisemos poupar nada.

Os jovens olhavam para Alberto fixamente. Muitas vezes, estão mais abertos em relação a novas ideias e pensamentos do que aqueles que viveram mais tempo.

— Gostaríamos de ouvir mais — disse um rapaz de caracóis loiros e óculos.

— Obrigado, mas não há muito mais a acrescentar. Visto que chegámos à conclusão de que somos uma imagem onírica da consciência sonolenta de uma outra pessoa, quanto a mim o mais inteligente é ficarmos calados. Mas posso concluir aconselhando aos jovens um pequeno curso de história da filosofia. Deste modo, podem desenvolver uma atitude crítica em relação ao mundo em que vivem, sobretudo em relação aos valores da geração dos vossos pais. Aquilo que tentei ensinar a Sofia foi justamente como pensar de modo crítico. Hegel chamou-lhe «pensar negativamente».

O conselheiro financeiro ainda estava de pé, tamborilando com os dedos na mesa.

— Este agitador tenta destruir todos os valores sensatos que a escola, a Igreja e nós próprios tentamos inculcar nas gerações jovens — a geração que é o nosso futuro e herdará um dia os nossos bens. Se ele não for afastado imediatamente desta festa, telefono ao meu advogado. Ele saberá o que há a fazer.

— Não tem importância nenhuma o que julga dever fazer, porque o senhor é apenas uma sombra. Além disso, Sofia e eu deixaremos esta festa dentro em breve. Este curso de filosofia não foi um projecto puramente teórico: teve também um lado prático. Quando chegar a altura, faremos o truque da evaporação. Deste modo, conseguiremos fugir da consciência do major.

Helene Amundsen segurou Sofia pelo braço.

— Não me vais deixar, pois não, Sofia?

Sofia pôs-lhe um braço à volta dos ombros e olhou para Alberto.

— A mãe vai ficar tão triste...

— Não, isso é ridículo. Não te podes esquecer do que aprendeste: é justamente deste absurdo que nos temos de libertar. A tua mãe é uma senhora muito simpática e carinhosa, tal como o cesto do Capuchinho Vermelho estava cheio de bolos para a avó. E ela está tão triste como o avião que passou há pouco precisava de gasolina para a sua manobra.

— Acho que compreendo o que queres dizer — disse Sofia. Voltou-se de novo para a mãe. — Por isso, tenho que fazer o que ele diz, mamã. De qualquer modo, eu teria de te deixar um dia.

— Vou ter saudades tuas — afirmou a mãe — mas se existe um céu acima deste, tens mesmo de voar. Eu prometo tomar conta de Govinda. Costumas dar-lhe uma ou duas folhas de alface por dia?

Alberto colocou-lhe a mão nos ombros:

— Nem a senhora nem nenhuma outra pessoa aqui sentirá a nossa falta pela simples razão de que não existem, por isso não têm meio de o fazer.

— Isto é o pior insulto que já ouvi! — exclamou a senhora Ingebrigtsen.

O conselheiro financeiro concordou.

— Podemos denunciá-lo por difamação. Vais ver que é comunista. Quer levar-nos tudo o que nos é mais querido. É um patife, um perfeito canalha...

Alberto e o conselheiro financeiro sentaram-se ao mesmo tempo. Este tinha o rosto vermelho de raiva. Naquele momento, Jorunn e Jørgen reapareceram e sentaram-se nos seus lugares. Tinham as roupas sujas e amarrotadas. Os cabelos loiros de Jorunn estavam cheios de erva e terra.

— Mamã, vou ter um bebé — anunciou.

— Está bem, mas tens de esperar até chegarmos a casa.

Teve o apoio imediato do seu marido.

— Sim, só tem de se esperar, e se quiser o baptismo esta noite, tem de se arranjar sozinha.

Alberto olhou para Sofia com uma expressão séria.

— Já é hora.

— Podes trazer-nos o café antes de partires? — perguntou a sua mãe.

— Claro, mamã, vou já.

Sofia levou os termos da mesa. Tinha de fazer mais café. Enquanto esperava que o café estivesse pronto, deu de comer aos pássaros e aos peixes. Foi à casa de banho e pôs uma folha de alface na caixa de Govinda. Não viu Sherekan, mas abriu uma lata de comida para gatos e deitou o conteúdo num prato que deixou na escada. Reparou que tinha os olhos húmidos.

Quando voltou com o café, a festa mais parecia a de um grupo de crianças pequenas do que a festa de uma rapariga de quinze anos. Havia muitas garrafas deitadas pela mesa, um pedaço de bolo de chocolate estava esborrachado na toalha, o prato com as sanduíches no chão. Quando Sofia chegou, um dos rapazes colocou uma bombinha no bolo de nata que explodiu, lançando creme e natas pela mesa e pelos convidados, atingindo sobretudo o fato vermelho da senhora Ingebrigt-sen.

Curiosamente, ela e todos os outros assistiam a tudo com a máxima calma. Jorunn agarrou numa fatia de bolo de chocolate e espalhou-a no rosto de Jørgen. Logo em seguida, começou a lamber-lhe a cara.

A mãe de Sofia e Alberto tinham-se sentado a alguma distância no baloiço. Fizeram sinal a Sofia.

— Finalmente vocês podem falar a sós — disse Sofia.

— E tu tinhas toda a razão — disse a mãe num tom alegre. — O Alberto é um grande homem. Confio-te aos seus fortes braços.

Sofia sentou-se entre os dois.

Dois rapazes tinham conseguido trepar ao telhado. Uma das rapari-gas furava os balões com um gancho do cabelo. Naquele momento, chegou um intruso de mota. No porta-bagagens tinha uma caixa com garrafas de cerveja e aguardente. Foi acolhido de braços abertos por alguns rapazes.

Imediatamente a seguir, o conselheiro financeiro levantou-se da mesa bateu as palmas e disse:

— Vamos jogar, meninos?

Agarrou numa garrafa de cerveja, bebeu-a de um trago e pô-la no meio da relva. Depois dirigiu-se à mesa e pegou nos cinco últimos anéis do bolo. Mostrou aos convidados como deviam lançar os anéis para ficarem à volta do gargalo.

— As últimas convulsões — disse Alberto. — Agora temos mesmo que desaparecer antes que o major escreva a palavra final e Hilde feche o *dossier*.

— Tens de arrumar tudo sozinha, mamã.

— Não faz mal, minha filha. Acho que esta não era vida para ti. Se Alberto conseguir oferecer-te uma existência mais feliz, ninguém ficará mais contente do que eu. Tem um cavalo branco, não é verdade?

Sofia olhou ao seu redor. O jardim estava irreconhecível. Havia garrafas, ossos de frango, sanduíches e balões pisados por toda a relva.

— Este já foi o meu pequeno paraíso — disse.

— E agora és expulsa dele — respondeu Alberto.

Um rapaz sentara-se no *Mercedes* branco. Pô-lo em marcha, entrou pelo portão, fez a curva para o caminho de saibro e continuou pelo jardim dentro.

Sofia foi agarrada pelo braço. Alguém a levava para a toca. Depois, ouviu a voz de Alberto:

— Agora!

No mesmo instante, o *Mercedes* branco bateu contra uma macieira. Choveram maçãs verdes sobre o *capot*.

— Isto é demais! — gritou o conselheiro financeiro. — Exijo uma indemnização!

A mulher apoiou-o completamente:

— A culpa é desse imbecil? Onde é que ele se meteu?

— Parece que foram engolidos pela terra — disse a mãe de Sofia com um certo orgulho.

Levantou-se, dirigiu-se para a mesa que parecia um campo de batalha e começou a levantá-la, perguntando:

— Alguém quer mais café?

CONTRAPONTO

... duas ou mais melodias soam simultaneamente...

Hilde sentou-se na cama. Ali terminava a história de Sofia e Alberto. Mas o que se passara realmente?

Por que motivo tinha o seu pai escrito aquele último capítulo? Apenas para demonstrar o seu poder sobre o mundo de Sofia?

Profundamente concentrada nos seus pensamentos, Hilde lavou-se e vestiu-se. Depois de um rápido pequeno-almoço, desceu para o jardim e sentou-se no baloiço.

Estava de acordo com Alberto: a única coisa sensata naquela festa tinha sido o discurso que ele fizera. O seu pai pretenderia insinuar que o mundo de Hilde era tão caótico como a festa de jardim de Sofia? Ou que por fim o seu mundo também se dissolveria?

E Sofia e Alberto? O que sucedera ao seu plano secreto?

Talvez ela mesma, Hilde, devesse inventar a continuação? Ou tinham verdadeiramente conseguido fugir do romance? Mas então, onde estavam?

Subitamente, ocorreu-lhe um pensamento: se Alberto e Sofia tinham realmente saído da história, não poderia haver mais nada sobre eles nas folhas do *dossier*. O pai conhecia muito bem o conteúdo daquelas páginas.

Poderia haver qualquer coisa nas entrelinhas? Houvera alusões nesse sentido. Hilde reconheceu que teria de ler toda a história algumas vezes mais.

Enquanto o *Mercedes* branco entrava pelo jardim, Alberto puxou Sofia para o carreiro. Depois, correram pelo bosque em direcção à cabana do major.

— Depressa! — exclamou Alberto. — Temos de conseguir antes que ele comece à nossa procura.

— Já estamos fora do seu alcance?

— Encontramo-nos numa zona de charneira.

Remaram pelo lago e precipitaram-se para a cabana. Alberto abriu a porta da cave e empurrou Sofia para dentro. Fez-se escuro.

Nos dias seguintes, Hilde continuou a trabalhar no seu plano: enviou várias cartas a Anna Kvamsdal, em Copenhaga e telefonou-lhe algumas vezes. Em Lillesand também recrutou amigos e conhecidos como tropas auxiliares; quase metade da turma foi mobilizada.

Entretanto, releu *O Mundo de Sofia*. Não era uma história que se pudesse despachar com uma única leitura. Ocorriam-lhe constantemente novos pensamentos sobre o que poderia ter sucedido a Alberto e Sofia após o seu desaparecimento na festa de jardim.

No sábado, dia 23 de Junho, Hilde acordou por volta das nove horas. Sabia que o pai tinha já deixado o acampamento no Líbano. Agora, tinha apenas que esperar. A última parte do dia do major fora planeada até ao mínimo detalhe.

De manhã, ela começou a preparar a noite de S. João com a mãe. Hilde não conseguia deixar de pensar no modo como Sofia e a mãe tinham preparado a sua festa.

Mas não o tinham já feito? Estavam verdadeiramente a pôr a mesa naquele momento?

Sofia e Alberto sentaram-se num relvado em frente a dois grandes edifícios que no exterior tinham desagradáveis válvulas e tubos de ventilação. Uma rapariga e um jovem saíram de uma das construções: ele tinha uma pasta castanha, ela uma mala vermelha ao ombro. Numa estrada lateral passou um carro.

— O que aconteceu? — perguntou Sofia.

— Conseguimos!

— Mas onde estamos?

— Este local chama-se *Majorstua*, ou seja, a «cabana do major».

— E daí?

— Estamos em Oslo, e Majorstua é uma das zonas principais desta cidade.

— Tens a certeza?

— Absoluta. Aquele edifício chama-se «Château Neuf», que significa «castelo novo»: ali estuda-se música. No outro edifício estuda-se teologia. Naquela colina lá em cima estão as faculdades de ciências naturais, literatura e filosofia.

— Estamos fora do livro de Hilde e do controlo do major?

— Sim. Nunca nos encontrará, aqui.

— Mas onde estávamos quando atravessámos o bosque a correr?

— Enquanto o major se preocupava em fazer bater contra uma macieira o *Mercedes* do conselheiro financeiro, escondemo-nos na toca. Foi a primeira parte, Sofia: naquele momento pertencíamos tanto ao velho como ao novo mundo, mas o major não deve ter pensado que nos esconderíamos justamente lá dentro.

— Porque não?

— Nesse caso, não nos teria deixado ir embora tão facilmente. Tudo se passou como num sonho, e talvez ele também tenha entrado no jogo...

— O que queres dizer?

— Foi *ele* a pôr em marcha o *Mercedes*. Talvez se tenha esforçado o máximo para não nos controlar. Devia estar exausto depois de tudo o que aconteceu...

O jovem casal estava a poucos metros de distância deles. Sofia achou um pouco embaraçoso estar ali sentada na relva com um homem muito mais velho que ela. E queria ter a prova de que aquilo que Alberto lhe tinha dito era verdade.

Levantou-se e correu para os dois.

— Podem dizer-me por favor como se chama este local? — perguntou.

Nenhum respondeu, e não lhe deram atenção.

Sofia ficou tão irritada, que voltou a dirigir-lhes a palavra.

— É exigir muito pedir que respondam à minha pergunta?

Mas o jovem estava visivelmente ocupado a explicar uma coisa à rapariga:

— A composição contrapontística desenvolve-se em duas dimensões: a horizontal, ou melódica, e a vertical, ou harmónica. Trata-se portanto de duas ou mais melodias que soam ao mesmo tempo...

— Peço desculpa se vos estou a interromper, mas... — disse Sofia.

— As melodias combinam-se de modo a desenvolverem-se da forma mais independente possível uma da outra. Mas deve haver também uma harmonia. Isto é chamado contraponto, o que na realidade significa nota contra nota.

Que insolência! Não eram cegos nem surdos. Sofia fez uma última tentativa: pôs-se em frente deles, obstruindo-lhes o caminho.

Foi simplesmente empurrada para o lado.

— Começa a levantar-se vento — disse a rapariga.

Sofia voltou a correr para Alberto.

430

— Eles não me ouvem! — disse — e enquanto o dizia, lembrou-se do sonho com Hilde e o crucifixo de ouro.

— Temos de pagar o preço, Sofia. Se conseguimos sair de um livro, não podemos esperar obter o mesmo estatuto que o seu autor. Mas estamos aqui. E a partir de agora não ficaremos nem um dia mais velhos do que quando deixámos a festa filosófica no jardim.

— Mas nunca poderemos entrar em contacto com as pessoas à nossa volta?

— Um verdadeiro filósofo nunca diz nunca. Tens horas?

— São oito.

— Como quando deixámos a festa.

— Hoje o pai de Hilde volta do Líbano.

— Por isso, temos de nos apressar.

— O que queres dizer?

— Não estás curiosa para ver o que sucederá quando o major chegar a Bjerkely?

— Sim, mas...

— Então, vem!

Caminharam para o centro. Passaram por várias pessoas no caminho, mas Sofia e Alberto pareciam ser apenas ar para todas elas.

Ao longo da rua havia carros estacionados. De repente, Alberto parou em frente a um carro vermelho de modelo desportivo, descapotável.

— Acho que podemos usar este. Temos de ter a certeza de que este é o *nosso* carro.

— Não percebo nada.

— Então vou-te explicar. Não podemos levar um carro normal, que pertença a uma pessoa aqui da cidade. O que é que achas que sucederia se as pessoas vissem um carro que anda sem condutor? Além disso nunca conseguiríamos pô-lo em movimento.

— E o carro desportivo?

— Acho que o vi num filme antigo.

— Desculpa, mas começo a irritar-me com todos estes mistérios.

— Este é um carro de fantasia, Sofia. É igual a nós. As pessoas nesta cidade vêem aqui apenas um lugar livre para estacionar e é justamente disso que nos temos de assegurar antes de partirmos.

Ficaram à espera. Pouco depois, viram um rapaz que estava a andar de bicicleta no passeio, mas em seguida virou para a estrada passando pelo meio do carro vermelho.

— Como vês, é o nosso carro.

Alberto abriu a porta do lugar ao lado do condutor.

— Faz favor! — disse, e Sofia entrou.

Ele sentou-se ao volante, girou a chave que já estava na ignição e o carro arrancou.

Depois de ter deixado atrás de si Kirkeveien, chegaram a Drammensveien. Passaram Lysaker e Sandvika. Pouco a pouco, começaram a ver as primeiras fogueiras de S. João, sobretudo depois de deixarem Drammen.

— É o solstício de Verão, Sofia! Não é maravilhoso?

— E há ar fresco com o carro aberto. É mesmo verdade que ninguém nos pode ver?

— Só os que são como nós. Talvez encontremos alguém. Que horas são?

— Oito e meia.

— Então temos que ir por atalhos, não podemos ficar todo o tempo atrás deste camião.

Alberto virou para um grande campo de trigo. Sofia voltou-se e viu que tinham deixado atrás de si a marca dos pneus nas espigas pisadas.

— Amanhã vão dizer que foi culpa do vento — disse Alberto.

O major Albert Knag aterrou em Copenhaga. Era um sábado, dia 23 de Junho, quatro e meia da tarde. O dia tinha sido comprido: o major tinha feito a penúltima escala em Roma, de onde tinha apanhado um avião para Copenhaga.

Tinha passado o controlo de passaportes vestido com o uniforme da ONU, que usava sempre com grande orgulho. Com efeito, Albert Knag sentia que não representava apenas o seu país, mas também uma organização internacional e consequentemente uma tradição secular que abrangia todo o planeta.

Trazia apenas uma pequena mala a tiracolo. O resto da bagagem seria transferido do avião proveniente de Roma para o avião que se dirigia a Kristiansand. Apenas tinha de mostrar o seu passaporte vermelho.

— «Nada a declarar.»

O major Albert Knag tinha de esperar três horas no aeroporto de Kastrup antes de apanhar o avião para Kristiansand. Tinha também de comprar alguns presentes para a família. Enviara a Hilde o presente maior quase duas semanas antes. Na noite anterior ao aniversário de Hilde, Marit tinha-o colocado na mesinha-de-cabeceira do quarto da filha, de modo a que ela o pudesse encontrar mal acordasse. Desde o seu telefonema nesse dia não tinha falado com Hilde.

Albert comprou alguns jornais noruegueses, sentou-se num bar e pediu uma chávena de café. Ainda não lera os títulos quando ouviu o altifalante:

— Uma notícia importante para o senhor Albert Knag. Pede-se ao senhor Albert Knag que se dirija ao balcão da SAS.

O que era aquilo? Albert Knag sentiu um calafrio na espinha. Seria uma ordem para voltar para o Líbano? Não estariam as coisas bem em casa?

Pouco depois estava em frente ao balcão das informações.

— Eu sou Albert Knag.

— Faça favor: é urgente.

Abriu imediatamente o envelope. Dentro dele havia um envelope ainda mais pequeno. Neste estava escrito: «Major Albert Knag, a/c balcão de informações, aeroporto de Kastrup, "Copenhaga".»

Albert sentiu o coração bater com mais força. Abriu o segundo envelope e encontrou uma folhinha.

Querido papá: dou-te as boas-vindas a casa. Fico contente por voltares do Líbano. Como deves compreender, não posso esperar até tu voltares para casa. Desculpa ter-te feito chamar pelo altifalante, mas era o mais fácil.

P.S. O conselheiro financeiro Ingebrigtsen exige infelizmente uma indemnização por um acidente com um Mercedes *roubado.*

P.S. 2. Talvez me encontres sentada no jardim quando chegares, mas é possível que tenhas notícias minhas antes disso.

P.S. 3. Tenho um certo receio de ficar muito tempo no jardim: em lugares como este é fácil ser-se engolido pela terra.

Beijos da Hilde, que teve muito tempo para preparar o teu regresso.

O major Albert Knag sorriu, mas não lhe agradou nada a ideia de ser manipulado daquele modo. Gostava de ter sempre os cordelinhos na mão. E aquela garota atrevida em Lillesand estava a dirigir os seus movimentos no aeroporto de Kastrup! Como é que tinha conseguido? Pôs o envelope no bolso interior e passou por várias lojas. Justamente quando ia a entrar na loja de especialidades dinamarquesas, encontrou um pequeno envelope colado na montra. «MAJOR KNAG» estava escrito com uma caneta de feltro grossa. Ele arrancou o envelope e leu:

Importante mensagem para o major Albert Knag, a/c Dansk Mat, aeroporto de Kastrup, Copenhaga. Querido papá: por favor, compra-me um grande salame dinamarquês, de preferência de dois quilos. A mãe deve ficar contente com uma salsicha de conhaque.

P.S. Caviar Limfjord também não era má ideia.

Beijos da Hilde

Albert Knag olhou à sua volta. Estaria Hilde ali perto? Ter-lhe-ia Marit oferecido um voo para Copenhaga, para que o fosse receber? Era a letra de Hilde... De repente, o observador da ONU sentiu-se observado. Parecia que alguém dirigia à distância tudo o que fazia. Sentiu-se como um boneco nas mãos de uma criança.

Entrou na loja e comprou um salame dinamarquês, uma salsicha de conhaque e três latas de caviar de Limfjord, depois prosseguiu para as outras lojas. Queria comprar mais um presente de anos para Hilde. Talvez ela precisasse de uma calculadora, ou de um pequeno rádio portátil. Seria algo do género.

Quando entrou na loja dos electrodomésticos, reparou num outro envelope na montra: «Major Albert Knag, a/c da loja mais interessante de todo o aeroporto.» Na folha dentro estava escrito:

Querido papá: cumprimento-te e agradeço-te da parte da Sofia pelo televisor portátil com rádio incorporado que recebeu do pai generoso pelo seu aniversário. Foi muito bom, se bem que tenha sido uma ninharia. No entanto, tenho de admitir que também tenho o mesmo interesse que Sofia por esse género de coisas.

P.S. Se ainda não estiveste no minimercado e na grande Duty Free Shop, onde se vende vinho e cigarros, encontrarás lá outras instruções.

P.S. 2. Recebi dinheiro no meu aniversário e posso contribuir para a compra de um televisor portátil com a soma de 350 coroas.

Beijos da Hilde que já recheou o peru e preparou a salada Waldorf.

O televisor custava 985 coroas dinamarquesas. Não era nada em comparação com o que Albert Knag sentia por ser dirigido para um

lado e para o outro pelas ideias estranhas da sua filha. Estaria ela ali
— ou não?

A partir de então, olhava em seu redor a cada passo. Sentia-se
simultaneamente um espião e uma marioneta. Não estava a ser privado dos seus direitos humanos básicos?

Tinha de ir ainda à grande Duty Free Shop. Encontrou aí um
envelope branco no qual estava escrito o seu nome. Todo o aeroporto
parecia transformado numa espécie de jogo de computador, no qual
ele servia de cursor. Na folha estava escrito:

*Major Knag, a/c Duty Free Shop no aeroporto. Tudo o que eu quero
daqui é um saco de caramelos e algumas caixas de maçapão de* Anton
Berg. *Não te esqueças de que tudo isto é muito mais caro na Noruega! Se
bem me lembro, a mãe gosta de* Campari.

*P.S. Tens de manter os sentidos alerta durante toda a viagem de
regresso. Não vais querer perder nenhuma mensagem importante, pois
não?*

Beijos da tua filha Hilde que tem muita facilidade em aprender.

Albert Knag suspirou resignado; depois entrou na loja e comprou
tudo o que estava escrito na folha. Com três sacos de plástico e a mala
a tiracolo, dirigiu-se para a saída 28 para esperar pela hora da descola-
gem: se houvesse outras mensagens ficariam onde estavam.

Numa coluna da saída 28, encontrou um envelope branco: «Para o
major Albert Knag, a/c saída 28, aeroporto de Kastrup, Copenhaga.»
Também era a letra de Hilde, mas o número da saída não tinha sido
acrescentado com outra letra? Infelizmente, não era fácil distinguir,
uma vez que não podia comparar letras, apenas números.

Sentou-se numa poltrona que estava encostada a uma parede. Pousou os sacos nos joelhos. O orgulhoso major estava para ali olhando
fixamente em frente como uma criança pequena que viaja sozinha
pela primeira vez. Se ela estivesse ali, não teria a satisfação de o
descobrir primeiro.

Olhava ansiosamente para todos os passageiros que iam entrando.
Viu-se como um espião perigoso constantemente sob controlo dos
serviços secretos. Quando foi chamado para embarcar suspirou de
alívio. Foi o último a entrar a bordo.

Quando entregou o seu bilhete de embarque, arrancou rapidamente um outro envelope que estava colado ao balcão.

Sofia e Alberto tinham acabado de passar a ponte de Brevik e a saída para Kragerø.

— Vais a cento e oitenta à hora — comentou Sofia.

— São quase nove horas. Daqui a pouco, ele aterrará no aeroporto de Kjevik... Felizmente, ninguém nos pode deter por excesso de velocidade.

— E se batermos?

— Desde que se trate de um carro normal, não corremos perigo. Mas se fosse um dos nossos...

— Sim?

— Nesse caso, temos de prestar atenção. Não viste que passámos por Herbie, o carocha?

— Não!

— Estava estacionada algures em Vestfold.

— Não será tão fácil ultrapassar o autocarro à nossa frente: há bosque cerrado de todos os lados.

— Isso não tem importância, Sofia. Já vais ver.

Ele virou para o bosque e guiou pelo meio das árvores cerradas.

Sofia respirou de alívio.

— Assustaste-me.

— Não sentiríamos nada mesmo que passássemos por uma parede de aço.

— Significa que em relação ao que nos rodeia somos apenas almas feitas de ar.

— Não, estás a pôr tudo do avesso. É a realidade que nos circunda que é apenas uma ilusão feita de ar.

— Tens de me explicar isso melhor.

— Então, ouve com atenção. É opinião difundida e falsa que o espírito é algo «mais etéreo» do que o vapor, mas é exactamente o contrário: o espírito é mais compacto do que o gelo.

— Nunca tinha pensado nisso.

— Vou-te contar uma história. Era uma vez um homem que não acreditava nos anjos. Um dia, quando estava a trabalhar na floresta, recebeu a visita de um anjo. Percorreram juntos um troço de estrada e, por fim, o homem voltou-se para o anjo e disse-lhe: «Sim, tenho que admitir que os anjos existem, mas não como nós.» «O que queres dizer?», perguntou-lhe o anjo. O homem respondeu: «Quando chegámos em frente a um bloco de rocha, eu tive que ir à volta, mas tu passaste através dele. E quando chegámos em frente a um tronco que tinha caído

436

atravessado no caminho, eu tive que saltar por cima, e tu passaste pelo meio.» Admirado com esta resposta, o anjo disse: «Não reparaste que também atravessámos um pântano? Aí, conseguimos ambos passar pela bruma. Isso deve-se ao facto de termos uma consistência mais compacta do que a bruma.»

— Ah...

— O mesmo se passa connosco, Sofia. O espírito pode atravessar portas de aço. Nenhum tanque, nenhuma bomba pode destruir o que é feito de espírito.

— Parece tão estranho!

— Vamos passar por Risør dentro em pouco, e arrancámos há menos de uma hora. Gostaria muito de tomar café.

Quando chegaram a Fiane, mesmo antes de Søndeled, viram do lado esquerdo uma estação de serviço que se chamava «Cinderela». Alberto virou e estacionou o carro na relva.

No café, Sofia tentou tirar da arca frigorífica, uma garrafa de *coca--cola* mas esta não se moveu. Parecia estar colada. Um pouco mais à frente, Alberto tentava deitar café num copo de papel que tinha encontrado no carro. Tinha apenas que premir um botão, mas, apesar de todos os esforços, não conseguiu.

Ficou tão furioso que se voltou para os que estavam no café e pediu ajuda. Visto que ninguém reagia, pôs-se a gritar tão alto que Sofia teve que tapar as orelhas.

— Quero um café!

A sua cólera evaporou-se rapidamente e, pouco depois, ele não parava de rir.

— Não podem ouvir-nos, e é obvio que não nos podemos sequer servir do café — explicou a Sofia.

Estavam para sair quando uma mulher muito velha se levantou e foi ao seu encontro. Trazia uma saia vermelha cor de fogo, um casaco de malha azul esverdeado e na cabeça um lenço branco. Tanto as cores como a sua figura eram muito mais nítidas do que tudo o que havia naquele café.

Dirigiu-se a Alberto e disse:

— Como gritas, meu rapaz!

— Desculpe.

— Disseste que querias café?

— Sim, mas...

— Temos aqui perto um pequeno estabelecimento.

Saíram do café com a mulher e foram por um caminho atrás da estação de serviço. Entretanto, ela perguntou:

— Vocês são novos aqui?

— Temos de o admitir — respondeu Alberto.

— Sim, sim. Bem-vindos à eternidade, meus filhos!

— E tu?

— Eu venho de um conto dos irmãos Grimm. Foi escrito há mais de cento e cinquenta anos. E de onde vêm vocês?

— Vimos de um livro de filosofia. Eu sou professor de filosofia e Sofia é a minha aluna.

— Hi... hihi... sim, isso é novo.

Pouco depois chegaram a uma clareira. Aí, havia várias casinhas castanhas acolhedoras. Uma grande fogueira de S. João ardia num largo entre as casas e à volta da fogueira dançavam figuras coloridas. Sofia reconheceu muitas delas. Viu Branca de Neve e alguns dos anões, João Ratão e Sherlock Holmes. Viu também o Capuchinho Vermelho e Cinderela. Em redor da grande fogueira tinham-se reunido também muitas figuras conhecidas que não tinham nome: duendes e sílfides, faunos e bruxas, anjos e diabinhos. Sofia encontrou inclusivamente um gigante autêntico.

— Que barulheira! — exclamou Alberto.

— Mas é a noite de S. João — respondeu a velha. — Não temos um encontro assim desde a noite de Valpurgis, que festejámos na Alemanha. Vou aqui fazer apenas uma pequena visita. Querias café, não era?

— Sim, por favor.

Sofia reparou então que todas as casinhas eram feitas de maçapão, caramelo e calda de açúcar. Algumas das figuras roíam as casinhas, mas uma padeira andava entre os edifícios reparando de quando em quando os danos. Sofia retirou um pedaço de um canto. Era mais doce e melhor do que tudo o que já tinha provado.

A velha voltou com a chávena de café.

— Muito obrigado — disse Alberto.

— E quanto pensam pagar pelo café?

— Pagar?

— Aqui paga-se geralmente com uma história. Pelo café basta uma pequena.

— Nós podíamos contar a incrível história da humanidade — disse Alberto. — Mas o problema é que estamos com muita pressa. Não podemos voltar uma outra vez e pagar?

— Naturalmente. E porque é que têm tão pouco tempo?

Alberto contou o que planeavam e a velha disse:

— De facto vocês são uma coisa nova, mas têm de cortar depressa o cordão umbilical que ainda vos liga à vossa origem corpórea: nós já não estamos dependentes da carne e do sangue, pertencemos ao «povo invisível».

438

Pouco depois, Sofia e Alberto estavam novamente junto ao café Cinderela e ao carro vermelho. Junto ao carro, uma mãe atarefada ajudava o filho a fazer chichi.

Após algumas corridas e atalhos, chegaram rapidamente a Lillesand.

O voo SX 876 proveniente de Copenhaga aterrou no aeroporto de Kjevik às 21.35. Enquanto o avião estava a descolar de Copenhaga, o major abrira o envelope que encontrara no balcão de embarque. Na folha estava escrito:

«Major Knag enquanto entrega o cartão de embarque em Kastrup na noite de S. João, 1990.

Querido papá: talvez tenhas acreditado que eu estava em Copenhaga, mas o meu controlo sobre o que tu fazes é muito mais refinado. Vejo-te por toda a parte, papá. Com efeito, entrei em contacto com uma antiga família de ciganos que há muito tempo vendeu à bisavó um espelho mágico de latão. E além disso, adquiri um bola de cristal. Neste preciso instante vejo que acabaste de te sentar no avião. Não te esqueças de apertar o cinto e manter as costas do assento na vertical até que o sinal de Fasten Seat Belt se apague. Enquanto o avião estiver no ar, podes baixar as costas do banco e descansar. Será melhor estares repousado quando chegares a casa. O tempo em Lillesand está maravilhoso, mas a temperatura anda alguns graus abaixo da do Líbano. Desejo-te uma boa viagem.

Beijos da tua pequena bruxa, a rainha do espelho e a maior protectora da ironia.

Albert Knag não sabia bem se estava irritado ou apenas cansado e esgotado. Mas, de repente, começou a rir. Riu-se tão alto que os outros passageiros se voltaram para ver. Em seguida, o avião descolou.

Era a sua vez de provar do seu próprio remédio, mas havia uma diferença importante... As únicas vítimas do seu remédio tinham sido Sofia e Alberto... E essas eram apenas fantasia.

Seguiu o conselho de Hilde: inclinou as costas do assento e ador-meceu. Só acordou verdadeiramente depois de ter passado o controlo de passaportes e quando estava no *hall* de chegadas do aeroporto de Kjevik. Ali, foi recebido com uma manifestação.

Havia oito a dez manifestantes, a maior parte da idade de Hilde. Nos cartazes estava escrito: «BEM-VINDO A CASA, PAPÁ!», «HILDE ESPERA NO JARDIM» e «VIVA A IRONIA!».

O mais grave foi o facto de o major não poder entrar imediatamente num táxi. Tinha de esperar pela sua bagagem. E enquanto isso, as colegas de Hilde formigavam à sua volta, obrigando-o a ler várias vezes todos os cartazes. Só quando uma rapariga lhe levou um ramo de rosas é que esboçou um sorriso. Remexeu num dos seus sacos e deu a todas as manifestantes doces. No final, só sobravam dois para Hilde. Depois de recolher a bagagem, um jovem explicou-lhe que estava sob as ordens da rainha do espelho e que fora encarregado de o levar de carro para Bjerkely. As manifestantes desapareceram na multidão.

O carro foi pela E 18. Em todas as pontes e túneis estavam pendurados cartazes: «Bem-vindo a casa!», «O peru está à espera!», «Estou a ver-te, papá!».

Albert Knag respirou de alívio quando o deixaram em frente do portão do jardim de Bjerkely. Agradeceu ao condutor com uma nota de cem coroas e três latas de cerveja.

A sua mulher Marit esperava por ele à entrada da casa. Após um longo abraço, perguntou:

— Onde está ela?

— Está sentada no cais, Albert.

Alberto e Sofia deixaram o seu carro desportivo vermelho em frente do hotel Noruega na praça principal de Lillesand. Faltava um quarto para as dez. Viram junto aos recifes uma grande fogueira.

— Como havemos de encontrar Bjerkely? — perguntou Sofia.

— Temos de procurar. Ainda te recordas do quadro na cabana?

— Temos é de nos apressar. Eu quero estar lá antes dele.

Guiaram por caminhos estreitos, mas também por cima de rochas e escolhos. Bjerkely ficava junto ao mar, disso tinham a certeza.

De repente, Sofia gritou:

— Ali! Encontrámos!

— Acho que tens razão, mas não devias fazer tanto alarido.

— Ah, aqui ninguém nos pode ouvir.

— Querida Sofia — depois do extenso curso de filosofia, é uma desilusão que tu tires ainda conclusões precipitadas.

— Mas...

— Parece-te que este local não tem duendes nem gigantes, nem espíritos do bosque nem fadas...

— Desculpa!

Naquele momento, entraram através do portão e seguiram o caminho em frente à casa. Alberto parou na relva, junto ao baloiço. Um pouco mais à frente, estava uma mesa posta para três pessoas.

— Estou a vê-la! — sussurrou Sofia. — Está sentada, no cais, exactamente como no meu sonho.

— Estás a ver que o jardim se assemelha ao teu em Kløverveien?

— Sim, tens razão. Inclusivamente o baloiço. Posso sair para ir ter com ela?

— Claro. Eu fico no carro...

Sofia correu para o cais. Quase tropeçava e caía sobre Hilde, mas sentou-se ao seu lado calmamente.

Hilde estava a brincar com a corda do barco a remos amarrado ao cais. Na mão esquerda segurava uma pequena folha. Via-se que estava à espera. Olhava constantemente para o relógio.

Sofia achou-a muito bonita. Tinha caracóis loiros-claros — e olhos verde-esmeralda. Trazia um vestido amarelo de Verão. Era um pouco parecida com Jorunn.

Sofia tentou falar com ela, apesar de saber que não servia de nada.

— Hilde! É a Sofia!

Hilde não reagiu.

Sofia ajoelhou-se ao seu lado e tentou gritar-lhe ao ouvido:

— Estás a ouvir-me, Hilde? Ou és cega e surda?

Não abrira mais os olhos? Não era um pequeno sinal, mesmo que muito fraco, de que ouvia alguma coisa?

Hilde voltou-se. De repente, voltou a cabeça para a direita e fixou os olhos de Sofia. Mas o seu olhar não estava completamente fixo, parecia atravessar Sofia.

— Não grites tanto, Sofia — era a voz de Alberto que vinha do carro vermelho.

— Eu não quero ficar com o jardim cheio de sereias!

Sofia permaneceu sentada em silêncio. Sentia-se bem por estar tão perto de Hilde.

Em seguida, ouviu uma voz masculina: «Hilde!».

Era o major — com uniforme e boina azul. Estava em cima, no jardim.

Hilde levantou-se de um pulo e correu na sua direcção. Encontraram-se entre o assento suspenso e o carro desportivo vermelho. Ele elevou-a no ar e fê-la rodopiar.

Hilde sentara-se no cais para esperar pelo pai. A cada quarto de hora que passara desde a sua chegada a Copenhaga, ela tentara imaginar onde ele estava precisamente, o que estava a fazer e como se sentia. Tinha escrito todos os horários numa folha de papel que mantivera na mão durante todo o dia.

Estaria ele zangado? Não estava certamente à espera que tudo fosse como anteriormente depois de ter escrito para ela um livro misterioso.

Voltou a olhar para o relógio: eram dez e um quarto. Ele podia chegar a qualquer momento.

Mas o que era aquilo? Não estava a ouvir uma respiração fraca, tal como no seu sonho com Sofia?

Voltou-se. *Estava* ali alguma coisa, tinha a certeza disso. Mas o quê?

Seria apenas devido à noite de Verão?

Durante alguns segundos, receou estar a ouvir alguma coisa.

— Hilde!

Olhou na outra direcção. Era o pai! Estava em cima, no jardim!

Hilde levantou-se de um pulo e correu na sua direcção. Encontraram-se junto ao baloiço, ele elevou-a no ar e fê-la rodopiar.

Hilde começou a chorar e o major também teve de reprimir algumas lágrimas.

— Estás quase uma mulher adulta, Hilde.

— E tu um verdadeiro poeta!

Hilde enxugou as lágrimas com as mangas do vestido amarelo.

— Então, estamos quites?

— Estamos quites.

Sentaram-se à mesa. Em primeiro lugar, Hilde quis saber exactamente o que sucedera em Copenhaga e no regresso de lá a Lillesand. As gargalhadas sucediam-se.

— Não viste o envelope no bar?

— Eu nem sequer tive tempo suficiente para me sentar e comer alguma coisa, minha malandra. Agora, tenho uma fome de leão.

— Pobre papá.

— A história do peru não era só uma invenção, espero.

— Não! Preparei tudo. A mamã vai trazer a comida.

Depois, falaram detalhadamente sobre o *dossier* e a história de Sofia e Alberto. Pouco depois, estavam na mesa o peru e a salada Waldorf, uma garrafa de vinho *rosé* e o pão feito por Hilde.

Enquanto o pai estava a falar de Platão, Hilde interrompeu-o subitamente:

— Chiu!

— O que é?

— Não ouviste nada? Um ruído?

— Não.

— Tenho a certeza que ouvi alguma coisa. Deve ter sido apenas um rato.

A última coisa que o pai disse enquanto a mãe trazia o vinho, foi:

— Mas o curso de filosofia ainda não terminou.

— O que queres dizer?

— Hoje à noite vou falar-te do universo.

Antes de começarem a comer, ele disse:

— Hilde já é muito grande para se sentar nos meus joelhos, mas tu não!

Puxou Marit para o seu colo, e ela ficou sentada muito tempo antes de poder comer alguma coisa.

— E pensar que tens quase quarenta anos...

Quando Hilde correu para o pai, os olhos de Sofia encheram-se de lágrimas.

Não conseguia chegar a Hilde!

Sofia sentiu uma grande inveja pelo facto de Hilde ser uma pessoa verdadeira, de carne e osso.

Quando Hilde e o major se sentaram à mesa, Alberto buzinou.

Sofia olhou para ele. Hilde não fizera o mesmo?

Sofia correu para Alberto e sentou-se ao seu lado no carro.

— Vamos ficar algum tempo a ver o que sucede, está bem? — disse.

Sofia acenou afirmativamente.

— Estiveste a chorar?

Sofia acenou novamente.

— O que se passa?

— Ela tem a sorte de ser uma pessoa verdadeira... Vai crescer e será uma verdadeira mulher. Também há-de ter filhos verdadeiros...

— E netos, Sofia. Mas tudo tem duas faces. É o que eu te queria ensinar no início do curso.

— O que queres dizer com isso?

— Eu também acho que ela tem sorte, mas quem ganha a lotaria da vida, ganha também a lotaria da morte, porque o destino da vida é a morte.

— Mas não é melhor ter vivido do que nunca se viver verdadeiramente?

— Não podemos ter uma vida como a da Hilde... bom, ou como a do major. Em compensação, nunca morreremos. Já não te lembras do que a velha disse no bosque? Pertencemos ao «povo invisível». Ela disse também que tem mais de cento e cinquenta anos. Na festa de S. João eu vi inclusivamente personagens que têm mais de três mil anos.

— Talvez eu inveje sobretudo esta vida familiar.

— Mas tu também tens uma família. Afinal tens um gato, dois pássaros e uma tartaruga...

— Nós deixámos essa realidade.

— De modo algum. Foi o major que a deixou. Foi ele que pôs o ponto final. Nunca nos voltará a encontrar.

— Achas que podemos voltar?

— Sempre que quisermos. Mas também vamos fazer novos amigos nos bosques atrás da cafetaria «Cinderela».

A família Møller Knag tinha começado a comer. Por um momento, Sofia temeu que essa refeição tivesse o mesmo desfecho que a festa filosófica no jardim em Kløverveien. O major parecia querer deitar Marit sobre a mesa, mas limitou-se a puxá-la para o colo.

O carro estava estacionado a uma certa distância da mesa, e só podiam ouvir o que eles diziam de vez em quando. Olharam para o jardim, e tiveram tempo suficiente para recordar tudo o que tinha sucedido durante a infeliz festa de Sofia no jardim.

A família Knag só se levantou da mesa por volta da meia-noite. Hilde e o major sentaram-se no baloiço e acenaram à mãe, que ia entrar em casa.

— Vai dormir, mamã. Temos muito que conversar.

O BIG BANG

... nós também somos poeira de estrelas...

Hilde sentou-se confortavelmente no baloiço, junto ao pai. Era quase meia-noite. Olharam para a enseada; no céu, delineavam-se as primeiras estrelas pálidas. Ondas suaves embatiam contra as pedras, sob a doca.

O pai quebrou finalmente o silêncio:

— É uma ideia estranha, a de vivermos num pequeno planeta, algures no universo.

— Sim...

— A Terra é um dos muitos planetas que giram à volta do Sol. Mas o nosso planeta é o único que tem vida.

— E será o único com vida em todo o universo?

— Sim, é possível. Mas também é lícito pensarmos que o universo fervilha de vida, porque o cosmos é extremamente grande. As distâncias são tão grandes que as medimos em minutos-luz e em anos-luz.

— O que é que isso significa?

— Um minuto-luz é a distância que a luz percorre num minuto. E é uma grande distância, porque a luz consegue percorrer 300 000 quilómetros no espaço, em apenas um segundo. Um minuto-luz corresponde, por outras palavras, a 300 000 vezes 60, ou a 18 milhões de quilómetros. Um ano luz corresponde a quase 9,5 mil milhões de quilómetros.

— A que distância está o Sol?

— A pouco mais de oito minutos-luz. Os raios solares, que nos aquecem o rosto num dia quente de Junho, viajaram portanto oito minutos no espaço antes de chegarem a nós.

— Continua!

— Plutão, o planeta mais afastado no nosso sistema solar — está afastado de nós um pouco mais do que cinco horas-luz. Quando um astrónomo observa Plutão com um telescópio, vê na realidade o planeta como era há cinco horas atrás. Podemos também dizer que a imagem de Plutão leva cinco horas para chegar até nós.

— É difícil imaginar, mas acho que compreendi o que queres dizer.

— Bom, Hilde, mas só agora começámos a orientar-nos. O nosso sol é uma entre quatrocentos mil milhões de outras estrelas, numa galáxia a que chamamos Via Láctea. Esta galáxia assemelha-se a um grande disco com muitos braços em espiral, e o nosso sol está situado num desses braços. Se observarmos o céu numa noite clara de Inverno, podemos ver uma larga faixa luminosa, porque olhamos para o centro da Via Láctea.

— É por isso que, em sueco, Via Láctea se diz «via do inverno».

— A distância em relação à primeira estrela mais próxima de nós na Via Láctea perfaz quatro anos-luz. Talvez seja aquela estrela que vemos lá em cima, sobre aquela ilhota. Se imaginares que neste preciso momento um astrónomo está a observar Bjerkely lá de cima com um telescópio potentíssimo, veria Bjerkely como era há quatro anos. Talvez visse uma rapariga de onze anos, aqui sentada, e a baloiçar os pés.

— Não tenho palavras.

— Mas isso é apenas a estrela que está mais próxima de nós. Toda a galáxia, ou «nebulosa», como também se chama, tem a extensão de 90 000 anos-luz. Significa que a luz de uma extremidade da galáxia até à outra extremidade, leva todos esses anos a percorrê-la. Quando observamos uma estrela na Via Láctea, que está afastada do nosso sol 50 000 anos-luz, vemos como era há 50 000 anos.

— Esse pensamento é demasiado grande para uma cabeça tão pequena como a minha.

— Quando observamos o espaço, observamos o passado. Não temos outra escolha. Nunca sabemos como o universo é agora. Quando observamos uma estrela, que dista milhares de anos-luz, estamos a regressar a milhares de anos atrás na história do espaço.

— É inacreditável.

— Mas tudo o que vemos, atinge o nosso olho sob a forma de ondas luminosas, ondas que precisam de tempo para a sua viagem pelo espaço. Podemos fazer uma comparação com o trovão. Ouvimos sempre o trovão algum tempo após termos visto o relâmpago. Deve-se ao facto de as ondas sonoras se moverem mais lentamente do que as ondas luminosas. Quando ouço um trovão, ouço o estrondo de uma coisa que se deu há algum tempo. O mesmo se passa com as estrelas. Quando vejo uma estrela que está a milhares de anos-luz de distância, estou a ver o «trovão» de um acontecimento que se deu há milhares de anos no passado.

— Compreendo.

— Mas até agora falámos apenas da nossa galáxia. Segundo os astrónomos, existem cerca de cem mil milhões no universo, e cada uma destas galáxias é formada por cem mil milhões de estrelas. A galáxia mais próxima da Via Láctea é a nebulosa de Andrómeda: está a dois milhões de anos-luz da nossa. Como vimos, isso significa que a luz dessa galáxia leva dois mil milhões de anos a chegar até nós, e que, quando observamos no céu a nebulosa de Andrómeda, vemos como era na realidade há dois milhões de anos. Se um astrónomo estivesse nesta nebulosa — estou a imaginar um pobre diabo, que dirige o seu telescópio para a Terra —, não nos consegue ver. Na melhor das hipóteses, descobre alguns homens primitivos com cérebro minúsculo.

— Estou espantada.

— As galáxias mais afastadas, de que temos conhecimento, encontram-se a cerca de *dez mil milhões* de anos-luz de nós. Quando recebemos sinais destas galáxias, recuamos portanto dez mil milhões de anos na história do universo. Trata-se do dobro do tempo da existência do nosso sistema solar.

— Estou a ficar tonta.

— Pode ser difícil compreender o que significa ver tão longe no passado. Mas os astrónomos descobriram uma coisa ainda mais importante para a nossa concepção do mundo.

— Diz-me!

— Nenhuma galáxia está imóvel no espaço, mas todas se movem a uma velocidade enorme, afastando-se umas das outras. Quanto mais longe estão de nós, mais velozmente parecem mover-se. Isso significa que a distância entre as galáxias se torna cada vez maior.

— Estou a tentar imaginar isso.

— Se tens um balão e desenhas nele alguns pontos pretos, estes afastar-se-ão cada vez mais entre si, conforme vais soprando. O mesmo fenómeno sucede com as galáxias do universo. Dizemos que o universo se expande.

— Qual é o motivo?

— A maior parte dos astrónomos concorda em que a expansão do universo só pode ter uma explicação: há cerca de dezoito mil milhões de anos, toda a matéria que constitui o universo estava concentrada num espaço muito pequeno. A matéria era tão densa que a força da gravidade a tornou extremamente quente. Por fim, a temperatura atingiu níveis tão elevados e a matéria era tão densa e compacta que explodiu. Esta explosão é chamada o *big bang*.

— Fico arrepiada só de pensar nisso.

— O *big bang* fez com que toda a matéria no universo fosse lançada em todas as direcções; à medida que arrefeceu, formaram-se as estrelas, as galáxias, as luas e os planetas...

— Mas estavas a dizer que o universo *continua* em expansão?

— E isso deve-se justamente à explosão que se deu há milhões de anos. O universo não tem uma geografia intemporal. O universo é um acontecimento, uma explosão. As galáxias continuam a mover-se no espaço a velocidades enormes.

— E vai ser sempre assim?

— Há essa possilbilidade, mas existe também uma outra: lembras-te que Alberto falou a Sofia sobre as duas forças que permitem aos planetas manterem constantemente as suas órbitas à volta do Sol?

— Sim, não eram a força da gravidade e a da inércia?

— A relação que existe entre as galáxias é análoga, porque apesar de o universo continuar a expandir-se, a gravitação actua numa direcção contrária. E um dia — daqui a alguns mil milhões de anos — talvez a gravitação faça com que os corpos celestes se contraiam novamente à medida que as forças provocadas por esta enorme explosão comecem a diminuir. Teremos então uma explosão ao contrário, ou seja, uma «implosão». As distâncias são tão grandes que isto acontecerá lentamente. Podes compará-lo com o que sucede se deixares sair o ar de um balão.

— Isso significa que todas a galáxias serão comprimidas até formarem novamente um centro compacto?

— Vejo que compreendeste. Mas o que sucederá em seguida?

— Haverá provavelmente uma outra explosão que provocará uma nova expansão do universo, porque as mesmas leis naturais continuam a agir. Desse modo, formar-se-ão novas estrelas e novas galáxias.

— Um raciocínio correcto. No que diz respeito ao futuro do universo, os astrónomos previram duas possibilidades: ou o universo continua a expandir-se eternamente e as galáxias afastar-se-ão entre si cada vez mais, ou o universo começará a contrair-se. O factor decisivo para o que pode acontecer é a massa total do universo; mas, até agora, os astrónomos não tiraram conclusões definitivas.

— Mas *se* o universo tiver tanta massa que se volte a contrair, isso não quer dizer que esses fenómenos de expansão e contracção já aconteceram muitas vezes?

— É uma conclusão aceitável, mas também há a possibilidade de o universo se expandir apenas uma vez. Mas se continuar eternamente em expansão, há uma questão mais importante: de que modo terá tudo começado?

— Como é que surgiu aquilo que explodiu de repente?

— Para um cristão, é natural considerar o *big bang* como o momento da Criação: na Bíblia está escrito que Deus disse: «Faça-se luz!». Talvez te lembres que Alberto explicou que o cristianismo tem uma visão «linear» da história. A ideia de que o universo continuará em expansão adequa-se mais à fé cristã.

— Ah!

— No Oriente, tem-se uma visão «cíclica» da história, ou seja, a história repete-se eternamente. Na Índia, por exemplo, encontramos uma antiga doutrina, segundo a qual o mundo continua a expandir-se e a contrair-se. Deste modo, há uma alternância entre aquilo a que os hindus chamam o «dia de Brahma» e a «noite de Brahma». Este pensamento adequa-se mais à hipótese da expansão e contracção do universo, segundo um processo cíclico eterno. Consigo ver à minha frente um grande coração cósmico que bate constantemente...

— Para mim, ambas as teorias são incríveis e fascinantes.

— E podem ser comparadas aos pensamentos contraditórios sobre a eternidade que Sofia formulou no jardim: ou o universo existiu sempre ou foi criado do nada, de repente...

— Au!

Hilde bateu na cabeça.

— O que é?

— Acho que fui mordida por um moscardo.

— Deve ter sido Sócrates, que tenta arrancar-te à inércia...

Sofia e Alberto estavam sentados no carro e ouviam o que o major dizia a Hilde sobre o universo.

— Já pensaste que os papéis se inverteram completamente? — perguntou Alberto pouco depois.

— O que queres dizer?

— Antigamente, eram eles que nos ouviam, e nós não podíamos vê-los. Agora, somos nós que os ouvimos, e eles não nos podem ver.

— Não é só isso.

— O que queres dizer?

— No início, não sabíamos que havia outra realidade, onde Hilde e o major viviam. E agora, eles não sabem nada sobre a nossa realidade.

— A vingança é suave.

— Mas o major podia intervir no nosso mundo...

— O nosso mundo era apenas fruto da sua intervenção.

— Não quero perder a esperança de poder penetrar também no deles.

— Mas sabes que é impossível. Não te lembras do que aconteceu na estação de serviço? Eu vi como tentavas retirar aquela garrafa de coca--cola.

Sofia ficou sentada a observar o jardim, enquanto o major falava sobre o big bang, a grande explosão. Foi justamente aquela expressão que a fez ter uma ideia.

Começou a remexer dentro do carro.

— O que é?

— Nada.

Abriu o porta-luvas, onde estava uma chave-inglesa, depois saiu do carro. Foi para junto do baloiço e pôs-se em frente de Hilde e do pai. Primeiro, tentou atrair o olhar de Hilde, mas não conseguiu. Por fim, levantou a chave-inglesa e bateu com ela na testa de Hilde.

— Au! — exclamou Hilde.

Em seguida, Sofia bateu com a chave-inglesa na cabeça do major, mas ele não reagiu.

— O que foi?

Hilde olhou para ele:

— Acho que fui mordida por um moscardo.

— Deve ter sido Sócrates, que tenta arrancar-te à inércia...

Sofia deitou-se na relva e tentou empurrar o baloiço, mas ficou imóvel. Ou teria conseguido movê-lo um milímetro?

— Está a levantar-se um vento frio.

— Não, está uma temperatura amena.

— Não é só isso. Há alguma coisa aqui.

— Só nós dois e esta suave noite de Verão.

— Não, há alguma coisa no ar.

— O quê?

— Lembras-te do plano secreto do Alberto?

— Sim, claro!

— Eles desapareceram da festa de repente, como se tivessem sido engolidos pela terra...

— Mais tarde ou mais cedo, a história tinha de acabar, de resto foi uma coisa que eu escrevi.

— Sim, mas não escreveste o que aconteceu depois. Imagina se estivessem aqui...

450

— Acreditas nisso?

— Eu sinto isso, papá.

Sofia voltou a correr para Alberto.

— Impressionante — admitiu Alberto, quando ela voltou a entrar no carro com a chave-inglesa na mão. — Esta rapariga é dotada de poderes raros!

O major pôs um braço à volta de Hilde.

— Estás a ouvir o som maravilhoso das ondas?

— Sim.

— Amanhã levamos o barco para a água.

— Mas estás a ouvir como é estranho o sussurrar do vento? Estás a ver como as folhas dos choupos tremem?

— Este é o planeta vivo.

— Tu escreveste que havia alguma coisa nas entrelinhas.

— Sim?

— Talvez também haja alguma coisa nas entrelinhas deste jardim.

— Bom, a natureza está cheia de mistérios. Vamos falar sobre as estrelas no céu.

— E em breve haverá também estrelas na água.

— Sim, e quando eras pequena chamavas-lhes «fosforescências» do mar, e de certo modo tinhas razão, porque as fosforescências do mar e todos os outros organismos são constituídas pela matéria que anteriormente estava junta numa estrela.

— Nós também?

— Sim, nós também somos poeira de estrelas.

— Que palavras bonitas!

— Quando os radiotelescópios captam a luz proveniente de galáxias que estão a vários milhares de milhões de anos-luz de distância, mostram-nos o aspecto do universo como era nos tempos primitivos. Vemos as galáxias mais longínquas, por assim dizer, logo a seguir ao *big bang*. Tudo o que um homem pode ver no céu, são fósseis cósmicos que têm milhares e milhões de anos. A única coisa que um astrólogo pode fazer é prever o passado.

— Porque as estrelas que formam as constelações se afastaram umas das outras antes que a sua luz chegasse até nós?

— Há alguns milhares de anos, as constelações tinham uma forma completamente diferente da que têm hoje.

— Não sabia.

— Quando a noite é clara vemos a história do universo há milhões, sim, há mil milhões de anos. De certo modo, voltamos a casa.

— Explica isso melhor.

— Nós também nascemos com o *big bang*, porque toda a matéria do universo forma uma unidade orgânica. Nos tempos primitivos, toda a matéria estava concentrada numa massa tão pesada que uma cabeça de alfinete pesava muitos milhares de milhões de toneladas. Essa «matéria primordial» explodiu devido ao excesso de gravidade, e desfez-se em muitos bocados. Mas quando olhamos para o céu, tentamos encontrar um caminho que nos leve lá acima.

— É uma maneira estranha de pôr as coisas.

— Todas as estrelas e galáxias do espaço são formadas pela mesma matéria. Parte dessa matéria comprimiu-se. Uma galáxia pode estar a mil milhões de anos-luz de outras, mas todas têm a mesma origem. Todas as estrelas e planetas são da mesma família...

— Estou a ver.

— E o que é essa matéria? O que é que explodiu há milhões de anos? De onde é que veio?

— Esse é o grande mistério?

— Mas é uma coisa que nos diz respeito, porque nós também somos feitos dessa matéria. Somos uma centelha da grande fogueira que foi ateada há milhões de anos.

— Já tinhas dito isso.

— Mas não devemos exagerar a importância dos grandes números. Basta agarrar numa pedra. Mesmo que fosse constituído apenas por esta pedra, das dimensões de uma laranja, o universo seria igualmente incompreensível. A pergunta continuaria a ser: de onde vem esta pedra?

Sofia saiu do carro vermelho e apontou para a enseada.

— Apetece-me experimentar o barco — exclamou.

— Está preso, e além disso não conseguiríamos levantar os remos.

— Vamos tentar. É o solstício de Verão...

— Bom, podemos descer até à água.

Saíram do carro e atravessaram o jardim.

No cais, tentaram soltar a amarra que estava presa a uma argola de aço. Mas não conseguiram sequer levantá-la.

— É como se estivesse pregada — disse Alberto.

— Mas nós temos muito tempo!

— Um verdadeiro filósofo nunca desiste. Se nós ao menos... conseguíssemos desfazer este nó...

— Agora há mais estrelas no céu — disse Hilde.

— Sim, é o momento em que a noite de Verão está mais escura.

— Mas no Inverno são mais brilhantes. Lembras-te da noite anterior à tua ida para o Líbano? Era o Ano Novo.

— Foi nessa altura que decidi escrever-te um livro de filosofia. Tinha estado numa grande livraria de Kristiansand, e também na biblioteca, mas não encontrei nada que se adequasse aos jovens.

— É como se estivéssemos no cimo de um dos pêlos da pelagem delicada do coelho branco.

— Será que está alguém lá fora, na noite dos anos-luz?

— O barco está a andar à deriva! — exclamou Hilde.

— Sim, é verdade...

— Não entendo. Ainda antes de tu chegares fui verificar se estava bem amarrado.

— A sério?

— Isso faz-me lembrar quando a Sofia se serviu do barco do Alberto. Lembras-te que andou à deriva no lago?

— Vais ver que foi ela outra vez — disse o major.

— Brinca, brinca, mas durante toda a noite senti que há alguma coisa aqui.

— Um de nós tem de se atirar à água.

— Então vamos os dois, papá.

ÍNDICE REMISSIVO

456

ÍNDICE GERAL

GRANDES NARRATIVAS